J'AI FAILLI TE DIRE
OUI

FEDERICO MOCCIA

J'AI FAILLI TE DIRE
OUI

roman

Traduit de l'italien par Anaïs Bokobza

calmann-lévy

Titre original italien :
Scusa Ma Ti Voglio Sposare
Première publication : Rizzoli, Milan, 2009

© Federico Moccia, 2009

Pour la traduction française :
© Calmann-Lévy, 2010

ISBN 978-2-7021-4111-3

À mes amis. Mariés ou non.
Et à tous ceux qui y réfléchissent

Je t'épouserai parce que
Tu sais me comprendre
Et personne ne sait le faire comme toi
[...]
Je t'épouserai parce que
Tu aimes rire
Et tu es à moitié folle comme moi
[...]
Je t'épouserai donc
Tu peux en être sûre
Quand un jour
Quand moi, je te trouverai

Eros RAMAZZOTI, « Ti sposerò perché »
(Je t'épouserai parce que),
extrait de l'album
Musica è, BMG, 1988.

1

– Je t'aime.

Alex voudrait le prononcer en silence, le susurrer, mais il se contente de sourire et de la regarder dormir, abandonnée sous les draps. Douce, suave, sensuelle, la bouche légèrement boudeuse, ses joues rondes froissées par l'amour. Leur amour. Leur grand amour. Il s'arrête, se raidit. Un doute. *Niki, as-tu jamais été attirée par quelqu'un d'autre ?* Ses pensées se figent, il s'éloigne un peu, comme pour mieux voir. Il sourit. *Non, ce n'est pas possible, qu'est-ce que je raconte ? Niki, attirée par un autre… impossible.* Puis encore le doute, une brève pénombre, un espace de sa vie auquel il n'a jamais eu accès. Et sa confiance fragile fond comme neige au soleil.

Cela fait maintenant plus d'un an qu'ils sont revenus du phare de l'île Bleue, la magnifique île des amoureux.

En un instant, il se retrouve là-bas.

Fin septembre.

– Alex, regarde… Regarde… Je n'ai pas peur !

Niki, perchée sur un gros rocher, complètement nue, le domine dans les rayons du couchant, elle sourit en contre-jour. Puis elle crie :

– Je sauuuute !

Elle plonge dans le vide. Ses longs cheveux foncés, un peu éclaircis çà et là par le soleil et par le sel, dessinent comme une traîne derrière elle, et plouf ! Un nuage de petites bulles disparaît dans le bleu de la mer. Alex sourit et secoue la tête, amusé.

– Je n'y crois pas, je n'y crois pas…

Il quitte le rocher où il lisait son journal, et plonge à son tour. Elle apparaît au milieu des bulles, le sourire aux lèvres.

— Tu as vu ça? Toi, tu n'en serais pas capable, tu n'aurais pas le courage.

— Mais qu'est-ce que tu racontes?

— Alors vas-y... allez, saute!

— Non, pas maintenant... J'ai mieux à faire.

Ils rient, s'enlacent, nus, agitant leurs pieds pour se maintenir à la surface. Un baiser salé, long, doux, au goût d'amour. Leurs corps chauds s'approchent et s'unissent dans l'eau fraîche. Seuls. Seuls au milieu de la mer. Un baiser, un autre, encore un autre. Une brise légère se lève. Le journal s'envole, se laisse porter par le vent, plus haut, toujours plus haut, comme un cerf-volant, furieux et rebelle, qui s'ouvre soudain, déploie ses ailes et se multiplie en une série de pages identiques avant de retomber à pic, juste sur Alex et Niki.

— Nooooon! Mon journal...

— Alex, ce n'est pas grave! Qu'est-ce que tu voulais savoir de si important?

Alors ils se séparent pour ramasser les feuilles mouillées : une publicité, des nouvelles tragiques, les pages économiques, les faits divers, la politique, les spectacles.

— C'est mon journal...

Mais Alex sourit soudain. *C'est vrai, ça, qu'y avait-il de si important? Je n'ai besoin de rien. J'ai tout : je l'ai, elle.*

Alex regarde Niki dormir et, comme par enchantement, il se retrouve devant le feu allumé sur la plage, ce soir-là. Ils mangent du poisson tout frais pêché qu'ils font griller sur du bois ramassé dans le maquis alentour. Ils regardent les flammes s'éteindre tout doucement, écoutent le bruit de la mer et se baignent à la lueur de la lune dans les puits d'eau chaude, qui se sont formés après la marée haute.

— Allez, viens, on va dans la grotte secrète, ou plutôt non, dans la grotte reflet, ou bien non, dans la grotte arc-en-ciel...

Ils ont donné un nom à chaque recoin de la plage, des puits naturels aux arbres, aux rochers, aux falaises.

— Celui-là, c'est le rocher éléphant!

Parce qu'il a la forme d'une grande oreille.

— Celui-là, c'est le rocher lune, et celui-là le rocher chat... Et l'autre, là-bas, tu le reconnais?

— Non, c'est quoi?

— C'est le rocher sexe.

Elle s'approche d'Alex et le mord.

— Aïe, Niki…

— Ce que tu es barbant… Et moi qui pensais que sur cette île on était comme dans *Le Lagon bleu* !

— J'aurais plutôt dit Robinson Crusoé et Vendredi…

— Dans ce cas, je vais faire la sauvage pour de vrai !

Elle le mord à nouveau.

— Aïe ! Niki…

Perdre la notion du jour et de la nuit, du temps qui passe, des horaires. Manger et boire seulement quand on en ressent le réel besoin, oublier les disputes et la jalousie.

— C'est le paradis, ici…

— Peut-être. En tout cas, cela s'en rapproche beaucoup…

Niki sourit.

— Que fais-tu ?

— J'ai envie…

— On risque d'aller en enfer…

— Je préférerais un laissez-passer pour le paradis…

Niki fait des petites bulles avec ses lèvres, comme le gargouillement léger d'une petite fille qui ne sait pas vraiment ce qu'elle veut dire, comme si elle avait besoin d'un peu de considération. Et d'amour. Alex lui sourit.

Ils sont rentrés à Rome depuis plus d'un an et chaque jour a été différent, comme s'ils avaient pris tous deux à la lettre cette chanson des Subsonica : « Entre nous, l'habitude est un sujet à éviter, entre les phrases de douleur et de joie, elle ne nous est jamais concédée[1]… »

Niki s'est inscrite en fac de lettres, elle a déjà passé quelques examens. Alex a repris le travail. Or, le temps passé sur l'île Bleue les a marqués, leur a donné confiance en eux… Après leur retour, Alex a trouvé bizarre de revenir au quotidien, il a donc décidé de tout quitter, pour qu'aucune page de sa nouvelle vie ne puisse avoir le goût du passé.

Un jour, il lui a fait une incroyable surprise.

— Alex, on a l'air de deux fous, comme ça…

— Mais non. Et puis, nous sommes arrivés. Je vais t'aider.

— Tu as intérêt… Je ne vais pas pouvoir descendre de la voiture toute seule, les yeux bandés ! Je risque de sortir du mauvais côté, et puis de traverser la route, et…

---

1. Extrait de SUBSONICA, *Terrestre*, « Abitudine », EMI, 2005.

— Mon amour! Ne plaisante pas avec ça… Quoi qu'il en soit, si cela arrivait, je ne t'oublierais jamais.

— Crétin!

Niki, les yeux toujours bandés, essaie de le frapper à l'épaule, mais elle l'atteint au cou.

— Aïe!

— Bien fait pour toi.

— Pourquoi?

— Pour tes méchancetés.

Alex se masse la nuque, sous le regard ébahi du gardien de l'immeuble.

— Mais, mon amour, c'est toi qui l'as dit…

— Oui, mais ensuite tu as fait cette blague débile!

— Laquelle?

— Tu le sais très bien! Que tu ne m'oublierais jamais, si je me faisais écraser par une voiture…

Alex la prend par la main et l'emmène vers l'entrée.

— Tu as compris ce que j'ai dit, Alex? demande-t-elle en le pinçant.

— Aïe! Bien sûr, mon amour…

— Tu ne dois jamais m'oublier, quoi qu'il arrive…

— D'accord, mais si par exemple là, tout de suite, les yeux bandés, tu finissais sous un scooter…

— Crétin!

Niki essaie à nouveau de le frapper, mais cette fois Alex esquive le coup.

— Mon amour, je plaisantais…

— Moi aussi! déclare-t-elle en essayant de le pincer.

— Aïe!

— Tu as compris, oui ou non?

Niki rit, Alex la prend par les épaules et la pousse vers l'avant, non sans garder ses distances.

— Bonjour, monsieur Belli.

Le gardien le salue d'un air amusé. Alex met un doigt sur ses lèvres pour lui faire signe de se taire.

— Chut!

— Qui était-ce? demande Niki, méfiante.

— Un monsieur.

— Oui, j'ai entendu… et il te connaît! Mais où sommes-nous?

14

— C'est une surprise, c'est bien pour ça que tu ne dois rien voir pour le moment! Voilà, arrête-toi ici. Ne bouge pas, hein... ajoute-t-il en la devançant pour ouvrir la porte de l'immeuble.

— Je ne bouge pas, dit Niki en croisant ses bras sur sa poitrine.

Alex entre, appelle l'ascenseur, puis revient la chercher.

— Voilà, avance, comme ça, attention à la marche, tout droit... Attention!

Niki prend peur et fait un bond en arrière.

— Qu'y a-t-il?

— Oh non, pardon, rien... Je me suis trompé!

— Crétin! Tu m'as fait marcher!

Alex rit. L'ascenseur arrive. Au moment où les portes vont se refermer, un petit bonhomme grassouillet les y rejoint. Il les regarde : Alex l'air amusé, Niki les yeux bandés, puis à nouveau Alex. Alors il lève un sourcil et dit sur le ton de quelqu'un qui en a vu d'autres.

— Allez-y, allez-y... tout seuls!

Et il sort avec un sourire qui en dit long.

— On peut savoir ce qui se passe? demande Niki, un peu agitée.

— Rien, mon amour, rien, tout va bien. Suis-moi, ajoute-t-il quand l'ascenseur arrive à l'étage.

Alex la guide sur le palier et la fait entrer dans un appartement.

— Viens avec moi, Niki... Attention, passe par ici.

Il l'aide à contourner une table basse, un canapé encore sous Cellophane, un portemanteau, un téléviseur emballé, puis il ouvre la porte d'une grande pièce.

— Tu es prête? Tatatata! claironne-t-il en lui enlevant son bandeau.

— Incroyable... je suis dans ma chambre! s'exclame Niki en regardant autour d'elle. Comment as-tu fait pour rentrer chez moi? C'est quoi, cette surprise? C'étaient mes parents, tout à l'heure? Je n'ai pourtant pas reconnu la voix.

Niki sort de la pièce et manque de tomber à la renverse.

Le salon est différent, le couloir est différent, les autres pièces, les salles de bains et la cuisine sont complètement différentes. Elle revient dans sa chambre.

— Comment est-ce possible? La même table, les mêmes posters, les mêmes rideaux, les mêmes peluches. Toutes mes affaires... dans une autre maison!

— J'ai déménagé pour toi : je voudrais que tu te sentes chez toi dans mon nouvel appartement… répond-il en l'enlaçant. Quand tu auras envie d'être ici avec moi, tu auras ta chambre…

Alex s'approche et lui montre toutes les photos de l'originale qu'il conserve dans son portable.

— Comment tu as fait ?

— Une photo de temps en temps… Ce sont les peluches qui m'ont donné le plus de mal… Ça te plaît ? Tu ne peux pas dire non… Tu as tout choisi !

Niki rit, Alex la prend dans ses bras.

— On l'inaugure ? demande-t-il en l'embrassant doucement avant de murmurer tout bas, perdu dans ses cheveux : nous sommes dans ta chambre… mais aucun danger que tes parents arrivent ! C'est parfait : de l'adrénaline… en toute sécurité.

Ils finissent sur le lit. Son lit, leur lit. En un instant, ils se perdent en éclats de rire, en soupirs, et ce nouveau nid prend tout de suite la chaleur de leur amour.

Plus tard.

— Au fait… Les tiroirs du bureau, dit Alex en se penchant et en les ouvrant tous les trois, ce sont des faux, j'ai fait faire un minibar… Je ne sais pas ce que contenaient ceux de ta chambre, ajoute-t-il en sortant une bouteille de champagne… J'ai essayé de les ouvrir, mais ils étaient toujours fermés à clé.

— Petits ou grands… secrets, le taquine Niki.

Alex la regarde, sourit, puis s'assombrit. Mais ensuite, les baisers s'enchaînent. Il verse un peu de champagne et porte un toast :

— À cette nouvelle maison !

Les petites bulles, les rires, et les regards qui changent soudain… La jalousie s'évanouit d'un coup.

Alex prend Niki par la main et lui montre le salon, la cuisine, les salles de bains, tout ce qu'il reste à choisir ensemble. Ils entrent dans la chambre à coucher.

— Elle est vraiment magnifique…

Alex aperçoit son agenda sur la table de nuit. Il se rappelle ce qu'il a écrit, les mots et tous les essais stupides et inutiles, puis cette phrase : « Il y a un moment, dans la vie, où on sait que c'est exactement le moment de franchir le pas. Maintenant ou jamais. Maintenant, ou plus rien ne sera comme avant. Et ce moment, c'est maintenant. »

Franchir le pas. Franchir le pas. Soudain, sa voix. À nouveau ici, la nuit.

— Alex...

Il se tourne vers elle.

— Oui, mon amour ? Je t'écoute...

Niki a entrouvert les yeux.

— Quelle heure est-il ? Pourquoi tu ne dors pas ?

— Je pense...

— Arrête de travailler de temps en temps, mon cœur... Tu es le meilleur...

Niki se tourne doucement de l'autre côté en découvrant un peu ses jambes, ce qui allume en un instant son désir. Alex sourit. Non. Il va la laisser se reposer.

— Dors, mon trésor. Je t'aime...

— Mmh... moi aussi.

Un dernier regard à son agenda. Maintenant ou jamais. Alex glisse sous les draps, comme si tout s'était déjà passé. Il s'approche de son dos et l'enlace. Niki sourit. Il la serre un peu plus fort. Oui. C'est la bonne décision.

2

— Mon amour, je file... Le petit déjeuner est prêt !

Niki verse un peu de café fumant dans deux grandes tasses. Alex, encore endormi, s'assied en face d'elle.

— Bonjour... Tu as bien dormi ?

— Pas assez...

— À mon avis, tu vas te recoucher...

— Mais non, moi aussi je dois partir.

— Lait chaud, lait froid et les biscuits au chocolat que j'ai achetés l'autre jour. Ils sont délicieux, mais j'ai vu que tu ne les avais pas ouverts.

Alex se verse un peu de lait.

— Mon amour, tu t'en souviens ? demande Niki, à moitié cachée par la tasse.

Alex tourne et retourne la sienne entre ses mains.

— De ces tasses ? C'est la première fois que je les vois.

— Ce sont celles qu'on a achetées pendant notre première escapade à Paris ! Rappelle-toi quand je te les ai offertes tu m'as dit qu'un jour on les utiliserait au petit déjeuner, chez nous. Tu as oublié ?

— Non…

— C'est faux. Mais ça ne fait rien. Tu n'avais aucune idée en tête, en disant ça.

Alex prend un biscuit au chocolat.

— Mmh… Délicieux.

— Oui… Bon, je file, j'ai un cours génial, aujourd'hui…

Niki prend sa veste dans l'armoire.

— Ah, à propos, ce soir je ne pense pas rester dormir. Je vais rentrer chez moi, travailler un peu, aller à la gym et dîner avec mes parents. Je crois que ça les stresse, cette histoire que de temps en temps j'aille dormir chez « Olly ».

— Pourquoi ?

— Parce qu'ils ont très bien compris que « Olly », c'est toujours toi.

— Ah… bien sûr.

Alex reste planté là, son biscuit à moitié croqué à la main.

— Ne bois pas trop de café, ça t'empêche de dormir le soir… Je me trompe ?

Elle lui jette un coup d'œil entendu, mais Alex fait semblant de rien.

— Oui, tu as raison. Hier j'ai pris mon dernier café trop tard, au bureau…

Niki réfléchit un instant, mais s'arrête.

— Écoute, Alex… Non, non, rien.

— Qu'y a-t-il, Niki ? Dis-moi.

— Non, non, rien.

Elle ouvre la porte, Alex la referme et se plante devant.

— Soit tu me le dis, soit tu es en retard en cours. À quoi tu pensais ?

— Moi ?

— Ben oui, qui d'autre ?

— Je me demandais pourquoi tu me regardais dans mon sommeil cette nuit.

— Ah… soupire Alex en retournant vers la table, j'ai eu peur. Je pensais à ma chance. Je pensais : cette fille est vraiment belle. Et puis, je pensais que… J'ai presque peur de le dire.

18

Niki s'approche, les yeux brillants, pleine d'enthousiasme.

— N'aie pas peur, mon amour, je t'en prie, dis-le.

Alex la regarde dans les yeux, pousse un long soupir et se lance :

— Voilà : je n'ai jamais été aussi heureux de toute ma vie.

— Mon amour, c'est merveilleux.

Niki le serre contre elle, emportée, heureuse. Alex l'observe discrètement. Il est un peu fâché contre lui-même. Ce n'est pas tout à fait ce qu'il aurait voulu lui dire. Mais il ne le montre pas, il sourit. Niki se détache.

— Bon, là il faut vraiment que je file, sinon je vais être en retard. À tout à l'heure ! Je t'appelle.

Elle l'embrasse sur la bouche et sort.

— Oui... Ciao, mon amour.

Il repense à la phrase que chantait Mina : « Maintenant, je t'en prie, ou jamais. Maintenant ou jamais, je suis sûre que tu m'aimes, toi aussi. »

Il sourit et finit son biscuit. Franchir le pas, maintenant ou jamais. Mais ce n'est pas vrai. Il y a encore le temps. Du moins, il l'espère.

3

Le hall du bâtiment est immense, blanc, la lumière diffuse, le sol en résine donne une impression quasi lunaire à l'ensemble. Un grand escalier en colimaçon embrasse l'un des murs. De gigantesques tirages des campagnes publicitaires d'anciennes collections y trônent, témoignant de l'importance de cette maison de couture. Juste après les portes vitrées, deux jolies jeunes filles élégantes accueillent les visiteurs. Chacune est assise à un petit bureau devant un ordinateur portable, un téléphone sans fil posé à proximité. Près de la réception, un bar permet aux visiteurs d'attendre agréablement leurs rendez-vous. De l'autre côté, une très longue table basse en nacre, où s'empilent des revues de mode et des quotidiens, fait face à un immense canapé blanc confortable. Deux femmes, la quarantaine, y sont assises, attendant visiblement quelque chose. Elles portent toutes deux un tailleur moulant et des bottes beiges à talons aiguilles. Elles sont très maquillées et coiffées avec soin, l'une d'elles tient à la main une serviette en cuir. Ces femmes ont l'air d'ignorer délibérément ce qui se passe autour d'elles. À un moment, l'une regarde sa montre et secoue la tête. Apparemment, on les fait patienter un peu trop longtemps à leur goût.

Soudain, la grande porte vitrée coulisse et entre une superbe jeune femme noire vêtue d'un jean, d'un pull et de baskets, suivie d'autres femmes chargées de portants sortis d'un 4×4 garé devant l'entrée. La jeune femme s'assied dans le canapé à côté des deux quarantenaires, qui l'observent du coin de l'œil. Elles la saluent froidement avant de reprendre leur bavardage. Elle leur sourit, puis vérifie son téléphone d'un air ennuyé. Pendant ce temps, les autres continuent à décharger des vêtements empaquetés. Il s'agit probablement d'un mannequin qui doit défiler pour un client.

Olly fait les cent pas. Elle a choisi sa tenue avec soin. Elle porte un joli pantalon blanc, un pull léger et un petit blouson moulant couleur lilas, avec une grosse ceinture à la taille. Ses dessins et plusieurs photos imprimées sur support rigide sont rangés dans une chemise. Évidemment, elle a aussi apporté le CV qu'elle a déjà envoyé avec sa demande de stage. Son cœur bat très vite. Elle ne sait pas comment l'entretien va se passer, ni combien de demandes ils ont reçues. Bien que ce stage soit payé une misère, il constitue vraiment une occasion unique. Passer quelques mois dans cette maison, travailler sur une campagne, gagner la sympathie de quelqu'un, tout cela pourrait lui ouvrir bien des portes. Peut-être même pour un vrai travail. Du moins, c'est ce qu'elle espère.

Une réceptionniste fait signe au mannequin, qui se lève du canapé et monte les escaliers de sa démarche élégante, toujours suivie de ses assistantes.

Zut, pense Olly, *elle est vraiment magnifique. Et moi, c'est quand, mon tour?* Elle regarde sa montre. *Il est déjà 18 heures, or ils m'avaient dit 17 h 30. Je commence à avoir mal aux pieds, avec ces chaussures. Je les porte depuis tôt ce matin. Je n'ai pas l'habitude, les talons sont trop hauts.* Elle lance un dernier regard au mannequin, qui disparaît en haut des escaliers. *Elle a de la chance, elle, avec ses baskets. Mais elle n'a rien à prouver : elle a déjà un travail.*

Peu après, on l'appelle :

— S'il vous plaît, mademoiselle Crocetti...

Olly se tourne.

— Oui?

— On vient de m'avertir que vous pouvez monter. Egidio Lamberti vous attend. Montez et frappez à la première porte à droite. Son nom est sur la plaque...

20

Olly la remercie et grimpe les escaliers. *Egidio. Quel drôle de nom. Il est né quand, ce type, en l'an mille avant Jésus-Christ ? C'est vraiment un nom de l'Antiquité.* Au milieu de l'escalier, elle se prend les pieds dans son porte-documents qui a buté contre une marche. Elle jette un coup d'œil dans le hall où les deux quarantenaires, toujours assises sur le canapé, ont évidemment tout vu. Olly se reprend. *Non, je ne veux pas voir leurs têtes, ni savoir si elles vont se moquer de moi. Je ne veux pas qu'elles me portent la poisse, ces deux dindes.* Elle reprend sa route, la tête haute. Elle regarde à droite et aperçoit la plaque sur la porte : Egidio Lamberti. Elle frappe doucement. Personne ne répond. Elle frappe à nouveau, un peu plus énergiquement. Toujours pas de réponse. Elle tente une troisième fois, mais trop fort. Elle met une main sur sa bouche, comme pour s'excuser d'avoir exagéré. Enfin, une voix depuis le bureau :

— Ah, enfin… entrez, entrez.

Olly hausse un sourcil. *Enfin quoi ? Ce n'est pas de ma faute, si on m'a fait attendre plus d'une demi-heure. J'étais à l'heure, moi, et même en avance.* Cette voix nasale lui fait une drôle de sensation. Elle appuie sur la poignée.

— Je peux ?

Pendant quelques secondes, elle se contente de passer la tête par la porte pour regarder à l'intérieur. Elle attend un signe, quelque chose, un « je vous en prie ». Mais rien. Alors elle prend son courage à deux mains, ouvre la porte en grand, entre et la referme.

Derrière une immense table en cristal, un homme d'une quarantaine d'années, les tempes grisonnantes, lunettes à monture criarde, chemise rouge, pull rose et béret à carreaux, est assis devant un Mac. Quarante ans. Ce prénom est d'autant plus ridicule, pense Olly.

L'homme lui fait signe de s'approcher sans lever les yeux de son écran. Olly fait quelques pas en titubant légèrement.

— Bonjour, je m'appelle Olimpia…

Il ne lui laisse même pas le temps de dire son nom de famille. Toujours sans la regarder, il l'interrompt :

— Oui, oui, Crocetti… Je sais. C'est moi qui vous ai donné rendez-vous, donc je sais qui vous êtes, non ? Allez, asseyez-vous. Olimpia, quel drôle de nom…

Le cœur d'Olly bat de plus en plus fort. *Qu'est-ce qu'il veut, ce type ? Olimpia, un drôle de nom ? Et le sien, alors ?* Elle a une sensation très désagréable. *Non, non, non. Pas comme ça. Reprends-toi. Courage. Respire, allez, ce n'est rien. Il est juste un peu énervé, il a peut-être mal dormi, ou mal mangé, il n'a pas fait l'amour cette nuit, ou bien depuis très longtemps… Mais ça reste un homme… Je l'aurai.* Olly arbore son plus beau sourire. Charmant. Ouvert. Serein. Intrigant. Le sourire d'Olly à l'attaque.

— Bien. Je suis ici pour la demande de stage… Ça serait un honneur pour moi…

— Un peu, que ça serait un honneur pour vous… Nous sommes l'une des maisons de mode les plus importantes au monde…

Il tape sur le clavier de son ordinateur sans même la regarder.

Olly déglutit. Sensation vraiment très désagréable. *Non. Les choses n'iront pas de travers aujourd'hui. Ce type est cassant et stressé, comme la plupart des gens qui travaillent trop, sont toujours à cran et ne se reposent jamais. Mais je peux le faire. Je dois le faire.*

— C'est vrai. C'est pour cette raison que je vous ai choisis…

— Non, vous ne nous avez pas choisis. Nous ne sommes pas choisis. Nous choisissons.

Cette fois, il lève les yeux de son écran. Olly se sent rougir des joues à la pointe de ses oreilles. Heureusement qu'elle ne s'est pas attaché les cheveux, sinon ça se verrait. *Je le déteste. Je le déteste. Je le déteste. Mais qui est-il ? Pour qui se prend-il ?*

— Oui, tout à fait, évidemment. Je disais seulement que…

— Vous n'avez rien à dire. Vous n'avez qu'à me montrer vos travaux, un point c'est tout. Ils parleront pour vous… Allez… dit-il en la pressant. C'est pour ça que vous êtes ici, non ? Voyons un peu ce que vous savez faire… et surtout combien de temps vous allez me faire perdre.

Cette fois, Olly est vraiment énervée, mais elle tient bon. Parfois, il faut savoir encaisser pour obtenir ce que l'on veut. Inutile de lui tenir tête. Aucun doute, c'est un vrai salaud… Elle pose son dossier sur le bureau et lui présente ses travaux : des dessins réalisés avec plusieurs techniques, quelques vêtements, et des photos. De Niki. Diletta. Erica. D'inconnus dans la rue. Des portraits. Des aperçus. Des paysages. Egidio en écarte certains d'un air ennuyé. Il grommelle quelque chose. Olly tend l'oreille.

— Mmh… Banal… Déjà vu… Horrible… Semi-passable…

Olly est mortifiée. Le fruit de tant de labeur et d'imagination, de nuits blanches, d'intuition à saisir avec un papier et un crayon, ou un appareil photo. Traités ainsi, avec suffisance, dégoût même, par un type qui s'appelle Egidio, et s'habille en rouge et rose, tel un géranium. Il arrive à sa dernière œuvre. Un travail sur Photoshop à partir de l'une des dernières campagnes publicitaires d'une maison de couture. De cette maison de couture, pour être précis. Egidio la regarde. L'observe. La scrute. Et grommelle à nouveau.

Ah non ! Pas encore ! Olly tente d'intervenir.

— Ça, je l'ai fait comme ça, pour me sentir déjà un peu parmi vous...

Egidio lorgne vers elle par-dessus ses lunettes. Olly est gênée, elle détourne la tête vers le mur sur sa droite. Et là, bien en vue sur un meuble en bois précieux de style moderne, un grand trophée précieux, avec en dessous une plaque : *À Egidio Lamberti, l'Eddy de la mode et du goût. British Fashion Awards.* Elle regarde encore. Sur le mur, d'autres récompenses sont affichées. Mittelmoda. Prix du Meilleur Jeune Styliste 1995. Et encore d'autres diplômes et plaques. Tous portent son nom. Pas Egidio. Eddy. C'est déjà mieux. Le nom, au moins.

Olly pivote vers Egidio-Eddy.

— C'est-à-dire, expliquez-moi... Vous êtes en train de me dire que, pour vous sentir plus proche de nous, vous nous volez une publicité ? C'est ça, votre concept de la créativité ?

Olly, stupéfaite, ne trouve rien à répondre. Ses yeux se remplissent de larmes, mais elle les ravale et se rappelle cette phrase qu'elle écrivait dans son agenda, à l'école : « Les bons artistes copient, les grands artistes pillent. » Sans s'en rendre compte, elle la prononce à haute voix.

— Pour l'instant, vous n'en êtes même pas au stade de la copie...

Olly manque de s'étrangler de rage, elle est à deux doigts de reprendre tous ses travaux, pourtant, sans bien savoir pourquoi, pour la énième fois elle respire profondément, plante ses yeux dans ceux d'Egidio-Eddy et lance :

— Alors, je suis retenue pour le stage ?

Il réfléchit un peu. Il jette à nouveau un œil sur son écran, tape quelque chose.

— Parmi toutes les personnes que j'ai vues jusqu'ici, vous êtes la moins désastreuse. Mais juste parce que vous avez l'air un peu réveillée... Et vous semblez avoir du caractère, ajoute-t-il. Vos travaux sont pénibles, en revanche. Je peux vous affecter au service marketing, vu que nos campagnes publicitaires vous plaisent tant que ça... et évidemment, au départ, vous vous contenterez de faire des photocopies et du café. Vous mettrez aussi de l'ordre dans les listings pour envoyer des invitations et des pubs. Mais ne vous sentez pas dénigrée pour autant. Personne ne veut jamais comprendre, et surtout pas vous, les jeunes d'aujourd'hui, combien on apprend en écoutant et en évoluant en marge de la scène. Voyons si vous êtes assez humble pour résister... et puis on avisera... Maintenant, reprenez vos dessins d'école maternelle et sortez. À demain matin, 8 h 30. Précises, ajoute-t-il en levant une dernière fois les yeux pour la regarder fixement.

— À demain, alors. Bonne soirée.

Il ne répond pas. Olly referme la porte derrière elle. Une fois dehors, elle s'y appuie et lève les yeux au ciel, puis elle les ferme et soupire.

— Dur, hein?

Olly les rouvre d'un coup et se retrouve face à un jeune homme, à peine plus grand qu'elle, brun, avec des yeux verts intenses, des lunettes à monture légère et l'air amusé.

— Je sais, Eddy a l'air sans pitié. Il l'est. Mais si tu réussis à le convaincre, c'est gagné.

— Tu crois? Je ne sais pas... Déjà, c'est la première fois qu'un homme ne me regarde même pas une seconde! Je me suis posé toutes les questions possibles : j'ai vingt ans, mais serais-je déjà en train de vieillir? De devenir moche? Bref, ce type est déprimant! J'ai le moral à zéro!

— Non, aucun rapport... Il est comme ça. Excentrique. Perfectionniste. Sans pitié. Mais il est aussi très doué, génial, et surtout capable comme personne d'autre de découvrir des talents. Alors, il t'a prise, oui ou non?

— Il m'a dit de venir demain pour faire des photocopies. Un bon début...

— Tu plaisantes! Un peu, que c'est un bon début! Tu ne peux pas savoir combien de personnes aimeraient être à ta place.

— Elle est belle, notre époque, si les gens rêvent de faire des photocopies. Mais bon, si c'est le seul moyen pour apprendre quelque chose sur la mode et le stylisme, je m'en contenterai...

Le jeune homme sourit.

— Bravo! Sage et patiente. En tout cas, je m'appelle...

Lorsqu'il tend la main pour se présenter, les feuilles qu'il tenait sous le bras s'éparpillent par terre, certaines volent même jusqu'en bas de l'escalier. Olly rit. Le garçon devient écarlate.

— Je m'appelle manchot, voilà comment...

24

Il se penche pour les ramasser. Olly s'agenouille pour l'aider.

— D'accord, manchot c'est ton nom, mais ton prénom?

Elle lui sourit. Le garçon a l'air soulagé.

— Simon, je m'appelle Simon… Je travaille ici depuis deux ans. Je suis au service marketing.

— Non, je ne te crois pas.

— Tu peux me croire, c'est la vérité.

— Moi aussi! À partir de demain, si tu as des photocopies à faire, je m'en chargerai. Eddy a décidé que je commencerai par là, parce que mes dessins sont nuls.

— Ça alors! Alors d'accord, je te chargerai de papiers!

— Tu as déjà commencé, apparemment… dit-elle tout en continuant à ramasser.

— C'est vrai, excuse-moi, tu as raison. Laisse-moi finir, tu as été trop gentille. Si tu dois y aller, vas-y… répond Simon, gêné.

Olly récupère encore quelques feuilles, descend quelques marches et prend toutes celles qui ont volé jusque-là. Elle remonte et les lui tend. Puis elle avise sa montre. 19 heures.

— OK, j'y vais.

Simon se relève.

— Tu dois avoir plein de choses à faire. À partir de demain, tu n'auras plus beaucoup de temps libre! Profites-en ce soir!

Olly lui fait un signe de la main et descend l'escalier. Il est marrant. Un peu gauche, mais marrant. Simon lui adresse un ultime coup d'œil. Agile, mince, soignée. Belle. Oui, vraiment belle. Il se réjouit de la revoir le lendemain pour les photocopies. Olly attend que la porte vitrée s'ouvre, salue les deux réceptionnistes et sort du bâtiment. Elle s'apprête à rejoindre son scooter quand elle aperçoit une Fiat 500 flambant neuve, blanche avec des bandes noires sur les côtés. Olly lève la main et sourit au conducteur. Elle court à sa rencontre, ouvre la portière.

— Giampi! Qu'est-ce que tu fais ici? dit-elle en l'embrassant sur la bouche. Je suis contente! Quelle surprise!

— Mon trésor, je savais que c'était un jour important pour toi, je suis venu te chercher! Laisse ton scooter ici, je te raccompagnerai après, répond-il en passant la première.

— OK, génial! Parfois, je suis vraiment contente que tu existes…

Giampi la regarde, l'air faussement déçu.

— Pourquoi parfois? Pas toujours?

— Ça dépend… Mais là, j'avais vraiment besoin d'un peu d'amour!

Giampi sourit à nouveau. Même s'il a du mal avec ce mot, il décide de ne pas le faire remarquer.

— Alors… comment ça s'est passé ?

— Un désastre. Mais excellent, apparemment…

Elle lui raconte tout tandis qu'ils prennent la route du centre, laissant le grand bâtiment derrière eux.

4

Niki fonce jusqu'à l'université, gare son scooter et se glisse dans la foule qui entre par la porte donnant sur les boulevards. Elle avance d'un bon pas entre les parterres fleuris et les jets d'eau des fontaines. Quelques jeunes gens sont assis sur les marches de son bâtiment. Elle en connaît certains : Marco et Sara, Luca et Barbara, et sa nouvelle amie Giulia.

— Que faites-vous dehors ? Vous n'êtes pas au cours ?

Luca tourne rapidement les pages de la *Repubblica*, qu'il semble avoir déjà lue.

— L'*Onda*[1] occupe encore la salle.

L'espace d'un instant, Niki a envie de rire. Elle pense à Diletta, Erica, et surtout à Olly. Une onde[2] « occupe » … on se demande bien qui ! On peut s'attendre à tout ! Mais elle reprend son sérieux. Elle sait bien qu'il ne s'agit pas de ses amies.

— Encore ! Quelle barbe ! Il y avait un super cours de littérature comparée. Pour une fois que c'était intéressant…

Soudain, une voix dans son dos, inconnue…

— « Toi, forme silencieuse, ton énigme excède notre pensée. Comme fait l'Éternité. »

Ces mots lui plaisent. Elle se retourne et découvre un garçon inconnu. Grand, mince, longs cheveux ondulés. Un beau sourire.

---

1. Mouvement universitaire né à l'automne 2008 pour protester contre certaines mesures législatives et socio-économiques du gouvernement. *Toutes les notes sont de la traductrice.*

2. Les prénoms des quatre amies (Olly, Niki, Diletta, Erica) forment le mot « onde », et c'est le nom qu'elles ont donné à leur bande. *Onda* signifie vague en italien. Voir *J'ai failli te dire je t'aime*, éditions Calmann-Lévy, 2008.

Il lui tourne autour, la renifle, fait mine de se perdre dans ses cheveux mais sans trop s'approcher, sans la toucher, se contentant de l'effleurer.

— « Au monde rien n'est stable. Le tumulte est votre seule musique. »

— Ce n'est pas de toi, dit Niki en levant un sourcil.

— En effet, c'est de Keats. Mais je te l'offre volontiers.

Luca enlace Barbara.

— Ne fais pas attention, Niki. Lui, c'est Guido... Nous nous connaissons depuis l'enfance. Il a vécu à l'étranger ; son père est diplomate, et il est rentré l'an dernier...

— Kenya, Japon, Brésil... Argentine. Là où les deux pays se rejoignent, aux cascades d'Iguazú. Là où se forment les arcs-en-ciel magiques. Où viennent boire les cabiais fatigués et les jeunes jaguars, où vivent les animaux de la forêt, l'interrompt Guido.

Luca sourit.

— Et où les femmes des tribus viennent se baigner au crépuscule. J'ai encore les photos que tu m'as envoyées.

— Tu as l'esprit mal tourné, ce n'était qu'un reportage photo sur de candides couchers de soleil, sur l'harmonie magique entre l'homme et l'animal.

— Si tu le dis... Moi je me rappelle des femmes superbes... et surtout complètement nues.

— Parce que c'est tout ce que tu as voulu remarquer...

Barbara donne un coup de coude à Luca.

— Dis-moi... elles sont où, ces photos ? Je ne les ai jamais vues.

— Je les ai jetées il y a deux ans... Juste avant de te rencontrer...

Il essaie de l'embrasser, mais elle s'échappe.

— La prochaine fois que je viens chez toi, je fouille tous les tiroirs...

Luca écarte les bras, pose une main sur son torse et tend l'autre vers le ciel.

— Je te le jure, mon trésor... Je les ai jetées ! Et puis, de toute façon, c'était lui, qui m'entraînait sur la route de la perdition...

Barbara lui assène un autre coup de coude.

— Tu as compris, Niki ? Observe-le bien, Guido. Il aime la poésie, le surf... mais surtout les belles filles.

— Je ne comprends pas pourquoi j'ai cette réputation, répond Guido en haussant les épaules. Je me suis inscrit en lettres parce que

27

j'avais envie d'étudier. C'est vrai, j'aime le surf et les vagues parce que, comme le disait Eugene O'Neill, « On n'est vraiment libres que sur la mer ». Et en ce qui concerne les belles filles... c'est sûr, dit-il en s'approchant de Niki, tout sourire. On les regarde, ajoute-t-il en lui tournant autour, on observe comment elles sont habillées, on s'amuse de leurs choix... On imagine... Mais une belle femme sans autres qualités, à quoi ça peut servir? À faire bon effet auprès des autres. Quels autres? Nous ne vivons pas que d'apparences. Et la beauté de l'âme, alors? Celle qui est réservée aux vrais amis. Oui, c'est de cette beauté dont je voudrais vivre...

Guido tend la main à Niki.

— On fait connaissance?

— Je suis désolée... Pour cette année, j'ai déjà rencontré trop de gens, dit-elle en haussant les épaules avant de s'en aller.

Giulia descend du muret où elle était assise.

— Attend, Niki, je viens avec toi!

Guido, abasourdi, se tourne vers Luca et Barbara, qui se moquent de lui.

— Ça n'a pas été un grand succès!

— Grâce à votre publicité...

— C'est une amie à nous...

— Moi aussi, j'aurais voulu qu'elle devienne mon amie.

— Oui, bien sûr... ta proie, plutôt!

— Vous n'avez vraiment pas une bonne opinion de moi. Quoi qu'il en soit, cette Niki a été on ne peut plus claire.

— C'est-à-dire?

— C'est tellement banal... elle cherche à se faire désirer! Elle m'a lancé un défi, et comme disait Thucydide : « Les plus braves sont certainement ceux qui ont la plus claire vision de ce qui est devant eux, aussi bien la gloire que le danger, et pourtant sortent à leur rencontre. »

— Téméraire! rit Marco.

Luca secoue la tête.

— Si Niki avait été un thon, j'aurais été curieux de savoir si tu aurais été prêt à affronter tous ces dangers...

5

Erica lève les yeux de son livre d'ethnologie et anthropologie culturelle. Elle essaie d'apprendre par cœur un passage qu'elle juge important pour l'examen, mais renonce en plein milieu, essaie à nouveau, et renonce encore. Rien à faire, ça ne rentre pas. Inutile d'insister. Elle va à la cuisine, met de l'eau dans la bouilloire, prépare la tisanière, le sucre de canne et une petite cuillère, puis elle prend dans le placard la boîte en fer-blanc contenant les sachets de tisane. Elle hésite. *Celle-là, non. Celle-là, j'en ai bu hier. Celle-ci n'a aucun goût. Voilà, celle-là. Groseille, vanille et ginseng.* Quand l'eau bout, elle la verse dans la tisanière, glisse le sachet et couvre la tasse. Au bout des trois minutes rituelles, elle retire le couvercle, ajoute du sucre et s'assied. Elle souffle et en boit une gorgée. *Elle est bonne. On sent bien la groseille.* Elle boit encore en savourant le mélange des saveurs.

Cette tasse blanche avec une petite frise de fleurs orange en haut, de la marque Thun, c'est un cadeau de Giò avant Noël, trois ans plus tôt. Il connaissait la passion d'Erica pour les tisanes et tous les accessoires pour les préparer, alors il lui avait offert une tisanière, un filtre et un couvercle, plus un mélange de thé blanc, mauve et hibiscus. Erica avait beaucoup apprécié cette attention recherchée. Comme devrait être tout ce qu'on fait avec le cœur. Depuis, elle l'utilise tout le temps, c'est d'ailleurs un miracle qu'elle ne l'ait pas cassée, comme elle le fait souvent avec les autres tasses. Giò. Son Giò.

C'est bizarre. Je l'ai quitté, oui, mais au fond je n'arrive pas à m'en détacher. Les Ondes se moquent de moi, elles disent que je n'arrive pas à couper le cordon. Que je le traîne derrière moi comme un boulet. Mais ce n'est pas vrai. Je l'aime bien, Giò. C'est quelqu'un de merveilleux. J'ai bien le droit de le garder comme ami, non ? Et puis, si ça lui va comme ça, à lui… Il pourrait dire stop, mais il ne le fait pas. Au fond, c'est très naturel : on s'appelle, on boit une bière, on s'envoie des textos, des e-mails, on chatte sur Facebook, on se balade, on va au cinéma, à des concerts. C'est tout. Bon, c'est sûr, on ne couche plus ensemble. On est amis. Et même plus qu'amis, justement parce que nous savons ce que c'est d'être ensemble, avec toutes les complications que ça implique, et maintenant on ne prend plus que le meilleur. Qu'y a-t-il de si bizarre ? Ce sont les autres, qui ne sont pas assez mûrs pour transformer une relation amoureuse en amitié. Moi je suis contente de ne pas avoir perdu Giò. Erica prend une autre gorgée de tisane. *En plus, je sais qu'il prendrait sans doute mal que je sorte avec quelqu'un d'autre, mais il ne s'agit pas de me fiancer. Heureusement, je ne lui raconte pas tout. Aux Ondes non plus, d'ailleurs. Si Diletta savait avec combien de garçons je suis sortie depuis que je ne suis plus avec Giò, elle me trouverait vraiment légère. En fait, tout dépend de notre façon de faire. Elles peuvent parler, elles. Niki est avec Alex. Olly est amoureuse de Giampi. Diletta a Filippo. Elles se sont engagées. Arrêtées. Elles ont décidé que ça suffit comme ça, qu'elles n'ont pas besoin d'en connaître d'autres. Mais comment peuvent-elles être sûres que c'est le juste choix? Moi, je veux comprendre. Expérimenter. Je veux rencontrer des gens. Comparer. C'est le seul moyen pour reconnaître le bon. Grâce à tous ceux que j'aurai rencontrés. Certes, ce sont des petites histoires sans importance, mais je ne fais de mal à personne. Je me comporte comme les hommes! On ne les critique pas, quand ils flirtent avec plein de filles différentes. C'est toujours la même histoire. Les femmes sont des filles faciles, les hommes des tombeurs. Olly agissait pareil avant, ce qui n'empêchait personne de la trouver sympathique. Maintenant, c'est mon tour. Et puis, les seules filles avec qui je m'entends vraiment bien, ce sont les Ondes. Les autres ne sont que des connaissances. Avec les hommes, tout est plus simple. Ils sont directs, sincères, sympathiques. Pas de compétition, nous sommes à égalité, eux et moi. Francesco, par exemple, il me plaît, il est sympa, gentil, je suis bien avec lui, mais ce n'est pas mon petit ami. Je pense qu'il l'a compris et que ça lui convient. Et puis, je crois que si je me comporte avec sincérité et spontanéité, je ne peux pas me tromper. Le cœur a toujours raison. Les chansons, les livres et les films le disent. Et mon livre d'ethnologie aussi, dans le fond.*

Erica boit une dernière gorgée de tisane puis elle lave la tasse et la petite cuillère. Elle s'apprête à retourner dans sa chambre quand on sonne à l'Interphone. Erica regarde sa montre : 17 heures. *Je n'attends personne.* En passant, elle jette un coup d'œil dans sa chambre. Francesco est encore endormi sur le lit. Tant mieux, il n'a pas entendu. Erica va répondre.

— Qui est-ce? dit-elle doucement.

— Salut, petit cœur, tu fais quoi?

Erica a un instant de recul. Impossible. Que fait-il ici?

— Antonio, c'est toi?

— Bien sûr, qui veux-tu que ce soit? Pourquoi tu parles tout bas, je ne comprends rien, avec le bruit de la circulation... Écoute, ça te dirait de venir au Baretto, à Trastevere? Ce soir, il y a un DJ set pendant l'apéritif.

Erica ne dit rien pendant un moment, puis répond :

— Je ne peux pas, je ne me sens pas très bien, je préfère rester à la maison. Une autre fois, d'accord?

— Ah... d'accord. Dommage. Tu me fais monter un instant?

Erica soupire.

— Non, je suis déjà en pyjama. On se voit demain matin à la fac.

— OK, comme tu voudras, se résigne Antonio avec une petite grimace.

Il s'éloigne, un peu déçu, en tirant sur son pantalon taille basse d'où sort un élastique Richmond. Il y tenait vraiment, à cet apéritif avec elle. Depuis qu'il la connaît, ils ne se sont vus que quelques fois, mais il a très envie d'approfondir. Si elle n'était pas aussi fuyante...

Erica retourne dans sa chambre. Francesco dort toujours. Elle saute sur le lit.

— Tu es un sacré dormeur! dit-elle en le secouant un peu.

Francesco ouvre un œil et la regarde, puis se tourne sur le côté.

— Allez, réveille-toi! Comment peux-tu dormir avec une aussi belle femme à côté de toi?

— Ah bon, une belle femme?...

Erica lui donne un coup sur l'épaule.

— Aïe! C'est vrai... dit-il, soudain beaucoup plus réveillé. Maintenant que je te regarde mieux, oui, pardon, tu es très belle... et même plus. On s'est croisés en rêve?

— Bravo... tu t'en sors bien... La prochaine fois, je te mets dehors, nu comme un ver...

Erica reprend son livre.

— Tu me fais réciter ce chapitre, juste pour voir si je le sais?

Francesco soupire.

— Non, je n'ai pas envie... donne-moi plutôt l'iPod, je vais écouter un peu de musique... et rêver de toi...

Erica sourit. *Il est doué pour les compliments.* Elle se penche sur le bureau, attrape le lecteur et le lance à Francesco. *Bon, je réciterai toute seule. Je veux faire bonne figure devant le professeur Giannotti la semaine prochaine, pendant l'oral. Il faut qu'il en soit bouche bée. Non pas que je tienne particulièrement à cet examen... mais il est trop beau, ce prof!*

En rangeant les tiroirs de la commode de la chambre à coucher, Cristina tombe sur des T-shirts de Flavio, bien pliés. Elle les serre contre elle, les sent. Elle ressent de la tendresse et de la rage à l'égard de son mari. Elle se rappelle chaque moment avec lui. Ils sont mariés depuis huit ans. Ils sont censés avoir passé la fameuse crise de la septième année. Mais ce n'est qu'une légende urbaine, le fruit du cynisme humain. Soudain, elle repense au jour où elle lui a acheté le T-shirt qu'elle tient à la main, et au moment où il l'a mis pour la première fois. Puis elle remarque une enveloppe ivoire, comme du parchemin, cachée sous la pile. Elle ne l'a jamais vue. Elle l'ouvre avec un pincement au cœur et reconnaît son écriture précise, épurée, légèrement penchée vers la droite. Elle regarde la date qui figure en haut à droite : 14 février 2000. La première Saint-Valentin du nouveau millénaire. Elle lit.

Mon amour. Le mot de la Saint-Valentin. Le mot de ce jour qui commence. Amour. Ton deuxième prénom. Je suis assis à la table de la cuisine. Il fait nuit, tu dors. Demain je laisserai cette lettre sous la porte. Je t'imagine, sortant de la maison encore un peu endormie, la découvrant. Tes magnifiques yeux s'illumineront en la lisant. Et, j'espère, tu souriras. Une lettre, une petite lettre qui essaie de contenir une grande histoire, la nôtre. Un merci pour tout ce que tu m'offres, et que je ne pourrai pas résumer en deux pages.

On dit qu'on ne peut pas parler d'amour, seulement le vivre. C'est vrai. J'y crois. Si je connais l'amour, c'est parce que tu me l'as fait vivre et respirer. Je l'ai appris avec toi. Et puis, j'ai compris qu'en réalité on n'apprend rien. On vit, un point c'est tout, ensemble, proches, complices. L'amour, c'est toi. L'amour, c'est moi quand je suis avec toi. Heureux. Serein. Meilleur.

Je me rappelle la première fois que je t'ai vue. Superbe. Au milieu de la piste de cette petite boîte de nuit du quartier Trastevere. Tu dansais en riant avec ton amie. Tu portais une robe bleu ciel à fines bretelles qui ondulait avec toi. Tes cheveux noirs bouclés lâchés sur tes épaules, tu avais les yeux fermés et tu suivais le rythme. Je t'ai vue, et je n'ai plus cessé de te regarder. Mes amis voulaient aller dans une autre boîte, je les ai laissés partir. J'ai couru au bar prendre deux boissons et je me suis faufilé entre les gens en tenant les verres bien au-dessus de ma tête pour que personne ne les renverse, je me suis approché de toi, dans ton dos, tu dansais toujours. Ton amie m'a vu, elle t'a fait un signe du menton, et tu t'es tournée. De près, tu étais encore plus belle. Je t'ai souri et tendu un verre. Ton expression sérieuse s'est vite transformée en une sorte de grimace, puis en sourire. Tu as pris le verre et nous avons trinqué, deux inconnus sur une piste de danse. Puis nous avons parlé. Tu étais non seulement belle, mais aussi sympathique. Progressivement, j'ai découvert tes mille autres qualités. J'ai de la chance. Beaucoup. Quand je repense à tout ce que nous avons fait ensemble, je souris de bonheur.

Notre week-end à Londres. Notre promenade dans Soho, le dîner, faire l'amour dans ce parc au risque d'être découverts. Et nos rires. Nos tentatives pour parler anglais. Nos gaffes. Et puis la fois où nous sommes allés à Stromboli, nous nous tenions par la main en déambulant dans les ruelles fleuries, en longeant les petites maisons blanches. L'ascension du volcan. Les dîners aux terrasses des petits restaurants de poisson. Moi me moquant de toi, à califourchon sur cet âne qui ne t'écoutait pas quand tu voulais qu'il aille à gauche, ton air drôle, un peu désespéré, quand tu renonçais. Et encore nos soirées romaines, nos promenades jusque tard dans la nuit, dont nous ne nous lassions jamais, mille choses à se raconter. Et puis, soudain, s'embrasser et sentir tes lèvres si douces à peine recouvertes de gloss fruité. Toutes les soirées avec toi, même les plus simples, sont spéciales. Il suffit d'un rien. Peu importe où, pour moi c'est toujours une fête. Même quand nous nous disputons, ce qui arrive rarement d'ailleurs, parce que cela ne dure pas et que nous faisons toujours la paix.

J'ai mille souvenirs splendides de toi. Plus le temps passe, plus je suis amoureux. Je t'aime quand tu souris. Je t'aime quand tu es émue. Je t'aime quand tu manges. Je t'aime le samedi soir quand nous allons au pub. Je t'aime le lundi matin quand tu as encore sommeil. Je t'aime quand tu chantes à tue-tête aux concerts. Je t'aime le matin quand tu ne trouves pas tes chaussons pour aller à la salle de bains. Je t'aime sous la douche. Je t'aime à la mer. Je t'aime la nuit. Je t'aime au crépuscule. Je t'aime à midi. Je t'aime maintenant, pendant que tu lis ma lettre, mes vœux de Saint-Valentin, et peut-être que tu te dis que je suis un peu fou. C'est vrai. Et maintenant va te préparer. Sors. Vis ta journée. Profite de ma pensée qui essaie de te voler un sourire pour te voir resplendir. Meilleurs vœux, mon amour… Dans une heure, je passe te prendre. Les surprises ne sont pas finies !

Deux larmes perlent des yeux de Cristina, restent suspendues quelques secondes avant de glisser sur ses joues. *Comme il était doux. Comme tout était différent. Cette envie de surprendre, d'être ensemble, de s'aimer. Nous étions spéciaux. Nous pensions être uniques l'un pour l'autre. Nous. Les autres. Le monde. Et maintenant ? Où en sommes-nous ? Pourquoi me sentir aussi mal ?* Elle pleure devant les mots magnifiques écrits par Flavio tant d'années plus tôt, en pensant à leur longue histoire, à leur première rencontre, à combien il lui a plu. Il était si beau. Il lui semble impossible que tout ait changé à ce point.

7

Le soleil éclaire les flancs du mont Pincio. Un touriste aux vêtements bariolés admire la piazza del Popolo en indiquant un détail, un recoin, ou peut-être la prochaine étape de sa promenade. Un couple de Japonais manie un petit appareil numérique en étudiant les différents cadrages possibles, et pousse un petit cri quand ils ont trouvé le meilleur.

— Attention, tu leur passes devant.

— Je m'en fiche.

Diletta avance en paradant, un petit sourire railleur aux lèvres, en plein milieu du champ, entre l'objectif et le paysage à immortaliser. Le Japonais souriant s'arrête, attend. Diletta lui rend son sourire. Le Japonais tente à nouveau une photo, mais il est contraint de s'arrêter.

— Diletta...

— J'ai oublié de te dire quelque chose, dit-elle en revenant en arrière, exactement au point de départ, ce qui ne manque pas d'énerver le Japonais. Je voulais te dire que...

Elle l'embrasse sur la bouche.

— Tu es vraiment bête... c'était si urgent que ça ?

— Oui. Comme on dit : ne jamais remettre au lendemain ce que l'on peut faire le jour même. Et quand il s'agit d'amour, ce n'est pas le jour même, c'est tout de suite ! Je suis avec un génie ! Une conceptrice !

Filippo lui pince gentiment la joue.

— Aïe! Tu parles d'une récompense! Ah, au fait, je dois confirmer à Niki...

Elle prend son portable dans la poche de son blouson pour écrire un texto.

— Confirmer quoi?

— Le dîner. Je te l'ai dit, je mange chez Niki, ce soir... D'ailleurs, je vais la retrouver tout à l'heure pour faire les courses.

— Qui se met aux fourneaux?

— De toute façon, tu n'es pas invité...

— Mais je ne veux pas que ma chérie se fasse empoisonner! Je me rappelle la dernière fois, tu as eu mal au ventre tout le lendemain.

— J'avais attrapé froid!

— Il faut toujours que tu défendes tes Ondes!

— Bien sûr, tu veux toujours les enfoncer pour voler leur place dans mon cœur... pourtant tu as déjà toute la place... Tu veux jouer au tyran cruel, ou quoi?

Filippo rit en essayant de la mordre.

— Oui, je veux te manger tout entière, tu es à moi, rien qu'à moi...

Ils avancent entre les arbres en regardant les gens qui passent, une maman qui lit le journal en surveillant du coin de l'œil ses enfants qui jouent à côté du banc, mais qui se tiennent assez loin tout de même pour salir leur pantalon en plongeant dans l'herbe, sans craindre d'être retenus. Un couple âgé se promène en bavardant. Elle sourit, il l'étreint doucement.

Diletta se tourne d'un coup.

— Tu ne me quitteras pas, quand je serai comme ça...

— Ça dépend.

— De quoi?

— De si tu m'as quitté avant ou pas!

À ce moment-là le portable de Diletta vibre en faisant un bruit qui ressemble à celui d'une pièce qui tombe.

— Tu perds ton argent!

— Mais non, c'est mon bip pour les messages! On dirait des pièces, c'est trop fort, tout le monde se fait avoir. Même toi! ajoute-t-elle en lisant rapidement le message. *Parfait. Confirmé. Dans une heure piazza dei Giochi Istmici.* Tu sais quoi? Je vais acheter de la glace chez San Crispino... Elles ne l'ont jamais goûtée, elles sont encore très attachées au chocolat de chez Alaska... Qu'est-ce que tu en penses?

Filippo, sans vraiment l'écouter, se met à chantonner une chanson de Pupo : « Glace au chocolat, sucrée un peu salée, toi, glace au chocolat[1]... ». Il fait mine de mordre Diletta, qui rit.

Ils quittent le Pincio enlacés, sereins, inconscients du changement incroyable qui se produira bientôt dans leurs vies simples.

8

Bureau d'Alex. Rien d'inhabituel : du chaos déguisé en ordre maîtrisé.

Leonardo entre avec un paquet qu'il pose sur le bureau.

— Bonjour, c'est pour toi...

Alex lève un sourcil.

— Ce n'est pas mon anniversaire. Ni une date particulière. Je ne crois pas avoir oublié quoi que ce soit... ni que tu aies un service à me demander... pas vrai ?

— Mauvaise langue, répond Leonardo en s'asseyant sur le bureau d'Alex. Cela ne pourrait-il pas simplement exprimer ma joie de te revoir parmi nous ?

— Tu me l'as déjà témoigné en m'augmentant...

— Ce n'était pas assez, ou plutôt... c'était beaucoup, mais ceci est une attention personnelle...

Alex lève l'autre sourcil.

— Quoi qu'il en soit, ce geste d'affection improvisé ne me convainc pas, dit-il en déballant son cadeau, avant de rester bouche bée. Un mini-ordinateur et une caméra ?

Leonardo est enthousiaste.

— Ils te plaisent ? Ce sont les derniers modèles, tu peux tourner des films haute définition et les visionner sur l'ordinateur, choisir les musiques dans iTunes et faire des fondus et des effets directement à partir de la mémoire. Le logiciel fourni avec est très sophistiqué... Bref, si tu veux, tu peux tourner un film et le projeter deux minutes plus tard, exactement comme Spielberg.

— Merci, répond Alex, perplexe. Nous allons nous mettre à la production cinématographique ?

— Non, coupe Leonardo en se dirigeant vers la porte. Simplement, je suis très heureux que tu sois revenu, et si tu décides de faire

1. Extrait de Pupo, *Pupo*, « Gelato al cioccolato », BMG, 1979.

un film de ce que tu m'as raconté : l'île, le phare, bref, toute l'histoire... eh bien, avec ces engins-là, tu peux le faire tranquillement d'ici, sans disparaître à nouveau.

Leonardo sort de la pièce. Alessia, la fidèle assistante d'Alex, entre à ce moment-là sans frapper.

— Alors ? Il t'en a parlé ?

— De quoi ?

— Du nouveau travail !

— Non. Il était tellement content que je sois rentré qu'il voulait juste me faire un cadeau... Ça !

Il lui montre la caméra et le mini-ordinateur.

— Trop fort ! dit Alessia. C'est la dernière trouvaille d'Apple, le MacBook Air, ultraléger, tu sais qu'il a un système qui permet de monter...

— ... un film directement.

— Ah, tu le sais... Tu pourrais devenir le nouveau Tarantino.

— Leonardo a dit Spielberg.

— Il est has been.

Les rejoint alors Andrea Soldini, le meilleur graphiste publicitaire de la boîte.

— Écoutez-moi, j'ai une nouvelle incroyable, annonce-t-il.

Alex et Alessia le regardent. Andrea Soldini sort une feuille pliée de la poche de son pantalon.

— J'ai trouvé cet e-mail...

Alex lui sourit.

— Tu es fidèle à ta réputation, hein...

— Toujours.

L'espace d'un instant, Alex repense à cette fois... un autre e-mail, une autre vérité. Une histoire qui semble loin aujourd'hui.

Alex déplie la feuille que lui passe Andrea Soldini et la lit.

— « À la société Osvaldo Festa... » commence-t-il en regardant Andrea et Alessia. C'est nous, ça ! « Après vos grands succès internationaux, nous avons décidé de vous accorder la possibilité de participer au concours pour le spot publicitaire de notre nouveau modèle de voiture... »

Alex parcourt rapidement la fin du texte pour s'arrêter sur l'élément le plus important :

— « ... qui prévoit la production d'un film ! » Voici donc le pourquoi de cet ordinateur et de cette caméra... Je suis content de t'avoir parmi nous... Il veut me faire travailler deux fois plus, c'est tout...

Andrea hausse les épaules.

— Il l'a peut-être fait sans y penser.

— Leonardo ? J'en doute.

Alessia sourit, toute contente.

— Voilà un défi très excitant.

Soldini est d'accord.

— Oui ! Et sans ce prétentieux de Marcello. Allez, Alex, ça va être du gâteau !

L'assistante et le graphiste se dirigent vers la sortie, mais Alessia s'arrête à la porte.

— Tu sais quoi, Alex ? Je suis vraiment contente que tu sois revenu.

— Oui. Moi aussi... ajoute Andrea.

Ils referment la porte derrière eux. Alex regarde la caméra, puis l'ordinateur, puis la porte fermée. Soudain, tout lui semble très clair : *je me suis fait avoir*. Il réfléchit un peu. *En fait, personne ne m'a poussé à revenir travailler... Je suis ici parce que je l'ai choisi. Oui, je travaille autant qu'avant, et même plus qu'avant, mais c'est mon choix. Un nouveau défi, c'est tout à fait normal.* Il ne reste plus à Alex qu'à accepter un constat dramatique : *je me suis fait avoir tout seul.*

9

Fin d'après-midi. Un beau soleil dément les prévisions météo. Aux quatre coins de la ville, quatre jeunes filles montent dans leurs voitures ou sur leurs scooters. Toutes habillées confortablement, gaiement, en vue de ces quelques heures de liberté absolue. Baskets, jeans, T-shirts, petits blousons ou trenchs, et en route vers l'amitié !

Niki démarre son SH 50. Elle enfile son casque et part en trombe, comme toujours, en évitant par miracle un vélo. Plus on grandit, plus c'est compliqué. Engagements supplémentaires, nouveaux amis, rythmes différents. Elles ont parfois l'impression de se perdre, de négliger leur amitié. Les textos ne fusent plus au même rythme qu'autrefois, les sorties le soir se sont un peu espacées, on se promet de se voir et puis, pour une raison ou pour une autre, l'une d'elles annule. Qu'elle semble loin, l'époque du lycée et des longs après-midi passés ensemble ! Comme une deuxième famille. Il faut y croire. S'engager. Défendre les relations. Les renouveler. Essayer de traverser le temps sans se perdre. *Nous sommes toujours là. Les Ondes. Prêtes à tout lâcher quelques heures pour courir les unes vers les autres. C'est beau. J'ai vraiment envie de me promener, de rire d'un rien, de manger avec elles une bonne glace de chez Alaska. Oui.* Niki sourit. *Vraiment envie.*

Olly insère le Best of de Gianna Nannini dans le lecteur de sa Smart. « Grazie ». *Et oui, grâce à nous. À ce que nous sommes. Au fait que nous sommes toujours là, comme quand nous défilions pour rire piazza dei Giochi Istmici. Comme quand nous faisions semblant de dormir chez moi pour aller aux fêtes. Comme le jour où nous avons acheté des carnets en moleskine pour écrire chacune nos pensées puis les lire ensemble en buvant un thé. Et le jour où nous les avons enterrés. Et puis, la fois où nous avons choisi notre nom, les Ondes, en faisant plein d'essais absurdes en utilisant les initiales de nos prénoms, assises chez Alaska. Oui. C'était drôle, je m'en souviens encore. Olimpia... Erica... Niki... Diletta... OlErNiDi... NiErODi... DiNiErO... C'est ça, oui, Diniero[1] ! Les Diniero, quatros pour le prix de dos ! Et puis, tout doucement, d'autres inventions avant d'arriver à notre vrai nom, le seul possible : O.N.D.E. Oui, des Ondes grandes et fortes, des ondes qui cherchent un rivage sûr d'où repartir immédiatement. Les ondes d'une mer qui existe encore. Et tant pis pour ceux qui disent que les amitiés de lycée ne durent pas.*

Erica trébuche sur le trottoir. *Je me prends tout le temps les pieds ici, toujours au même endroit.* Soudain, des souvenirs lui reviennent à l'esprit. Le voyage à Londres. Celui en Grèce. L'hôpital, quand Diletta a eu son accident. Leur peur. *Et si elle ne s'en était pas sortie ? Impossible. La mer orpheline d'une de ses ondes. Non. Nous ne l'aurions pas permis.* Et puis, le concert en cachette, l'escapade à la mer pour jeter du sel avant le bac par superstition, comme le veut la coutume. *L'amour. Et cet ordinateur que j'ai trouvé. Ce garçon écrivain. Croire que c'était de l'amour. J'étais si contente de le leur raconter. Elles qui sont toujours*

1. En italien, « denaro » signifie argent. La prononciation « diniero » évoque un accent étranger.

là, juste plus âgées et un peu différentes. Mes amies. Erica monte dans sa Lancia bicolore et démarre.

Diletta regarde son reflet dans la vitre de la voiture. Elle a les cheveux un peu ébouriffés, aujourd'hui, ça doit être son nouvel après-shampoing. La publicité disait qu'il donnait du volume, eh bien elle ne mentait pas. Elle arrange sa barrette en forme de cœur, au-dessus de l'oreille, et file dans sa Matiz rouge. Elle allume la radio, fait défiler les stations et, après quelques grésillements, quelques flashs info et une ou deux émissions d'économie et société, elle lâche le bouton. *Non. Ce n'est pas ça que je veux.* Elle prend une pochette dans la portière et passe ses CD en revue. *Un, deux, trois… le voilà. Parfois, c'est comme si la musique savait que tu as besoin d'elle. La compilation que nous nous sommes offerte après les vacances, juste avant de commencer la fac. Chacune a choisi des chansons, et puis nous en avons fait quatre copies. Peut-être la peur de se perdre.* Piste un. Giorgia. « Che amica sei ». Diletta chante en conduisant. « Quelle amie tu es, ne me trahis jamais, les amours vont, toi tu restes. » *C'est vrai. Même si je préférerais que mon amour ne s'en aille pas. Sinon, Filippo, je te casse les bras !* « Quelle amie tu es, appelle quand tu veux si tu as besoin de rire. Le temps passe en volant, nous attendrons ici, entre deux secrets… » *Oui, nous attendrons, nous serons toujours là.* « Fais-moi confiance, moi je te ferai confiance, passer des heures à parler et à se raconter, je suis proche de toi, tu ne seras jamais seule… » *Non. Et j'espère sincèrement que vous ne me laisserez jamais seule, vous non plus.* « Quelle amie tu es, ne change jamais, quand j'ai besoin d'aide je sais que tu es là… »[1] Diletta chante de plus en plus fort. Elle est presque arrivée, juste à l'heure. Feu rouge. Diletta balance légèrement la tête en suivant la musique, puis elle regarde sur sa droite. Incroyable !
– Erica !
Diletta baisse sa vitre pour l'appeler.
Erica ne se rend compte de rien. Le feu passe au vert, elle démarre. Diletta secoue la tête. Elle est vraiment aveugle. Et en plus elle a pris la mauvaise file, quelle délinquante ! Diletta se met juste derrière elle. De toute façon, elles vont au même endroit. Diletta lui fait des appels de phares et klaxonne en rigolant.

1. Extraits de Giorgia, *Mangio Troppa ciocco*, « Che amica sei », Sony Music International, 1997.

— Qui c'est, ce casse-pieds? Qu'est-ce qu'il veut?

Erica est sur le point de faire un geste obscène quand elle reconnaît dans le rétroviseur la masse de boucles claires. Diletta! Mais elle est folle! Elle lui fait signe et lui tire la langue. Elles se suivent jusqu'au rendez-vous et, miracle, trouvent chacune une place. Elles courent l'une vers l'autre et se sautent dans les bras comme des folles.

— On dirait que ça fait une éternité qu'on ne s'est pas vues!

— Quel rapport? Je t'aime, c'est tout!

Elles sautent, collées l'une à l'autre, comme deux footballeurs après un but.

Niki et Olly arrivent à leur tour.

— Qu'est-ce qui se passe? Vous avez viré votre cuti?

Sans réfléchir, elles se lancent elles aussi dans cette folle embrassade, intense, légère, quatre jeunes filles qui font une sorte de farandole en criant, indifférentes à la perplexité des passants.

— Allez, ça suffit... il faut faire les courses!

— Ce que tu peux être barbante...

— En tout cas, je ne compte pas faire la cuisine!

— Alors, on prend des pizzas.

— Moi je vais aller acheter de la glace chez San Crispino, elle est délicieuse.

— Attendez... attendez... Tu as décidé de nous épargner, Niki? Tu nous fais grâce?

— De quoi?

— Si tu ne cuisines pas, tu ne risques pas de nous empoisonner!

— Crétines!

Elles plaisantent, se chamaillent et rient, hors du temps, maîtresses du monde, comme on ne l'est que dans certains moments de bonheur.

10

Ce soir-là, Alex rentre chez lui en hâte et prépare son sac. Il ouvre l'armoire.

— Ras le bol de cette femme de ménage, où a-t-elle caché mon short?

Il ouvre deux ou trois tiroirs. Son portable sonne. C'est Pietro. Que se passe-t-il encore? Pourvu qu'il ne me demande pas de passer le prendre. Alex répond.

41

— Je sais…

— Quoi? Comment peux-tu savoir? Je ne te crois pas!

— C'est toujours la même histoire, soupire Alex, tu veux que je passe te chercher.

— Non. Pire. On ne joue pas.

— Quoi? J'ai couru comme un fou pour repasser chez moi avant le foot et on ne joue pas? Explique-moi tout de suite, il a dû se passer quelque chose d'incroyable, pour que notre match soit annulé.

— En effet… Camilla a quitté Enrico.

— Je passe te prendre tout de suite.

Un peu plus tard, dans la voiture d'Alex.

— Alors, que s'est-il passé?

— Rien, je ne sais pas, il n'arrivait pas à parler, au téléphone. Je crois même qu'il sanglotait.

— Carrément! Tu exagères un peu, non?

— Je te le jure, pourquoi je te raconterais un bobard?

Le téléphone d'Alex sonne à nouveau.

— C'est Niki.

— Ne la mets pas au courant. Dis-lui qu'on va jouer…

— Mais on devrait déjà être sur le terrain, il est 20 h 10.

— Alors dis-lui qu'on joue plus tard ce soir.

— Pourquoi?

— Je t'expliquerai après.

Alex secoue la tête, puis répond.

— Mon amour…

— Eh, ciao! Je pensais que tu serais déjà sur le terrain…

Alex jette un regard noir à Pietro, qui prend un air faussement innocent.

— Hum, non… on joue un peu plus tard, parce que comme d'habitude Pietro s'est trompé en réservant le terrain…

— Vraiment? Tu ne serais pas en train de me mentir, par hasard?

— Moi? Quelle raison j'aurais de te mentir, mon amour?

— Bah, je ne sais pas… je le sens… En tout cas, je voulais te dire que je vais chez Olly. On se retrouve toutes là-bas, mais mon portable est déchargé, je t'appellerai peut-être en rentrant à la maison.

— Tu ne peux pas le charger tout de suite? Ou prendre ton chargeur?

— Non… Je suis déjà partie et il vient de faire un bip qui signale que la batterie est presque morte…

– Ah, alors tu peux le charger chez Olly…

– Aucune n'a le même chargeur que le mien… Mon amour, mais qu'est-ce qui t'inquiète ? Tu seras en plein match…

– Oui, c'est vrai… Quel idiot. À plus tard.

– Bien sûr ! Dédie-moi un but, si tu marques, comme les grands champions…

– Promis !

Alex raccroche et fait un sourire forcé à Pietro.

– Félicitations. Tu arrives toujours à me mettre dans la panade quand il n'y en a absolument pas besoin.

– C'est-à-dire ?

– Elle croit que nous allons jouer au foot, ce qui n'est pas vrai.

– Où est le problème ?

– Je lui ai menti.

– Et alors ? Tu ne vas pas me dire que tu ne lui as jamais menti…

– Si.

Pietro le regarde d'un air sceptique. Il lève un sourcil. Alex finit par céder.

– D'accord… à part la fois où je ne lui avais pas dit qu'Elena était revenue à la maison.

– Ce n'est pas rien ! Et tu lui as aussi menti sur le fait que tu t'étais remis avec Elena.

– Bon, bon, ça va ! C'était il y a plus d'un an.

– Et ?

– C'est moi qui devrais te dire « et alors » ! C'est un interrogatoire, ou quoi ? En tout cas, ce soir, un an plus tard, je lui mens à nouveau, sans raison valable.

– Si, il y a une raison.

– Laquelle ?

– Imagine que demain Niki rencontre Susanna et lui dise que nous n'avons pas joué.

– Et alors ?

– Le problème, c'est que ce soir je peux rentrer très tard parce que j'ai dit à Susanna qu'on commençait à jouer à 23 heures…

– À 23 heures ?

– Oui, je lui ai dit que tu avais oublié de réserver le terrain et qu'ils nous avaient donné le dernier créneau disponible.

Alex secoue la tête. Pietro le serre dans ses bras.

– Merci ! Je suis fier d'avoir un ami comme toi.

Alex lui sourit.

– J'aimerais bien pouvoir en dire autant.

– Vraiment ? demande Pietro en relâchant son étreinte.

– Non...

Naturellement, Alex rit et secoue à nouveau la tête.

11

Enrico est assis dans le fauteuil du salon, la petite Ingrid endormie dans ses bras.

– Elle m'a appelé au bureau et elle m'a simplement dit : « Dora part à 19 heures. Essaie d'être rentré, sinon Ingrid restera toute seule »

Enrico regarde Ingrid, la berce un peu et arrange son bavoir.

– Vous comprenez ?

Alex, Pietro et Flavio sont assis en face de lui, sur le canapé, la bouche ouverte.

– Et ensuite ? demande Alex.

– Ensuite, je suis rentré juste à temps, Dora allait partir.

– Oui, mais Camilla... Où est Camilla ?

Enrico les regarde calmement, puis jette un coup d'œil à sa montre.

– Elle est en vol. Dans environ quatre heures, elle sera aux Maldives. Si l'avion ne s'écrase pas avant, ce que j'en arrive presque à souhaiter !

– Aux Maldives ? Avec qui ?

– Avec l'avocat Beretti, un monsieur très distingué de mon club, que je lui ai moi-même présenté.

– Toi ? Et pourquoi ?

– Camilla a fait faire des travaux dans la nouvelle maison, les ouvriers ont mal raccordé la baignoire, ce qui a provoqué d'énormes fuites d'eau. Grâce à l'avocat Beretti, nous avons porté plainte contre l'entreprise...

– Conclusion ?

– Conclusion, Beretti a perdu le procès, et moi j'ai perdu ma femme, elle est partie avec lui...

Flavio se lève du canapé.

– Tu es en tenue de foot, remarque Pietro...

– Oui, tu l'as peut-être oublié, mais nous étions censés jouer.

— C'est vrai !

— J'étais déjà en retard... Je me suis changé pour ne pas faire attendre les autres sur le terrain. Cette tenue ne t'aurait pas semblé bizarre, si nous avions joué... et puis, il y a eu ce petit contretemps.

— Tu parles d'un petit contretemps.

Enrico hausse les épaules.

— De toute façon, on aurait perdu.

— Je n'en suis pas si sûr... À mon avis, on aurait pu gagner, aujourd'hui.

— C'est ça, dit Enrico en haussant les épaules, maintenant je vais me sentir coupable pour cette victoire ratée.

— Rappelez-vous qu'on jouait à 23 heures.

Flavio regarde Pietro sans comprendre, et son visage s'éclaire soudain :

— Ah, mais alors on joue ?

— Laisse tomber, on ne joue pas, regrette Alex.

— On joue, on joue, dément Pietro.

Flavio n'y comprend plus rien.

— Bon, on joue, oui ou non ? Tu m'expliques, Pietro ?

— Alors, c'est très simple : on ne joue pas mais on joue... OK ?

— Ce n'est pas vraiment clair...

— D'accord, je vais vous expliquer comment je comprends les choses. Le vrai problème, c'est la fidélité.

Flavio le regarde avec curiosité.

— C'est-à-dire ?

— Il est inutile de chercher la fidélité... poursuit Pietro en souriant. La fidélité ne fait pas partie de ce monde... Ou mieux, de cette ère. Oscar Wilde disait que la fidélité est dans la vie sentimentale ce qu'est la fixité des idées dans la vie intellectuelle : un aveu de faillite. Donc moi, à 23 heures, je vais jouer non pas sur le terrain... mais sous les draps d'une femme mariée dont le mari joue... à l'extérieur !

Flavio se dirige vers la cuisine.

— Je suis désolé, mais je ne partage pas ton point de vue... Je peux prendre quelque chose à boire ?

— Vas-y, tu trouveras du Coca, de la bière et des jus de fruits dans le frigo.

Flavio crie de la cuisine :

— La fidélité est naturelle quand une relation fonctionne. On voit bien que les choses ne sont plus ce qu'elles étaient pour toi... Quelqu'un veut quelque chose ?

— Chut! dit Enrico en vérifiant qu'Ingrid dort toujours. Flavio, tu pourrais éviter de hurler?

— Mais nous sommes en plein débat existentiel! dit-il à voix basse en revenant avec une bière.

Alex lui fait un signe de la main, comme pour lui dire de laisser tomber.

— La question est de savoir si on est en droit de coucher avec une femme mariée quand son mari n'est pas à la maison...

Flavio décapsule sa bière.

— J'ai compris, mais tu ne pourrais pas mettre Ingrid dans son berceau, indépendamment des problématiques de Pietro?

— Oui, c'est vrai... dit Enrico en amenant la fillette dans sa chambre.

— Il n'arrive pas à s'en détacher, hein?

— Non. Imagine si elle était partie avec le bébé... Il se serait déjà suicidé.

Enrico revient au salon. Flavio, qui a regagné le canapé, tente de le rassurer.

— Il ne faut pas que tu le prennes mal, pour Camilla, il faut que tu te dises que jusqu'à hier tout allait bien... Malheureusement, quelque chose s'est brisé.

— Oui, un tuyau de la baignoire...

— Et une relation d'amour... dit Flavio en finissant sa bière, avant d'ajouter comme si quelque chose lui venait à l'esprit. Au fait, ce détective, il y a deux ans, il n'avait rien trouvé, n'est-ce pas?

Enrico regarde Alex. Alex regarde Flavio. Flavio regarde Pietro. Enrico est effaré.

— Je n'y crois pas... Alex... Tu l'as dit à tout le monde?

Alex regarde fixement Pietro. En réalité, il ne l'avait dit qu'à lui. Cette fois, son ami a fait une grosse gaffe et c'est lui qui se retrouve dans la panade. Pour la deuxième fois, il est obligé de mentir.

— Enrico, excuse-moi... C'était un poids trop lourd pour moi, je n'arrivais pas à le porter tout seul...

Pietro comprend son erreur et essaie de rattraper les choses.

— Enrico, nous avons toujours su que tu avais fait appel à un détective parce que tu n'avais pas confiance en Camilla, mais il ne faut pas que tu le prennes mal. Nous sommes un groupe, et nous devons affronter les choses en tant que groupe. Aujourd'hui, c'est ton tour, mais demain ça pourrait être le mien, ou le sien, ou le sien.

Flavio et Alex se mettent immédiatement la main sur l'entrejambe pour éloigner le mauvais sort.

— Inutile, commente Pietro, aucun geste de superstition ne peut éloigner la poisse : quand c'est ton tour… c'est ton tour !

Alex a peut-être fait une erreur : il aurait dû donner à Enrico les deux dossiers du détective. Le léger et le compromettant, comme avait dit celui-ci. Maintenant c'est trop tard.

— Il faut faire confiance au travail du détective, dit Pietro à Enrico en lui tapant sur l'épaule… Mais ce qu'on refuse parfois d'accepter, c'est que l'amour a une fin.

— Merci ! Mais alors merci, vraiment ! dit Enrico en se levant, énervé. Tu es vraiment la personne qu'il faut, dans ces moments-là, mieux que l'aspirine contre le mal de crâne ou le sirop contre la toux…

— Ou le préservatif pour la prostituée ! Mais vous avez fini, avec vos illusions ? éclate Pietro en secouant la tête. Comment pouvez-vous encore croire aux contes de fées ? Aujourd'hui plus que jamais avec les portables, le chat et les textos, les femmes trahissent, s'amusent, flirtent, rêvent, jouent aux romantiques avec un autre, bref, elles aiment tromper, ni plus ni moins que les hommes. Autrement, mon incroyable succès ne s'expliquerait pas, y compris celui de ce soir, ajoute-t-il en regardant sa montre. D'ailleurs, je vais finir par être en retard !

Il s'aperçoit que les autres le regardent d'un air mauvais.

— Je vais dire les choses autrement… Au bout d'un moment, la femme se lasse, exactement comme l'homme, ce n'est pas vrai que pour coucher avec quelqu'un elle doit nécessairement être amoureuse, c'est vous qui avez inventé cette histoire, ou plutôt nous tous, nous les hommes, parce que ça nous ferait plaisir qu'une femme couche avec nous uniquement par amour. Mais ce n'est pas vrai ! Comme le dit Woody Allen, le sexe c'est bien mieux que de discuter, la preuve, la parole c'est tout le mal que l'on se donne pour arriver au sexe. Et il y en a une autre, trop forte, de Balzac : « Il est plus facile d'être amant que mari, par la raison qu'il est plus difficile d'avoir de l'esprit tous les jours que de dire de jolies choses de temps en temps. » C'est très vrai ! Moi, avec Susanna, je n'ai pas toujours envie, en revanche quand je suis l'amant d'une femme je donne le meilleur de moi-même !

— Pietro, je ne suis absolument pas d'accord avec toi, intervient Flavio. Que fais-tu du plaisir de construire ensemble, de l'envie d'exclusivité? Moi, je fais des choses pour ma femme, je me donne du mal pour qu'elle se sente accomplie, heureuse, satisfaite!

— Et puis quoi encore! Oui, elle est peut-être heureuse en partie, mais au bout du compte ce n'est que de l'habitude, les femmes ont peur de la nouveauté! Tu sais combien de femmes j'ai connues qui, rien que parce que je couchais avec elles, voulaient quitter leur mari, se sentaient comme des héroïnes qui prennent les rênes de leur propre vie… Mais ensuite, dès qu'elles comprenaient que je ne voulais pas aller plus loin avec elles, et par crainte du même ennui domestique que celui qu'elles me racontaient, elles revenaient vers leur mari, bizarrement plus amoureuses qu'avant. Systématiquement, elles ont décidé de partir en vacances avec lui! On peut donc dire que j'ai eu un rôle thérapeutique pour certaines d'entre elles. Allez, les mecs, parfois l'amour est vraiment ridicule…

Enrico le regarde avec surprise.

— Tu veux dire que tu félicites Camilla pour son comportement? Que tu la trouves courageuse, téméraire?

— Écoute, je n'ai plus envie de parler de vos problèmes. On ne peut pas généraliser. Les femmes vous font croire qu'elles sont là, fidèles, elles vous rassurent… Peut-être même qu'elles vous disent que leur portable est déchargé parce qu'elles ne peuvent pas vous dire qu'elles sortent avec un autre ce soir-là, ajoute-t-il en regardant Alex. Parce qu'il n'y a pas d'ouverture dans le couple, nous sommes revenus aux mœurs d'avant 1968! Tout le monde trompe tout le monde, mais en faisant comme si de rien n'était.

Alex le regarde méchamment.

— Le portable de Niki était vraiment déchargé…

— Comment tu peux en être aussi sûr?

— Elle me l'a dit…

— Tu parles d'une réponse.

— Et surtout, si elle avait envie de sortir avec quelqu'un d'autre, elle me le dirait!

— Encore mieux… J'ai toujours aimé la science-fiction. Victor Hugo disait une grande vérité : « Une femme qui a un amant est un ange, une femme qui a deux amants est un monstre, une femme qui a trois amants est une femme. » Vous savez combien de femmes ou filles en couple ont eu des histoires avec moi? Je leur fais la cour, je leur fais revivre l'enthousiasme des premières sorties, les surprises des premiers ébats… Et pendant un instant elles pensent à quitter leur mari, voire même elles le quittent, mais en pensées… Elles reviennent parce qu'elles ont la trouille, exactement comme nous. Sur « ça » aussi, nous sommes égaux ! Les femmes sont des hommes avec des seins... mais sans couilles.

— Tu es vraiment terrible. Pourquoi tu t'es marié, alors ?

— Parce qu'à un moment donné, il faut offrir cette tranquillité à une femme... Nous aussi, nous avons besoin de ça... Aristote disait que « la famille est l'association créée par la nature pour pourvoir à la nécessité de l'homme ». Susanna était la bonne personne pour franchir ce pas. Mais c'est pareil dans n'importe quel mariage, aucun des deux n'est vraiment satisfait, les enfants et la maison ne suffisent plus... « Être un homme marié est une occupation à temps complet. Voilà pourquoi tant de maris échouent. Ils ne peuvent y consacrer toute leur attention », disait Arnold Bennett. Et il avait raison, merde ! Nous voulons tous tomber amoureux, nous voulons l'amour... et nous le cherchons là où il se trouve ! Nous le rêvons, nous le poursuivons !

Alex secoue la tête.

— Tu te prends pour Wikiquote, ou quoi ? Tu balances une citation après l'autre...

— Bien sûr, je me suis préparé sur le sujet pour surprendre mes douces conquêtes, elles aiment les citations, qu'est-ce que tu crois... En voici une, en revanche, que j'utilise quand on m'attaque ; écoute un peu : « Juste après l'inventeur d'une bonne phrase vient, dans l'ordre de mérite, celui qui la cite. » Ralph Waldo Emerson.

— Tu es irrécupérable, répond Alex en secouant la tête. Quoi qu'il en soit, je ne suis pas et je ne serai jamais d'accord avec toi. Mes parents sont mariés et ils ont toujours été heureux.

— L'exception qui confirme la règle.

— Ceux de Niki aussi.

— Il est trop tôt pour en être certain, ils ont notre âge... Et nous, comme tu peux le constater... nous partons tous en sucette, affirme-t-il en indiquant discrètement Enrico.

À ce moment-là, le portable d'Alex sonne. C'est Niki.

— Mon amour ! Mais alors il n'était pas déchargé ?

Alex regarde Pietro d'un air satisfait et lui fait un bras d'honneur.

— Non, j'ai réussi à le charger, parce que j'ai découvert que le chargeur d'Olly fonctionne avec mon téléphone... Nous sommes chez elle ! Vous avez déjà fini le match ?

— Hum.

Alex se lève du canapé et se dirige vers la chambre à coucher. Pietro le regarde et soupire en s'adressant aux autres.

49

— Je crois que lui aussi, il a des problèmes.

Alex, à l'abri des oreilles des autres, continue :

— Oui, on a arrêté parce que quelqu'un s'est blessé...

— Ah bon ? Qui ça ?

— Tu ne le connais pas, un type de l'équipe d'en face... Nous avons ensuite rejoint Enrico chez lui, parce qu'il n'a pas joué...

— Ah bon, il ne se sent pas bien ?

— Pire...

— Quoi donc ?

— Sa femme l'a quitté.

— Ah.

Niki se tait.

— Niki ?

— Oui ?

— Malheureusement, ça arrive.

— Bien sûr... mais bon, quand quelqu'un fait une promesse devant Dieu, on voudrait que tout se passe pour le mieux... Et au contraire...

Alex est tendu, et les paroles de Niki attisent sa curiosité.

— Au contraire ?

— Rien... Nous ne sommes pas capables de réaliser nos rêves.

— Niki, ne le prends pas mal.

— Je suis désolée. Tout ce que je vois, c'est l'incapacité d'une personne à mener son projet à bien.

— Peut-être qu'ils le voulaient tous les deux, et puis quelque chose a changé.

— Et nous, on va changer ?

— J'espère que non.

— J'espère aussi. Et puis, nous n'avons fait aucune promesse, que je sache ! ajoute-t-elle amusée. Bon, allez, je vais retrouver mes amies.

— D'accord, on s'appelle plus tard.

Alex raccroche et reste un instant interdit. Cette phrase. *Nous n'avons fait aucune promesse.* Quel rapport ? Que voulait-elle dire ? Et puis, elle l'a dit sur un ton joyeux. Voulait-elle dire : heureusement que nous n'avons fait aucune promesse ? Il sent son estomac se contracter un peu. Il retourne au salon.

— Tout va bien ? demande Pietro, sur un ton particulièrement insistant, le sourire aux lèvres.

– Oui… tout va très bien.

Enrico les regarde, atterré.

– Je vous remercie pour votre intérêt et votre chaleur. J'ai toujours su que je pouvais compter sur vous.

– Oui, bon, tu ne vas pas nous faire croire que ça t'est tombé dessus d'un coup, que tu n'avais rien vu venir… reprend Pietro. Elle n'était pas contente, elle se plaignait. Elle n'était pas satisfaite.

Enrico le regarde d'un air perplexe. Alex et Flavio aussi.

– Pardon, mais qu'en sais-tu ?

– On comprend certaines choses… répond Pietro, un peu pris au dépourvu. Ça se lisait sur son visage, à condition d'avoir une certaine sensibilité. Dont je ne manque pas. Maintenant, vous m'excuserez mais je dois rejoindre cette femme qui est seule chez elle. Oui, ajoute-t-il en regardant sa montre, ses enfants sont couchés et son mari a passé son petit coup de fil rassurant. Salut, les amis, on s'appelle demain !

Il sort en claquant la porte derrière lui.

– Il ne manque pas de sensibilité, hein… une bête, voilà ce qu'il est !

Flavio hausse les épaules.

– Dans le fond, il a raison : il mène la grande vie, se fiche de tout, s'amuse comme s'il avait dix-huit ans.

– C'est bizarre que tu penses ça, s'étonne Alex. Tu ne parles pas de sa petite famille ! Décider d'avoir des enfants, c'est un autre choix de vie, on ne peut plus être aussi irresponsable…

Enrico attrape une photo posée sur la table où Camilla tient dans ses bras Ingrid qui vient de naître.

– Et ça, alors, c'est quoi ? Un montage ? Une maman avec sa fille !

Avec rage, il envoie contre le mur le cadre, qui éclate en mille morceaux.

– Du calme, Enrico… essaie de l'apaiser Alex. Je connais une fille qui a fait un enfant et l'a laissé à Rome avec le père parce qu'elle avait envie de tenter une nouvelle vie, elle est partie pour les État-Unis… Et une autre qui, toujours en laissant son enfant au père, est partie à Londres, et encore une autre, qui travaille à Paris…

– J'ai compris. Donc, Camilla, qui m'a laissé Ingrid pour partir aux Maldives « juste » pour une semaine de vacances avec un autre, est pour ainsi dire normale.

– Elle va peut-être changer d'avis.

– Elle va peut-être revenir.

– Oui, peut-être, peut-être… Mais moi, en attendant, il faut que je trouve une nouvelle nourrice…

– Il y a un problème avec Dora ?

– C'est l'avocat Beretti qui nous l'avait trouvée, je ne sais plus comment…

– Et alors ?

– Elle est partie aussi, par solidarité.

Flavio est stupéfait.

– Mais par solidarité avec qui ? J'ai l'impression que tout le monde est fou, aujourd'hui…

– Le fait est que j'ai mis une annonce, je dois voir quelques nourrices.

– On se croirait dans l'émission *Nouvelle Star* !

– J'aimerais bien !

– Tu pourrais choisir celle qui chante le mieux les berceuses !

– Vous avez de la chance d'être d'humeur à plaisanter…

Enrico se laisse tomber sur le canapé, les jambes écartées, la tête en arrière. Flavio hausse les épaules. Difficile de savoir quoi dire à un ami qui souffre par amour. Il nage dans sa douleur avec mille questions inutiles, et nous ne pouvons lui fournir que nos propres réponses, personnelles, relatives, pas du tout adaptées à la vie d'un autre. Alex va s'asseoir à côté de lui.

– C'était juste pour te présenter les choses sous un meilleur jour…

– Il n'y a pas de meilleur jour…

– Tu sais ce que disait Friedrich Christoph Oetinger ? « Dieu, donne-moi la sérénité d'accepter les choses que je ne puis changer, le courage de changer les choses que je peux, la sagesse d'en connaître la différence. »

– On dirait Pietro, avec toutes ses citations pour justifier son envie de sexe…

– Il y a juste une différence : celle-ci est utile et ne vise qu'à te faire réfléchir sur la situation dans laquelle tu te trouves.

– Mais qui était ce Friedric Cris Tinger ? Je n'en ai jamais entendu parler…

– Friedrich Christoph Oetinger. Un père spirituel.

– Je vois. Merci du conseil, Alex, tu es en train de me dire que je dois me faire prêtre !

– Cette phrase, elle est citée dans le film *Saving Grace*, où des gens de tous âges fument plein de pétards… Disons que notre monde regorge d'idées, le seul vrai problème est l'usage que nous en faisons.

Enrico sourit.

— Tu sais, j'adore les mots… Mais parfois, je m'arrête et je pense à quel point Camilla me manque. Alors toutes mes pensées sont réduites à néant, même les belles tirades de ton père spirituel… Je ne pense qu'à une seule phrase, de Vasco Rossi : « C'est moi qui ai mal au ventre, pas toi. »

Alex sourit. *C'est vrai, la douleur appartient à qui la ressent, aucun mot ne suffit à l'expliquer ni à réconforter celui qui souffre. Je ne peux pas lui donner tort.*

12

Olly trouve Niki bizarre.

— Que se passe-t-il ?

— Pourquoi ?

— Tu en fais une tête…

— Enrico et sa femme se sont séparés.

Erica prépare un smoothie pour tout le monde : fraises, bananes, pêches et lait. Elle éteint le mixeur et réfléchit un instant.

— C'est lequel, Enrico ? Ah oui… Non, il ne me plaît pas…

— Erica !

— Écoutez, les filles, je traverse une période un peu difficile, en ce moment…

— Ça fait une éternité que tu traverses une période difficile !

— Mais non, qu'est-ce que tu racontes ! Je suis sortie avec Stefano, je croyais qu'il était écrivain alors qu'il n'était que lecteur pour une maison d'édition…

— D'accord, mais le plus important c'était son travail ou comment tu te sentais auprès de lui, ce qu'il représentait pour toi ?

— Je ne sais pas, mais c'est comme s'il m'avait menti, en quelque sorte !

— Tu t'es faite un film toute seule avec cet ordinateur que tu avais trouvé, et tu voulais à tout prix que son propriétaire soit ton prince charmant !

— Non, pas du tout ! Mais pas non plus un lecteur de livres à l'eau de rose.

— De toute façon, après Stefano tu as eu Sergio le sculpteur, Giancarlo le docteur et Francesco le footballeur… Mises bout à bout, toutes ces histoires ont duré un mois en tout et pour tout !

Erica soupire et rallume le mixeur, puis elle hausse la voix pour couvrir le bruit.

— D'accord, j'expérimentais. Qu'y a-t-il de mal à ça ? Dans le fond, comment on peut comprendre quelque chose à l'amour en ne vivant qu'une seule histoire ? Quand c'est Olly qui multiplie les rencontres, tout va bien, et dès que c'est moi…

— Je n'ai rien à voir là-dedans ! crie Olly en sautant sur le canapé pour attraper un coussin et l'envoyer sur Erica. Et puis, moi, je ne les choisis pas tous en *–eur* ! C'est à qui le tour, après ? Osvaldo, le dompteur ?! Giustino le soudeur ?! Ou Saverio le conducteur ?!

Niki sourit.

— Non, c'est Saverio, le mixeur ! Éteins ce truc, on ne s'entend plus !

— Bravo, vous êtes fières de vous… moquez-vous, moquez-vous. Il s'appelle Giovanni et il est dentiste.

— Bon, au moins ça peut servir…

— Moi, je pense qu'au fond tu es encore amoureuse de Giò.

— Qu'est-ce que tu racontes ?

— Tu dis toujours : « Qu'est-ce que tu racontes » ! dit Olly en imitant Erica. À mon avis, j'ai raison, ajoute-t-elle en lui faisant un clin d'œil.

— Je suis d'accord avec Olly. Tu n'as jamais réussi à dépasser le fait que ton histoire « trois mètres au-dessus du ciel », ta première histoire importante, n'ait pas duré… Rassure-toi, c'est normal. On grandit, on change.

— En effet, ma chère Olly, mais moi je crois que tu grandis trop vite : ton Mauro le plombier n'a duré que trois semaines.

— Incompatibilité culturelle.

— C'est ça. Et maintenant, tu es avec Giampi et tu es jalouse, vous passez votre temps à vous disputer.

— Incompatibilité caractérielle.

— À mon avis, tu es incompatible, un point c'est tout.

— Mais qu'est-ce que tu racontes ! Cette fois c'est moi qui le dis, et je ne plaisante pas : j'ai changé, avant j'avais un petit copain par semaine, et là ça fait bien six mois que je suis avec Giampi. Erica était avec Giò depuis toujours, et maintenant elle a un petit copain par semaine.

— Deux...

Diletta sourit.

— Surtout oubliez-moi. Je ne voudrais pas que vous me portiez la poisse. Ma relation avec Filippo est sereine, tranquille et avance toutes voiles dehors en suivant le chemin du bonheur...

— En espérant que tu ne coules pas !

— Ça y est, tu vas me porter malheur !

— Pardon, mais nous avons toutes couché avec au moins un autre garçon que celui avec qui nous sommes aujourd'hui. Sinon plus...

Erica hausse les épaules.

— Pas la peine d'entrer dans les détails.

— L'engin de mon premier n'était pas exactement un détail...

— Olly ! Tu es lourde, là !

— Oh, ça va !

Niki secoue la tête.

— Bon, moi je voulais dire quelque chose de sérieux. Diletta, explique-moi une chose. Tu es avec Filippo et tu envisages de passer ta vie avec lui, rien qu'avec lui, sans faire d'autres expériences sexuelles ?

Diletta hausse les épaules.

— Tu sais, ma mère a fait la même chose avec mon père.

— Je vois, c'est une maladie héréditaire ! répond Olly, en secouant la tête.

— Ou une valeur qui se transmet de génération en génération ! Pourquoi tu vois ça comme quelque chose de négatif ? demande Diletta.

— Parce que, sans point de comparaison, on ne peut pas aimer de façon absolue. Erica l'a dit tout à l'heure. C'est de la philosophie !

Diletta s'assied sur le canapé.

— De toute façon, il est trop tôt pour affirmer quoi que ce soit, nous allons peut-être toutes beaucoup changer, dans les années à venir.

Erica apporte un plateau avec quatre grands verres de cocktail.

— Pour adoucir vos langues de vipères. Quoi qu'il en soit, vous sous-estimez toutes Niki : un vrai événement à elle toute seule, un miracle italien... Après leur escapade sur l'île, Alex ne s'est pas remis avec Elena, et en plus... son histoire avec Niki dure !

— C'est un des cas où une femme devrait avoir des bijoux de famille...

— Pourquoi ?

— Pour se les toucher et éloigner le mauvais œil !

Elles éclatent toutes les trois de rire, tandis qu'Erica sirote tranquillement son cocktail.

— Moi, de l'extérieur, je les vois comme un couple heureux, très heureux, même, et je dois dire que tous les couples avec une différence d'âge, comme Melanie Griffith et Antonio Banderas, Joan Collins et Percy Gibson... Demi Moore et Ashton Kutcher, Gwyneth Paltrow et Chris Martin... Eh bien, ces couples ont tenu, et même... ils se sont mariés !

— D'ailleurs !

Olly, Diletta et Erica regardent Niki, curieuses.

— D'ailleurs quoi ?

— Non, je veux dire... D'ailleurs... Vous n'en avez jamais parlé ?

Niki les regarde, interloquée.

— Que voulez-vous savoir ?!

— S'il est temps de se disputer pour savoir laquelle d'entre nous sera ton témoin !

Niki lève un sourcil.

— Nous avons parlé d'enfants, mais pas de mariage.

— Et pourquoi ?

— Je n'en sais rien. C'est venu comme ça. Tu sais, on parle, on parle... Nous en voulons quatre, deux garçons et deux filles !

— Carrément ! Vous êtes fous...

Erica éclate de rire.

— Quatre, ça me semble irréalisable. Moi, j'oublierais leurs prénoms. Le soir, le temps de les appeler pour passer à table, le dîner serait froid !

— Pardon, mais quitte à rêver, autant rêver en grand, non ? On aura toujours le temps de revoir nos ambitions. En tout cas, s'il y a du nouveau, je vous raconterai. Ah, au fait, aujourd'hui à la fac j'ai fait la connaissance d'un type pas mal du tout.

— Niki !

— En fait, je n'ai pas vraiment fait sa connaissance, parce que je lui ai dit que j'avais déjà rencontré trop de monde cette année.

— Ha ha ! Trop fort ! Tu es un génie, Niki !

— Mais non... J'ai emprunté cette réplique à ce film magnifique avec Audrey Hepburn et Cary Grant, *Charade*.

— Dommage, ça aurait pu être de toi !

— C'est vrai, maintenant que j'y pense, j'aurais mieux fait de me taire...

Diletta sourit.

— Peut-être que plein de gens ont vu ce film et se rappellent cette réplique.

— En tout cas, pas lui.

Olly reprend son sérieux.

— Pardon, Niki, mais pour un type dont tu n'as même pas voulu faire la connaissance, tu remets en question ta magnifique relation avec Alex et votre heureux projet d'avoir quatre enfants?

— Ça ne va pas la tête? Je voulais vous le proposer à vous. Olly, si tu en as assez d'être jalouse de Giampi, Diletta, si tu veux – à juste titre – expérimenter quelque chose en dehors de ton « amour absolu », et surtout si toi, Erica, comme d'habitude au bout d'une semaine…

— Deux!

— D'accord, au bout de deux semaines, tu largues le dentiste… Vous avez un homme en réserve!

— Certains ont une roue de secours. Nous, nous avons un homme en réserve!

— Il n'est pas mal du tout, vous savez.

— Tu vois qu'il te plaît!

— Je le dis pour vous!

— Oui, oui, bien sûr…

La soirée se poursuit, elles bavardent en sirotant leurs délicieux cocktails, en se regardant dans les yeux, avec sincérité et gaieté.

— Vous savez quoi… J'ai réfléchi. Vous n'avez pas apprécié mon geste à sa juste valeur. Et donc, mon homme de réserve, je ne vous le prête pas! Il me plaît trop!

Les autres filles se ruent ensemble sur le canapé, pour se jeter sur elle.

— À l'aide… Vous êtes folles… Je plaisantais!

— Non, non, tu étais sérieuse!

Certaines phrases, bien que prononcées avec légèreté, sont plus vraies qu'il n'y paraît. Les Ondes s'envoient des coussins, se plaquent comme au rugby, manquent de renverser les verres sur leurs vêtements et sur le canapé. Amies. Depuis toujours. Comme toujours. L'amitié est un fil fin et indestructible qui traverse la vie et tous ses changements.

13

Alex et Flavio sortent de chez Enrico. Flavio s'est changé, il a remis son jean et son pull.

— Pauvre Enrico. Je me rappelle bien le jour de son mariage, il était l'homme le plus heureux du monde. C'était il y a combien de temps, déjà ?

— Six ans. Ils n'ont pas atteint la crise de la septième année, mais cela a tout de même trop duré. Certains résistent un an, six mois… Sans parler des artistes. Tu te souviens de l'histoire de cette actrice, il y a quelques années… Comment s'appelait-elle ? Ah oui, Claudia Pandolfi. Elle a battu tous les records : elle s'est mariée et séparée au bout de soixante-quinze jours…

— Mais à l'inverse, il y a le mythe Paul Newman, qui a toujours été marié à la même femme, heureux et amoureux. Il a dit cette phrase célèbre : « Pourquoi sortir manger un hamburger quand un bon steak sain m'attend à la maison ? »

— Essaie d'expliquer ça à Pietro… Il se contenterait d'un hot-dog froid, pourvu que ça ne soit pas chez lui !

Flavio s'arrête dans la cour et attrape son sac de sport.

— Que fais-tu ?

— Rien…

Il prend son T-shirt, son peignoir, ouvre un robinet et mouille ses affaires.

— Mais tout est propre !

— Justement, je ne veux pas avoir à expliquer à Cristina pourquoi nous n'avons pas joué.

— Les gars, vous êtes paranos…

— On n'est jamais trop prudent… et c'est toujours les innocents qu'on accuse.

— C'est-à-dire ?

— C'est-à-dire que nos femmes ne croiraient jamais que nous avons renoncé à jouer pour consoler Enrico… Donc mieux vaut qu'elles pensent que nous avons joué !

— J'en reste sans voix, dit Alex en se dirigeant vers sa voiture.

— Alors c'est moi qui vais te dire quelque chose, lui répond Flavio en le rejoignant. L'expérience m'a enseigné qu'elles ne doivent jamais avoir le moindre doute, sinon tout est fini. Il faut leur donner des certitudes.

— Même maintenant que tu es marié ?

— Bien sûr ! Surtout maintenant ! Tu vois, tu dis « maintenant » que tu es marié… Comme si quelque chose était terminé, comme s'il n'y avait plus de tension… Au contraire, c'est là que tout commence !

— Je voulais simplement dire que si tu as décidé de l'épouser ça veut dire que tu as trouvé la bonne, celle que tu cherchais. Il ne devrait plus y avoir de tension… mais de l'harmonie, de la complicité, de la confiance… Bref, un duo gagnant. Ça devrait être ainsi pour toujours !

— « Ça devrait être ainsi », répète Flavio en montant dans sa voiture… Mais est-ce ainsi ? Tout à l'heure Niki t'a appelé et son portable fonctionnait. Mais maintenant ? Fonctionne-t-il ou est-il éteint ? As-tu confiance en elle ? Est-elle vraiment chez son amie ? Avec ses copines ? Soit tu fais comme moi, qui n'ai jamais douté de Cristina et qui ne connais pas la jalousie — d'ailleurs je crois qu'elle apprécie ma confiance… soit dans dix minutes tu essaieras d'appeler Niki. Et pas seulement pour lui parler. Toi seul le sais.

Avec un incroyable sourire, Flavio referme sa portière et baisse la vitre avant d'ajouter :

— Toi seul. Confiance ou jalousie… Voilà le dilemme !

Il démarre en le plantant là, seul au milieu de la route. Juste après, Alex attrape son portable pour composer un numéro. Il se tait, suspendu à l'appareil, inquiet que le téléphone de Niki puisse être éteint. Enfin, ça sonne. Alex sourit. Il est allumé. *Et maintenant ? Maintenant tu vas répondre, n'est-ce pas ?*

14

— Vous avez failli renverser mon cocktail sur moi, tout à l'heure ! Aïe ! Stop !

— Il est froid, ça te fera du bien aux jambes !

— Ça va surtout faire des taches partout !

— De toute façon, Alex est le seul à les voir, non ?

— Je ne sais pas…

— Ah bon ?

Elles lui sautent à nouveau dessus pour la chatouiller.

– Non, je vous en supplie, pas les chatouilles, pas ça ! Je viens de manger. À l'aide, je vais vous vomir dessus ! Je vous jure que je ferai ce que vous voudrez…

– Alors dis-nous tout de suite le nom de ce canon dont tu as fait la connaissance !

Niki rit et se débat, mais elles n'arrêtent pas leurs chatouilles.

– Aïe, aïe, stop ! Je vous jure, je ne m'en souviens pas…

Elle parvient à leur échapper, glisse sur le tapis et se réfugie près de son sac. C'est alors qu'elle se rend compte que son portable, qu'elle avait mis sur vibreur, est en train de sonner. C'est Alex qui la rappelle. Une, deux, trois sonneries. Niki répond in extremis.

– Enfin ! Mais que se passe-t-il ? Pourquoi tu ne répondais pas ?

Alex est très agité. Niki regarde ses amies et elle a une idée.

– Ah, salut ! Comment tu vas ? Quelle surprise !

Puis elle couvre le micro avec sa main et leur annonce :

– C'est lui, c'est lui, je n'y crois pas !

Elle saute sur place, toute contente.

– Nous non plus, susurre Olly en s'approchant.

Elles s'approchent d'elle, se collent pour tenter d'entendre quelque chose, la voix, et surtout ce que va dire le bel inconnu.

Alex regarde son téléphone, interdit.

– Comment ça, quelle surprise, on s'est parlé tout à l'heure !

Niki se rend compte qu'elles vont le reconnaître, elle se détache du groupe.

– Pour moi, c'est toujours une surprise, de t'entendre… Tu sais que tu étais vraiment mignon, aujourd'hui ?

– Aujourd'hui ? Quand on s'est vus ? Mais quand je t'ai dit au revoir, j'étais encore en pyjama…

– Justement, ça t'allait très bien… ce pyjama…

Alex est de plus en plus perdu.

– Niki… Tu as bu, ou quoi ?

Mais Niki n'arrive plus à tenir les Ondes à distance, elles réussissent à l'immobiliser. Elle tente de ne pas lâcher le téléphone, elle le couvre de la main.

– Non, allez, arrêtez, il est à moi, à moi…

Alex entend tout ce vacarme.

– Mais qu'est-ce qui est à toi ? Niki ?

Olly lui arrache le Nokia tandis qu'Alex essaie d'y comprendre quelque chose.

— Allô, allô, Niki ? Mais que se passe-t-il ?

Olly, le téléphone collé à l'oreille, écoute.

— Non, arrête, rends-le moi, rends-le moi !

Niki se débat, tenue fermement par Erica et Diletta, tentant de récupérer son portable. Olly reconnaît l'interlocuteur.

— Salut, Alex !

— Qui est-ce ? Olly ?

— Et oui, c'est moi ! Comment vas-tu ?

— Très bien, mais où est Niki ?

Olly la regarde, prisonnière des autres Ondes.

— Elle a dû courir aux toilettes. Ça faisait une heure qu'elle avait envie de faire pipi... Nous avons bu des cocktails, des tisanes... tu vois ce que je veux dire... Ah, la voilà, elle revient, je te la passe.

Les Ondes la libèrent.

— Allô ? dit Alex, de plus en plus étonné. Niki, que se passe-t-il ?

— Olly te l'a dit, non ? J'avais envie de faire pipi, je n'en pouvais plus !

— Pardon, mais... tu ne pouvais pas m'emmener aux toilettes avec toi ?

— Pour faire pipi ? Avec mon portable ? Espèce de pervers ! Mon téléphone fait aussi caméra, comme tu le sais... Tu voulais m'espionner, hein !

— Moi ? Vous êtes toutes folles. Bon, je rentre à la maison. On s'appelle tout à l'heure ?

— OK, je te passe un coup de fil quand j'arrive chez moi...

Niki raccroche. Erica la regarde, étonnée.

— Mais combien de fois vous vous appelez par jour ?

— Beaucoup... Énormément, chaque fois qu'on en a envie.

— Encore pire que Giò et moi quand on était ensemble.

— J'espère seulement qu'on s'en sortira mieux ! Sans vouloir te vexer...

— Je l'aurais parié, que ça n'était pas le type de la fac.

Olly hausse les épaules, amusée.

— Moi aussi.

— Qu'est-ce que vous racontez... Si vous avez voulu entendre sa voix au téléphone, c'est parce que vous en étiez sûres. Ce que vous pouvez être hypocrites...

Diletta s'assied sur le canapé.

— Moi j'étais certaine que c'était Alex.

— Pourquoi ?

– Une sensation… Tu ne pourrais jamais, le quitter comme ça, de but en blanc, et te mettre à fréquenter quelqu'un d'autre.

Niki prend un air précieux.

– Ce n'est pas dit… On change, vous l'avez déclaré vous-mêmes. Et puis, il ne faut jamais dire jamais. En tout cas, Olly, tu aurais pu inventer autre chose que cette histoire de pipi !

– Peut-être, mais il y a cru.

– Il a bien voulu y croire…

– Erica !

– Moi, je pense que parfois les hommes savent parfaitement ce qu'il en est, mais ils font semblant, ils ne veulent pas accepter la réalité. Regarde Giò : il croit que j'ai eu un ou deux flirts depuis que nous nous sommes quittés, mais aucune histoire un peu sérieuse…

– S'il savait la vérité !

– À mon avis, il n'y croirait pas.

– Je suis d'accord !

– Moi, je crois qu'il serait tellement choqué qu'il en deviendrait gay.

– Olly !

– Mais si ! Quand un homme découvre à quel point sa femme a changé, il en arrive à refuser toute la gent féminine ! Et puis, je n'ai rien contre les gays, au contraire…

– C'est-à-dire ?

– Ce soir, je vous ai invitées pour faire la fête parce que j'ai été prise en stage chez un styliste ! Et ils sont tous gays, là-bas.

– Trop fort !

– Qu'ils soient gays ?

– Non, le stage !

– Oui, je suis très contente…

– C'est génial ! Félicitations !

Olly court à la cuisine et ramène un gâteau blanc et rose où il est écrit *Stagiaire… Sans risques !* Elle le met au centre de la table du salon. Ses amies s'approchent.

– Ça veut dire quoi ?

– Que je ne risque pas de mésaventure à la Lewinsky… Je te l'ai dit, mon chef est gay !

– Olly, tu es trop forte !

– Je suis trop contente ! Je vais enfin gagner un peu d'argent, je n'aurai plus à compter uniquement sur ma mère…

– En tout cas, cet appartement, tu le dois surtout à elle !

— Bien sûr! Je n'aurais jamais pu, toute seule…

— Pense à nous, chez nos parents, toujours dépendantes, comme des enfants…

— Non, il y a un moyen.

Olly tend une première part de gâteau à Erica.

— Oui, bien sûr, on peut se faire adopter et financer par ta mère.

— Ou bien vous marier.

— C'est d'un triste!

— De se marier? demande Niki en saisissant une autre part.

— Non, de le faire uniquement pour partir de chez soi…

— Tu sais, c'est une motivation très fréquente…

Diletta prend la dernière part.

— Oui, mais ça doit rester un rêve… Si ça aussi, ça devient un simple passage, alors quel intérêt?

— Tu as raison.

Cette fois, elles sont toutes d'accord. Elles savourent le gâteau à la crème saupoudré de légers flocons de sucre, en s'exclamant de temps à autre :

— Mmh, c'est bon!

— Oui… Et un kilo de plus!

Leurs yeux sont joyeux, leur avenir incertain, mais leur bouche est emplie de douceur et leur cœur d'un énorme rêve. Une maison à soi, où se sentir libre et en sécurité, à aménager, construire, inventer. Une façon d'être un peu plus adulte.

15

Nuit citadine. Nuit de gens sur le point de s'endormir, d'autres qui n'y arrivent pas. Nuit de pensées légères qui bercent le sommeil. Nuit de peurs et d'incertitudes. « Nuit des pensées et des amours pour ouvrir ces bras vers des mondes nouveaux[1] », comme chante Michele Zarrillo.

Après sa soirée avec les Ondes, Niki, amusée et satisfaite, écrit un texto en se mettant au lit.

Salut mon amour, je suis rentrée, je vais me coucher. Tu me manques.

Alex sourit en le lisant, puis répond :

1. Extrait de Michele ZARRILLO, *L'amore vuole amore*, «La notte dei pensieri», Sony Music International, 1997.

Toi aussi… Toujours. Tu es le soleil de mes nuits, la lune de mes jours, mon plus beau sourire. Je t'aime.

Tout a l'air serein. Une légère brise nocturne, quelques nuages qui glissent sur ce grand tapis bleu foncé. Et pourtant, cette nuit est tout sauf tranquille.

Ailleurs, dans une autre maison, quelqu'un ne pense même pas à aller se coucher.

Enrico fait les cent pas dans le salon, puis entre tout doucement dans la chambre de sa fille, inquiet, la regarde dans la pénombre, son petit visage caché par le drap. Sa respiration est légère, si légère qu'Enrico doit s'approcher pour l'entendre. Il s'imprègne tant qu'il peut de son doux parfum, de cette odeur de nouveau-né, de cette fraîcheur, de l'enchantement de ces mains si petites, qui se referment sur le coussin, sur son petit monde puis, doucement, s'ouvrent avec une incroyable sérénité. Enrico inspire une dernière fois profondément avant de sortir en laissant la porte légèrement entrebâillée. Il se sent à nouveau fort, ragaillardi par cette petite créature issue de sa chair, le miracle de sa vie.

L'espace d'un instant, son esprit court à travers les mers, les montagnes, les pays étrangers, les fleuves, les lacs, et la terre pour atterrir sur cette plage. Il imagine Camilla marchant sur le sable, au bord de l'eau, dans la lumière du soleil, vêtue d'un paréo, riant, plaisantant, bavardant avec l'homme à ses côtés. Mais il ne voit qu'elle, rien d'autre, son sourire, son rire, ses belles dents blanches, sa peau hâlée, il a l'impression qu'il peut s'approcher, l'effleurer, l'aimer une dernière fois. Il se sent comme Denzel Washington dans *Déjà vu*, avec cette superbe actrice. Ensuite, Camilla entre dans un bungalow, mais Enrico reste dehors. Seul, abandonné, intrus, déplacé, indésirable. Un autre entre à sa place en souriant et ferme la porte. Il reste là, il imagine, souffre en se rappelant l'envie, la passion, le goût de ses baisers, l'excitation en la déshabillant, sa lingerie élégante, sa façon de bouger ses cheveux, d'enlever ses bas, de s'allonger sur le lit, de se caresser… Cette souffrance croît pour se transformer en rage, il sent ses yeux humides et un énorme vide à l'intérieur. Il a mal, mais, avant que la première larme ne coule, il s'approche de l'ordinateur.

Le calme revient lentement, de façon diffuse, comme cette lumière qui éclaire l'écran. Une inspiration profonde. Une autre. Encore une autre. La douleur s'éloigne peu à peu. Une pensée légère qui s'enfuit comme une mouette au-dessus des vagues des Maldives. Et une amère certitude : on grandit, on fait des expériences, on apprend, on pense savoir comment le monde tourne, on pense avoir trouvé la juste clé pour tout affronter. Et puis, quand on s'y attend le moins, quand l'équilibre semble parfait, quand on pense avoir donné toutes les réponses ou presque, un nouveau choix se présente, auquel on n'est pas préparé. On comprend seulement que l'amour ne nous appartient pas, qu'il est ce moment magique que deux personnes décident de vivre ensemble, cet instant qu'elles décident de goûter jusqu'au bout en rêvant, en chantant, en se sentant légères, uniques. Sans possibilité de raisonner. Tant que toutes les deux le voudront. Jusqu'à ce que l'une des deux s'envole. Et rien, ni gestes ni paroles, ne pourra faire entendre raison à l'autre. Parce que, en amour, il n'y a pas de raison… Enrico, seul, regarde ce qui n'est plus. Il ne lui reste plus que cette mouette à admirer. Elle frôle l'eau, les vagues, et c'est comme si elle écrivait *Fin* en planant sur la mer.

Enrico pousse un dernier soupir, tape le mot dans Google puis clique sur « Rechercher ». Soudain, sur l'écran apparaît la seule vraie solution possible de ce moment : baby-sitter.

Olly termine de nettoyer la vaisselle du dîner avec les Ondes. Elle met les assiettes où elles ont mangé le gâteau dans l'évier et fait couler l'eau, puis retourne au salon pour prendre ce qu'il reste du dessert. C'est drôle, elles en ont mangé exactement la moitié. Ça a changé l'inscription. Blague du destin, ou tentative désespérée des Ondes de se mettre un peu au régime ? En tout cas, le *Sans* a disparu et Olly met le gâteau au réfrigérateur avec un drôle de pressentiment, presque une menace, un danger suggéré par les lettres qui pointent au milieu de toute cette douceur en laissant une pensée amère : *Stagiaire… risques !*

Deux heures du matin. Pietro sort furtivement de l'immeuble. Il dissimule son visage, comme un voleur qui vient de cambrioler un appartement. En réalité, ils étaient deux sur le coup, deux à reconnaître leur incapacité à vivre simplement avec ce qu'ils ont. Ils veulent plus, ils veulent quelque chose de différent. Ils veulent ce qu'ils n'ont pas, et ils se le volent réciproquement.

Pietro monte dans sa voiture et part dans la nuit. Maintenant il peut laisser libre cours à sa satisfaction, il respire longuement et se dit que cette fois encore ça s'est bien passé, comme un étrange championnat, un tournoi ridicule où le gagnant et le perdant sont une seule et même personne, vu qu'il ne se bat contre aucun adversaire.

Erica rentre chez elle sur la pointe des pieds. Elle regarde dans le salon. Zut, il ne manquait plus que ça. Toujours la même histoire. Papa s'est encore endormi devant la télé. Elle passe devant lui en se faisant le plus discrète possible et se dirige vers sa chambre, mais elle change d'avis et revient en arrière.

Non, rien à faire, elle ne peut pas. Malgré le risque, sa curiosité est trop forte. Elle s'approche du bloc-notes posé sur la table basse, précisément du côté du canapé où son père dort. Voyons voir qui m'a appelée. *Pour Erica : Silvio, Giorgio, Dario. Quelle barbe... Aucun de ceux qui m'intéressent.*

RRRrrr. Le bruit la fait bondir. Un ronflement soudain de son père, un grognement nocturne, elle a eu une de ces peurs ! Erica lève le bras vers le ciel, comme pour l'envoyer se faire voir. Puis elle sourit, écoute son cœur en posant sa main sur sa poitrine, le sent battre la chamade. Alors elle secoue la tête et s'éloigne. Elle ne peut pas éteindre la télé, la dernière fois qu'elle l'a fait son père s'est réveillé en sursaut, il est tombé du canapé, il a failli avoir une attaque. Le silence soudain de la télé éteinte lui a fait le même effet qu'un gros bruit, lui qui dormait béatement dans ce vacarme.

Erica ferme la porte du salon et avance rapidement dans le couloir, de toute façon sa mère a le sommeil lourd, et une fois dans sa chambre se déshabille en un temps record. Pull, chaussures, pantalon, ceinture. Elle est devenue une vraie championne, elle pourrait enlever n'importe quoi dans le noir, même avec plein de boutons. Elle jette le tout sur le fauteuil, mais le pull atterrit par terre. Pas grave. L'important est de tout remettre en place avant que quiconque entre dans sa chambre. Elle va se laver les dents, se brosse un peu les cheveux, se rince rapidement le visage et enfile son pyjama.

Avant de se mettre au lit, elle prend son portable pour le mettre en charge. Pas de message. Pas d'enveloppe qui clignote. Elle écrit à toute allure *Tu es là ?* et l'envoie à Giò. Elle attend une minute. Deux. Tant pis, il dort déjà. Puis Erica sourit. Peut-être qu'il rêve de moi.

66

Et sur cette dernière pensée, confiante, elle se glisse sous les draps et s'endort heureuse. Sans penser que, quand on n'aime plus quelqu'un, on ne doit pas maintenir le lien juste pour se sentir en sécurité et se donner de l'importance. L'indépendance s'acquiert au prix de la liberté, et la liberté ne peut être totale que quand on est honnête envers soi-même et envers qui nous a aimé.

Alex se tourne et se retourne dans son lit, en nage. Il fait un cauchemar. Il se réveille en sursaut et regarde sa montre. Sept heures moins vingt. Il boit un verre d'eau et, pour la première fois depuis longtemps, se souvient du rêve qu'il vient de faire. D'habitude il les oublie, mais cette fois il se rappelle tous les détails.

Il se trouve dans un tribunal où tous les magistrats portent des perruques blanches, de longues toges, des chapeaux noirs. Soudain il réalise que les avocats de la défense ne sont autres que ses amis Pietro, Enrico et Flavio, tandis que de l'autre côté, celui de l'accusation, siègent leurs femmes Susanna, Camilla et Cristina. Elles ont le visage poudré. Le jury est constitué des amies de Niki, Olly, Erica et Diletta, ainsi que de leurs petits amis, du père et de la mère de Niki, et de ses propres parents ! Une voix s'élève soudain : « Tout le monde debout, le juge arrive ». Au centre de la salle, le juge prend place dans un énorme fauteuil en cuir derrière une grande table en bois : Niki. Elle est toujours superbe, mais plus femme, adulte, grandie. Et sereine. Elle donne un grand coup de marteau sur la table.

— Silence. Je déclare l'accusé… coupable.

Alex, étourdi, est comme pétrifié, il regarde autour de lui mais tout le monde acquiesce tandis qu'il cherche des explications.

— Comment ça ? Pourquoi ? Qu'est-ce que j'ai fait…

— Qu'est-ce que tu n'as pas fait… sourit Pietro en lui faisant un clin d'œil. Mon cher, pour nous tu es innocent.

À ce moment-là, il se réveille.

Alex déambule dans la maison, il est maintenant 7 h 20. Il réfléchit mais ne trouve pas d'explication satisfaisante, alors il se met à l'ordinateur. *Quelles réunions sont programmées, aujourd'hui ?* Il ouvre son agenda. *Ah oui, le briefing de midi, mais ce n'est pas si important que ça, et puis le contrôle des dessins dans l'après-midi…* À ce moment-là, par hasard, il s'aperçoit que Niki n'a pas fermé sa page Facebook. Un instant, un moment qui semble durer une éternité, avant de prendre la décision. *Oui, je suis curieux. Je veux savoir.* Alors, soudain faible, avide, mesquin, il clique et tout un monde s'ouvre à lui. Une série de jeunes gens dont il n'a jamais entendu parler, et tous leurs messages.

Salut, la belle! Tu fais quoi, on sort? On se voit quand, tu sais que tu es vraiment mignonne? Tu es vraiment avec quelqu'un, ou c'est juste une couverture? Giorgio, Giovanni, Francesco, Alfio. Des noms absurdes, des commentaires absurdes, des photos encore plus absurdes. Des types avec des lunettes noires, des chaînes en or, des marcels blancs, des jeans tombants, des blousons en cuir, des ceintures à grosse boucle, des muscles gonflés à bloc. D'autres avec les cheveux longs, dégradés, une mèche sur les yeux, maigres, portant des chemises moulantes, style rocker. Certains plus intellos, avec des petites lunettes et un visage anonyme. Mais surtout, que font-ils sur la page de Niki? Ils sont pires que les challengers de *L'île de la tentation*! Ils font peur : ils ne draguent pas, ils mordent! Alex blêmit, il se revoit dans ce tribunal avec ces avocats amis et ennemis qui continuent d'acquiescer. Soudain, il comprend son rêve. *Coupable! Oui, coupable de l'avoir laissée filer.*

16

Alex déjeune, se rase, prend une douche, s'habille et saute dans sa voiture. Ce n'est pas possible… à trente-sept ans, se retrouver à faire ça… Non, ce n'est pas possible. Et puis, un écho lointain, une phrase familière : « Alex, l'amour n'a pas d'âge… » C'est vrai, très vrai. C'est vrai, il n'a pas d'âge, pense-t-il en s'assombrissant soudain. Ni dans le bien, ni dans le mal.

On sonne à la porte de chez Enrico. Sur le palier, une dizaine de jeunes filles aux looks très variés font la queue. Une blonde avec plein de petites tresses et une salopette en jean. Une autre avec un bob bleu et une robe à fleurs. Une autre encore, lisant un livre, des écouteurs sur les oreilles. Son annonce a eu du succès.

La première de la file le salue.

— Bonjour, c'est bien ici?

— Bonjour! Oui… répond-il en la regardant.

Elle porte un jean bicolore, modèle skinny à taille haute, et un T-shirt noir à manches longues complètement transparent, avec un soutien-gorge en dessous.

— Bon, lui sourit-elle en mâchant un chewing-gum. Je suis prête.

— Je vous en prie, entrez.

La fille passe à côté de lui et s'arrête au milieu du salon.

— Je me mets où?

Enrico prévient les filles sur le palier qu'il les appellera après et ferme la porte.

— Là, à la table basse, nous serons mieux installés.

— Je ne suis pas très à l'aise, assise...

Enrico la regarde bizarrement.

— Je ne comprends pas bien, excusez-moi... Mais bon, si vous préférez rester debout, d'accord, nous parlerons debout.

La fille le regarde et sourit.

— Je m'appelle Rachele, j'ai vingt ans et je chante depuis que j'en ai six.

— Ah, oui, très bien... Ingrid aime bien les petites chansons.

— Ingrid? Qui est-ce, une autre examinatrice?

— En effet, s'exclame Enrico en riant, elle devrait choisir elle-même mais elle ne peut pas... mieux vaut que je le fasse moi-même.

— D'accord... Donc, moi, j'aime surtout la pop. Je connais toutes les chansons d'Elisa et Gianna Nannini par cœur.

Enrico la regarde plus attentivement. Si elle ne parle que de son répertoire musical, ça doit vouloir dire que c'est son fort avec les enfants.

— Et vous avez beaucoup d'expérience avec les enfants?

— Vous voulez dire, les chœurs?

Enrico lève un sourcil.

— Non, je veux dire avec les enfants. Vous vous débrouillez?

— Vous voulez bien m'expliquer de quel type de spectacle il s'agit? demande Rachele, qui a l'air de tomber des nues.

— De spectacle?

— Oui. Ce casting, c'est pour quel spectacle?

— Ici, le seul spectacle, c'est ma fille Ingrid...

— Votre fille? Ingrid? Pardon, mais...

— Rachele, pourquoi êtes-vous ici?

— Comment ça, pourquoi? Pour le casting de chanteuse, bien sûr!

Enrico la regarde puis éclate de rire.

— De chanteuse? Mais moi je cherche une baby-sitter!

Rachele attrape un journal dans son sac.

– Oh non… Je me suis trompée d'adresse. Zut!

– Une baby-sitter qui chante, ce n'était pas une mauvaise idée…

– Ouais… mais bon…

Elle est déçue.

– Allez, tant pis, ça sera pour la prochaine fois.

Il l'accompagne à la porte. Au moment de partir, Rachele se tourne :

– Par hasard, vous ne connaîtriez pas quelqu'un qui cherche une chanteuse?

Enrico secoue la tête. Rachele s'éloigne en faisant la grimace.

– Qui est la prochaine?

– Moi! répond une rousse aux cheveux courts qui déboule dans son salon. Bonsoir, je m'appelle Katiushka et je me suis permis de préparer quelque chose…

Elle sort deux feuilles pliées de son petit sac à dos, les ouvre et les regarde d'un air sérieux. Elle s'éclaircit la voix.

– Donc, je me suis dit que le meilleur rôle était celui de Scarlett Johansson dans *The Nanny Diaries*, non? Quand elle joue Annie Braddock, la jeune diplômée qui ne trouve jamais de travail et finit par s'occuper de Grayer, dont la mère en pleine ascension profession-nelle est toujours débordée… Ça, c'est le moment où elle est avec l'enfant, je peux le faire ici, debout…

Katiushka parle très vite, elle s'apprête à se lancer dans une tirade quand Enrico l'arrête.

– Non, non, attendez, attendez… Que faites-vous? Je n'ai pas besoin de ça, pour que vous me prouviez que vous êtes la personne qu'il faut.

– Comment ça… comment vous pouvez vous rendre compte, sans ça?

– Je vais vous poser des questions, tout simplement… quels horaires pouvez-vous faire? Parce que j'ai besoin de quelqu'un qui garde Ingrid jusqu'à 19 heures… bref, qui ait une certaine flexibilité.

– Pardon… mais ce n'est pas le casting pour un rôle de baby-sitter dans un film?

Enrico n'en croit pas ses oreilles. Pour l'instant, on dirait que les filles qui sont venues se sont toutes trompées d'adresse.

– Non, écoutez, moi je suis à la recherche d'une vraie nounou pour ma fille…

– Vous auriez pu l'écrire, quand même!

— En effet, je l'ai écrit! Dans le journal!

— Vous auriez dû être plus clair!

Enrico n'en revient pas, il décide d'abréger.

— Bon, bon, allez, ça ne fait rien…

— Ça ne fait rien pour vous, mais moi j'ai passé toute la soirée d'hier à préparer le rôle.

Katiushka prend son sac à dos et fait mine de s'en aller.

— Ça ne se fait pas, de se moquer des gens comme ça.

Elle sort en claquant la porte. Enrico la suit, rouvre la porte et la regarde s'éloigner, très en colère. Il hausse les épaules. Bon, voyons voir, à qui le tour? Il demande à toutes les autres si elles ont bien compris de quoi il s'agit, elles acquiescent. Au moins, celles-ci, sont de vraies baby-sitters! Certaines ont l'air convaincantes, d'autres moins, il va chercher Ingrid, fait des tentatives de socialisation entre la fillette et les aspirantes au poste, réfléchit, évalue, pose encore des questions. Il promet à chacune qu'il la rappellera. En raccompagnant la dernière, il remarque une fille sur le palier, deux sacs de courses en toile verte dans les mains, un petit sac à dos sur les épaules, des écouteurs sur les oreilles.

— Ah, vous êtes la dernière, entrez, je vous en prie… lui dit-il en l'accueillant d'un geste.

La fille, blonde, cheveux raides tenus en arrière par un petit serre-tête bleu pâle, pantalon blanc et petit pull dans les tons bleus, remarque son geste mais n'entend pas. Elle le regarde d'un air étonné puis s'arrête, pose ses courses et enlève un de ses écouteurs.

— C'est à moi que vous parlez?

— À qui d'autre? Vous êtes la dernière, pour aujourd'hui… Allez, venez.

Elle fait une petite grimace, puis retire l'autre écouteur.

— En fait, moi…

— Moi quoi? Vous êtes un peu en retard mais j'ai encore le temps. Après je dois filer au bureau. Entrez, ça ne sera pas long.

La fille comprend de moins en moins ce qu'il se passe. *Que veut ce type? En tout cas, il a l'air sympa, et il est mignon. Je suis curieuse. Mais bon, je ne le connais pas. Je ne devrais pas rester là, je perds mon temps.* Finalement, c'est la curiosité qui l'emporte. Elle esquisse un sourire, ramasse ses sacs de courses.

— Vous avez fait votre marché?

— Oui, pourquoi?

— Non, non, pour rien…

Enrico secoue la tête, puis réfléchit. *C'est vrai, elle a raison, où est le problème? D'ailleurs, c'est une fille mieux organisée que les autres, elle va passer un entretien mais ne perd pas son temps pour autant.*

— Je vous en prie, venez vous installer...

La fille le suit, encore un peu hésitante. Elle entre et aperçoit des objets en désordre sur le canapé, des pantoufles et un cadre accroché au mur : la photo d'un jeune homme qui tient dans ses bras un nouveau-né avec un petit haut rose et une tétine. Une petite fille, donc. Elle reconnaît le jeune homme, c'est celui qui vient de la faire entrer.

— Voilà, asseyez-vous. Comment vous appelez-vous?

La fille pose à nouveau ses sacs à terre et prend place.

— Anna...

— Enchanté, moi c'est Enrico, comme vous le savez déjà... Papa Enrico... ajoute-t-il en riant, un peu gêné.

Anna le regarde. *Je ne savais pas, que tu t'appelais Enrico. Ni que tu étais papa. Elle ne comprend toujours rien, mais elle trouve la situation comique et elle décide de jouer le jeu.*

— Quel âge avez-vous?

— Vingt-sept ans, je suis en train de terminer mes études de psychologie.

— Psychologie? Parfait! Et de combien de temps libre par jour disposez-vous?

— Je ne travaille pas, donc à part quelques cours à l'université je suis toujours à la maison...

— Très bien, ça colle parfaitement... Vous habitez loin?

Anna ne comprend toujours pas.

— À l'étage au-dessus... En fait, tout à l'heure...

— Je n'y crois pas. Au-dessus? Je ne vous avais jamais vue. Alors vous vous êtes arrêtée pour l'entretien en rentrant. Très bien! Ça serait vraiment très pratique...

— Oui, je viens d'emménager, c'est l'appartement de ma tante. Vous l'avez peut-être rencontrée, c'est une dame très grande, les cheveux roux... Mon petit copain y a vécu quelques semaines, aussi.

Pourquoi suis-je en train de lui donner toutes ces explications?

— Quoi qu'il en soit vous m'avez l'air parfaite. Vous êtes étudiante, donc vous avez des horaires souples. Vous habitez au-dessus. Oui, vous êtes parfaite. Quand pouvez-vous commencer?

— Mais quoi donc?

— Comment ça, quoi donc? Garder ma fille. C'est bien pour ça que vous êtes ici, non?

— Pas vraiment, non. Je suis ici parce que vous avez insisté pour me faire entrer. Je passais juste par là en rentrant chez moi. Je ne prends jamais l'ascenseur, pour faire un peu d'exercice…

Enrico est interloqué.

— Vous voulez dire que vous ne cherchez pas de travail ? Vous n'êtes pas ici pour l'entretien ?

— Non, je vous l'ai dit, c'était une coïncidence, je passais par là.

Enrico a l'air déçu. Il regarde par la porte-fenêtre qui donne sur la terrasse.

— C'était trop simple…

Anna lui sourit.

— En tout cas, vous avez de la chance…

— C'est ça. La seule personne qui convenait, après une demi-journée d'entretiens, s'est retrouvée là par hasard et ne cherche pas de travail. Beaucoup de chance, oui. Il ne me reste plus qu'à tout recommencer.

— Vous êtes un vrai pessimiste. Vous ne croyez donc pas au destin ? Aux coïncidences ? Je vous ai dit que je ne travaillais pas… ce qui ne veut pas dire que je ne cherche pas d'emploi. Et le vôtre a l'air parfait. Si j'avais su qu'il suffisait de descendre un étage…

Le visage d'Enrico s'éclaire.

— Parfait ! Vous commencez demain matin.

Il n'a même pas l'idée de lui présenter Ingrid. Il sait déjà qu'elles vont s'entendre.

— Très bien… Et attention à ne pas prendre un voisin qui passe pour le plombier !

Enrico se lève d'un bond pour la raccompagner.

— À demain, alors ! dit Anna en s'éloignant.

Oui. Elle a l'air sympathique. Et puis, elle est plutôt mignonne. Même si ça, Ingrid s'en fiche…

17

À 9 h 30 précises, Alex se gare à quelques mètres de l'immeuble de Niki. *Elle m'a dit qu'elle avait cours à 10 heures, elle ne devrait pas tarder à sortir.* En effet, juste à ce moment-là, la porte s'ouvre et il aperçoit… Niki. Elle a l'air plus mûre, plus femme. En fait… c'est

Simona, sa mère! *Mon Dieu, et si elle me voyait? Alex! Nous pensions que tu étais le plus âgé, dans le couple, le plus mature, le plus fiable… et tu prends ma fille en filature?! Elle s'est mal comportée, peut-être? Quelque chose te permet de douter d'elle? D'accord, elle a quelques nouveaux amis, c'est bien normal, à l'université… Mais je ne vois pas où est le problème.*

Alex s'enfonce dans son siège jusqu'à disparaître sous le volant, il se cache, honteux de son idée absurde, mais essaie quand même de se justifier. *Pardon, madame… Amour et jalousie. « La jalousie… plus on la repousse, plus elle est présente… Le voilà, le serpent, il est arrivé, il est assis parmi nous, il te mange le cœur comme une tomate, tu en deviens fou, comme un taureau, comme un taureau tu en oublies de réfléchir*[1]*… » Qu'est-ce qui me prend de chanter du Celentano? C'est beaucoup plus simple que ça : madame, je suis ici… par amour!* Au même moment, Simona, la maman de Niki, monte dans sa voiture et baisse sa vitre pour faire signe à une fille qui part en scooter. Cette fois, c'est elle. Niki! Alex démarre en évitant Simona, qui va dans la direction opposée. Il suit le scooter. Comme dans les films : « Suivez cette voiture! » Alex rit tout seul. « Ou plutôt ce scooter… » L'espace d'un instant, il a envie de tout laisser tomber. *Mais oui, c'est normal qu'elle ait son indépendance, sa liberté, ses amis, ses messages. Être ensemble est notre choix et ça doit le rester, au-delà de tout et de tous, ce n'est pas une obligation. D'ailleurs, tant mieux si elle est courtisée, au moins elle peut comparer, et elle reste avec moi parce que je suis mieux que les autres. C'est trop facile de gagner, quand on joue tout seul. Mais oui, allez, je vais aller un peu plus tôt au bureau, comme ça je pourrai avancer un peu sur cette idée de film.*

Soudain une circonstance étrange, une conjonction astrale, bref, pour une raison obscure le volume de la radio augmente tout seul et fait irruption dans ses pensées, efface son sourire. Ram Power, 102.7. Un succès du moment, un succès du passé. « Tu te trompes, celle que tu as vue n'est pas… ce n'est pas Francesca. Elle, elle est à la maison, elle m'attend. Ce n'est pas Francesca… Et s'il y avait un autre… Non, ça ne peut pas être elle[2]… » En une fraction de seconde, Mogol et Battisti se transforment en diables tentateurs, il voit défiler un mon-

---

1. Extrait de Adriano CELENTANO, *Unicamente*, « La gelosia », Sony Music International, 2008.
2. Extrait de Lucio BATTISTI, *Emozioni*, « Non è Francesca », Ricordi, 1970.

tage des meilleurs films de tous les temps. Amour. Trahison. Mensonge. *Sliding Doors*, quand Gwyneth Paltrow revient chez elle par un drôle de hasard et le découvre avec sa maîtresse. Un fondu, et il se retrouve dans *Infidèle*, quand Richard Gere reçoit la contravention de la voiture de sa femme, qui le conduit à la rue où habite le jeune homme qui vend des livres d'occasion… et il découvre que le type a une histoire avec sa femme, et pas une histoire de livres… Autre fondu, et voici *Mes deux hommes*, de Doris Dörrie, quand le mari, qui a oublié un dossier chez lui, rentre et voit sa femme dans la rue, alors que quelques instants plus tôt elle avait encore des bigoudis dans les cheveux. Il la suit et la découvre se roulant dans l'herbe avec un jeune homme… Alex pense à Enrico et à sa femme, partie avec l'avocat qu'il lui a lui-même présenté. À Pietro et à toutes ses maîtresses. Alors il appuie sur l'accélérateur avec une unique certitude. *Celentano a raison : je suis jaloux.*

18

Niki gare son scooter, pénètre d'un pas rapide dans l'enceinte de l'université. Alex est désespéré. *Où je vais me garer, moi ? Comment je peux savoir où elle va ? Heureusement, une voiture quitte une place de stationnement. Incroyable ! C'est un signe du destin. Mais quel en est le sens ?* Au même moment, la radio envoie un autre signe. Carmen Consoli. « Première lueur du matin, je t'ai attendue en chantant à voix basse et ce n'est pas la première fois, je t'ai suivie, j'ai promené mon regard sur la table, et parmi les restes de la veille, et parmi les chaises vides quelque chose planait dans l'air, dans le fond rien ne presse, tandis que je caressais l'idée de la coïncidence, je recueillais des signaux… Explique-moi ce que j'ai négligé, ce maillon manquant est la source de toutes les incertitudes, explique-moi ce qui m'a échappé[1]… » *Les signaux. Niki, serais-je en train d'en rater ?* C'est bizarre, parfois, comme les mots les plus innocents servent à justifier nos actes.

Alex n'a plus le temps de réfléchir. Ni de s'inquiéter. Il sort de sa voiture et court dans le parc de l'université. *Mon Dieu… je l'ai per-*

1. Extrait de Carmen CONSOLI, *Mediamente isterica*, « Anello mancante », Polygram, 1998.

due. Il regarde autour de lui, l'aperçoit enfin. Là, juste devant lui, elle marche parmi les autres étudiants, presque en sautillant, elle effleure des plantes de la main droite comme pour les caresser, se fondre dans le peu de nature résistant difficilement dans ces petits bouts de terrain circonscrits, entre les grosses plaques de marbre et le béton.

— Salut, Niki, l'appelle quelqu'un.

— Niki ! Salut, beauté ! l'interpelle un autre.

Salut, beauté. Qu'est-ce que cela veut dire ? Elle est belle, c'est sûr... moi je le sais, mais quel besoin y a-t-il de le hurler ? Et puis... Mais il n'a pas le temps de finir sa pensée. Derrière lui, un coup de freins brusque. Un homme d'un certain âge se penche à la vitre de sa voiture.

— Bravo, félicitations ! Où avez-vous la tête ? Qu'est-ce que ça peut vous faire, à vous ? De toute façon, si vous mourez, ce sont vos parents qui pleureront, hein ! hurle-t-il comme un fou.

— Chut, je vous en prie...

— C'est tout ce que vous avez à dire ? Je vous en prie... Mais sur quelle planète vivez-vous ? Où est votre capacité dialectique ?

Alex se retourne, inquiet. Les jeunes assis sur le muret observent la scène d'un œil curieux et amusé. Niki avance toujours, de dos. *Ouf, elle ne m'a pas vu !*

— Excusez-moi, vous avez raison... J'étais distrait.

Alex reprend sa filature. Niki passe devant le groupe qui l'a saluée tout à l'heure. L'un des types descend du muret pour s'adresser à Alex.

— Il est fou, ce prof...

— Oui, dit un autre. On le sait, et notre relevé de notes aussi !

— Ne vous inquiétez pas, monsieur !

Alex sourit, mais pas longtemps. Ils l'ont appelé monsieur. *Monsieur. Mon Dieu, quel drôle d'effet ! Monsieur. Mûr. Adulte. Mais aussi vieux ! Monsieur... C'est la première fois qu'on m'appelle monsieur !* Il remarque alors qu'il est entouré de jeunes, beaucoup plus jeunes que lui. Aussi jeunes que Niki. *Pour eux, je suis un monsieur, c'est-à-dire que je suis croulant, vieux, archaïque, antique... Pour Niki aussi ?* Et sur cette grande interrogation, il entre dans le bâtiment.

19

Dans la grande salle, un professeur déambule sur l'estrade avec enthousiasme et amusement.

– « Comme jaloux, je souffre quatre fois : parce que je suis jaloux, parce que je me reproche de l'être, parce que je crains que ma jalousie ne blesse l'autre, parce que je me laisse assujettir à une banalité : je souffre d'être exclu, d'être agressif, d'être fou et d'être commun. » Voilà ce qu'écrit Roland Barthes dans ses *Fragments d'un discours amoureux*[1]. Il parle de jalousie. Qu'y a-t-il de plus morbide, de plus difficile à accepter ? La jalousie existe depuis toujours... Rappelez-vous que, à ce qu'il paraît, nous sécrétons une endorphine qui développe la jalousie, comme un voyant qui signale le danger, ou plutôt les dégâts... Et je pense que Barthes, essayiste, critique littéraire et linguiste français, en donne une excellente définition.

Alex est pantois : un cours sur la jalousie. C'est vraiment le jour ! Il se penche discrètement pour scruter le public et l'aperçoit, un peu plus bas. Il se glisse derrière les tables du dernier rang et se cache derrière un étudiant coiffé à la Jackson Five. Le prof continue.

– Et si pour François de La Rochefoucauld dans la jalousie il y a plus d'amour-propre que d'amour, vous voyez bien que nous avons de la matière pour étudier la jalousie dans la littérature, sujet qui n'intéresse pas que vos collègues de psychologie...

Niki sort de son sac à dos un grand cahier qu'elle pose sur sa table avec des stylos et des surligneurs de différentes couleurs. Elle l'ouvre et note quelque chose, sans perdre un mot de ce que dit le prof. De temps en temps elle laisse échapper un bâillement et à la fin, mais seulement à la fin, elle met sa main devant sa bouche. Alex sourit, et à ce moment-là Niki aperçoit quelqu'un à qui elle fait signe, un peu plus bas sur la gauche. « Salut ! » semble-t-elle dire en gesticulant depuis sa place, mais sans prononcer un mot. Puis elle fait un geste pour dire « on se voit tout à l'heure ». Alex, soupçonneux, tente de comprendre à qui elle s'adresse. Il se penche en avant, juste à temps pour apercevoir une fille faire OK avec ses doigts et se replonger dans le cours. *Une amie à elle. Et moi qui pensais... Qui pensais quoi ? Quel idiot.* Et là, comme si tous ces doutes avaient soudain pris forme, comme s'ils s'étaient approchés, curieux, pour l'espionner de plus près, Niki se retourne et regarde derrière elle. Alex se fige derrière le Jackson Five, se confondant avec son ombre. Niki détourne le regard.

– Mais François de La Rochefoucauld ne s'est pas arrêté là, il a ajouté qu'il n'existe pas une sorte d'amour, mais mille copies différentes.

1. Éditions du Seuil, Paris, 1977.

Alex, soulagé de ne pas avoir été repéré, soupire.

– Chef? Chef?

Alex sursaute. Au même rang que lui, un drôle de type est caché sous la table, une main appuyée sur une chaise. Il porte un blouson militaire avec de petites étoiles sur les épaulettes. Ses cheveux longs et un peu ondulés à la rasta sont maintenus par un bandeau rouge. Il sourit.

– Pardon, chef, je ne voulais pas te faire peur... Tu veux du matos? Haschisch, marijuana, ecsta, coke... J'ai tout...

– Non merci.

Le type hausse les épaules et disparaît aussi soudainement qu'il était apparu. Alex secoue la tête. *Tu parles d'une réponse! Non merci. Mais qu'est-ce que je fais ici, moi?* Alors il file à l'anglaise en essayant de ne pas se faire remarquer. *Je ferais mieux d'aller au bureau...* Il se dirige vers sa voiture en sautillant, tout content, à nouveau serein. Mais il ne sait pas à quel point les choses auraient été différentes s'il était resté jusqu'à la fin du cours.

20

Olly est occupée à faire des photocopies. Après quatre jours de stage, elle s'ennuie déjà. Son humeur ne s'éclaircit que quand elle croise Simon. Ce garçon accumule les catastrophes, mais il est drôle, gentil, sincère, et il lui explique le fonctionnement de la boîte, lui donne quelques conseils.

On lui a attribué un petit bureau dans une grande pièce claire, où elle a disposé quelques figurines et une photo des Ondes. Elle a préféré ne pas en mettre de Giampi. Peut-être par pudeur. Elle a aussi apporté du papier à dessin et de temps en temps, en fin d'après-midi, quand elle a expédié ce qu'on lui demandait, toujours peu de choses, et surtout bien loin de ses aspirations, elle dessine un peu en s'inspirant de ce qu'elle voit autour d'elle. Elle travaille au siège d'une maison de mode. Il faut bien commencer quelque part, même au plus bas de l'échelle. Elle se rappelle une interview de Ligabue à la télé qui l'avait beaucoup marquée. Il disait : « J'ai vérifié que le succès n'est pas ce qu'on attend, il ne correspond pas à la fameuse équation succès = bonheur. Il règle plein de problèmes, il comporte plein d'aspects positifs, mais ce n'est pas ce que l'on croit. Et en quelque sorte, pour justifier que je l'avais quand même un peu mérité, j'ai quand même vécu *una vita da mediano*, une vie de milieu de terrain, comme le titre de ma chanson. Tout ça pour dire que le succès ne m'est pas tombé dessus tout cuit. J'ai écrit cette chanson à un moment où je ressentais le besoin de justifier mon succès, ce qui est également une bêtise, d'ailleurs. Mais il fallait que je traverse cette phase. » Olly sourit. *Je chante faux, mais espérons qu'il en soit de même pour moi. Même si là, je ne me sens même pas milieu de terrain, je suis carrément remplaçante !*

Dans son bureau, les filles s'agitent pour préparer le défilé interne pour les acquéreurs. Simon a expliqué à Olly que l'entreprise a révolutionné le concept de distribution, par rapport à ce qui se fait habituellement dans la mode. Au lieu de contraindre ses clients à acheter de grandes quantités de produits des mois à l'avance, des showrooms ont été créés dans toute l'Italie, visités régulièrement par des négociants qui commandent ainsi les vêtements au fur et à mesure, en petites quantités, de sorte à n'avoir en stock que les dernières nouveautés et à se renouveler régulièrement, comme cela se fait dans le prêt-à-porter. Sauf qu'ici il s'agit de haute couture. Évidemment, le showroom le plus important est au siège de l'entreprise, d'où cette effervescence : demain, les détaillants viennent pour le rendez-vous bimensuel.

Soudain, Eddy fait irruption dans la pièce. Les filles se raidissent, lui disent bonjour et se taisent. Il ne vient quasiment jamais.

— Bonjour. Vous faites quoi, vous dormez ? Je veux revoir les dessins pour demain matin.

Une des filles allume son portable et lui montre quelque chose.

— Les dessins sont déjà imprimés. Ceux-ci, comme nous l'a demandé le directeur... vous voyez...

Eddy regarde l'écran d'un air impassible, sans mot dire. Son expression ne laisse rien transparaître. Olly l'observe. Cet homme l'agace viscéralement. C'est plus fort qu'elle.

— Quelle horreur... et vous voulez ces trucs accrochés partout pendant le défilé de demain matin ?

La fille déglutit. Elle sait très bien ce qu'il va se passer.

— Oui, monsieur Eddy... Le directeur avait dit...

— Je sais ce qu'il avait dit. Le fait est qu'en les revoyant aujourd'hui, je trouve ces dessins atroces. Atroces ! Jamais vous n'inventez quelque chose de nouveau, de provocateur, de différent ? Jamais vous n'essayez de me surprendre ?

— Mais ils plaisent au directeur... murmure craintivement la fille.

— Je n'en doute pas. Il signe les papiers, lui. Il met l'argent. Mais qui est le créatif, hein ? Qui est le créatif, ici ?

Toutes les filles, et les deux garçons qui sont au fond de la pièce, répondent en chœur, comme des automates :

— Vous.

À ce moment-là entre Simon, qui s'aperçoit de la présence d'Eddy et s'arrête net à la porte.

— Exactement. Moi. Et moi je dis que ces dessins sont atroces, et que s'ils ne me plaisent pas, le défilé ne se fait pas. À moins que vous, braves gens du marketing, du secteur opérationnel, vous les techniciens qui faites avancer les choses, vous n'inventiez autre chose pour demain matin. Quelque chose de convaincant. Pour relever un peu le niveau de ces horreurs.

— Mais le directeur...

— Je me charge de parler au directeur. Vous, faites le métier pour lequel vous êtes payés. Beaucoup trop, soit dit en passant.

Deux filles se regardent en écarquillant les yeux. L'une fait un petit signe discret de la main, qui signifie clairement : « Avec ce qu'ils nous payent ! »

Eddy est sur le point de s'en aller quand il remarque Olly.

— Oh, voyez ça... le jardin d'enfants ! dit-il en s'approchant. Alors, comment ça va ? Excitant, les photocopies ?

— Ben... oui... c'est-à-dire... je préférerais faire autre chose, dessiner par exemple, mais je me contente... pour rester ici...

Eddy la dévisage, puis se tourne vers les autres jeunes gens.

— Vous avez compris, vous autres ? Pour rester ici, elle fait des photocopies ! Et au fait, comment vont les dessins de jardin d'enfants ? On est passé à l'école primaire, au moins ?

Olly soupire, se penche, ouvre son tiroir et prend son carton à dessins. Elle dispose plusieurs de ses travaux sur la table et se lève. En silence. Eddy la regarde, puis observe un peu les travaux, en prend un. Son expression est aussi impassible que tout à l'heure. Il le repose, regarde fixement Olly. Elle tremble, a du mal à respirer. Son cœur bat la chamade, ses mains sont moites, mais elle tente de garder son calme.

— Disons CE1, va... Tu vois que ça te réussit, les photocopies !

Sans ajouter un mot, sans attendre de réponse, il quitte la pièce et tout le monde recommence à respirer, soulagé. Deux filles soupirent, une autre reprend sa conversation téléphonique, un type se décarcasse pour inventer quelque chose.

Simon s'approche d'Olly.

— Ça alors!

— Ça alors quoi? J'en tremble encore! dit Olly en rangeant ses dessins.

— C'est incroyable!

— Mais quoi? Qu'il m'humilie ainsi?

— T'humilier? Tu n'as donc pas compris qu'il te faisait un compliment? C'est rarissime, tu sais!

— Ah, pourquoi, c'était un compliment?

— Je t'assure que oui. Il faut savoir interpréter Eddy. C'est un artiste, il parle une langue tout à lui.

— Ah... et où peut-on trouver un traducteur?

21

Le cours vient de terminer. Niki range ses affaires, quelqu'un s'assied à côté d'elle.

— Alors, il t'a plu, ce cours?

Niki se tourne, étonnée. C'est Guido. Elle regarde un instant au fond de la salle, comme si elle savait, puis elle retourne à son rangement.

— Oui... J'aime beaucoup ce prof.

— Ah bon? Et comment le définirais-tu? Sincère, faux, délicat, insensible, opportuniste, altruiste ou coureur de jupons?

Niki rit.

— Coureur de jupons? Qu'est-ce que c'est que ce terme?

— Coetzee a écrit que « seuls les hommes détestent les coureurs de jupons, par jalousie. Les coureurs de jupons plaisent aux femmes. Femmes et coureurs de jupons sont inséparables ».

— Quoi qu'il en soit, je pense que Trasarti aime la littérature, qu'il est gentil et sensible, et peut-être, peut-être... à cause de sa façon de bouger, d'une certaine féminité de l'âme, oui, bref, il pourrait bien être gay... Mais c'est un compliment, hein...

— Ah. Laisse, je vais te le porter, dit-il en mettant le sac de Niki en bandoulière.

— Mais non, ça ne me gêne pas.

— Ça me fait plaisir de t'aider.

— Alors d'accord, dit Niki en haussant les épaules, peu convaincue. Comme tu voudras.

— Je t'accompagne où? sourit Guido en la précédant.

— Je dois monter à l'administration pour m'inscrire à un examen et voir un peu quand sont les prochaines sessions.

— Parfait. Tu ne vas pas me croire, mais je dois faire exactement la même chose.

— En effet, je ne te crois pas.

Guido s'arrête et la regarde en levant un sourcil.

— Pourquoi tu ne me crois pas? Parce que ma joie et mon bonheur de te voir pourraient laisser penser autre chose?

— Peut-être.

— Tu sais que je suis inscrit en lettres, moi aussi, et que je dois peut-être passer le même examen que toi?

— Peut-être. Mais avant que je ne m'inscrive, tu me dis quels examens tu as choisis toi, d'accord?

— D'accord, d'accord, répond-il en secouant la tête. Ce qu'ont raconté mes amis nuit à ma personne…

— Ou peut-être à ton image.

— Mon image?

— Tu veux la vérité? Mais il ne faudra pas te vexer.

— D'accord.

— Jure.

— Je le jure.

— Ton image, ta façon de faire…

— C'est-à-dire?

— On voit tout de suite que tu es… que tu es…

— Que je suis?

— Pour utiliser les mêmes termes que toi, un coureur de jupons… Tu apprends des phrases pour faire de l'effet, tu t'habilles de façon à ne pas passer inaperçu, tu es gentil et poli avec toutes les filles, au cas où l'une d'elles tomberait dans le panneau…

— Ah oui? Et si tu te trompais?

— Tu crois vraiment?

— Je suis bien placé pour le savoir, non? Et puis, quel mal y a-t-il à être gentil avec les femmes? À les faire se sentir belles? Appréciées? Au centre de l'attention? Je ne suis pas un coureur de jupons. Je suis peut-être le dernier des romantiques.

Niki sourit.

— Sans cette dernière phrase, tu aurais fait un sans-faute…

— Ah oui? Alors je vais t'en dire une autre. Le professeur Trasarti est marié, et l'an dernier il est sorti avec l'une de ses étudiantes, Lucilla.

Apparemment, elle aurait quitté son copain, elle se serait retrouvée enceinte et il l'aurait forcée à avorter.

— Je ne te crois pas.

— Bon, d'accord, l'histoire de l'enfant pourrait ne pas être vraie.

— Et tout le reste ?

— Le reste est vrai, cette fille s'appelait Lucilla, elle avait un petit ami et elle a eu une histoire avec ce prof pendant toute l'année.

— Et toi, comment tu le sais ?

— Facile. C'était moi, son petit ami, dit-il en souriant, avant de poser le sac de Niki sur un muret. Maintenant, excuse-moi, mais je viens de me rappeler que j'ai un rendez-vous. Le coureur de jupons te salue.

Il s'éloigne. Niki est interloquée, et aussi un peu désolée. Elle ne voulait pas le vexer. Elle prend son sac et se dirige vers l'administration, mais juste à ce moment-là elle croise le professeur Trasarti.

— Bonjour, lui dit-il avec un grand sourire. Vous avez besoin de quelque chose ?

Niki repense à l'histoire que vient de lui raconter Guido et elle imagine que le professeur la regarde avec d'autres yeux, en homme concupiscent, plutôt que sensible et délicat. Sans le vouloir, elle rougit.

— Non, non, je vous remercie, je suis juste venue m'inscrire aux examens. Excusez-moi, mais je suis très en retard.

Elle disparaît en toute hâte. Arrivée au bout du couloir, elle se retourne. Il a disparu. Tant mieux. Elle reprend un rythme normal et sourit intérieurement. *Qui sait si toutes ces histoires sont vraies ? Je suis trop influençable. Mais bien sûr, qu'elles sont vraies. Pourquoi il aurait inventé un truc pareil ? Pour m'attendrir en me racontant que sa copine l'a quitté pour le prof ? Mais non...* Niki ouvre le cahier des examens. C'est sûr, les amis de Guido l'ont décrit comme un séducteur. Elle s'inscrit à la prochaine session puis referme le cahier. *Mais pour faire effet, il n'a pas besoin de toutes ces ruses. Il est beau garçon, sympa, marrant... Je le trouve plutôt touchant, en fin de compte.* Elle réfléchit un moment. *Niki, qu'est-ce qu'il t'arrive ? Tu es devenue folle ? Alors c'est Alex qui a raison...* Elle en rit presque, et soudain elle a une idée. *Mais oui ! Génial. Je vais vraiment lui faire ça, il le mérite.* Elle sort à toute allure de l'administration, descend les escaliers quatre à quatre, fait le tour du palier et reprend sa course. Elle saute à nouveau, et boum, elle atterrit sur le professeur Trasarti, qui en tombe à la renverse.

— Aïe !

– Oh, excusez-moi, monsieur.

Niki l'aide à se relever. Le prof nettoie son pantalon.

– Vous n'êtes pas en retard... Vous êtes super en retard!

Niki sourit, désolée, mais le prof n'a pas l'air fâché.

– Je peux vous déposer quelque part, si vous voulez.

– Non, merci, j'ai mon scooter... peut-être une autre fois.

Elle lui passe devant et repart en courant.

– Bien sûr! crie le prof qui la regarde s'éloigner, le sourire aux lèvres.

Niki, Niki! Tu n'en rates pas une, aujourd'hui. Non seulement tu le fais tomber par terre, mais en plus quand il se propose de te déposer tu lui réponds « peut-être une autre fois ». Pourquoi ce « peut-être »? Ça ouvre les possibilités, l'espoir, l'envie... de te raccompagner! Zut alors! Il ne manquait plus que ça. Elle secoue la tête. En tout cas, c'est certain, Guido ne lui a pas menti. On sent clairement certaines choses. Le pauvre, il ne méritait pas que je le traite comme je l'ai fait. Il faut que je me fasse pardonner. Elle se le dit avec une grande tranquillité. Peut-être trop grande. Sans savoir qu'elle se trompe encore.

22

– Leonardo, je peux? demande Alex passant la tête dans l'entre-bâillement de la porte.

– Bien sûr! Tu sais que je suis toujours content de te voir.

– Merci, répond Alex sur un ton qui laisse transparaître qu'il n'en croit pas un mot. Je t'ai apporté quelque chose...

Il pose un paquet sur le bureau. Leonardo le soupèse.

– Qu'est-ce que c'est?

Il le tourne et le retourne entre ses mains, curieux. On dirait un CD, ou un petit livre.

– Ouvre-le.

– Mais ce n'est pas mon anniversaire.

– Ce n'était pas le mien non plus.

– Quel rapport, moi c'était pour te témoigner mon plaisir de t'avoir à nouveau parmi nous.

– Et moi, c'est pour te témoigner mon plaisir d'être à nouveau parmi vous.

– Hum.

Leonardo comprend qu'il y a anguille sous roche. Il déballe le paquet, c'est un DVD. Il lit le titre sur la magnifique couverture glacée : *Tu sais quoi ?*

– Jamais entendu parler.

– À mon avis, tu connais... Regardons-le.

Leonardo hausse les épaules, il n'a pas la moindre idée de ce dont il peut s'agir. Il le glisse dans le lecteur et allume le grand écran plasma accroché au mur. Une musique tribale démarre. Toum toum toum. Des chimpanzés frappent sur de gros troncs en suivant le rythme. Juste après, en accéléré, tous les collaborateurs, graphistes et dessinateurs de la société Osvaldo Festa. D'un coup, on passe au clip des Pink Floyd de *We don't need no education*. Des étudiants marchent au rythme des fameux marteaux en bougeant les jambes en cadence, puis on revient aux animaux.

Le film continue, on entend le rugissement d'un lion, puis Leonardo qui parle au ralenti, puis Charlie Chaplin dans *Le Dictateur*, puis à nouveau Leonardo qui donne des indications, Charlot qui serre des boulons avec une clé anglaise avant de finir dans les engrenages. Soudain un grincement, comme un coup de freins. Les photogrammes de Chaplin se bloquent. La caméra zoome à toute allure sur un homme qui boit, assis dans un fauteuil. C'est Alex, qui se retourne en souriant à la caméra et dit : « Moi je ne me laisse pas avoir ! »

Leonardo en reste bouche bée.

– Mais... mais...

– Je l'ai fait avec la caméra et l'ordinateur à partir de séquences de notre film d'entreprise, celui que nous avons présenté l'an dernier.

– Mais c'est génial ! J'allais t'en parler... Tu sais que nous devons faire un film, un court ? Pour la première fois, on nous confie la production d'un film, nous ne sommes plus une simple agence, nous devenons aussi une boîte de production, et tout ça grâce à toi, au succès de LaLune, les fameux bonbons dont tu as fait la pub. Les Japonais n'avaient jamais vraiment cru en nous... si nous avions fait monter les ventes ne serait-ce que de 10 %, nous aurions déjà marqué des points. Et tu sais quoi ?

– Non, quoi ?

– Elles ont fait un bond de 200 %, nous avons gagné énormément d'argent, bien plus que tout ce que nous aurions pu imaginer.

– Nous avons ? Leonardo... Tu as...

— Oui, mais…

— Oui, mais alors pourquoi tu ne t'arrêtes pas?

— Il va falloir travailler encore plus! Nous avons la possibilité de produire ce film… Et tu l'as déjà prouvé : tu es très fort.

— D'accord, mais tu as entendu la chute de ma vidéo? Moi, je ne me laisse pas avoir, dit Alex en se dirigeant vers la porte. Ne compte pas sur moi. Je veux en faire le moins possible, je te l'ai déjà dit.

— Je t'ai donné le plus grand bureau…

— Je ne te l'ai pas demandé.

— Je t'ai accordé une grosse augmentation.

— Je ne l'avais pas demandée non plus.

— Je t'ai donné une nouvelle assistante.

— Ça, je te l'avais demandé, mais je n'ai encore rien vu.

— Elle t'attend dans ton bureau…

Alex est un peu surpris.

— Et pourquoi seulement aujourd'hui?

— C'est que j'ai beaucoup cherché, je voulais la meilleure…

— Je demande à voir.

— Dans tous les sens du terme…

Mais Alex est déjà sorti du bureau de Leonardo. Dans le couloir il rencontre Alessia, son assistante de toujours.

— Alex, il y a quelqu'un…

— Oui, merci… Je sais.

Puis il croise Andrea Soldini, qui le regarde d'un air abasourdi, la bouche ouverte, en secouant la tête. Alex lui lance un regard inquiet.

— Tu es drogué, ou quoi?

— Mais non! sourit-il. C'est que je ne trouve pas les mots… Tu te rappelles, les Russes? Eh bien, encore plus…

— C'est ça!

Alex secoue la tête et entre dans son bureau.

— Bonjour.

Elle se lève. Grande, cheveux châtains, frisés. Sourire craquant. Très craquant, même. Et ce n'est pas tout.

— Bonjour.

— Salut… Je suis Alex.

Il s'aperçoit qu'il s'est présenté de façon assez familière, alors qu'elle adopte un ton un peu formel.

— C'est le directeur qui m'a dit de vous attendre ici. J'espère que cela ne vous ennuie pas. Enchantée, je m'appelle Raffaella.

Ils se serrent la main. Elle a de longues jambes, un corps de rêve, une jolie robe, légère et élégante. Rien à dire, tout est parfait. Trop parfait, même. Elle est magnifique.

— J'ai laissé quelques-uns de mes travaux sur votre bureau.

Alex les examine d'un œil professionnel, puis jette un œil par-dessus une feuille et s'aperçoit qu'elle est toujours debout.

— Je vous en prie, asseyez-vous.

— Merci.

À nouveau ce sourire magnifique. Alex essaie de se concentrer sur les dessins, mais ce n'est pas facile. En plus du reste, elle est très forte. *En plus du reste... Alex ? Tu es déjà sur la mauvaise voie.*

— Ils vous plaisent ?

— Oui... Ils sont très bons, vraiment, excellents... Bravo.

Alex sourit, elle aussi. Leurs regards se croisent un peu trop long-temps. Alex remet les dessins dans leur pochette et détourne le regard.

— Bien... Très bien.

— Ah, et j'ai autre chose.

Elle sort de son sac un ordinateur identique à celui que Leonardo a offert à Alex, le pose sur le bureau.

— C'est un petit clip... rien de particulier, mais le directeur l'a beaucoup aimé... explique-t-elle. C'est une vidéo que j'ai faite en vacances cet été... J'étais à Los Roques, je l'ai fait sur le mode de la plaisanterie et mon père a filmé... Je ne voulais pas, je n'avais pas envie... En plus, je venais de me disputer avec mon petit ami, j'étais très énervée... Voilà... Là, je pleurais...

Dans le film, on la voit qui tente de repousser son père. Il la suit avec la caméra. Elle est en colère, mais finit par éclater de rire.

— Ensuite, je l'ai monté en y mélangeant des morceaux de dessins animés...

En effet, juste après apparaissent des extraits des premiers Disney, Mickey Mouse en noir et blanc, Dumbo, et d'autres images très belles. Un jeu d'alternance se crée entre Raffaella qui marche au ralenti sur la plage et Mickey l'apprenti sorcier de *Fantasia*.

— ... Bref, je ne sais pas pourquoi ça a plu au directeur, à Leo-nardo... il a adoré...

Alex sourit. Évidemment. *Je n'ai jamais vu une fille aussi belle, et on dirait qu'elle s'en fiche complètement.*

— Il est très bien fait... On y sent la créativité, l'envie de sur-prendre.

Mais qu'est-ce que je raconte ? Arrête, Alex.

— Merci. Il a dit qu'on travaillerait peut-être ensemble sur un projet du même genre…

Alex referme l'ordinateur et le lui rend.

— En réalité, nous n'avons pris aucune décision, pour l'instant.

Juste à ce moment, on sonne à l'Interphone. Alex appuie sur un bouton pour répondre.

— Oui ?

— Les dessins pour la nouvelle campagne viennent d'arriver, je peux te les apporter ?

— Ah, oui… Oui, bien sûr, répond-il tandis que Raffaella range ses affaires.

— Si tu as besoin de moi, je suis dans mon bureau…, conclut-elle.

— Très bien, merci.

— Ça m'a fait très plaisir de faire ta connaissance.

Elle est passée au tutoiement.

— Moi aussi, répond Alex en la regardant sortir. Tu peux laisser la porte ouverte, merci.

Elle lui lance un dernier regard avant de s'en aller. Il ne la quitte pas des yeux. C'est sûr, elle est vraiment belle. Trop belle, même. Pendant un instant, il réfléchit au fait qu'il va devoir travailler avec elle. Jour après jour, épaule contre épaule, côte à côte. Juste à ce moment Raffaella, avant d'entrer dans son bureau, se retourne une dernière fois, comme si elle imaginait, comme si elle savait qu'il l'observait encore. Elle lui fait un dernier sourire. Imagination, créativité ou simple complicité ? Alex lui répond par un sourire stupide, tellement stupide qu'il se sent vraiment crétin. C'est alors qu'il se rappelle la conclusion du film : *Moi, je ne me laisse pas avoir.* Plus que jamais, il a l'impression que le destin se joue de lui.

23

Enrico range les poupées d'Ingrid, qui dort déjà. Aujourd'hui elle a beaucoup joué, avec Anna. Quand il est rentré, il les a trouvées toutes les deux sur le tapis. *Elle est vraiment bien, j'ai eu de la chance de tomber sur elle.* Il prend un ours en peluche jaune et l'installe sur le petit fauteuil en plastique d'Ingrid. Soudain, il entend un coup sec qui semble venir du plafond. Ce n'est pas la première fois que ça arrive. Au bout d'un moment, un autre coup, puis le bruit d'une chaise que l'on traîne. Enrico s'arrête pour écouter plus attentivement. Encore un coup et une voix d'homme, assourdie par l'épaisseur du plancher. Enrico a l'impression d'entendre quelque chose comme « Ah oui, et tu me prends pour qui, pour un couillon ? », une grosse voix d'homme, puis une voix de femme qui essaie de le calmer. « Mais tu ne comprends pas que ça ne sert à rien ? Tu es trop jaloux ! » et d'autres mots qu'il n'entend pas bien. Et un autre coup. Quelque chose qui tombe et rebondit sur le sol, peut-être un morceau de métal. Enrico réfléchit. L'appartement du dessus. Anna. Ces bruits viennent de l'appartement d'Anna. Mais que se passe-t-il ? Il ramasse un jouet d'Ingrid coincé derrière le canapé. Elle lui a dit qu'elle vivait avec son petit ami. Ça doit être lui, qui fait toutes ces histoires. Enrico est triste. Et inquiet. C'est bien dommage. *Une fille aussi mignonne et gentille avec un type comme ça. Mais comment est-ce possible ?*

24

Beaucoup plus tard, dans l'après-midi, Niki téléphone à Alex.
— Salut, mon amour, tu fais quoi ?
— Niki ! Quelle bonne surprise... Je travaille...
— Ah. Et comment ça s'est passé, ce matin ?
— Pourquoi ? demande Alex, un peu perplexe.
— Comme ça, pour savoir... Nous ne parlons jamais de ce que nous faisons dans la journée.
— Ah, ce matin...
Alex se sent un peu coupable. Mais pourquoi ? Pour quelle raison ? Plus il se pose la question, plus ce sentiment se précise.
— Ce matin... ce matin... rien de spécial, j'ai contrôlé les dessins pour la nouvelle campagne, ils sont très bons et nous sommes dans les temps, peut-être un petit changement à faire sur les couleurs, mais c'est très rapide...
— Ah, donc rien de nouveau...
Juste à ce moment-là, on frappe à la porte d'Alex.

– Entrez!

Raffaella pénètre dans la pièce, un dossier à la main. Alex la regarde, un peu gêné, puis couvre le micro de son téléphone et lui demande à voix basse.

– Qu'y a-t-il?

– Je voulais te montrer d'autres travaux... J'ai oublié, tout à l'heure.

– Un moment...

Raffaella sourit et sort de la pièce.

– Excuse-moi, tu disais?

– Non, je disais... rien de nouveau?

– Non, non... Rien. Pourquoi?

Il a un peu l'impression de mentir, en taisant cette nouveauté faite de boucles sombres et de longues jambes. Sans parler de son sourire fascinant. Ni de l'ensemble, à couper le souffle. Ni...

– Comme ça, Alex, je viens de te le dire... Simple curiosité. Bon, je suis rentrée chez moi pour travailler et j'ai eu une idée. Je voudrais t'inviter à dîner...

– À dîner?

– Oui... Alex, que se passe-t-il aujourd'hui?

– Tu ne m'as jamais invité à dîner...

– Parce que ça ne s'est jamais présenté, c'est tout... Quoi qu'il en soit, un ami à moi vient d'ouvrir un resto très sympa près de la via Balduina.

– OK, répond Alex, rassuré. Mais je ne sais pas à quelle heure je vais finir.

– D'accord, dans ce cas on se retrouve là-bas vers 21 h 30, tu penses que ça ira?

– Oui, oui.

– Je t'envoie un texto avec l'adresse exacte.

– OK, à tout à l'heure.

Alex raccroche et réfléchit. Hum. *Quelque chose ne tourne pas rond. Pourquoi toutes ces questions? Mon Dieu... Et si par hasard cette Raffaella était une amie de Niki?* Il imagine un hypothétique coup de fil entre les deux femmes. *Bah, je pourrai toujours dire que quand nous nous sommes parlé je ne l'avais pas encore rencontrée. Que j'avais rendez-vous pour faire sa connaissance en fin d'après-midi.* Puis il blêmit. *Et si elles s'étaient parlé avant que Niki ne m'appelle? Dans ce cas, que pourrais-je bien dire? Mon Dieu, mais que se passe-t-il? Suis-je devenu comme Pietro, à chercher des excuses quand je ne suis encore accusé de rien ? À chercher comment me justifier ? Et de quoi ? Qu'ai-je fait ?* Il repense à son rêve, tous ses amis en robe d'avocat qui acquiescent. Là aussi, une seule certitude : coupable.

Alex n'a plus qu'une chose à faire : il ouvre la porte et l'appelle.

— Raffaella, tu peux venir...

— Oui... Excuse-moi, je ne voulais pas te déranger, c'est que j'avais oublié de te montrer ceux-ci, dit-elle en posant des dessins sur la table. C'est une campagne d'une autre entreprise qui a eu un grand succès au Japon.

Alex regarde les dessins, mais c'est comme s'il ne les voyait pas.

— Ah... Dis-moi, connais-tu par hasard Niki Cavalli ?

Raffaella sourit avec ingénuité, peut-être trop.

— Non... du moins je ne pense pas. Je devrais ?

Alex pousse un soupir de soulagement. Mais il n'est pas encore tout à fait rassuré.

— Non. Non, je te le demandais parce que... parce que nous l'avons employée pour une campagne japonaise... LaLune.

Au moment où il le dit, Alex sent à quel point ce « nous l'avons employée » sonne de façon terrible dans sa bouche. Il décide qu'il ne peut plus prendre le moindre risque.

— C'est également ma petite amie.

— Ah oui... Bien sûr, je vois qui c'est. Félicitations. Non, je ne la connais pas personnellement... désolée.

Elle hausse les épaules, très sereine, et quitte la pièce.

Désolée ? Que voulait-elle dire ? Elle disait peut-être juste ça comme ça, en passant. Mais combien de questions je me pose, moi ? Que m'arrive-t-il ? Et puis, Niki qui passe son temps à me demander s'il y a du nouveau. Ce n'est pas normal. Et cette invitation impromptue à dîner ? Oui, il y a anguille sous roche. Mais bon, une invitation à dîner ne peut-elle pas simplement être un prétexte pour fêter quelque chose, annoncer une bonne nouvelle ? Un doute soudain. *Et si c'était Niki, qui avait du nouveau ? Une de ces nouvelles incroyables qui changent la vie et qui ne peuvent être annoncées qu'en trinquant ? « Mon chéri, j'ai quelque chose de très important à te dire... »* Il imagine Niki qui le regarde et lui sourit derrière son verre de *prosecco. « Alex... tu vas être papa ! » Pourtant, j'ai toujours fait attention. Oui, bon, relativement attention... Et s'il n'était pas de moi ?* Il repense à ses amis en robe d'avocat. Leurs visages sont encore plus sévères, leurs yeux écarquillés. Coupable rien que de l'avoir pensé. Une longue inspiration, très longue. Il a hâte

91

de dîner avec Niki. Il regarde sur son bureau les derniers dessins de Raffaella. Puis il note sur son agenda : « 21 h 30, dîner avec Niki ». Une seule certitude : quelque chose ne tourne pas rond.

25

Cristina est arrêtée au feu rouge. Elle aperçoit un couple qui marche, enlacé, sur le trottoir. Un autre, dans la voiture à côté de la sienne, s'embrasse. Un autre encore se poursuit en plaisantant. Tout le monde est heureux et amoureux. *Sauf moi. On dirait Nanni Moretti dans* Bianca *quand, tout maigre, sur fond de* Scalo a Grado *de Franco Battiato, il fait une vue panoramique de la plage par une belle journée ensoleillée. Il est entouré de couples qui s'aiment, s'embrassent, s'enlacent sur des serviettes de bain ou sur des chaises longues. Alors Moretti, avec son Brushing tout frais et ses lunettes aux verres fumés marron typiques du début des années quatre-vingt, d'abord impassible puis souriant, décide : lui aussi veut l'amour. Il avance et découvre une belle blonde allongée sur le ventre, en monokini. Il s'allonge sur elle. Évidemment, elle se dégage, proteste, se lève, et d'autres gens arrivent pour le chasser. Quelle scène. Oui, mais il n'avait personne à aimer, lui. Moi j'ai quelqu'un. Je ne suis pas célibataire. Je suis avec Flavio.*

Le feu passe au vert. Elle passe la première et démarre. Puis sourit. *Oui. Moi aussi, j'ai décidé. Je ne vais m'allonger sur personne. Je vais prendre soin de mon amour. Je vais le chouchouter. Lui préparer son gâteau préféré, au chocolat noir et à la noix de coco. J'ai tous les ingrédients à la maison. J'en ai envie et besoin, depuis le temps. Je ne peux pas me plaindre des autres si je n'agis pas moi-même pour faire avancer les choses.*

Cristina se gare en bas chez elle. En montant les escaliers, elle ressent une joie de petite fille, heureuse de faire une surprise. Elle pose son sac sur le canapé et court à la cuisine chercher les ingrédients. Deux tablettes de chocolat noir. Un peu de beurre. Des œufs. Du lait. De la farine. Du sucre. Et du coco râpé. Elle allume la radio et se met aux fourneaux, avec passion. De temps en temps, elle lèche ses doigts couverts de pâte. Elle allume le four pour le préchauffer, beurre le moule tout en chantonnant une version personnalisée de Vasco Rossi : « Un gâteau pour toi… tu ne t'y attendais pas, hein… mais le voici… comment j'ai eu l'idée, je ne sais pas…[1] »

---

1. Extrait de Vasco Rossi, *Bollicine*, « Una canzone per te », WPM, 1983.

Son portable sonne. Elle glisse une main un peu enfarinée dans la poche de son jean pour l'attraper : c'est Flavio.

— Allô, mon amour, c'est moi… Écoute, je suis désolé mais je ne serai pas là avant un moment. Je dois finir un rapport pour demain matin et je suis très en retard… Je t'embrasse. »

Cristina pose son portable désormais silencieux sur le plan de travail de la cuisine. Elle regarde le four où le gâteau cuit, sourit avec amertume. Quand on veut faire une surprise. Quand on pense aux détails, quand on est heureux du bonheur qu'on va susciter. Quand l'attente devient joie. Et puis, pouf, un coup de fil, une phrase innocente, un retard, et tout s'écroule, on se retrouve les mains vides. *Où est-il ? En réalité. Que fait-il ? Avec qui ? Il termine un rapport… C'est plutôt notre rapport, qui se termine. Et s'il me trahissait ? S'il était avec une autre ?* Cristina imagine la scène. Flavio et une femme. Belle. Dans son bureau. Ensemble. Proches. Ils s'embrassent et se touchent. *Il y a quelques années, je serais morte rien qu'en y pensant. Et maintenant ? J'ai l'impression de ne rien ressentir…* Cette prise de conscience soudaine lui fait peur. Elle se sent coupable. *Comment ça, je ne souffrirais pas si Flavio me trompait ? Flavio et une autre. Qui sait ? Peut-être serait-il plus heureux ?* Elle repense à ce que lui disait son amie Katia, au lycée : les histoires d'amour ne durent pas plus de sept ans, et la sixième année elles sont déjà en crise. La passion, même la plus intense, finit par s'éteindre pour laisser place à l'ennui, à l'habitude. Tout s'éteint. L'amour, celui que racontent les livres et les films, n'est plus que fantasme. Alors, soit on se quitte, soit on se trompe. On se trompe pour mettre un peu de piment, pour retrouver cette sensation puissante de nœud à l'estomac rien que lorsqu'on pense à lui. À elle. À être ensemble. Pris dans un cercle vicieux d'hypocrisie, personne n'a le courage de dire à l'autre que ses sentiments ont changé, se sont évanouis, ont disparu. *Quelle tristesse. C'est ça, la vie ? C'est ça qu'on devient ?*

La minuterie du four sonne. Le gâteau est prêt. Cristina enfile une manique pour sortir le plat. Elle le démoule dans une grande assiette en verre, et repense à Flavio. À lui avec une autre. Et elle ne ressent rien. Cela la désole encore plus. Elle mange une part de gâteau toute seule. Comme une petite fille, les doigts dans le chocolat si doux, encore brûlant. Ses larmes coulent, salées, et tristement chaudes.

26

Soirée romaine. Les rues sont presque vides. Bonne idée, ce dîner sur le tard, ça circule mieux. Alex ne se presse pas, il est à l'heure. L'après-midi a passé sans surprise. 21 h 30. Alex se gare et vérifie qu'il est au bon numéro, celui que Niki lui a indiqué dans son texto. C'est ça : 138 via della Balduina. Il y a bien un restaurant mais c'est bizarre, il est presque vide, ça ne ressemble pas à une inauguration. Les gens arriveront peut-être plus tard. Il entre et l'aperçoit, assise à une table. Niki, seule, feuillette le menu. Elle est sereine, tranquille, sa main gauche tapote sur la table, l'autre tient le menu, elle lit avec curiosité les spécialités de l'endroit. Alex n'a qu'une pensée : *Qu'elle est belle!* Et tous ses doutes s'envolent.

— Me voici, mon amour, dit-il en l'embrassant légèrement sur les lèvres. J'ai fait aussi vite que j'ai pu…

— C'est parfait comme ça.

— Il n'y a pas beaucoup de clients… Tu crois qu'ils viendront plus tard?

— Non… Je ne crois pas…

— Ah…

Alex observe plus attentivement l'endroit. Il n'a pas l'air particulièrement neuf. Il est joli, chaleureux, accueillant, simple, mais il doit être ouvert depuis longtemps. Le patron, un binoclard chauve et grassouillet à l'air placide assis à la caisse au fond de la salle, vérifie quelque chose avec un stylo d'un air distrait. Sur son visage, aucun signe d'adrénaline lié à l'inauguration de son restaurant. Et Alex doute fort qu'il soit un ami de Niki. Il n'y a vraiment pas beaucoup de monde. Il ne comprend pas.

— Quelque chose te turlupine, pas vrai?

— Oui, en effet… On ne dirait pas un restaurant un soir d'inauguration…

Niki ouvre à nouveau le menu et le lève comme si elle voulait se cacher derrière, ou bien comme si elle voulait lire encore la liste des plats avant de commander. Puis elle sourit à Alex par-dessus la carte.

— En effet. Je t'ai menti. Il n'y a pas d'inauguration…

— Ah.

Alex comprend que la situation est grave. Il lève lui aussi le menu pour tenter de se cacher derrière, mais Niki tend la main pour découvrir son visage.

— Je t'ai aussi menti sur un autre point : le patron n'est pas un ami à moi...

Alex lance un regard au monsieur assis à la caisse, qui lui semble encore plus gros, vieux et las.

— Ah... d'accord...

Il lève à nouveau le menu, comme si la situation était absolument normale. Niki se penche et le rabaisse une deuxième fois. Alex sait qu'il ne peut plus s'échapper. Niki lui sourit à nouveau, mais cette fois c'est un sourire forcé.

— Tu veux peut-être savoir pourquoi j'ai choisi cet endroit ?

— Oui, bien sûr... acquiesce Alex en essayant de prendre un air tranquille.

En réalité, il est dramatiquement inquiet. Il réfléchit. *Raffaella m'a menti : elles sont très copines, Niki a parlé à Leonardo et ils se sont mis d'accord, il me l'a engagée exprès comme assistante. Ou bien non. Niki est enceinte, et l'enfant est de moi.* L'esprit bouillonnant, il soulève toutes les hypothèses. *Je sais ! Elle a rencontré Elena, qui lui a raconté Dieu sait quoi. Ou bien elle ne l'a pas rencontrée, mais elle pense que je l'ai revue.* Il s'épuise en voltigeant parmi les souvenirs, les déductions, les suppositions et les peurs, jusqu'à ce que Niki lui sourie une dernière fois en lui montrant le menu.

— Il ne te dit rien, cet endroit ?

Alors Alex lit pour la première fois le nom du restaurant. *L'Idée Fixe.* Il regarde autour de lui. Quelques personnes dînent paisiblement en bavardant, le patron est toujours à la caisse et, juste à ce moment-là, il lève les yeux et croise ceux d'Alex. Il lui sourit. *Peut-être trop gentiment ? Veut-il dire quelque chose, est-ce un signe, un code secret ? Non. Serait-ce un restaurant pour échangistes ?* Pourtant, il aperçoit une famille, avec enfants et belle-mère. En une fraction de seconde, il voit à nouveau ses amis habillés en avocats qui se tordent de rire, se mettent les mains dans les cheveux. *Non.* Il décide de ne pas donner vie à cette dernière pensée absurde, il en a honte.

— Mon trésor, excuse-moi, mais... je ne comprends vraiment pas.

Niki prend un air terriblement sérieux.

— Je m'en doutais... dit-elle avant de sourire à nouveau. Je t'ai apporté un cadeau ! Tiens, ajoute-t-elle en se penchant pour prendre quelque chose dans son sac sous la table.

— Pour moi ?

— Pour qui d'autre ? Ouvre-le…

— Mais, mon amour…

Les pensées d'Alex fusent dans toutes les directions. *Pourquoi ? Quel jour sommes-nous, aujourd'hui ? L'anniversaire de notre rencontre ? De quand ? Du jour où nous sommes sortis ensemble, de la première fois que nous avons fait l'amour ? De notre voyage à Paris ? Du jour où nous nous sommes quittés ?* Il comprend de moins en moins. Et encore moins après avoir ouvert le cadeau. Un DVD… il le tourne et le retourne dans ses mains. Sur la jaquette, James Bond pointe un pistolet, entouré de femmes sublimes. Pendant un instant, l'ombre de Raffaella plane à nouveau. Alex ne sait vraiment pas quoi penser.

— Hum… Je ne comprends pas…

— Tu ne comprends pas, hein ? Quel est le titre ?!

L'Espion qui m'aimait.

— Tu m'aimes, n'est-ce pas, Alex ?

— Bien sûr… Quelle question, Niki, tu le sais, non ?

— Oui… Mais tu voulais peut-être faire un remake de ce film… dans le rôle de l'espion ?

Soudain, Niki change de ton. Elle devient sévère. Dure. Inquiète.

— Que faisais-tu à l'université, aujourd'hui ? Pourquoi me suivais-tu ? Pourquoi m'espionnais-tu ? Qu'est-ce que c'est que cette… idée fixe ? dit-elle en lui montrant le menu. Je peux savoir ce qui t'a pris ?

— Vraiment, je…

En un instant, Alex comprend qu'il est perdu. Il se sent comme le personnage d'un des dessins animés qu'il regardait quand il était petit, suspendu dans le vide, puis il tombe à pic comme Vil Coyote dans ses vaines tentatives pour attraper Bip Bip, ou comme Grosminet quand il glisse sur la glace en essayant de freiner avec ses griffes tandis que Titi voltige au-dessus de lui en riant, ou mieux encore comme Tom quand il suit Jerry et finit sa course dans un mur, tandis que la souris se glisse dans sa cachette un peu plus bas. Bref, une catastrophe de dessin animé : Alex, le petit ours perdu.

— Vraiment, je…

— Peut-être voulais-tu seulement assister à un cours, comprendre comment est l'université aujourd'hui, pour t'inscrire toi aussi en lettres ?

Niki lui sourit. Elle lui a offert une porte de sortie. Parce que c'est ça, l'amour : on ne s'acharne que quand il y a quelque chose de vraiment grave. Peut-être est-ce la réponse que Niki a envie d'entendre. Mais au moment où il va ouvrir la bouche, Alex comprend que c'est un piège… mortel. S'il disait oui, alors Niki comprendrait qu'il n'est pas sincère, le prendrait pour un bouffon ridicule se pavanant à longueur de journée. Incapable d'admettre ses erreurs, ses limites, ses faiblesses. Alex soupire, il s'en sort bien. Bref, je préfère qu'elle m'ait vu à l'université plutôt qu'elle soit une amie de Raffaella. Alors il lève les yeux et décide d'être sincère.

— Non, Niki… Je ne veux pas m'inscrire en lettres…

— Ah… dit Niki l'air soulagé. Je m'inquiétais…

Alex sourit, tente de faire de l'esprit.

— Tu avais peur que je ne sois meilleur que toi?

— Non. Que tu n'arrives pas à dire la vérité.

Alex se tait, baisse les yeux. Niki le regarde, désolée.

— Pourquoi, Alex? Pourquoi m'as-tu suivie? Qu'est-ce qui t'inquiète, qu'est-ce que tu penses que je ne t'ai pas dit, que je te cache?

— Tu as raison, excuse-moi…

Niki baisse les épaules.

— Tout m'a semblé tellement bizarre, aujourd'hui, j'ai comme perdu confiance.

— Toi?

— Oui, moi. J'y ai pensé toute la journée. Si toi, d'un coup, tu ne crois plus en moi, tu penses que je vois quelqu'un d'autre ou que je te mens… Rien qu'à le dire j'ai la voix qui tremble, je me sens mal, je te jure, j'ai envie de pleurer, j'ai une boule dans l'estomac, alors que nous n'avons rien mangé…

Juste à ce moment-là, le monsieur grassouillet, patron du restaurant et hypothétique ami de Niki, s'approche de leur table.

— Alors, avez-vous choisi? Voulez-vous commander?

Alex et Niki se tournent vers lui. Leurs visages sont tellement durcis par la tension que le patron comprend immédiatement que le moment est mal choisi.

— D'accord, excusez-moi, hum… Je vois que vous n'avez pas encore décidé, je reviens tout à l'heure, ou plutôt appelez-moi quand vous serez prêts…

Il retourne à sa caisse. Niki reprend:

— Voilà, si tu as pensé ça de moi, ça veut dire que c'est toi qui as fait quelque chose… on n'a des soupçons que quand on est coupable.

— Moi? s'exclame Alex avec surprise.

L'espace d'un instant, il pense à Raffaella, mais il comprend vite que ça n'a rien à voir. Ses amis avocats refont une apparition en acquiesçant, mais Alex s'en débarrasse vite.

— Niki, ne dis pas ça, même pas pour plaisanter... Comment peux-tu penser une chose pareille?

— Parce que tu l'as pensée de moi...

Les yeux de Niki se gonflent de larmes. Alors Alex tend la main par-dessus la table pour serrer fortement la sienne. Il se sent misérable de l'avoir imaginé.

— Mon amour, pardonne-moi...

Niki se tait, le regarde fixement sans savoir quoi dire, sa lèvre inférieure tremble légèrement. Un pincement au cœur jamais ressenti auparavant l'assaille. Elle se sent perdre l'équilibre. Son envie de sauter sur la table pour le serrer dans ses bras s'oppose à la rage d'avoir été aussi stupidement mise en cause.

— Je ne sais pas ce qui m'a pris, Niki, je n'y avais jamais pensé avant, c'est peut-être à cause de Camilla qui a quitté Enrico en s'enfuyant avec un inconnu... Voir s'écrouler ce qui me semblait une certitude... Eux, qui sont pourtant mariés...

— De toute façon, je ne le ferais pas... Je ne te décevrais jamais de cette manière. Je n'ai pas besoin de jurer devant Dieu pour respecter ce que je ressens dans mon cœur. Si ça doit se terminer entre nous, tu seras le premier à le savoir.

Alex va s'asseoir sur la chaise juste à côté d'elle. Le patron à la caisse le remarque, les regarde un instant, puis marmonne quelque chose et va s'intéresser à quelqu'un d'autre. Mais ils l'ont vu tous les deux, et Alex dit à voix haute :

— Voilà pourquoi cet endroit s'appelle comme ça, le patron est trop curieux... Nous sommes son... idée fixe !

Niki éclate de rire, ses larmes coulent, elle renifle et rit à nouveau, s'essuie avec sa serviette, se sent stupide. Puis elle regarde le tissu :

— Je le savais, tout mon Rimmel est parti !

Alex lui effleure délicatement la joue avec un doigt, puis l'embrasse doucement sur les yeux.

— Mon amour, pardonne-moi, je me sens terriblement coupable d'avoir douté...

Il la serre fort, respire ses cheveux, elle tremble encore. Il la sent chaude, tendre, fragile, petite, il se dit que la seule chose qui lui importe au monde est de la protéger, de l'aimer sans aucune arrière-pensée, sans problème, sans doute, en se donnant complètement à elle. Oui, ne vivre que pour la voir sourire. Alex lui susurre «Je t'aime », puis il s'éloigne pour mieux la regarder, elle sourit, ses yeux brillent à nouveau, mais cette fois de bonheur, elle est enfin tranquille et sûre d'elle. Et cet instant qui dissipe sa méfiance : maintenant ou jamais. Il prend la décision. Maintenant. Faire le saut. Maintenant. Rassuré, il retourne à sa place tandis que Niki se met à bavarder.

— Tu sais, je n'arrivais pas à y croire… poursuit Niki. D'un côté, j'aimais bien l'idée que tu sois à la fac avec moi. Je me suis dit que ça me plairait, de réviser ensemble, de suivre les mêmes cours…

Elle ne sait encore rien de ce qu'Alex a en tête. Parce que parfois les décisions, grandes ou petites, sont prises pour des raisons très différentes, et personne ne sait jamais vraiment quel a été l'instant, la sensation, la gêne, l'émotion qui a poussé à les prendre. Et pourtant, elles sont prises. Comme là. Alex la regarde et l'imagine âgée, plus âgée, à lui pour toujours. Il fait semblant d'écouter ce qu'elle dit, il acquiesce, heureux de son choix. Maintenant. Pour toujours. Il se demande si elle comprend, si elle peut imaginer sa pensée, sa splendide décision… Ce qu'elle va répondre. Et surtout, encore plus important, comment lui demander?

— Alex?

— Hein?

— À quoi tu penses?

— Je t'écoute.

— Menteur…

Mais cette fois Niki laisse tomber, sereine, tranquille. Elle prend le DVD de *L'Espion qui m'aimait*.

— Il faut absolument qu'on le voie. Le type du magasin m'a dit qu'il est super… C'est l'un des plus réussis ave Sean Connery, tu sais, j'ai hésité avec un autre…

— Lequel?

— *Austin Powers : l'espion qui m'a tirée !* Tu étais tellement drôle, à l'université…

Ils rient, plaisantent. Le patron, voyant que la tempête est passée, s'approche.

— Alors, vous voulez commander? La cuisine va fermer…

Ils acquiescent enfin, amusés, ils jouent avec le menu, s'arrêtent sur des détails, font des commentaires, commandent puis changent d'avis, tandis que le patron, son carnet à la main, raye puis écrit à nouveau, soupirant régulièrement.

— Bon, ça suffit, moi j'ai décidé. Une salade de la mer.

— Pour moi aussi, alors.

— Un poisson au four, ça te dit ?

— Oui, c'est parfait.

— Bon, alors le poisson le plus frais que vous ayez, pour deux, et un peu de vin blanc…

— Lequel voulez-vous ?

— Et si on dînait au champagne ?

— Oh oui !

— Bon, alors un peu de champagne bien frais, s'il vous plaît.

Le patron s'éloigne, satisfait de ce qu'ils vont consommer. Parfois, il entend de ces disputes… Mais bon, si ensuite ils font la paix !

— Il a compris que tu voulais te faire pardonner ! annonce-t-elle, convaincue.

— Oui…

Alex sourit, mais en réalité il ne sait pas pourquoi il a commandé ce champagne. Ça lui est venu comme ça, l'ivresse du moment, la joie d'avoir rattrapé ce qui aurait pu tourner à une soirée de cauchemar.

Le patron revient avec une bouteille d'eau plate.

— Voilà pour commencer, dit-il avant de s'éloigner à nouveau.

Niki est sur le point de se servir mais Alex lui prend la bouteille des mains.

— Merci, dit-elle en souriant.

— Je t'en prie.

— Ça me fait plaisir que tu sois aussi attentionné… Tu devrais venir plus souvent à la fac ! Tu sais ce qui m'a fait le plus rire ?

— Quoi ?

— Quand le professeur Borghi a failli te renverser avec sa voiture !

— Tu as vu ça aussi !

— Je t'avais vu en bas de chez moi !

— Vraiment ?

— Bien sûr, je pensais que tu allais m'appeler… J'ai même cru que je m'étais trompée, mais ensuite je t'ai vu te garer devant l'université.

Alex boit à son tour et réfléchit. *Elle s'est rendu compte de tout… Incroyable. Mais comment est-ce possible ? Comment peut-elle être aussi observatrice ? Elle a quelque chose à cacher…* Mais ça ne dure qu'un instant. Sa peur s'évanouit tout de suite, et il est heureux de sa décision. Le champagne arrive, il le débouche et en verse dans les deux coupes. Alex lève la sienne, cherche les yeux de Niki, reste silencieux puis sourit.

— Mon amour…

– Oui?

– Je voudrais ne jamais arrêter de t'espionner.

Ils rient, trinquent et boivent en se dévorant du regard.

Soudain, une mélodie envahit la pièce. « Le bonheur c'est ne penser à rien... Le bonheur est avec toi inconsidérément. Le bonheur est la chance qui t'embrasse sur le front[1]. » Vrai. C'est exactement comme dans cette chanson de Paola Turci. Le bonheur c'est être bien comme ça, pour le fait d'être ensemble. Bien sûr, le bonheur c'est aussi plus, c'est pouvoir lui dire quelque chose d'autre. Et Alex voudrait, il voudrait lui révéler sa décision, mais pour ça il lui faut une idée vraiment extraordinaire. Pas une « idée fixe ». Sûrement pas le nom d'un restaurant du centre. Il lui serre à nouveau la main et sent un agréable frisson. Comme quand on sait que tout ira bien.

27

Matinée ensoleillée. Il est tôt, il n'y a encore personne. Les fenêtres laissent passer une lumière blanche agréable, reflétée par la façade de l'immeuble d'en face. Alex entre dans le bureau de Leonardo, qui l'accueille avec étonnement.

– Bonjour! Quel plaisir de te voir de si bon matin! Tu as un autre cadeau pour moi, par hasard?

Alex s'assied devant lui.

– Cher directeur... penses-tu vraiment le mériter?

Leonardo lève un sourcil, il comprend que l'orage est proche.

– J'ai compris. Tu veux un café?

– J'en ai déjà pris un!

– Une camomille?

Alex penche la tête sur le côté, Leonardo sourit en s'excusant.

– Je plaisantais. Mais j'ai l'impression d'avoir tout fait pour te faciliter le travail. Une assistante unique. Pour te rendre heureux...

– Justement : j'étais déjà heureux.

– Et donc?

– Cherche-m'en une autre.

– Mais c'est la meilleure, la plus...

1. Extrait de Paola TURCI, *Volo cosi 1986-1996*, « La felicità », Sony Music, 1996.

— Oui, je sais très bien tout ce que tu pourrais ajouter. Mais je n'ai pas besoin de ton aide pour y penser…

— Donc?

— Donc, donne-la à quelqu'un d'autre. Avec une fille comme ça, je ne peux que travailler moins. Tu y perdrais, toi aussi. C'est une distraction.

— Je pensais vraiment te faire plaisir… Te rendre heureux…

— Je te l'ai déjà dit. Je suis heureux, très heureux comme ça… Et surtout, j'aimerais continuer à l'être…

— D'accord, comme tu voudras, répond Leonardo en se levant. J'ai compris. Je lui ai fait un contrat d'un an et je ne peux pas la renvoyer. Nous la garderons à disposition, je la ferai travailler sur mes projets.

— Ça me semble parfait.

— Je voulais seulement te faire plaisir.

— Tu veux vraiment faire quelque chose pour moi?

— Bien sûr! Sérieusement, je suis sincère.

Alex sourit et décide de lui faire confiance. Il lui raconte son plan, étonné de l'enthousiasme de Leonardo.

— Bravo! Je ne sais pas ce que tu vas y faire, mais tu le mérites! Et puis, je suis sûr d'une chose : ça te donnera des idées pour travailler sur notre court.

Alex se tourne et lui jette un regard noir. Leonardo hausse les épaules.

— Seul. Créativité maximale, sans assistante ni distraction possible…

— D'accord.

— Affaire conclue, dit Alex en lui tendant la main.

Il sort à toute allure de son bureau et se dirige vers l'ascenseur, mais tombe en chemin sur Raffaella.

— Bonjour, Alex, regarde, j'ai rassemblé quelques petits films qui pourraient nous donner des idées pour notre projet.

Alex continue sa route vers l'ascenseur.

— Je suis désolé, je sors pour des repérages. Le directeur a décidé de te faire travailler sur un de ses projets…

Alex arrive à l'ascenseur et appuie sur le bouton pour l'appeler.

— Comment ça? dit Raffaella, visiblement déçue. Je n'en savais rien…

— Je suis désolé. Je suis déçu, moi aussi. Il vient de me le dire… Mais tu le connais, non? Dès qu'on a le dos tourné, il redistribue les cartes…

Il appuie sur un bouton et les portes de l'ascenseur se ferment sans laisser à la jeune femme le temps de répondre. La dernière image que voit Alex est son visage boudeur. Et par la fente entre les portes, il aperçoit ses magnifiques jambes.

Il aurait été impossible de résister à la tentation de cette distraction. Ça aussi, c'est de l'amour.

28

Le magasin d'usine Levi's est noir de monde. Diletta est intriguée par le rayon enfants. Elle regarde de très jolies petites salopettes. Olly et Niki, occupées à choisir des vêtements un peu plus loin, se moquent gentiment d'elle.

Erica a trouvé deux jeans et deux T-shirts. Elle fait la queue devant les cabines d'essayage. Un jeune homme la remarque.

— Il y a du monde, hein?

Erica se tourne.

— Oui... ce n'est vraiment pas cher ici, donc c'est normal, sourit-elle.

— J'ai trouvé ça, dit-il en montrant à Erica les pantalons en équilibre sur son bras.

— Euh... c'est bien, répond-elle, perplexe. Moi je n'ai pas trouvé grand-chose.

Le type se rend compte qu'il n'a pas été très brillant. À ce moment-là, une cabine se libère devant eux. Il se tourne vers Erica.

— Vas-y, moi je vais attendre...

— Merci, c'est gentil! lui répond-elle en souriant, un peu étonnée.

Elle se glisse à l'intérieur, se déshabille et essaie le premier ensemble. Levi's Slim Fit et T-shirt moulant bleu qui met sa poitrine en valeur. Elle sort de la cabine et fait une pirouette.

— Comment ça me va?

— Très bien, acquiesce le jeune homme, un peu gêné.

Erica lui fait un sourire malicieux.

— Attends, je vais essayer le reste.

Elle referme le rideau et ressort au bout de quelques minutes. Cette fois, elle porte un modèle 609 Hotstuff et un pull blanc à manches longues. Elle improvise un petit défilé devant le garçon. Entre-temps Olly et Niki, chacune un vêtement à la main, l'ont rejointe. Elles éclatent de rire en voyant la scène. Le jeune homme, un peu gêné, observe Erica qui s'arrête net devant lui.

— Qu'en penses-tu ?

— Ça te va bien aussi, balbutie-t-il…

— Alors je prends lequel ? demande-t-elle en continuant à bouger devant le miroir.

Le jeune homme ne répond pas. Olly et Niki s'approchent.

— Il faut que tu conseilles notre amie, sinon elle est capable de nous faire rester ici tout l'après-midi.

— Alors ? insiste Erica.

— Si j'étais toi, je prendrais les deux… répond-il, peu convaincant.

— C'est ça ! Tu ne serais pas un vendeur qui se glisserait incognito dans les files d'attente, par hasard ?! Non, je dois choisir. L'un ou l'autre, précise-t-elle en se regardant une dernière fois dans la glace. Avec l'autre, je suis plus sexy. C'est décidé.

Elle retourne dans la cabine pour se changer. Le type est pétrifié.

— Elle fait toujours ça ?

— Elle fait même pire… Elle est incroyable, non ?

— Oui… oui…

Olly et Niki se regardent en riant. Au bout de quelques minutes, Erica sort de la cabine avec ses vêtements, tenant à la main ceux qu'elle a choisis. Elle s'arrête un instant, regarde le jeune homme.

— Merci de m'avoir cédé ta place. Écoute, mes amies aussi doivent essayer des vêtements, tu les laisserais passer aussi ?

Il n'en croit pas ses oreilles. Qu'est-ce que c'est que cette fille ? Mais il n'a pas le temps de lui répondre « non » que Niki et Olly sont déjà dans la cabine.

— Merci, tu es un amour !

Erica va retrouver Diletta.

— Alors, tu as trouvé quelque chose ?

— Non… tu as vu comme c'est joli, ce qu'ils ont pour les enfants ? On dirait vraiment des vêtements d'adultes !

— Oui, je vois ça, mais tu as trouvé quelque chose pour toi ?

Diletta regarde autour d'elle.

— Non, je ne trouve rien de convaincant…

— Moi si, regarde ce que j'ai pris, dit-elle en montrant à Diletta son jean et son T-shirt bleu.

– Sympa !

– J'ai décidé de m'habiller comme ça pour l'examen avec Giannotti.

– Ce n'est pas un peu trop moulant ?

– Justement ! Au moins, je suis sûre qu'il me remarquera ! Si tu savais comme il est beau…

– Enfin, Erica ! C'est ton prof !

– Et alors ? C'est un homme ! Beau et jeune. Il n'a pas quarante ans, à mon avis. Si tu voyais comment il s'habille : toujours à la mode, avec des pulls en laine peignée et des Dockers. Des Dockers, tu entends ? Très décontracté. Et si tu voyais comme ça lui va bien… il a de ces fesses…

– Erica !

– Quoi ? Les hommes sont des hommes, profs ou non ! Et puis, s'il me remarque, j'aurai peut-être une meilleure note !

Diletta met une main sur son front.

– Tu es irrécupérable. Tu es devenu pire que la Olly d'antan !

– Évolution, Diletta, ça s'appelle évolution ! dit-elle en se dirigeant vers la caisse.

Niki et Olly sont sorties de la cabine, vêtues des articles qu'elles ont choisis. Elles ont l'air satisfaites. Elles se regardent en bougeant, en blaguant, tandis que le type attend toujours. Quand une autre cabine se libère enfin, il s'y précipite pour échapper à cette situation gênante. Olly et Niki retournent dans leur cabine en riant aux éclats.

Un peu plus tard, les Ondes sortent du magasin chacune un paquet à la main, sauf Diletta.

– Vous savez qu'Erica a flashé sur son prof d'anthropologie ?

Niki et Olly se regardent.

– Mais il doit être vieux !

– Vieux ? Il a l'âge d'Alex, donc si Alex n'est pas vieux, mon prof non plus ! répond Erica avec un petit sourire.

Niki se retourne.

– D'accord, mais c'est différent… C'est ton prof, donc dans ton cas il y a aussi un conflit d'intérêts…

– Quel conflit ? C'est tout le contraire ! J'aurai peut-être une bonne note !

Elles s'éloignent en blaguant, en se poussant les unes les autres, gaies et légères.

Devant la porte, diverses propositions écrites dans des couleurs vives. Des dépliants avec des offres tout aussi alléchantes sont affichés sur un tableau en liège protégé par une vitre. Alex monte trois marches et entre. À l'intérieur, on le reconnaît.

– Salut, Chiara! Alors, cette fois-ci, on doit faire quelque chose de vraiment spécial... d'important.

– Que veux-tu dire, que tu n'étais pas satisfait, la dernière fois?

– Non... Pas du tout, c'était parfait, mais cette fois ça doit l'être encore plus!

– Et qui est la nouvelle chanceuse?

– Pourquoi? s'étonne Alex.

– Tu as l'air très enthousiaste...

Beaucoup de gens trouvent étrange que l'on fasse deux surprises à la même personne.

– C'est Niki Cavalli.

– Ah...

Chiara a l'air déçue, Alex le remarque tout de suite. Peut-être que, pour elle, l'amour est déjà le fruit de l'habitude. Dommage. Il s'assied en face d'elle.

– Alors, j'ai quatre jours, et je me suis dit... Ça pourrait être bien... Oui, bref, cet après-midi au bureau j'ai regardé sur Internet et j'ai trouvé des choses vraiment incroyables...

Il dispose sur la table des feuilles pleines de notes, d'éléments soulignés, de dessins, de lieux mis en évidence, puis une carte très soignée et surtout... faite avec amour. C'est peut-être ça qui frappe tant Chiara, se dit Alex. Et en effet. En parcourant les papiers du regard elle se demande comment il est possible qu'au bout de deux ans un homme tel que lui, beau, drôle, sympathique et qui réussit, bref, un homme qui pourrait avoir toutes les femmes qu'il voudrait, soit encore heureux comme un enfant à l'idée de faire une surprise à cette satanée Niki Cavalli. *Qu'a-t-elle de si spécial, cette fille?* Chiara écoute en souriant la mélopée agitée d'Alex. Alex et ses propositions, Alex et ses idées fantaisistes, ses hypothèses, ses curiosités. Elle acquiesce en l'écoutant lire des adresses dans ses notes. Puis Chiara se regarde dans la glace derrière lui et arrange ses cheveux. Elle réfléchit. *Qu'a-t-elle de plus que moi, cette Nicoletta ? Moi qui suis une belle fille, sympa, drôle, une trentenaire avec une bonne situation, pourquoi je ne pourrais pas convenir à un type comme lui ?*

— Tu me suis ? demande Alex en levant les yeux de ses feuilles.

— Bien sûr ! répond Chiara en reprenant ses esprits. Bien sûr, bien sûr...

La jeune femme ouvre une page sur son PC, contrôle des données, puis elle feuillette un dépliant, et après une série de considérations mentales, se met au travail. Pour la énième fois, elle va étudier le meilleur pack possible pour satisfaire le client, le même pack qu'une fois, au moins une fois, elle aimerait recevoir en cadeau de la part de quelqu'un qui la surprenne, la kidnappe pour une journée, pour un week-end ou pour toute la vie. Pour Chiara, programmer les vacances des autres est une souffrance terrible. Qu'elle aimerait être à la place de cette « jeunette », comme elle ne cesse de l'appeler en pensée... Et puis, cette question qu'elle est obligée de poser :

— Combien tu veux mettre ?

— Aucune limite de prix.

— D'accord... bien sûr.

Elle retourne à son écran et réalise soudain. Inutile de lutter. Elle sourit une dernière fois à Alex et comprend qu'il ne sera jamais à elle pour une simple, et même très simple, raison. Il est fou amoureux de cette Niki.

Alex la regarde. C'est sûr, Chiara fait vraiment bien les choses. Rien de plus beau que les gens qui aiment leur travail. Elle est forte. Et puis, toujours très polie. C'est merveilleux, de rencontrer des gens comme ça. Si seulement Alex savait... Mais Alex ignore la vérité, comme cela arrive souvent avec les gens que nous côtoyons et qui sont gentils avec nous. Nous ne saurons jamais pourquoi ils le sont, et ce qu'ils ressentent réellement.

Une demi-heure plus tard Alex la salue, referme la porte derrière lui et descend les marches. Il est heureux de son plan et satisfait des services de l'agence. Puis il prend son téléphone et appelle d'autres gens, à qui il essaie de faire comprendre ce qu'il a en tête. Il comprend que c'est absurde, et sourit en tentant de s'expliquer. Oui, ce n'est certes pas une chose facile. Mais rien que d'avoir pu l'imaginer, c'est comme s'il avait déjà réalisé la moitié de son rêve.

Alex jette deux maillots, un bleu et un blanc, dans son sac de foot. Les équipes ne sont pas encore constituées, alors mieux vaut prendre les deux. Et puis, il y a toujours quelqu'un qui a oublié le sien et qui te demande si tu peux lui en prêter un.

Soudain, son portable fait bip. Un message. Mon Dieu, qu'y a-t-il encore ? Ne me dites pas que… *Viens vite chez Enrico. Problèmes. Flavio.*

Oh non ! Cette fois encore, on ne va pas jouer. Quelle barbe. Alex compose le numéro de Flavio.

— Allô, c'est Alex !

Il y a beaucoup de bruit derrière. « Aïe, je vais me jeter, laisse-moi ! » entend Alex.

— Viens, Alex, vite !

— Mais que se passe-t-il ?

— Nous n'arrivons pas à contrôler la situation.

— Camilla est revenue ?

— Pire.

On entend un hurlement. « Je vais me jeter ! » et un bruit de verre brisé.

— Arrête, arrête, hurle Flavio ! Alex, je dois raccrocher.

Il coupe la communication. Alex regarde son téléphone d'un air hébété. Il n'arrive vraiment pas à imaginer ce qu'il s'est passé. Il descend les marches quatre à quatre, tout en composant un autre numéro.

— Allô, Niki ?

— Salut, que se passe-t-il ? Tu as l'air pressé. Tu es en retard au foot ? répond-elle en regardant sa montre. Mais il est tôt, non ?

— Non, nous ne jouerons pas ce soir.

Alex se souvient du mensonge de la semaine passée et se dit que cette fois-ci ça ne vaut vraiment pas la peine d'inventer quoi que ce soit.

— Tu vas où, alors ? Tu n'as pas prévu d'espionner quelqu'un d'autre, pas vrai ?

— Mais non, je vais chez Enrico.

— Il t'a engagé comme détective privé à la place de celui de la dernière fois ? Comment il s'appelait déjà… Costa ?! Ça n'avait donné aucun résultat.

Alex repense au second dossier avec les photos qu'il n'a jamais regardées et se maudit pour cela, puis il repense à son piètre numéro d'espion à la fac et a honte.

— Non, je crois que ce sont mes amis qui en ont fait de belles...

— C'est-à-dire?

— Je ne sais pas...

— Alex... tu ne serais pas en train de me raconter un bobard?

— Pourquoi je ferais ça? Quoi qu'il arrive, tu en seras la première informée.

Niki sourit en l'entendant utiliser ses mots à elle.

— Comme ça, tu me plais.

— C'est que j'ai une excellente prof, dit Alex en souriant.

— Oui, c'est ça, moque-toi! Mais appelle-moi tout à l'heure, je suis trop curieuse.

— D'accord, à tout à l'heure mon amour!

Dix petites minutes plus tard, Alex frappe à la porte d'Enrico.

— Qui est-ce?

— Moi.

— Moi qui?

— Comment ça, qui? Alex...

Enrico ouvre la porte, visiblement très énervé. Il le fait entrer, referme la porte et croise ses bras sur son torse. Signe très évident de fermeture. Flavio fait les cent pas au milieu de la pièce.

— Salut.

Pietro, lui, est assis sur le canapé, un linge contenant de la glace posé sur l'arcade sourcilière droite, qui est tout enflée. Alex regarde ses amis sans comprendre.

— Je peux savoir ce qui se passe? Vous vous êtes disputés, vous vous êtes battus? Je peux avoir des explications?

Flavio secoue la tête, il ne croit toujours pas à ce qui vient de se passer, il est bouleversé. Enrico bat nerveusement du pied sur le parquet.

— Je ne sais qu'une chose. Je suis seul. J'avais réussi à endormir Ingrid... et maintenant, avec tout ce bordel, je crois qu'elle est réveillée.

En effet, on entend la fillette hurler dans la chambre au bout du couloir.

— Voilà, vous voyez, qu'est-ce que je disais? Pile au bon moment!

Flavio ouvre les bras.

— Tu ne t'en sortiras pas comme ça !

— C'est ça, c'est ça… c'est ma faute, hein ? C'est toujours avec vous que les ennuis arrivent !

Enrico se précipite dans le couloir.

— Alors, vous allez m'expliquer, oui ou non ? demande Alex en remarquant qu'une vitre de la fenêtre du salon est cassée. Et ça ? Qui a fait ça ?

— Lui, dit Flavio en indiquant Pietro. Il voulait se jeter par la fenêtre !

— Pardon, mais… tu ne pouvais pas ouvrir la fenêtre ?

— Sympa ! En tout cas, c'est pour ça qu'Enrico est aussi énervé…

— Blague à part, je vais bien.

Pietro enlève le linge de son œil, replace la glace et le remet.

— Ça ne m'amuse pas du tout, tu sais.

— Écoutez, poursuit Alex, impatient. Vous allez m'expliquer une fois pour toutes ce qui s'est passé ? Sinon, je m'en vais. Déjà qu'on ne jouera pas non plus ce soir…

— Je n'y arrive pas, dit Pietro, affligé. Dis-lui, toi, Flavio. Moi je me bouche les oreilles, je ne peux pas y croire, je ne veux pas y penser…

Il laisse tomber le linge et se bouche les oreilles.

— Susanna a quitté Pietro, soupire Flavio.

— Quoi ? Je n'y crois pas. C'est quoi, une épidémie ? D'abord Enrico, et maintenant Pietro… s'exclame-t-il en s'asseyant à son tour sur le canapé. Tout va mal…

Il réfléchit : *pourquoi juste maintenant ? Il ne manquait plus que ça.*

— Et on peut savoir pourquoi ?

31

Quelques heures plus tôt, dans l'après-midi. Susanna compose un numéro de téléphone.

— Allô, Pietro ?

— Je suis désolé mais maître Pietro est sorti. Je crois qu'il avait un rendez-vous à l'extérieur, ou qu'il se sentait mal… Vous le connaissez.

Si la secrétaire semble bien connaître Pietro désormais, Susanna, elle, n'en est plus si sûre. Elle raccroche. *Non. Je ne le connais pas, et surtout il a éteint son portable, alors que je lui ai dit mille fois qu'il pouvait y avoir des urgences. Je ne comprends pas pourquoi les hommes ne nous écoutent jamais. Nous faisons les courses, nous allons chercher les enfants à l'école, nous les accompagnons à la natation, à la gym, au cours d'anglais, nous nous occupons de la maison, et même quand nous travaillons nous nous arrangeons pour que tout soit en ordre, nous préparons à manger, nous nous maintenons en forme pour rester jolies et leur plaire, nous organisons mille choses, nous allons chercher les vêtements au pressing. Femmes, mères, amantes, managers. Quand il y a une urgence, comme aujourd'hui, vu que le plombier s'est enfin libéré pour venir à la maison, toute cette belle organisation est à revoir. Nous passons pour des casse-pieds, alors qu'il s'agit d'un des rares cas où un homme doit garder son portable allumé et se rendre disponible pour nous remplacer quand nous n'avons pas d'autre choix.*

Susanna compose un autre numéro. Heureusement, ça sonne.

— Allô, maman ? Excuse-moi de te déranger...

— Tu ne me déranges jamais...

— Est-ce que tu pourrais aller chercher Lorenzo à la natation ?

— Ah...

— Tu l'emmènes chez toi, et moi j'arrive dans l'après-midi.

— Je devais voir mes amies...

— Je reviendrai très tôt, j'ai une urgence et je ne veux pas qu'il attende tout seul devant la piscine, alors que tous ses copains partiront avec leurs parents.

— Comme c'est déjà arrivé une fois...

— Justement, j'aimerais que ça n'arrive plus.

— D'accord.

— Merci, maman... Je t'appelle dès que je termine.

Susanna pousse un soupir de soulagement. Voilà une chose de réglée. Elle monte dans sa voiture et part à toute allure. En sortant du parking, elle coupe la route à un véhicule qui pile pour la laisser passer. Le conducteur klaxonne et hurle :

— C'est pas des façons, ça !

— Elles sont meilleures que les tiennes, répond promptement Susanna.

Elle roule le plus vite possible, et par chance trouve une place juste en bas de chez elle.

— Excusez-moi, excusez-moi...

Elle court jusqu'à la grille, où l'attend le jeune plombier. Il sourit.

— Ne vous en faites pas, madame, je viens d'arriver...

Susanna, encore essoufflée, ouvre la porte de l'immeuble et appelle l'ascenseur. Ils entrent sans un mot et arborent un sourire de circonstance, un peu gênés. Une fois devant la porte de l'appartement, Susanna introduit la clé dans la serrure. *Bizarre, elle n'est pas fermée à double tour. Ce matin je suis partie la dernière et je suis sûre de l'avoir fait. Bah! Je suis vraiment crevée.*

— Entrez, entrez, je vous en prie.

Oui, je suis vraiment crevée. J'aurais bien besoin de vacances. Je vais appeler Cristina, on va aller en thalasso. On s'est toujours promis qu'un jour on s'offrirait un séjour dans un centre de soins et de relaxation.

— Voilà, c'est par là, venez...

Cristina va mieux que moi. Elle est moins stressée. Elle n'a pas deux enfants qui veulent acheter tout ce qu'ils voient au supermarché, et surtout à qui leur père dit toujours oui. À mon avis, Pietro le fait exprès pour me mettre en difficulté, tirer sur la corde, tester ma patience, il veut voir si je résiste, jusqu'à quel point je tiens... Soudain, elle aperçoit une veste jetée sur le canapé, un pull, une chemise. Comme dans cette fable que lui racontait toujours sa mère quand elle était petite. Les miettes du Petit Poucet... Mais là, il s'agit de vêtements. Des vêtements de Pietro, d'ailleurs! Elle se précipite dans le couloir et ouvre tout doucement la porte de leur chambre.

Des bougies alignées près du lit. Un seau avec une bouteille de champagne posé sur la commode. Pietro allongé. À côté de lui, une femme.

— Pietro! hurle-t-elle comme une folle en saisissant une bougie. Mais ce sont celles que j'ai achetées... Et ça, ajoute-t-elle en regardant la bouteille de champagne, je la gardais pour le dîner de dimanche!

— Mon amour, excuse-moi, je ne sais pas ce qui m'a pris... j'ai de la fièvre... Je me sentais mal... et elle m'a aidé. Elle est docteur. En fait, c'est mon médecin...

Susanna n'entend même pas le mensonge absurde de Pietro. Elle jette un coup d'œil à la femme. Ce qui la gêne, c'est qu'elle soit plus jeune qu'elle. Mais de toute façon, elle est moche, ce qui la fait enrager encore plus. Elle saisit ses vêtements et les lui envoie à la figure.

— Fiche le camp!

Elle aurait envie d'en dire plus, beaucoup plus, mais elle en est incapable. La femme se lève du lit, à moitié nue, et sort de la pièce sous le regard curieux du plombier qui, un peu embarrassé, se tourne vers Susanna.

– Madame, je suis désolé… Si vous voulez, je m'en vais, moi aussi…

– Non, non ! Maintenant que je vous ai sous la main… Venez, c'est dans la salle de bains de ma fille, dit-elle en sortant de la chambre et en se dirigeant vers la pièce tout au fond du couloir. Voilà, celle-ci. Vous voyez la douche ? Je pense que le problème vient de là… L'eau ne s'écoule pas bien et crée de l'humidité… Vous pouvez vous installer et vous mettre au travail.

– D'accord.

Le plombier, un peu perplexe, pose son sac à terre et sort ses outils, dont plusieurs tournevis, un mètre et une énorme clé anglaise. Il se met à démonter la grille d'écoulement.

– Où est le robinet central, madame ?

– Derrière la porte.

Juste à ce moment-là Pietro, rhabillé, fait irruption dans la salle de bains.

– Mon amour, je suis désolé… je ne savais pas que tu allais rentrer…

– C'est ça, tu es désolé que j'aie bouleversé tes plans, plutôt !

– Mais non, ce n'est pas ce que je voulais dire… C'est sûr, ajoute-t-il en s'adressant au plombier, vous qu'on n'arrive jamais à joindre, justement aujourd'hui, hein…

En entendant cette blague stupide, Susanna sort de ses gonds.

– Aie au moins la décence de te taire !

Elle attrape l'énorme clé anglaise, prête à frapper Pietro, qui esquive juste à temps en sautant vers la gauche et prend le coup sur le front, au-dessus de l'œil droit.

– Aïe !

– Je vais te tuer ! Ordure ! Infâme !

Le plombier lui maintient les bras dans le dos.

– Madame, du calme… Du calme, du calme… Ou vous finirez en prison, dit-il en lui enlevant la clé des mains. Moi qui trouvais que vous preniez ça un peu trop bien !

Pietro se dirige vers le salon en chancelant. Susanna le regarde sans la moindre émotion.

– Disparais de ma vie pour toujours !

32

Pietro ôte ses mains de ses oreilles, juste à temps pour entendre ces derniers mots.

— Non mais, Alex, tu comprends? Tu comprends? Elle voulait me tuer!…

— La seule chose que je comprends, c'est à quel point tu es crétin, répond Alex, stupéfait.

— C'est-à-dire?

— Sans parler du fait que tu n'aurais jamais dû la tromper comme tu l'as fait… Tu as amené une fille chez toi?

Flavio intervient.

— C'est exactement ce que je lui ai dit. C'était la meilleure façon pour te faire découvrir : tu ne savais pas comment lui dire, et tu as trouvé cette solution…

— Je n'ai pas besoin de psychologue… Ce n'est pas un thriller sentimental… Elle m'a grillé, un point c'est tout…

— J'ai compris, mais tu n'aurais pas pu l'emmener ailleurs, si vraiment tu ne pouvais pas t'empêcher de la voir?

Flavio secoue la tête.

— Moi je ne pourrais jamais faire une chose pareille.

— Parce que vous êtes trop calculateurs. C'est ça, la passion… Nous nous sommes appelés, nous avons pris un café. Nous étions à deux pas de la maison. « Tu veux monter? Allez… » Dans ces moments-là, prendre une chambre d'hôtel est vraiment de mauvais goût…

— Pietro! hurle Alex. De mauvais goût? Mais c'est de ton mariage dont tu parles! Tu as deux enfants!

Enrico revient au salon.

— Et moi j'en ai une qui vient de se rendormir… Auriez-vous la gentillesse, je dis bien la gentillesse, de ne pas hurler?

Alex soupire.

— Moi qui pensais que toi et Flavio vous étiez battus. J'aurais préféré.

Flavio le regarde méchamment.

— Qui aurait gagné?

— Crétin…

Pietro se masse le front.

– On dirait Susanna. Tu sais ce qu'elle a dit? « Je ne veux savoir qu'une chose : pourquoi, quand nous faisions l'amour, tu ne mettais jamais une bougie, un peu d'ambiance, de la musique, une bouteille de champagne? »

– C'est ce qu'elle a dit?

– Oui, avant de me chasser pour toujours.

– Alors je pense que tu as une chance de la récupérer...

– J'ai essayé tout l'après-midi, elle a été inflexible.

– Parce que tu crois qu'il suffit d'un après-midi? Elle est très secouée.

– Secouée... Tu veux dire que rien ne peut lui faire entendre raison, oui! J'ai deux valises dans la voiture. Elle a changé la serrure de la maison et a demandé à son avocat de m'appeler pour me délivrer une injonction. Je ne peux plus approcher ma femme... En plus, cet avocat, c'était un ami à moi...

– Tu parles d'un ami!

– Oui... Mais en fait, j'avais raconté à Susanna qu'avant de la rencontrer j'avais eu une histoire avec la copine de ce type, alors hier quand elle l'a appelé elle lui a dit, et juste après elle lui a demandé s'il pouvait s'occuper de notre histoire. Et lui, il a accepté tout de suite, tu penses bien!

– Mais pourquoi tu lui as raconté?

– C'était il y a des siècles!

– Il n'y a pas de délai, en amour...

– Je croyais que Susanna et moi étions complices, une petite équipe...

– Oui, c'est ça... tu ne lui cachais jamais rien, n'est-ce pas?

Pietro regarde ses amis.

– Je pensais que nous avions passé un accord tacite. Tout le monde trompe tout le monde. Et tout le monde fait semblant de ne pas le savoir, de ne pas voir, de ne pas entendre... Tu sais combien de femmes j'ai sautées juste après qu'elles avaient juré leur amour à leur mari au téléphone? Certaines avaient même un enfant dans le ventre... Des femmes enceintes, vous vous rendez compte? Enceintes, mais incapables de renoncer au sexe... Exactement comme nous!

Alex secoue la tête, attristé.

– Non, tu te trompes : exactement comme toi. Moi, après m'être séparé d'Elena, je n'ai eu envie de personne, jusqu'à ce que je tombe amoureux de Niki. Amoureux, tu comprends? Et depuis que je suis avec elle, je ne l'ai jamais trompée.

— Ça fait combien de temps ?

— Presque deux ans…

— D'accord, mais tu n'es pas marié ! Mets-toi à ma place. Passe chaque jour avec elle pendant douze ans, semaine après semaine, mois après mois, année après année. Je demande à voir… Tu me raconteras… Si tu y arrives ! Moi, je suis un précurseur ! J'ai réussi à arriver là où j'en suis ! Regarde-le, lui… dit-il en indiquant Enrico qui le fixe d'un air étonné.

— Quoi ? Qu'est-ce que tu as à dire sur moi ?

— Tu as toujours été fidèle ?

— Toujours…

— Ça ne valait pas la peine ! Elle est partie avec un inconnu il y a dix jours… Pense à tous les coups auxquels tu as renoncé !

Alex ne veut rien entendre de plus.

— Écoute, Pietro, moi je pense que tu as un problème… Pour nous, ce n'est pas un combat. Il a dû t'arriver quelque chose, pour que tu sois aussi aigre.

— Non, tu te trompes, répond Pietro en écartant les bras. C'est naturel de penser comme ça, pour moi… pas de traumatisme adolescent.

Flavio se sert un peu de bière.

— Ça, c'est ce que tu crois. On n'est souvent pas conscient de combien on a souffert pour certaines choses, à tel point qu'on finit par les occulter, ou par les refouler en bloc…

— Non, dit Pietro en enlevant le linge de son front. Je suis conscient, autant que cette bosse est réelle… Ce ne sont que des conneries. Plus on avance, plus on s'en rend compte. Flavio, toi et Cristina n'êtes ensemble que par peur… comme beaucoup d'autres couples ! Ce que vous vivez n'est pas un véritable amour. C'est une vraie terreur ! Moi je croyais que, sans se le dire, Susanna et moi avions trouvé un équilibre. Mais il n'en était rien. Et vous savez quoi ? Tant mieux… affirme-t-il en se levant et en enfilant son blouson. Demain, je commence une nouvelle vie. Je veux un appartement pour moi tout seul ! Peut-être un loft, avec une ambiance jeune, et puis des femmes… Divertissement… Aucune responsabilité !

Il sort en claquant la porte derrière lui.

— Pardon, dit Flavio en regardant ses amis d'un air déconcerté, mais où est la différence par rapport à aujourd'hui ?

Alex acquiesce.

— Rien du tout, simplement il ne s'était pas fait surprendre...

— En effet! Il aurait pu faire attention, ils formaient un couple vraiment sympa. Je me rappelle, à leur mariage... il avait l'air très amoureux...

— Il avait l'air! Mais il avait dragué la fille du vestiaire.

— Ah, oui... Je m'en souviens, moi aussi. C'était il y a douze ans... mais quelle bombe!

— Oui, avec une paire de seins... Mais à son mariage, quand même, il aurait pu résister, au moins ce jour-là.

— Pas lui.

— Enfin... Mais bon, le fait qu'il cherche un appartement, qu'il aille vivre tout seul... ça pourrait l'aider à comprendre certaines choses.

— Tu crois?

Juste à ce moment, on frappe à la porte.

— Qui est-ce, encore? dit Enrico en allant ouvrir.

Pietro entre, une valise à la main.

— Dis-moi, à partir de demain je vais chercher un endroit où dormir... Mais je peux rester ici ce soir? De toute façon tu es seul, non?

Enrico s'écarte pour le laisser entrer.

— À part le tien, tu as un autre grand lit?

Alex et Flavio se regardent.

— Rien à faire. Il ne changera jamais.

33

Une belle matinée ensoleillée. Samedi. Il est presque 11 heures. Les gens déambulent lentement, curieux, dans les ruelles du marché aux puces. Niki est littéralement en train de creuser dans un panier de T-shirts en promotion sur un étalage très coloré de la via Sannio.

— Il est joli, ce rose, non?

— Oui, il est bien, et puis il ne coûte que cinq euros!

— Il est stylé, ce jean! s'écrie Olly en évaluant la taille d'un pantalon brodé sur la cuisse gauche.

— Écoutez sa façon de parler, depuis qu'elle fait ce stage! Olly & Gabbana! dit Erica en farfouillant dans des châles.

— Mais non, ils sont vraiment canons. Aux puces on trouve toujours des trucs originaux, et ensuite les gens te demandent où tu l'as acheté, parce que ça a l'air de sortir d'un magasin... Et puis, tu verras, tu seras la première à venir me voir quand je serai célèbre et que tout le monde s'arrachera mes vêtements !

— Alors il faut aussi que tu penses à une griffe... rit Diletta en regardant ses amies si absorbées dans leur recherche de vêtements.

— C'est vrai. Je pourrais appeler ma maison de mode... Olly the Waves ! Olly les Ondes, c'est génial !

— Ouais... On dirait Gerry Scotti dans *Qui veut gagner des millions ?* quand il dit « Only the Braves », plaisante Niki.

— En effet. Seuls les braves réalisent leurs rêves ! Giampi le dit toujours. Bon, allons voir si on peut le trouver moins cher. Il faut tourner un peu pour trouver le meilleur prix.

Elles marchent au milieu de la foule, bras dessus bras dessous, ne se lâchant que quand il devient impossible d'avancer de cette façon. Elles s'arrêtent à tous les étals, commentent, acquiescent, secouent la tête en regardant T-shirts, robes et ceintures.

— En tout cas, Olly, ce Giampi, tu n'arrêtes pas d'en parler ! dit Erica en les rejoignant après être restée un peu en arrière pour regarder un blouson en cuir jaune accroché à un cintre. Toi qui ne disais que du mal de l'amour ! Je m'en souviens, tu sais !

— Je ne disais pas du mal de l'amour ! C'est que je n'avais jamais été amoureuse. Giampi me plaît trop ! Il est beau, il est grand, il est brun, il est attentionné, mais aussi un peu fanfaron, il a plein d'amis, il fait du sport, il est sympa, il n'oublie jamais de m'appeler et il me fait des surprises !

— Oh, on dirait la description de Filippo ! dit Diletta.

— Ou d'Alex ! surenchérit Niki.

— Ou de... Zut ! J'oubliais que je n'ai pas de copain ! ajoute Erica, et tout le monde éclate de rire.

Elles flânent parmi les stands de vêtements vintage, militaires, de stocks de marque, d'écharpes. Et même d'habits de scène : Niki s'arrête brusquement à un stand où elle a aperçu un grand chapeau rose à plumes, qu'elle met aussitôt sur la tête. Elle prend une pose d'actrice, fait des grimaces et cligne de l'œil. La vendeuse lui sourit.

— Ça vous va vraiment bien, mam'zelle.

Les autres Ondes la rejoignent et essaient tout ce qu'elles trouvent. Des robes longues, courtes, des chapeaux, des foulards. Elles les passent par-dessus leurs vêtements et font un mini-défilé devant le stand. Des gens s'arrêtent et rient, d'autres passent en baissant les yeux, choqués, mécontents de ce drôle d'événement qui ralentit leur pas. Puis elles reprennent leur tour.

— Quoi qu'il en soit, mes chères, Giampi est parfait, et si quelqu'un le regarde de trop près ou s'en approche ne serait-ce qu'un peu, je lui casse les bras! Il plaît un peu trop aux femmes…

Les Ondes se regardent, puis éclatent de rire.

— Écoutez un peu ça! Olly jalouse! Pffff!

— Alors, Erica, ce soir c'est toi qui sors avec Giampi, ou bien c'est mon tour? la taquine Niki.

— Mais non, ce soir c'est à Diletta, moi c'est demain et toi lundi!

— Bon, ça suffit avec cette organisation!

Olly frappe Niki à l'épaule.

— Aïe!

— Et oui, aïe! Et même plus que aïe! Bas les pattes! Vous avez déjà chacune le vôtre, et celle qui n'en a pas… ajoute-t-elle en se tournant vers Erica, eh bien, qu'elle s'en trouve un sur le marché!

Elle s'enfuit, poursuivie par Erica et les autres. Les gens observent avec étonnement ces quatre excitées qui heurtent des sacs, sautent par-dessus des boîtes et poussent un peu pour passer. Des amies qui rient, heureuses d'être ensemble.

34

Plusieurs jours plus tard. En sortant d'un cours, Niki croise un groupe d'amis de la fac. Marco et Sara font une proposition.

— Vous faites quoi? Ça vous dire de venir manger un morceau avec nous?

Giulia, Luca et Barbara hésitent.

— Et toi, Niki?

— Non, merci, je dois rentrer. La date de mon examen approche et je veux commencer à réviser tout de suite pour ne pas avoir à travailler comme une folle les derniers jours.

— Moi aussi, je rentre, décide Giulia. Peut-être demain.

Barbara hausse les épaules.

— Bon, comme vous voudrez, mais vous êtes lourdes…

— Moi je sais juste que je ne suis qu'en deuxième année et que je n'en peux déjà plus, s'excuse Giulia.

Barbara a réponse à tout.

— Parce que, d'après toi, c'est mieux une fois l'université terminée?

Sara lève les mains, comme si elle **se** rendait.

— Ne me sors pas ta phrase habituelle...

— Laquelle? interroge Niki.

— Les examens ne finissent jamais...

— Tu as raison...

Sara secoue la tête.

— Mon Dieu, ce que je peux être barbante...

— Allez, c'est promis, demain on mange tous ensemble, propose Niki. J'apporte à boire, ou même un gâteau... Je suis en train de me spécialiser en desserts. Quand je m'énerve et que je n'ai plus envie de travailler, pour faire un break je prépare un gâteau. Je m'améliore de jour en jour. Imaginez à quel point j'ai envie de travailler!

— Je ne te crois pas, rit Luca. Moi, quand je n'en peux plus de travailler... je me masturbe!

— Luca! s'exclame Barbara en lui donnant un coup de poing sur l'épaule. Tu te rends compte de ce que tu racontes!

— Mais c'est vrai, ça me défoule! D'ailleurs, j'ai appris que plein de garçons font ça... Mais que peu sont ceux qui ont le courage de le dire. Moi si!

— Le branleur courageux! claironne Marco, hilare.

Cela n'amuse pas du tout Barbara.

— J'ai compris, mais à qui tu penses, en le faisant...

— Pardon, mais tu es en fac de lettres et tu te masturbes?! intervient Guido. Au grand minimum, tu dois penser à Nicole Kidman...

— Quel rapport? demande Barbara, perplexe.

— Eh bien, elle a joué Virginia Woolf, et elle est assez canon.

Barbara descend du muret et secoue la tête.

— Vous êtes malades, tous les deux... Sara, tu te rends compte avec qui nous sortons?

— Et nous qui pensions être avec deux poètes... Deux porcs, oui!

— Allez, mon amour, ne le prends pas comme ça, dit Marco en essayant d'enlacer Sara, qui se défile. Allez, Niki, apporte un gâteau, ça vaut mieux...

— Comme ça, au moins, vous vous adoucirez un peu!

Cette guerre des sexes amuse Niki.

— Oui, pour vous je ferai un beau tiramisu[1]… Si jamais vous travaillez trop, ça vous aidera !

Niki s'éloigne en riant. Elle avance dans les allées de l'université en admirant le ciel d'un bleu intense, magnifique et immaculé. Un vent encore chaud souffle dans les cours, quelques oiseaux retardataires passent à toute allure, cherchant désespérément à rattraper le dernier vol, parti depuis longtemps. Un moment simple et beau, de ceux qui arrivent sans prévenir et nous font nous sentir en paix avec le monde. Sans raison particulière. Juste la vie. Niki sourit, elle a des pensées légères. Elle adore ses nouveaux amis. Ils sont gais, sincères, ils rigolent sans se poser de questions. Luca et Barbara, Marco et Sara, et puis Giulia, qui est seule depuis toujours. Qui sait combien de temps ces couples dureront ? Ils ont l'air si unis. On voit parfaitement quand une relation fonctionne, cette allégresse amoureuse, ces disputes légères constituent vraiment le ressort nécessaire, l'élan qui donne l'énergie pour continuer l'histoire. Des changements, des rêves, des projets… Ne pas avoir de limites, toujours penser positif, que tout soit possible. Qu'il n'y ait aucun obstacle… Niki contemple en silence le coucher de soleil, et soudain… Boum ! Comme un coup tiré par un chasseur. Toutes ses pensées, comme un vol d'oiseaux sur les branches d'un arbre, s'enfuient au loin, apeurées. De rapides battements d'ailes dans le ciel et tout se perd dans ce pâle soleil sur l'horizon lointain.

Il est là, assis sur son scooter. Il sourit en la voyant. Mais pas elle.

— Que fais-tu ici ?

— Je voulais m'excuser.

Niki s'aperçoit que Guido a une fleur à la main.

— C'est un souci. Tu sais ce que ça signifie ? Ça indique la douleur et le déplaisir, donc le repentir. Il s'ouvre le matin et se ferme le soir. Comme s'il saluait et pleurait tous les jours le départ du soleil.…

— Tu es en train de t'excuser ? Pourquoi ? Ce que tu m'as raconté n'était pas vrai ?

— Quoi donc ?

— Toute cette histoire de toi et cette fille… Lucilla.

— Si, c'était vrai.

— Alors, de quoi t'excuses-tu ?

1. Littéralement, « tiramisu » signifie « tire-moi vers le haut ».

— Tu ne la veux pas, cette fleur? demande-t-il en souriant.

— Merci, répond-elle en la prenant dans ses mains.

— Il y avait une fille qui venait toujours à la mer, là où j'allais quand j'étais petit, à Ischia. Nous nous regardions pendant tout l'été et nous ne nous disions jamais rien, mais elle avait un sourire magnifique, comme le tien…

— Il y a juste un petit problème.

— Oui, je sais, tu as un copain…

— Non. Je ne suis jamais allée à Ischia.

— Dommage, rit Guido. C'est un endroit magnifique. Je sais bien que tu n'es pas cette fille! C'est juste que j'aimerais ne pas faire la même erreur. Je ne l'ai jamais revue, et je n'ai jamais pu lui dire tout ce que j'aurais voulu…

Niki pose son sac sur son scooter.

— Dans ce cas, il y a un autre problème. Tu l'as dit : j'ai un copain.

Elle se penche pour détacher l'antivol.

— Laisse-moi faire.

Guido lui prend les clés des mains, l'espace d'un instant ils se frôlent, se regardent dans les yeux.

— Je peux? demande-t-il en souriant. Il n'y a rien de mal à ce que je t'aide à enlever ton antivol, non? Voilà. Tu es libre… Je savais que tu avais un copain. Mais je voulais te parler d'autre chose. Voilà, souvent nous faisons la connaissance de quelqu'un, nous ne savons rien de cette personne, nous l'observons, nous écoutons ce que disent les autres, parfois nous nous obligeons à penser qu'elle nous convient ou non, sans nous laisser réellement porter par notre cœur…

— Qu'essaies-tu de me dire?

— Tu croyais que ce prof était sensible, et même gay, mais en fait c'est un homme à femmes, il change de copine chaque année, qu'elle soit dans son cours ou non, mais il les choisit toujours plus jeunes que lui.

— C'est vrai, je me suis trompée sur son compte…

— On n'a pas toujours la bonne personne au bon moment pour nous dire ce qu'on ne sait pas, nous montrer les choses sous un autre angle, nous empêcher de commettre une erreur, et de nous laisser berner par une simple image.

— Oui, c'est vrai.

— Alors, comme je crois que tu me prends pour un don Juan et que donc tu ne me fais pas confiance, tu crois que je ne parle que pour tenter de t'impressionner, pas parce que je pense vraiment ce que je dis... Je voudrais te convaincre du contraire...

Niki sourit.

— Tu m'as offert une fleur magnifique.

— Au XIX\ :superscript:`e` siècle, elle était l'emblème des courtisans flatteurs.

— Alors, tu vois !

— Mais il existe aussi un courant de pensée qui la voit comme le symbole de l'amour pur et infini. L'emblème de Marguerite d'Orléans était un souci qui tournait autour du soleil avec la devise : « Je ne veux suivre que le soleil. »

— Ça reste une fleur magnifique, et...

— Et... ?

— Et... sourit Niki, sûre d'elle. Cela suffisait, sans tous ces discours, pour arranger les choses.

— Mais non, c'est faux ! J'ai mal agi, je suis parti, le souvenir de l'histoire de Lucilla et du prof m'avait énervé, et puis ça me gênait encore plus que tu le voies comme quelqu'un de sensible et innocent... C'est pour ça que j'ai mal agi, j'ai perdu le contrôle de moi-même, j'ai posé ton sac sur le muret et je t'ai plantée là, je ne t'ai pas accompagnée pour t'inscrire à l'examen. Je voulais le faire plus que tout au monde à ce moment-là, mais la situation a mal tourné, j'ai tout gâché...

Niki ne sait pas bien quoi faire, elle est un peu gênée.

— Je crois que tu y as accordé trop d'importance... Imagine, c'est moi qui me sentais coupable...

— Mais tu ne m'as pas offert de fleur pour te faire pardonner... sourit Guido.

— Pas aussi coupable que ça !

— Bon. Ma moto est garée tout près. Je peux te raccompagner chez toi ?

Niki se tait un petit moment. Un peu trop longtemps. Guido comprend qu'il vaut mieux ne pas en rajouter.

— On peut au moins faire route ensemble jusqu'à la piazza Ungheria. De toute façon on va dans la même direction, non ?

— D'accord.

Niki enfile son casque et démarre son scooter. Quelle histoire. *Il veut me raccompagner chez moi. Il veut m'escorter un bout de chemin.*

123

Il sait où j'habite. Il s'est renseigné sur moi. Son cœur bat un peu plus vite, mais c'est une drôle d'émotion qui l'envahit soudain. Elle essaie de la comprendre, de l'interpréter. Peur? Vanité? Insécurité? À ce moment-là, Guido réapparaît sur une Harley Davidson 883.

— Qu'elle est belle! C'est la tienne?

— Non, je l'ai volée ce matin! dit-il en souriant. Bien sûr qu'elle est à moi... Je n'ai pas fini de la payer.

— Moi aussi j'adore les motos. Je ne sais pas, ça donne une telle sensation de liberté! On file dans la circulation, personne ne peut nous arrêter... on est libre.

— C'est exactement la philosophie des motards. Se perdre dans le vent.

Niki inspire longuement.

— Allons-y.

Une légère brise met de l'ordre dans ses pensées. Maintenant elle est plus sereine, confiante. *Il s'est renseigné, et il sait aussi que je ne suis pas libre.* Elle conduit tranquillement, il la suit et de temps à autre elle l'observe dans le rétroviseur du scooter. Elle aperçoit ses cheveux cachés par le casque, son nez droit, un sourire qui éclaire soudain son visage quand il s'aperçoit qu'elle le regarde. Niki lui rend son sourire, puis regarde à nouveau la route. *En tout cas, il est beau garçon. Une chose est sûre, si j'avais été à la place de Lucilla je ne l'aurais jamais quitté pour ce prof. Mais, comme il l'a dit lui-même, on ne connaît jamais rien en profondeur, parfois on se laisse influencer par les apparences. Justement. Et si derrière ce sourire se cachait quelqu'un de méchant, un égoïste qui, une fois la fille amoureuse, la fait souffrir tant qu'il peut? Niki!* À cette seule pensée, elle hurle presque... *Que fais-tu? Qu'est-ce que ça peut te faire, comment il est vraiment?* Et soudain, elle se radoucit. C'est comme si tous les oiseaux se posaient à nouveau sur la branche. *Que dis-tu? Quelque chose t'inquiète... Tu ne risques rien. Tu es avec Alex. Tu as eu le courage, tu t'es lancée, tu as pris des risques et tu es heureuse de ce que tu as trouvé.* Elle s'arrête au feu rouge viale Regina Margherita. Guido la rattrape. Niki lui indique un croisement au loin.

— Moi, à la prochaine, je tourne à droite...

— Oui, je sais. Et moi, je continue tout droit. J'habite via Barnaba Oriani.

— Ah oui? Nous ne sommes vraiment pas loin.

— Non, en effet. Un de ces jours, je pourrais passer te prendre pour qu'on aille ensemble à la fac.

– Oh… dit Niki avant de marquer une pause, le temps de trouver la bonne réponse. Je ne sais pas encore quels cours je vais choisir.

Elle se rend compte que Guido est sur le point de dire quelque chose, alors elle trouve une excuse sans appel.

– Et puis, après les cours, je vais chez mon copain, ou au sport… Ou bien je vois mes amies… Donc, je dois être indépendante, j'ai besoin de mon scooter. Salut, dit-elle quand le feu passe au vert. À bientôt.

Elle démarre sur les chapeaux de roue.

Guido est encore derrière elle, ils font encore quelques mètres ensemble. Il insiste.

– C'est un peu monotone, tout ça, non ? Il faudrait un peu d'imprévu…

– La vie est un imprévu continu et magnifique, répond Niki avant de tourner à droite.

Un dernier regard, un sourire, et leurs chemins se séparent. *C'est quelqu'un comme ça qu'il faudrait à Erica, il est parfait. Je suis sûre qu'avec lui elle commencerait une nouvelle histoire pour de vrai et qu'elle laisserait enfin Giò tranquille. Il est absurde qu'ils continuent à se faire du mal. Ils se quittent, se reprennent, et entre-temps, quand elle est seule, elle tente avec un autre, sans jamais rien dire à Giò. Lui, je ne sais pas ce qu'il fait. Mais pourquoi les gens aiment-ils autant se faire du mal ? Pourquoi n'arrivent-ils pas à trouver leur équilibre ? Quand on n'aime plus quelqu'un, il faut lui faire comprendre clairement, on ne peut pas le maintenir suspendu à un fil à cause de ses propres incertitudes. Quel risque y a-t-il à la quitter ? Tout le reste, c'est la vie. On continue… on avance.*

Niki poursuit sa route, se laissant agréablement caresser par le vent, sans plus penser à rien, envahie par une tranquillité et un bonheur soudains qui la font se sentir bien, au centre de tout, sans envies ni jalousies, sans préoccupations. Parfois on trouve une sorte d'harmonie tellement parfaite qu'on a même peur de le dire. On est étonné qu'elle soit si rare et difficile, cet étrange accord si délicat où le monde semble aller dans la bonne direction. Ce ne sont que des instants. Des instants qu'il faudrait vivre avec conscience, parce qu'ils sont exceptionnels. Et parce que parfois, sans raison réelle, ils peuvent finir d'un coup.

35

Début d'après-midi. Susanna termine de ranger la cuisine après le déjeuner. Des jeux sont étalés sur le tapis bleu. Lorenzo prend un paquet de cartes des Gormiti et les contrôle une par une pour trouver celle qui manque. Puis prend son téléphone portable qui traîne sur le tapis persan et écrit un texto. La réponse arrive quelques secondes plus tard.

— Super, Tommaso a en double celle qui me manque! Il me l'apportera demain à l'école… mais qu'est-ce que je peux lui donner, en échange? se demande-t-il à voix haute, cherchant lui aussi un dou-blon dont se libérer qui puisse intéresser son ami.

Carolina est en plein match de boxe sur la Nintendo Wii. Elle tient sa garde, debout au milieu du salon devant le grand écran plasma accroché au mur. Elle a choisi l'avatar qui, d'après elle, lui ressemble le plus, un visage rond et souriant avec des taches de rousseur, les cheveux foncés attachés en queue-de-cheval. Les coins extérieurs des sourcils sont dessinés un peu vers le haut, ce qui lui donne un air méchant. Elle appuie sur un bouton de la télécommande ergono-mique et le match démarre. Elle se bat contre la console, qui a l'aspect d'un gros bonhomme poilu à l'air gentil. C'est elle qui l'a choisi. Elle plie un peu les jambes et met ses poings serrés devant son visage. De temps à autre, elle envoie un coup en fendant l'air. Sur l'écran, son avatar reproduit ses gestes en bougeant comme elle le décide, bien qu'un peu au ralenti. Carolina frappe encore et encore.

— Ouais! Je l'ai mis par terre! K.-O.!

Lorenzo lève la tête et regarde sur l'écran le bonhomme allongé par terre et l'avatar debout à côté de lui sur le ring, le souffle court. Tout autour, le public est déchaîné.

— D'accord, mais c'est pas le plus fort, celui-là! Donne-moi ça…

Il se lève, prend le joystick des mains de Carolina et se met à son tour en position.

— Eh, mais je n'ai pas fini de jouer!… Maman!

— Allez, tu as joué jusqu'à maintenant!

— D'accord, mais dans ce cas on joue l'un contre l'autre, va cher-cher l'autre manette.

— Non, je veux jouer contre l'ordinateur. Mamaaaaaaan !

Susanna arrive de la cuisine.

— Ça suffit, maintenant ! De toute façon, il est 15 heures. Allez, filez dans votre chambre faire vos devoirs !

— Mais, maman… je n'ai presque rien, je peux le faire plus tard… dit Carolina en soupirant.

— Non. Tu as déjà joué. File faire tes devoirs, un point c'est tout. Ne discute pas. Toi aussi, Lorenzo, range tes cartes, remets les jouets dans le panier et va dans ta chambre.

Les deux enfants, déçus, obéissent à Susanna. Carolina éteint la console et Lorenzo range tout dans le panier, sauf les cartes, qu'il ramasse avec soin et remet dans leur étui en plastique. Puis ils sortent de la pièce en se chamaillant un peu.

Susanna les regarde s'éloigner dans le couloir. Elle s'installe confortablement dans le canapé, met un coussin derrière son dos et jette un coup d'œil circulaire. La maison. Sa maison. Leur maison. Les tableaux au mur. Celui de Schifano, *Paysage anémique*. Exactement comme elle se sent à l'heure qu'il est. Et puis ce cadre avec les photos de la famille réunie. Les enfants petits. Son portrait par un photographe, avec un grand chapeau blanc à large bord. Pietro en tenue de foot et, sur une autre photo, en costume élégant lors d'un mariage. Elle se souvient. *Pietro. À quel point je t'ai aimé. À quel point tu me plaisais, au lycée, quand tu faisais rire tout le monde, avec tes pitreries. Puis nous sommes sortis ensemble. Avec toi je me sentais belle comme une reine, unique. Tous tes cadeaux. Tes attentions. Les dîners. Les bijoux. Les vacances. Il y a eu ensuite l'université, le travail, l'étude. Oui, tu t'en es toujours bien tiré. Quand tu t'es moqué de moi. Quand je t'ai cru. Pour moi, tu étais digne d'admiration. Pourquoi m'as-tu fait ça ? Me tromper. Qui sait combien de fois tu as touché, aimé d'autres femmes ? Tu les as regardées, excité, et tu as fait abstraction de moi. Quelle humiliation ! Penser à toi avec elles, au lit avec elles, en voiture avec elles ou toi les faisant rire, les flattant. Que leur disais-tu que tu ne m'as pas dit ? Je ne sais pas. Je ne le saurai jamais. C'est trop douloureux. Je ne peux pas l'accepter.* Les yeux de Susanna se voilent. Rage. Déception. Faiblesse. *Je me sens seule. Je suis seule. Il ne me reste plus que mes enfants. Il va falloir renoncer à toi, d'une manière ou d'une autre.* Elle se lève d'un bond et va à la fenêtre regarder dehors. *Oui, le monde ne s'aperçoit pas que je vais mal. Le monde continue de tourner. Je dois faire quelque chose pour moi. Je suis une belle femme, une mère. Je dois prendre mon courage à deux mains.* Elle retourne au salon et remarque un dépliant sur la table basse, au milieu des lettres et des publicités.

Salle de sport Wellfit. Entraînez-vous gratis pendant une semaine ! Essayez les nouveaux cours de kickboxing avec Davide Greco et Mattia Giordani... Une discipline adaptée à tous ! Testez-la ! Elle repère des numéros de téléphone et un mail pour plus d'informations. *Kickboxing. C'est fatigant, ça ? Je n'ai jamais aimé la salle de sport, la gym, le body-building, le Pilates, le vélo, le fitness en général. Mais un sport de combat, c'est autre chose... ça pourrait être intéressant. J'ai besoin de bouger, de me tonifier. De penser à autre chose.*

Allez, je me lance.

36

Niki gare son scooter en bas de chez elle et aperçoit une limousine garée juste devant son immeuble. Que se passe-t-il ? Qu'est-ce que c'est que cette histoire ? Soit c'est un ambassadeur, soit quelqu'un qui se marie... Bah. Elle hausse les épaules et reprend son chemin.

— Excusez-moi, l'arrête un monsieur, en uniforme élégant, qui descend de la voiture en enlevant son chapeau. Vous êtes madame Cavalli ?

— Moi ? demande Niki stupéfaite. Vous voulez dire ma mère, peut-être ?

Le chauffeur sourit.

— Madame Nicoletta Cavalli ?

— Oui, c'est moi. Mais je vous demande une faveur : pourriez-vous m'appeler Niki ?

— D'accord, si vous voulez...

Dans ce cas, plus aucun doute : dans cette rue, à ce numéro, avec ce prénom et ce nom, je suis la seule. Le chauffeur sourit et ouvre la portière.

— Je vous en prie, Niki.

Je n'y crois pas. C'est une blague, une caméra cachée ? Mon Dieu, c'est une surprise ! Ou bien un imprévu, comme disait Guido tout à l'heure. Mais non, il ne peut pas être aussi fou que ça.

— Excusez-moi, mais vous êtes vraiment sûr que c'est moi que vous venez chercher ?

— Tout à fait sûr... Et la personne qui m'envoie a raison, lance le chauffeur souriant dans le rétroviseur.

— Pourquoi, qu'a-t-elle dit ?

– Que je ne pouvais pas me tromper, que vous êtes unique…
Le visage de Niki s'éclaire.
– Nous parlons bien de la même personne, n'est-ce pas ?
– Je crois que oui.
Ils échangent un regard complice, mais Niki se sent coupable d'avoir pensé à quelqu'un d'autre. Le chauffeur allume l'autoradio.
– Il m'a dit que si vous aviez peur, si vous aviez eu des doutes ou si vous n'aviez pas voulu me suivre, je devais vous faire écouter ça…
En disant ces mots, il appuie sur un bouton et « Broken Strings » démarre, Nelly Furtado et James Morrison. Émue, Niki regarde par la fenêtre. Ses yeux embués de bonheur croisent à nouveau celui du chauffeur.
– Tout va bien, madame ?
– Oui. Emmenez-moi au bout du monde.
La limousine accélère, et le volume de la musique augmente doucement… « You can't play on broken strings, you can't feel anything that your heart don't want to feel, I can't tell you something that ain't real[1]… » *Tellement vrai. Et la musique est si belle.*
L'auto avance presque sans bruit, elle glisse dans la circulation, entre les voitures, et abandonne la ville. Sur la via Aurelia, libre, elle accélère encore, et les panneaux bleus se succèdent indiquant Castel di Guido, Fregene. En avant…

37

Aéroport de Fiumicino.
– Voilà, nous sommes arrivés.
Le chauffeur descend et ouvre la portière.
– Mais… À Fiumicino ?
– C'est l'ordre que j'ai reçu… Ah, autre chose : vous devez me laisser ça, dit-il en indiquant son sac à dos.
– Vous êtes sûr ? Ce sont mes livres pour le partiel…
– Je viendrai vous chercher à votre retour… et je vous les rendrai. Il a dit de vous dire que vous n'aurez pas le temps de travailler, là-bas.

1. Extrait de James MORRISON, *Songs for you, truths for me*, « Broken Strings », Universal Music International, 2008.

— Mais où allons-nous?

— Moi je ne sais pas, mais lui sait… répond-il en indiquant quelqu'un derrière son dos, devant la porte vitrée qui vient de s'ouvrir.

— Alex! crie Niki qui lui saute dans les bras. Tu es fou!

— Oui… Fou de toi. Allons-y, ajoute-t-il en regardant sa montre, il est tard!

— Mais où ça?

— À New York.

Avant de partir, Alex se tourne vers le chauffeur.

— On se retrouve ici dans quatre jours. Je vous ferai savoir l'horaire… Et merci.

Le chauffeur, devant la limousine, les regarde partir, heureux, enthousiastes de leur amour.

— Domenico. Je m'appelle Domenico.

— Il faut prendre le bus qui nous emmène au terminal 5. C'est de là qu'on va en Amérique.

— Mais comment as-tu fait?

— Depuis que nous sommes rentrés, tout est devenu trop normal. Et puis, nous n'avons jamais fêté ce qui s'est passé après LaLune.

— Quoi donc? Le succès de la campagne publicitaire?

— Non, le fait que tu sois venue me rejoindre au phare… Et que nous soyons toujours ensemble! Notre grand et unique succès personnel!

Niki prend son téléphone.

— Que fais-tu? Tu as tellement aimé cette phrase que tu la notes?

— C'est ça, pour qui tu me prends… C'est toi, qui travailles dans la pub!

— Ah oui, c'est vrai…

— Je téléphone.

— Je sais déjà à qui…

— Allô, maman?

— Niki, tu m'avais dit que tu rentrais à la maison. J'avais même préparé à manger… mais tu n'es pas là!

— Maman, assieds-toi.

— Mon Dieu, que s'est-il passé? Qu'as-tu à me dire? Tu m'inquiètes…

— Rien d'inquiétant. Pour fêter quelque chose, Alex et moi partons quatre jours.

— Où ça? Et pour fêter quoi?

— À New York!

— Niki, ce n'est pas le moment de plaisanter. Écoute, rentre tôt parce que je sors avec ton père, nous allons au théâtre et je ne veux pas laisser ton frère tout seul.

Elle raccroche.

— Allô, maman ? Maman ? Je n'y crois pas, elle a raccroché ! D'abord, elle dit que nous devons tout nous raconter, et puis chaque fois que j'essaie de lui dire quelque chose qui change de d'habitude… elle me raccroche au nez… Difficiles à comprendre, les mères !

Alex sourit.

— Tiens.

— C'est quoi ?

— Dans ce sac, il y a une chemise de nuit, tout le maquillage que tu as laissé dans ma salle de bains, une chemise et un pull pour demain matin, de la lingerie… Et la brosse à dents que tu aimes tant…

— Mon amour… dit-elle en le serrant fort.

Elle s'arrête au milieu de l'aéroport pour l'embrasser. Un baiser long, doux, chaud, amoureux. Alex ouvre les yeux et répète :

— Mon amour…

— Oui ?

— Deux agents nous observent.

— Ils sont jaloux.

— Ah oui, bien sûr, mais je ne voudrais pas qu'ils nous arrêtent pour atteinte à la pudeur… et je ne veux pas rater l'avion.

— Là, tu es très convaincant !

Ils courent vers la zone d'embarquement, mais Niki s'arrête soudain.

— Mon amour… Nous avons un problème. Absurde, terrible, dramatique.

— Quoi, tu ne parles pas anglais ? demande Alex, faussement effrayé.

— Mais non… idiot ! Je n'ai pas mon passeport…

— Moi si ! dit Alex en le sortant de sa poche.

Niki l'attrape et l'ouvre.

— Mais celui-là c'est le tien, à bandes magnétiques, comme ils font maintenant…

— Et celui-là, c'est le tien… Avec les mêmes bandes magnétiques ! ajoute Alex en sortant un second passeport.

— Incroyable… Tu l'as fait refaire !

— En deux jours.

— Comment tu t'es débrouillé ?

— J'avais tous les renseignements et les photos d'identité… Et aussi ta signature, tu te rappelles que je t'ai fait signer un papier? C'était pour ça.

— Je comprends bien, mais en deux jours?

— Tu n'es pas au courant? Procédure spéciale… Tu vas faire des photos à New York pour la nouvelle campagne!

— Ça me plaît, ça! Et ils paient tout?

— Non… Ça non…

— Dans ce cas ça ne compte pas, Alex. Moi je veux partager le voyage… Nous fêtons notre grand et unique succès personnel… Le mérite revient à tous les deux, il nous appartient à tous les deux, et il doit être partagé…

— Mon amour, j'ai choisi le top du top…

— C'est-à-dire?

— Si nous partageons, tu auras une dette à vie envers moi!

— Frimeur. Il ne fallait pas dire le prix.

— En effet, je ne l'ai pas dit.

— Tu l'as sous-entendu.

Ils montent dans le bus. Niki a une idée.

— Alors on va faire comme ça. Notre prochain grand et unique succès personnel, qu'à partir de maintenant nous appellerons GUSP… nous le fêterons à mes frais, là où je déciderai!

— D'accord! C'est parfait, j'adore l'idée d'aller en vacances à Frascati, à vingt kilomètres de Rome.

Niki lui donne un grand coup sur l'épaule.

— Aïe! Qu'est-ce que j'ai dit?

— Frimeur…

— Encore? Mais qu'est-ce que j'ai dit?

— Tu as sous-entendu… que nous allons dans un endroit tout près et qui ne coûte rien.

— Ah, je n'avais pas compris!

— C'est ça! Menteur.

Au comptoir d'enregistrement, Alex tend les passeports et les billets.

— Vous avez des bagages?

— Ah, c'est vrai… le tien est plein de maquillage, tu es obligée de l'enregistrer. Quelle barbe.

— Tant mieux, comme ça, on voyagera léger.

— Je vais mettre le mien aussi, par solidarité.

— C'est tout? s'étonne l'hôtesse devant les deux petits sacs.

– Oui.

Elle hausse les épaules, un peu perplexe, elle a dû en voir de toutes les couleurs et, dans le fond, il ne s'agit là que d'une toute petite bizarrerie.

– Voici vos billets, 3A et 3B. Bon voyage.

38

Quel jour sommes-nous ? Elle se regarde pour la énième fois dans la glace. Elle cherche distraitement un indice, quelque chose sur son visage, mais ne voit rien. *Aucun signe. Tant mieux. Au moins, cette fois, je n'aurai pas à utiliser des tonnes de maquillage. Quelle chance. Malgré le stress qui a un peu tout bouleversé, je m'en sors sans un seul bouton ! Pour une fois.* Elle tente de s'en convaincre en se regardant une dernière fois dans le miroir. Rien. Son habituel visage solaire et serein, entouré de cheveux clairs et lumineux. Elle s'habille pour sortir, quand son portable vibre. Un message : *Je passe ce soir à 20 heures, le film commence à 20 h 40. Baisers cinématographiques !*

Quel idiot ! Parfois il est vraiment gamin. Diletta sourit en enfilant ses ballerines vernies rouges. Elle attrape son sac et sa veste gris clair. Elle prend le couloir mais s'arrête net, fait demi-tour et revient à la salle de bains. Elle fouille dans un petit meuble et trouve ce qu'elle cherche. Elle prend deux petits étuis et les met dans la poche intérieure de son sac. *Au cas où ça serait utile ce soir. On ne sait jamais.* Elle ferme la porte, retourne dans le couloir et prend ses clés.

– Au revoir, maman, je rentrerai tôt.

– Tu sors avec Filippo ? demande une voix lointaine depuis la cuisine

– Oui ! Mais il m'attend en bas, je voulais lui éviter de monter les quatre étages à pied, l'ascenseur est encore en panne.

– Dis-lui bonjour de ma part et ne rentre pas trop tard.

Évidemment. Les parents sont vraiment absurdes. Je viens de lui dire que je rentrais tôt et elle me dit de ne pas rentrer tard. C'est comme quand ils te disent « fais attention ». Comme si on ne savait pas qu'il faut faire attention et ne pas se comporter en irresponsable. Parce qu'il y a des conséquences, ensuite. Soudain, à cette pensée, elle sent son estomac se

133

nouer. Conséquences. Faire attention. Comme quelque chose qui se déchire. Un pincement. Mais ce n'est pas le signal qu'elle attendait, l'habituel, qui vient naturellement. Il ne vient pas du bas du ventre. Il vient de plus haut et il est plus diffus. Diletta s'arrête dans les escaliers. Elle se met à compter frénétiquement en utilisant les doigts de ses deux mains. Comme une élève de primaire qui fait une addition. Ou plutôt une soustraction. Quand elle arrive au résultat, elle écarquille les yeux. Non. C'est impossible. Elle recommence à zéro, en comptant plus lentement. Rien à faire. Résultat identique. Elle essaie une troisième fois, mais elle repense à ce principe qui dit qu'en changeant l'ordre des termes le résultat ne change pas. Ça lui revient d'un coup. Et ça pourrait coller. Elle a toujours été réglée comme une montre suisse, sauf cette fois. Elle comprend, comme un détective qui a réuni tous les morceaux du puzzle final qui résoudra l'enquête. S'il n'est jamais arrivé en sept ans qu'elle n'ait pas un petit bouton sur le visage ces jours-là, il y a bien une raison. Et cette raison ressemble un peu trop à une certaine soirée où, après le pub, Filippo a fait un détour en la raccompagnant chez elle pour lui montrer un arc antique sur la via Appia qu'il avait découvert par hasard et qui lui avait beaucoup plu. Garés dans l'obscurité, après avoir bavardé et plaisanté, ils se sont caressés et se sont fait des câlins. Ils sont allés un peu plus loin se laissant porter par la musique diffusée par l'autoradio. Protégés par la fermeture automatique des portières mais un peu effrayés quand même par cet endroit inconnu, eux toujours prudents, avec tout ce qu'on raconte. Mais cette fois-là, un peu inconscients, un peu rebelles, ils ont laissé libre cours à cette passion qui arrive sans prévenir. Ils se sont laissé aller, pris par l'amour, par le désir. Puis Filippo s'est aperçu qu'il n'avait pas pris de préservatif. Il s'était mis sur Diletta et alors elle, doucement, elle lui a dit qu'il valait peut-être mieux s'arrêter. Il était d'accord. Mais ensuite, sans réussir à se contrôler, ils ont continué. Baisers, caresses, étreintes, désir, passion. Les étoiles, le paysage, la nuit. Et eux, unis, proches, ensemble. Une longue étreinte. Ils se sont regardés dans les yeux, mi-rieurs mi-inquiets, et cette phrase de Filippo… « J'ai fait attention, tu as vu, mon amour ? » *Non. Je n'ai pas vu, mon amour, parce que je me suis laissé aller et je me suis perdue avec toi, en toi. J'ai confiance. Et Filippo aussi s'était fait confiance. Et maintenant ? Ça ne peut pas être ça.* Elle écrit un texto : *Mon amour, ne passe pas, je te retrouve au cinéma…* Mais elle réfléchit. Il est déjà tard, Filippo va arriver d'un moment à l'autre. Elle l'efface. *Non. Ce soir, il y a ce film qu'on avait vraiment envie de voir,* Questione di cuore, *de Francesca Archibugi. Ce soir, je ne veux pas y penser. Et puis, peut-être que je me trompe. Demain. J'y penserai demain. J'irai à la pharmacie. Peut-être.* En remettant son portable dans son sac elle tombe sur les deux tampons qu'elle a pris tout à l'heure à la salle de bains et qu'elle espère tant pouvoir utiliser. Elle a un drôle de pressentiment, nouveau et subtil.

39

Niki et Alex tendent leur billet à l'hôtesse devant la porte d'embarquement.

— Merci, dit-elle en insérant les billets dans une petite machine qui les lit et les recrache aussitôt.

— Je n'en reviens toujours pas... Et j'ai un peu peur, dit Niki à Alex en lui serrant la main.

— De quoi?

— De l'altitude... et de la distance. Combien de temps dure le vol?

— Environ neuf heures...

— Ne me quitte pas.

— Où veux-tu que j'aille? Nous sommes dans un avion!

— Oui, oui, je sais... Mais il y a eu un film, là-dessus...

— Sur quoi?

— Sur des gens qui disparaissaient d'un avion en plein vol. Un film avec Jodie Foster, elle avait perdu sa fille de huit ans et personne ne voulait la croire... Quoi qu'il en soit, je voulais dire en général... Ne me quitte pas, jamais. Je veux toujours t'avoir près de moi, avec toi je me sens en sécurité.

Alex est de plus en plus convaincu de la justesse de son choix. Il lui serre fort la main.

— Bien sûr, mon trésor...

Arrivés à l'entrée de l'appareil, ils montrent leurs billets à deux membres du personnel de bord.

— Je vous en prie, ce sont les places juste à droite dans le second couloir.

— Merci.

— Voilà, 3A et 3B!

— Mais ce sont des canapés ! s'exclame Niki. Nous sommes en première classe !

— Bien sûr, mon cœur.

Elle s'approche de son siège et aperçoit un petit sachet en plastique contenant un masque pour dormir, un petit coussin et une couverture. Elle l'ouvre.

— La couverture est toute douce ! dit-elle en la mettant sur elle. C'est génial... On peut même allonger les jambes.

— Oui... On peut dormir... ou rester éveillés, mon trésor... dit-il en lui souriant.

— Mais tout le monde peut nous voir ! Tu ne m'emmènes pas à New York pour faire ce que nous pouvons faire tous les jours dans ta chambre, mon amour ?!

— Tu es terrible..., lui répond Alex, cette fois riant aux éclats.

Il aimerait tant lui avouer, mais il s'assied lui aussi à sa place, à côté du hublot. Une hôtesse arrive.

— Bonsoir... Je peux vous offrir du champagne ?

— Pourquoi pas, dit Niki en haussant les épaules. De toute façon, je ne pourrai pas travailler...

Ils prennent les deux coupes et trinquent gaiement.

— Fais un vœu.

— C'est fait, affirme Niki les paupières closes.

— Moi aussi.

Ils passent quelques minutes sans parler, à se demander s'ils ont fait le même vœu. Alex devra attendre jusqu'à New York pour savoir si c'est vraiment ce à quoi il pense. Ou plutôt non, jusqu'à ce qu'il lui ait dit. Juste à ce moment-là, le portable de Niki sonne.

— Hum, c'est ma mère... Oui ? Allô, maman...

— Niki, où es-tu ? Quand rentres-tu ?

— Maman, je te l'ai dit... Je suis sur le départ, je reviens dans trois jours...

Alex secoue la tête et lui met quatre doigts devant les yeux.

— ... Quatre ! rectifie Niki en secouant la main, pour dire que ça ne fait rien, que sa mère va s'inquiéter de toute façon.

— Les plaisanteries les plus courtes sont les meilleures...

— Maman, tu veux bien m'écouter ? C'est vrai !

Simona décide de jouer le jeu, même si elle est convaincue que sa fille plaisante.

— Alors comment ça se fait que tu puisses encore répondre au téléphone ?

— Parce que nous ne sommes pas encore partis...

— Ah, et dans combien de temps... vous décollez?

— Hein? Attends un instant, maman, j'appelle l'hôtesse... Excusez-moi, dans combien de temps partons-nous?

— Incessamment... D'ailleurs, ajoute-t-elle avec un sourire très professionnel, je vais vous demander de bien vouloir éteindre votre téléphone.

— Oui, bien sûr. Tu as entendu, maman? demande-t-elle ensuite dans le téléphone. Nous allons décoller!

— Oui, j'ai entendu, mais alors c'est vrai? Quand me l'aurais-tu dit?

— Comment ça, je te l'ai dit tout à l'heure!

— Je pensais que tu plaisantais.

— Tu parles d'une plaisanterie.

— Mais quand rentres-tu?

— Dans trois... quatre jours, affirme-t-elle après qu'Alex lui a refait le même geste de la main.

— Trois ou quatre jours? Et qu'est-ce que je vais dire à ton père?

— Que je lui rapporterai un cadeau! Allez, maman, il faut que je raccroche...

— Niki...

— Oui?

Simona fait une pause, soupire, la gorge nouée.

— Amuse-toi bien, dit-elle avec une voix différente, presque cassée.

— Maman, ne fais pas ça, je vais me mettre à pleurer... allez!

Une larme coule sur sa joue, elle fixe Alex, heureuse et émue.

Simona retrouve la voix et rit aussi, en reniflant.

— Tu as raison, ma fille, amuse-toi bien!

— C'est comme ça que je te préfère, maman... je t'aime très fort.

— Moi aussi.

Elle raccroche juste à temps, parce que l'hôtesse revient. Elle contrôle chaque rangée, puis croise le regard de Niki qui est en train d'éteindre son portable.

— En tout cas, ta mère, hein... Imagine si nous étions partis plus de quatre jours? Ou si nous allions vivre à l'étranger?

— Si je suis heureuse, ils sont heureux, lui répond-elle d'un ton assuré. Ils veulent me voir sourire. Mais c'est pour ça, que nous allons à New York? Tu vas être muté? Nous allons vivre là-bas? Il faut te trouver un appartement...

— Comment ça, « me » trouver un appartement? Et toi? tique Alex.

— Moi, je dois finir mes études. J'ai déjà passé plusieurs examens... Je continue. Que vais-je faire à New York, pendant que tu travailleras? Je ne connais personne!

— Alors tu me quitterais?

— Mais non! Aujourd'hui, avec Internet, Skype, les webcams, Facebook et compagnie, il y a mille solutions pour se voir et se parler à distance, et en plus ça ne coûte rien... Ça serait parfait...

— Ah oui... et pour le reste?

— C'est-à-dire?

— L'amour... Quand est-ce qu'on ferait l'amour?

— Mon Dieu, tu es terrible... tu ne penses qu'à ça!

— Mais non, c'est une curiosité justifiée...

— Nous pourrions le faire chaque fois que nous nous retrouverions, quand je viendrais te voir, ou le contraire.

— Bien sûr.

Une hôtesse passe. Elle est très belle et dévisage Alex avec un peu trop d'insistance. Il soutient son regard, puis au moment où elle lui sourit, il regarde à nouveau Niki.

— Bien sûr. Pourquoi pas... Comme ça, je serais un peu plus libre...

L'hôtesse repasse, Alex l'arrête.

— Excusez-moi?

— Oui, dit-elle en s'approchant, légère, belle et souriante.

— Non, voilà... Je voudrais savoir, si ce n'est pas un problème pour vous... oui, bref...

Niki lui jette un regard curieux et agacé. Alex la regarde et prend son temps. L'hôtesse intervient.

— Je vous en prie, dites-moi...

— Voilà, serait-il possible d'avoir encore un peu de champagne?

— Bien sûr. Vous aussi, madame? demande-t-elle en s'adressant à Niki.

— Non... merci, finit-elle par dire, après avoir poussé un long soupir.

L'hôtesse s'éloigne. Dès qu'elle a disparu, Niki envoie un coup de poing dans le ventre d'Alex.

— Aïe! Mais tu es folle! Qu'est-ce que j'ai fait? J'ai juste demandé une coupe de champagne!

— Justement, dit-elle en réitérant son coup de poing. Le problème, c'est comment tu l'as demandée!

— Ce n'est pas vrai... Tu vois le mal partout!

— Ah oui? Continue et je t'en envoie un encore plus bas. Tu verras si je vois le mal partout...

Alex prend un air faussement effrayé.

— Non, non! Je t'en prie, Niki, non! Même avec plus de liberté... Je ne serais jamais tenté...

À ce moment-là, l'hôtesse revient.

— Voici le champagne. Vous êtes sûre que vous n'en voulez pas, madame? Vous n'avez pas changé d'avis?

— Non, non, merci, je suis sûre.

Alex boit un peu.

— Mmh, c'est bon...

Niki esquisse un geste et il se remet immédiatement sur la défensive.

— ... ce champagne!

Le temps d'un sourire, et l'avion a rejoint la piste de décollage. L'appareil accélère, plus vite, encore plus vite. Niki prend le bras d'Alex. Elle le serre et regarde par le hublot. Quelques nuages, les vagues légères de la mer un peu plus bas, et un virage soudain à gauche... L'avion se penche et part pour les États-Unis.

Alex, souriant, caresse la main de Niki.

— N'aie pas peur, je suis là...

Elle s'abandonne alors doucement dans le fauteuil confortable et lui vole une gorgée de champagne en le regardant, un peu malicieuse, ou plutôt comme un jeune guerrier qui a déposé les armes et accepte sereinement de se rendre. Appuyée sur son épaule, elle finit par s'endormir. Alex dégage doucement les cheveux sur sa joue, découvre ses lèvres douces légèrement boudeuses, ses yeux fermés, sans un trait de maquillage. Alors il sourit, emporté par un immense élan de tendresse. Fort, sûr de lui, il se laisse glisser dans son siège, certain d'avoir fait le bon choix. Il garde une main sur les jambes de Niki pour sentir sa présence, en un geste de propriété, de sécurité, pour qu'elle ne puisse pas s'échapper. Mais le fait de la savoir à ses côtés lui rappelle autre chose. Comment a-t-il pu ne pas y penser avant?

40

Un peu plus tard. Un bruit. Un trou d'air. Niki se réveille en sursaut et regarde autour d'elle apeurée, désorientée.

— Je suis là, murmure Alex en lui caressant les jambes. Je suis là, tout va bien.

— Où sommes-nous?

— Au-dessus de l'Espagne, je crois. Tu as raté le film, *Very Bad Trip*, sympa, une comédie de Todd Philips qui se passe à Las Vegas, ça parle de trois témoins qui perdent leur ami qui se marie… explique Alex tandis que le générique de fin défile sur l'écran devant lui. Si tu veux, on ira le voir à Rome quand il sortira, ou bien à New York!

— Idiot… Ton hôtesse n'est pas repassée?

— Non.

— Dommage. J'ai soif. Je voudrais un peu d'eau.

— Appuie sur ce bouton, elle va venir tout de suite…

Il se penche de son côté pour lui montrer. Une petite lumière s'allume au-dessus de leurs têtes. Niki grimace.

— Hum… Tu es un expert!

— Mais, Niki, c'est comme ça dans les avions depuis toujours, sur tous les vols… et j'ai un peu voyagé.

— Je sais… Mais ça ne me plaît pas.

— Allez!

— Quand tu as parlé d'être un peu plus libre, tu avais l'air heureux, trop heureux… Nous ne sommes pas toujours ensemble.

— Justement.

— Et si, déjà comme ça, tu as besoin de liberté, imagine si nous étions…

Une hôtesse arrive, mais ce n'est pas la même.

— Vous m'avez appelée?

Soudain, Alex et Niki se mettent à pouffer puis à éclater de rire.

— Oui… Excusez-nous… Je pourrais avoir un peu d'eau, s'il vous plaît? demande Niki en reprenant son sérieux.

— Bien sûr, je vous apporte ça tout de suite.

— Merci.

— Tu vois… Le danger est passé.

— Qu'est-ce que tu crois? L'autre hôtesse ne me faisait pas peur! Il en faut plus pour m'impressionner.

Alex encaisse la repartie.

— D'accord... Qu'étais-tu en train de dire ?

— Moi ? Rien... Je ne me rappelle pas. Bon, tu sais ce que je voudrais vraiment ? Lire.

— Vraiment ? Moi aussi.

— Mais je n'ai pas de livre...

Alex sourit et prend son sac à dos sous son siège.

— J'ai pensé à tout... dit-il en sortant un gros livre de Stieg Larsson.

— *Les hommes qui n'aimaient pas les femmes.* C'est un message, ou quoi ?

— Bien sûr que non... C'est un excellent thriller d'un écrivain suédois, malheureusement mort, mais dont les livres ont un grand succès dans le monde entier...

— Il est énorme, ce livre... je ne sais pas quand je le finirai !

— On va le lire ensemble.

— Comment ça ? Tu viens de dire que c'est un thriller ! On va faire quoi, on le coupe en deux, moi je lis la première moitié, toi la seconde, et ensuite on se raconte ?

Alex, le sourire aux lèvres, tire de son sac une copie du livre.

— J'en ai deux. Ça va être génial !

Niki le regarde amoureusement. C'est beau. Trop beau. Personne n'a jamais été aussi attentionné avec elle. Son bonheur lui fait presque peur. Ils commencent à lire avec curiosité, amusés, puis peu à peu pris par l'intrigue du roman, ils se passionnent, tandis que l'avion survole le Portugal, puis l'Atlantique.

À un moment, Alex se penche par-dessus son épaule.

— Page vingt-cinq. Tu es en retard...

— Ce n'est pas vrai. Fais voir. Quarante ! Je n'y crois pas. Tu sautes des pages, tu le fais exprès. Après, je t'interrogerai. Non, d'ailleurs, je vais le faire tout de suite. Comment s'appelle la revue où travaillait...

— *Millenium.*

— Bon, mais ça ne compte pas, c'est écrit sur la quatrième de couverture...

Ils se posent des questions, font des suppositions sur ce qu'il va se passer.

— Leur histoire est un peu bizarre : elle est mariée avec un autre, mais qui dort chez lui de temps en temps...

— Ce n'est pas vrai !

— Mais si, c'est dit au début, tu vois que tu as sauté des pages.

— Ah oui, tu as raison, rit Alex.

— Ne fais pas semblant, tu ne l'avais pas lu... espèce d'hypocrite !

— Mais si... je l'ai lu. Ils ont une histoire parce que ça fait partie de la mentalité suédoise, ils sont beaucoup plus ouverts... Tu comprends... La liberté sexuelle.

Niki le frappe.

— Aïe ! Qu'est-ce que j'ai dit ? C'est dans le livre.

— Non, tu as regardé l'hôtesse...

— C'est parce qu'ils vont servir à manger et j'ai faim... de toi ! ajoute-t-il en essayant de la mordre.

— Crétin, attention, je vais finir par m'énerver, avec cette hôtesse.

— Mais j'ai faim de toi, je suis sérieux... on va se cacher aux toilettes ?

— Oui, comme dans ce film qu'on a vu ensemble, comment s'appelait-il, déjà ?

— *Riches et célèbres.*

— Dans l'avion il fait semblant d'être veuf pour convaincre cette belle actrice... Quel est son nom, déjà ?

— Jacqueline Bisset.

— Exact... de venir avec lui, et puis quand elle va aux toilettes il se glisse derrière elle et ils le font... Mais après, quand ils arrivent, Jacqueline Bisset voit sa femme qui vient le chercher, bien vivante, avec leurs enfants !

— Eh oui, les types dans son genre ont recours à toutes sortes de stratagèmes, même la commisération, pour draguer... Mais ce n'est pas notre cas. Je vais aux toilettes ?

— Qu'est-ce qui te prend ? C'est l'avion qui te fait cet effet ? Je ne te laisserai plus jamais le prendre tout seul... Et puis, tu sais qu'un acteur célèbre s'est fait prendre avec une hôtesse ?

— Bien sûr, ils ont même failli en faire une pub. C'était une hôtesse australienne de la Qantas, et lui c'est Ralph Fiennes, celui qui jouait dans *Le Patient anglais*... Sauf que là... c'était plutôt un impatient américain !

Ils continuent de bavarder, lire, se moquer l'un de l'autre. Le dîner arrive, ils boivent un peu, goûtent aux crêpes, mangent la viande, échangent leurs mets.

— Tu sais quoi ? J'ai même pris un double casque pour l'iPod.

Ils écoutent ensemble James Blunt, Rihanna et Annie Lennox. Alex s'endort. Une hôtesse passe, emporte son plateau. Alors Niki remonte sa tablette et la glisse dans l'accoudoir latéral. Apercevant des miettes sur son pull alors, utilisant ses doigts comme de petites pinces, à l'instar de celle de *Docteur Maboule*, elle les enlève sans l'effleurer, inquiète à l'idée que quelque chose puisse le réveiller. Elle passe la main sur son bras, caresse légère pour l'accompagner dans ses rêves.

41

Niki regarde par le hublot. Elle commence à perdre toute notion du temps. Au loin, elle distingue une sorte d'aube, à la limite de son champ de vision. Une ligne d'un orange intense qui suit l'horizon, marquant le début d'un jour peut-être important. Niki repense à leur histoire. Elle voit les images défiler entre les nuages, légères... Un long-métrage projeté rien que pour elle, seule spectatrice d'une salle volante. *Je n'y crois toujours pas... Notre première rencontre, ou plutôt notre premier choc, avec le scooter, et puis, le même jour, mon devoir d'italien si réussi, je n'avais jamais eu une aussi bonne note ; dès ce moment j'aurais pu comprendre qu'il portait bonheur. Un type comme ça, il ne faut pas le lâcher. Et puis ses amis, mes amies, des mondes si différents, à des années-lumière, et pas seulement à cause de l'âge... Mais au bout du compte, comme cette histoire des contraires qui s'attirent, tout semblait parfait...* Niki le regarde. Alex dort encore. *Nous sommes parfaits.* Elle sourit et tourne à nouveau la tête vers le hublot. Une aile de l'avion fend un nuage, le déchire, et lui, tout doux, se laisse dépasser, suspendu dans le vide de cet espace infini. Niki reprend son film. La première fois, magique, chez lui, avec cette odeur de jasmin, et les autres fois, peut-être encore plus belles. Manger japonais de cette manière... Elle rit presque tout fort en se couvrant la bouche... En accord avec cette tenue orientale qu'elle avait enfilée puis enlevée, avec tout ce qui avait suivi... Ensuite, la surprise des photos dans la chambre, la campagne LaLune, se retrouver placardée dans tout Rome... Niki redevient sérieuse, un autre souvenir. Plus difficile, plus douloureux, tapi dans l'ombre. Ce jour-là, ces mots. « Nous avons trop de différence d'âge, Niki. » En réalité, la raison était tout autre. Elena était revenue. Niki se tourne vers lui. Alex dort, béat, tranquille, un ange. Pourtant, il ne lui avait pas dit la vérité, il lui avait caché ce qu'il se passait. À cause de lui, elle s'était soudain sentie incertaine, pas à la

143

hauteur de ce rêve devenu réalité. Les jours suivants. Préparer son bac sans jamais cesser de penser à lui. Alex. Son esprit qui revenait toujours à lui, comme un aimant, comme une vidéo en boucle, un disque rayé. Encore, encore, toujours cette même phrase. « Nous avons trop de différence d'âge, Niki. » Son cœur douloureusement serré. Son esprit anesthésié. L'été. Les vacances en Grèce avec Olly, Diletta et Erica, les fous rires et les tentatives désespérées de ne pas penser à lui... Enfin, de retour à la maison, sa lettre et ses mots fantastiques...

À mon amour,
À mon amour qui rit le matin pour un bon biscuit trempé dans le café.
À mon amour qui conduit vite son scooter et arrive à ne jamais être en
[retard.
À mon amour qui blague avec ses amies et sait toujours les écouter.
À mon amour qui est là même quand je l'oublie.
À mon amour qui m'a tant appris et qui m'a montré ce que veut dire
[« être grand ».
À mon amour qui est l'onde la plus belle et la plus forte de la mer sur
[laquelle je dois encore naviguer.
À mon amour sincère, fort comme un roc, sage comme un guerrier antique,
[aussi beau que la plus merveilleuse étoile du ciel.
À mon amour qui a su me faire comprendre que le bonheur n'arrive pas un
[jour par hasard mais est un désir à conquérir et à défendre.
À mon amour, Niki.

Niki se rappelle encore chaque mot, tant elle l'a lue, le jour, l'après-midi, le soir, la nuit... Jusqu'à la consumer, à en connaître chaque passage, à pleurer, puis sourire, et enfin rire à nouveau. Retrouver dans chaque ligne chaque instant vécu, cette splendide histoire d'amour qu'elle croyait terminée et qui renaît soudain de ses cendres, qui reprend vie et sourit. Rêve et espoir, enthousiasme et bonheur, jusqu'à ce jour. Oui, mettre toutes ses peurs de côté et partir sereine pour l'île Bleue, l'île des amoureux. Là où Alex l'attendait depuis plus de vingt jours.

Niki se tourne pour le regarder. *Maintenant nous voici, dans cet avion en vol, nous allons à New York. Lui et moi. Toujours ensemble, en dépit de tous les pronostics. Que c'est beau...* Dix mille mètres au-dessus du ciel. Le regarder en rêvant. La main posée sur la sienne, légère, avec la peur de le réveiller tandis que l'appareil poursuit sa course et que les minutes passent en silence, défilant comme les premiers gratte-ciel sous eux.

42

En passant la porte, Pietro lit distraitement l'enseigne. *Une sacrée nouveauté. Elle n'a jamais aimé les salles de gym, et maintenant elle vient faire du sport.*

Il aperçoit des petits canapés, deux distributeurs de boissons, de compléments alimentaires et de snacks diététiques. Derrière un comptoir bleu ciel, une fille sportive en survêtement blanc regarde quelque chose sur un ordinateur. Pietro se dirige vers elle.

— Bonjour.

La fille se tourne. La fermeture Éclair de sa veste est baissée et laisse entrevoir une brassière bleue. Pietro sourit. *Ce n'est pas si mal, ici.*

— Bonjour, je voulais savoir où sont les cours de kickboxing, et à quelle heure.

— Vous voulez vous inscrire? Il y a trois cours par semaine, à différents horaires, dit-elle en lui montrant un dépliant.

— Non, non... je cherche quelqu'un, je crois qu'elle est au cours.

— Ah. Alors c'est par là, la deuxième salle sur la droite... dit-elle en lui indiquant une porte.

— En tout cas, le kickboxing, ça vous réussit, ajoute-t-il en la toisant avec insistance.

Elle sourit et retourne à son ordinateur.

Pietro hausse les épaules et s'engage dans le couloir. Il passe devant des salles avec des machines, des miroirs et des petits tapis, où des jeunes gens s'entraînent sur une musique rythmée ou plus soft, selon la discipline et le programme. Dans la deuxième salle à droite, un groupe de gens, en cercle, lève la jambe gauche. Au centre, un grand type musclé aux cheveux châtains ondulés leur fait une démonstration. *Il est pas mal*, pense Pietro. *Beau garçon. Mmh.* Il observe l'une après l'autre les personnes présentes. Des filles assez jeunes, quatre hommes, deux femmes plus âgées... trois. La voilà, il la reconnaît.

145

Ses cheveux sont retenus en arrière en chignon par un bandeau blanc. Elle porte des leggings, un T-shirt moulant bleu ciel, des tennis et des socquettes. Susanna se tient en équilibre sur sa jambe droite. Soudain, le prof fait « Oh! » et rabaisse sa jambe gauche en chassant la droite. Il envoie un coup de pied imaginaire et tout le monde l'imite. Y compris Susanna.

– Gardez les talons un peu soulevés, et quand vous envoyez les coups, frappez avec le tibia, pas avec le cou-de-pied. Le tibia fait beaucoup plus mal. Faites tourner votre pied d'appui comme si c'était la pointe d'un compas, puis faites en sorte que votre hanche et votre épaule du côté de la jambe qui frappe suivent la trajectoire du coup de pied, en le prolongeant... explique-t-il en montrant le mouvement deux ou trois fois.

Pietro reste sur le pas de la porte. Puis, quand le professeur dit au groupe de se remettre en rang, il entre. Des filles le regardent, sourient et se donnent des coups de coude, l'air de se demander ce qu'il veut. Même le moniteur se tourne, en sentant sa présence. Susanna, qui s'était penchée pour réajuster sa chaussette, l'aperçoit en se relevant. Elle n'en croit pas ses yeux.

– Salut, mon amour, dit-il en s'approchant... Il faut que nous parlions...

– Que fais-tu ici, ce n'est pas le moment, je suis en plein entraînement...

– Je vois bien... Mais c'est quoi, cette histoire de boxe? Ça ne t'a jamais intéressée.

– Ce n'est pas de la boxe mais du kickboxing... Et puis, pour la petite histoire, il y a plein de choses qui ne m'intéressaient pas avant, mais maintenant si...

Pendant ce temps, l'enseignant indique un dernier mouvement à faire avant la séance de combats.

– On y est? Allez, on commence... Tout va bien, là-bas?

– Oui, tout va bien! répond Susanna en lui souriant. Maintenant, va-t'en, dit-elle à Pietro. Il n'y a rien à ajouter.

– Susanna... Viens, sortons un moment, pour parler sans tous ces gens.

– Je t'ai dit non. Va-t'en. Tu aurais dû y penser avant.

– J'ai compris, mais juste parler... en adultes civilisés... Tu ne réponds pas au téléphone, pardon, mais qu'est-ce que je peux faire?

Les gens du cours se sont arrêtés pour suivre la scène.

— Pietro, ce n'est pas la peine d'insister... Si je ne te réponds pas, c'est que je n'ai pas envie! C'est facile à comprendre, pour un avocat aussi brillant que toi, non?

— Mais si on ne parle pas, comment on peut éclaircir la situation?

— Tout est déjà très clair! Tu m'as trompée, un point c'est tout! Désormais, je reprends ma vie, j'en suis à nouveau la seule maîtresse!

Pietro la prend par un bras et essaie de l'attirer à lui.

— Susanna...

Il n'a pas le temps d'aller plus loin que Susanna lui envoie un coup de poing en plein œil, d'une violence incroyable, qui le met à terre. Le groupe en reste bouche bée. Le prof court vers eux, regarde Susanna, puis Pietro, d'un air inquiet. Il l'aide à se relever.

— Tout va bien? Vous voulez de la glace? Votre œil est déjà enflé...

Pietro secoue la tête, se touche le visage. Sa vision est un peu trouble. Il tente à nouveau d'appeler Susanna, qu'entre-temps une fille a éloignée pour la calmer. Davide, le moniteur, soutient Pietro.

— Excusez-moi, je ne voudrais pas me mêler ce qui ne me regarde pas, mais je n'ai pas l'impression que la dame ait très envie de parler...

— Qu'est-ce que vous voulez, qu'est-ce que vous en savez, moi je la connais, pas vous, c'est ma femme, pas la vôtre, elle fait toujours ça, mais ensuite...

— Je suis désolé, je ne voulais surtout pas m'en mêler... Allez... Je vais vous accompagner à l'infirmerie, on va vous mettre de la glace, sinon votre œil va devenir énorme. Et puis ça vous soulagera un peu, ajoute-t-il en se dirigeant vers la porte, soutenant toujours Pietro. Vous autres, continuez l'entraînement...

Le prof cherche Susanna du regard et lui fait signe de l'attendre. Puis il s'éloigne. Susanna rougit légèrement, elle ne sait pas si c'est de rage contre Pietro ou de surprise, car c'est la première fois depuis qu'elle s'est inscrite que Davide lui prête attention. Une attention particulière. Plus longue que d'habitude. Juste pour elle. Susanna reprend ses esprits. La fille à côté d'elle lui tape dans le dos.

— En tout cas, tu es sacrément forte, en coups de poing! Mais c'était vraiment ton mari?

— Oui, malheureusement. J'aurais dû le frapper depuis longtemps. Allez, on s'échauffe un peu, ajoute-t-elle en se remettant au centre de la salle. De toute façon, Davide va bientôt revenir, non?

Elle fait quelques mouvements de stretching. La fille la rejoint. Devant la salle de sport, Davide lâche enfin Pietro.

— Vous êtes sûr que ça va ?

— Non, mais je devrais réussir à me traîner jusqu'à mon bureau.

— En tout cas, elle est forte, votre femme...

Pietro foudroie Davide du regard.

— Encore ? Mais qu'est-ce que vous en savez ? Qu'est-ce que vous voulez ? Vous ne la connaissez pas. Et puis, dans quel sens, forte ?

— C'est vrai, je ne la connais pas... Je dis juste qu'elle est forte. C'est vrai, elle vous a mis à terre, non ?! Et ça ne fait pas longtemps qu'elle s'entraîne... C'est prometteur.

Pietro se retient puis décide de laisser tomber. Ne serait-ce que parce que ce type est vraiment baraqué, et qu'il n'a pas envie de prendre un autre coup.

— Bon, moi j'y vais.

Davide hausse les épaules, le salue puis retourne à l'intérieur. Pietro regagne sa voiture garée en double file. Il s'approche et aperçoit quelque chose. Au début il espère que c'est une pub, mais la couleur ne trompe pas. Un rose typique : contravention, avec des nuances d'interdiction de stationner. *Je le savais. J'aurais mieux fait de rester à l'étude.*

43

Tum-tump. Soudain, le train d'atterrissage se déploie avec un bruit sourd, les lumières s'allument, le commandant parle. Alex se réveille un peu confus, mais se rassure en voyant Niki sourire. Il s'étire.

— Mmh... j'ai dormi, moi aussi.

— Oui, et pas qu'un peu.

Il se redresse dans son fauteuil.

— Où sommes-nous ?

— Nous sommes presque arrivés...

— Alors j'ai dormi longtemps !

Les hôtesses parcourent rapidement les couloirs pour contrôler les rangées.

— Excusez-moi, il faut remonter ça, merci, dit elle en désignant leurs sièges.

Alex enlève sa montre.

— Il faut changer l'heure, il est 5 h 30...

Il bouge les aiguilles et la remet. Niki l'imite.

— Bien, sourit Alex, nous sommes parfaitement à l'heure... Nous allons pouvoir respecter notre programme.

— Quel programme ?

— J'ai organisé quelques sorties... J'espère que ça te plaira !

— Dis-moi juste une chose... Tu as prévu un peu de shopping ? Je ne sais pas quand je retournerai à New York, et je ne peux pas rater cette occasion !

— Demain matin, visite guidée, et l'après-midi shopping ! Gap, Brook Brothers... où je veux m'acheter des chemises button-down, et puis je veux t'emmener chez Macy's, un magasin incroyable, et puis Century 21, Bloomigdale's...

— Parfait, et on passera aussi chez Sephora ? Ils ont tous les maquillages du monde.

— Mais il y en a un via del Corso à Rome !

— Vraiment ? Je ne l'ai jamais vu !

— Il vient d'ouvrir. Tu viens jusqu'à New York pour acheter quelque chose que tu as en bas de chez toi... Ha ha !

— Ne te moque pas de moi, dit Niki en lui sautant dessus.

— Aïe, encore !

— Et puis, je ne savais pas que j'allais venir à New York... D'ailleurs, il va falloir acheter quelque chose à mettre, si on veut sortir le soir. Je n'ai rien pris... Pourtant, j'ai quelques jolies robes, à la maison !

Alex sourit.

— On va faire comme dans les films. Tu iras te choisir des vêtements... en vraie *Pretty Woman* !

— Sauf que c'était à Los Angeles... Et puis, je n'aime pas ces blagues, répond-elle en le frappant.

— Aïe ! Je ne sous-entendais rien du tout... Aïe ! Ça suffit, Niki... Tu as passé tout le voyage à me frapper... Il n'y a pas eu de turbulences, mais un « cyclone Niki » !

À ce moment-là, l'hôtesse arrive à leur hauteur.

— S'il vous plaît, attachez vos ceintures.

Elle s'éloigne en secouant la tête, en pensant qu'ils ont de la chance d'être si stupides, gais, heureux de leur amour. Ils ne sont pas dans cet avion pour le travail mais pour continuer à rêver. Elle s'assied, tournée vers les passagers, attache à son tour sa ceinture et pose ses mains sur ses jambes, élégante et tranquille, habituée à cette routine, et surtout à être loin de son homme.

L'appareil s'approche lentement du sol, ils ont l'impression qu'il frôle le pont de Brooklyn et les premiers gratte-ciel, et il atterrit enfin avec un léger sursaut, suivi d'un freinage impressionnant. Dans la cabine, une brève tentative d'applaudissement retombe très vite, tandis que l'appareil avance toujours sur la piste, tandis que les voyageurs les plus inquiets esquissent un sourire.

Alex et Niki sont parmi les premiers à descendre et, après une longue attente pour les contrôles de sécurité, ils se joignent aux autres passagers qui se précipitent pour récupérer leurs bagages sur le tapis roulant.

Niki regarde autour d'elle.

– Il va falloir prendre un taxi…

– Je crois que… quelqu'un nous attend.

En disant ces mots, il aperçoit le panneau qui dépasse de la foule regroupée à l'entrée : « Alex et Niki ».

– Mon amour… Mais qu'est-ce que ça veut dire ? Ça ne te ressemble pas… Tout est trop bien organisé !

– Pourquoi tu dis ça ? Tu ne me fais pas confiance… Tu me sous-estimes toujours…

Ils se dirigent vers la personne qui les attend, et qui parle parfaitement italien.

– Vous avez fait bon voyage ? Enchanté, moi je suis Fred.

– Très bon, merci ! Niki et Alex.

Niki se penche vers Alex :

– Mais tu le connaissais ? Comment tu as fait pour le trouver ?

– Mouse, un ami graphiste, qui s'est installé ici il y a longtemps, m'a aidé à le trouver… vu que d'après toi, je suis nul !

Niki ne sait pas encore combien de surprises l'attendent.

– Attendez-moi ici… Je reviens tout de suite.

Fred réapparaît au volant d'une limousine.

– Ouah ! s'exclame Niki en levant un sourcil. Mais que se passe-t-il ? Je dois m'inquiéter ? Qu'as-tu fait, Alex ? De quoi cherches-tu à t'excuser ?

– De rien, répond-il en ouvrant la portière avant que Fred ne descende. Tu n'as pas encore compris à quel point la campagne pour LaLune a bien marché…

150

— Mais ça fait presque deux ans, objecte Niki en montant.

— D'où le nouveau dicton : Mieux vaut fêter tard que jamais!

Il fait le tour de la voiture, Fred a déjà ouvert sa portière et a repris sa place au volant

— Je vous accompagne à l'hôtel ?

— Bien sûr...

Fred conduit avec assurance dans les rues new-yorkaises. Niki, le nez collé à la fenêtre, est happée par la ville qui défile sous ses yeux, elle se tait en regardant ce film, son film. Au bout d'un long moment, elle sort de sa léthargie.

— Je n'y crois pas... C'est fou. C'est trop beau...

— Oui... Et puis, on a l'impression de tout connaître de cette ville.

— Non, c'est mieux que ça. On a l'impression d'être dans un film... notre film...

Cette fois, elle ne le frappe pas. Elle lui saute dessus et l'embrasse, puis s'écarte et sourit avec malice.

— Ce sont celles-ci, les voitures où on raconte que les VIP font l'amour... très longues, vitres teintées... et spacieuses ?

— Oui...

Elle s'approche à nouveau de lui, sensuelle, et l'embrasse en souriant.

— Ça me fait penser à cette scène de *Pretty Woman*...

— Laquelle ?

— La première, quand elle regarde la télé et rit devant un vieux film comique en noir et blanc... Et en même temps, elle s'occupe un peu de lui...

Elle entreprend de déboutonner sa chemise. Alex se laisse aller en arrière, pose la tête. Deux autres boutons. Il sourit.

— Niki...

— Oui ?

Il se redresse.

— Ça serait magnifique, mais...

— Mais ?

— Nous sommes arrivés.

Niki regarde dehors et s'aperçoit qu'il dit vrai. Ils descendent de voitures sur Park Avenue. Le Waldorf-Astoria est imposant. Niki tourne sur elle-même en regardant vers le haut. Le gratte-ciel lui donne presque le vertige, mais il reste magnifique...

— Je le reconnais! C'est ici qu'ils ont tourné ce film avec Jennifer Lopez qui est femme de chambre... et qui tombe amoureuse d'un homme politique riche et beau... Mais oui, comment ça s'appelait... *Coup de foudre à Manhattan.*

Fred baisse sa vitre.

— Je repasse dans une heure. Vous y serez, n'est-ce pas?

— Bien sûr! le rassure Alex, avant de prendre Niki par la main et de l'entraîner à l'intérieur de l'hôtel.

— Comment ça, « bien sûr »? On va faire quoi?

— *Good evening.* Belli and Cavalli, dit Alex à la réception en tendant leurs passeports.

— *Top floor*, leur indique-t-on.

— Alors? Tu ne m'as pas dit ce qu'on faisait après.

Alex appuie sur le bouton de l'ascenseur tandis que Niki le harcèle de questions.

— Je t'emmène au théâtre... Un spectacle magnifique en absence de pesanteur, *Fuerzabruta.* À l'Union Square... Une compagnie argentine. Une vraie merveille.

— Mais il fait froid. Nous n'avons rien.

Ils sortent de l'ascenseur et arrivent devant la porte de leur chambre.

— Alex, tu m'écoutes? Je n'ai pas de robe, comment je fais? Je ne peux pas y aller comme ça... Tu n'y as pas...

Au moment où Alex ouvre la porte, elle aperçoit deux splendides tenues noires.

— ... pensé.

Avec des manteaux et de la lingerie de rechange pour tous les deux.

— Mon amour! s'écrie Niki en lui sautant au cou. Tu es trop fort! Mais... dit-elle ensuite en allant vérifier l'étiquette. Il y a écrit huit?

— Oui, c'est notre trente-huit.

Niki sourit, conquise.

— Je retire tout ce que j'ai dit... Tu es parfait! Et même trop parfait! Tu sais que je commence à avoir un peu peur?

— Idiote... Allez, nous n'avons pas beaucoup de temps. Je vais tout de suite prendre une douche.

Alex se déshabille et se glisse dans la cabine de douche de l'immense salle de bains en marbre ivoire. Une seconde plus tard, la porte s'ouvre. Malicieuse, Niki le rejoint, complètement nue.

— Je ne me rappelle pas cette scène, dans *Coup de foudre à Manhattan...*

— En effet.

— Ou peut-être qu'ils l'ont coupée parce qu'elle était trop hard, lui susurre-t-elle à l'oreille...

Et en un instant, elle se glisse contre son corps.

— Mon amour... Le théâtre... Le spectacle.

— Le voici...

Alex comprend qu'il n'y a pas à se presser. Et que quelqu'un d'autre peut bien aller à leur place au théâtre. Alors il s'abandonne à ce jeu tendre et sensuel, délicat et osé, tandis que l'eau coule agréablement sur leur peau.

44

Plus tard, ils sortent de l'hôtel détendus et heureux. Fred ouvre la portière pour les faire monter.

— Je vous en prie...

— Tout va bien, Fred?

— J'ai fait ce que vous m'avez suggéré, monsieur Belli, j'ai donné les billets à mon fils, qui y est allé avec sa petite amie. Il vient de m'appeler pour me dire que le spectacle était magnifique...

— Oui... Quel dommage de l'avoir raté, disent Niki et Alex en souriant.

Fred leur rend leurs sourires dans le rétroviseur.

— Si vous voulez, j'ai fait réserver deux billets pour demain, c'étaient les derniers, vous avez de la chance.

Alex fait mine d'intervenir mais Fred acquiesce.

— Soyez tranquille... Cela finit suffisamment tôt...

— Alors d'accord!

Niki comprend qu'il se trame quelque chose et lance un regard inquisiteur à Alex.

— Et maintenant, allons-y...

— Où ça?

— Dîner. J'ai une de ces faims!

Après un steak et un excellent vin italien de la Maremma dans une *trattoria* à Times Square, au service impeccable, ils se retrouvent dans une petite boîte de SoHo.

Niki est en pleine extase. Elle se laisse porter, confiante et curieuse, comme une petite Alice au Pays des merveilles, mais qui n'aurait pas de mauvaise surprise. Elle découvre, observe, s'étonne. SoHo, le paradis du shopping. Elle en a tellement entendu parler, elle a vu tant d'images à la télévision. Les grandes chaînes se succèdent : Adidas, Banana Republic, Miss Sixty, H&M, le mythique Levi's Store. Puis Prince Street, avec ses vêtements vintage, ses marques glamour, ses boutiques prestigieuses, sa lingerie adaptée à toutes les situations et ses vendeurs ambulants où on trouve de tout... Enfin, la galerie de photos où Alex lui explique tout.

— Tu vois toutes ces photos... cette galerie a été créée en 1971 sur l'idée d'un groupe de photographes et d'artistes indépendants. Tous les mois, il y a des expositions personnelles... Et tu sais pourquoi ça s'appelle SoHo ?

— Non !

— Le nom de ce quartier provient de la contraction de South of Houston, parce que ça se trouve au sud de Houston Street.

Alex et Niki entrent au Merc Bar, dont l'enseigne couleur bronze se détache sur des petites briques rouges. Lumière tamisée, musique à fond, gens qui sourient, trinquent, bavardent. Alex prend Niki par la main et avance dans la foule.

— Le voilà... c'est Mouse !

Le jeune graphiste les rejoint en souriant. Petit bouc à la D'Artagnan, sourire magnifique, cheveux bruns bouclés, blouson en cuir, pantalon droit et chaussures Church's. Alex le serre dans ses bras.

— Ça fait un bail !

— C'est bon de te revoir !

Ils restent un moment enlacés.

— Merci pour tout, hein, lui dit Alex...

— Je t'en prie... Mais tu ne me présentes pas ? Tu as peur qu'elle ne tombe follement amoureuse de moi, avoue...

Niki sourit. En effet, il n'est pas mal. Mouse lui tend la main.

— Alors c'est toi, la célèbre Niki-LaLune...

— On dirait un nom de mafieux !

— Ici, tout le monde t'appelle comme ça, dit Mouse... Tu es très connue dans notre agence...

Il la détaille un instant et sourit à Alex.

— ... Mais tu es encore mieux en vrai ! Il est fort, notre Alex...

Au fond de la boîte, des musiciens se mettent à jouer un jazz samba. Une femme blonde à la voix grave chante sur les notes d'un

154

sax. Une guitare donne la mesure. Alex, Niki et Mouse s'asseyent à une table et se perdent dans l'une des mélodies de Charlie Byrd, et dans leur bière parfaitement fraîche.

45

Plus tard, un guitariste entame une incroyable milonga. Au milieu de la salle, un couple se met à danser. Ils sont très proches, il tient le bras droit de sa compagne en l'air, à la hauteur de leurs têtes, elle enchaîne impeccablement les pas en croisant les siens. Il l'enlace, puis pose sa main droite sur son dos et lui tient la main de l'autre. Il la conduit. Ils tournent, légers, à les regarder ça a l'air très simple. Niki serre la main d'Alex sous la table. Ils se sourient. Mouse s'en aperçoit, il secoue la tête, amusé.

Encore un peu plus tard.

— On commence à sentir le décalage horaire... On va y aller. C'est combien ?

— Et puis quoi encore ! C'est moi qui vous invite.

— Bon, merci.

Mouse se lève, laisse passer Niki, lui tend la main et lui fait la bise.

— Je suis très heureux d'avoir fait ta connaissance.

— Moi aussi.

— On s'appelle demain, dit-il ensuite tout bas à Alex. Ne t'inquiète pas, tout est prêt...

— Merci pour tout... à demain, répond Alex en lui donnant une tape dans le dos.

Ils sortent de la boîte et se retrouvent à nouveau dans les rues de SoHo, et regagnent l'hôtel.

Ils jouent en se lavant les dents, essaient de faire de la mousse, de parler la brosse dans la bouche, puis ils se rappellent une scène dans la boîte, un visage au restaurant, un type habillé avec originalité croisé dans la rue. Ils se glissent dans l'énorme lit. Nuit de câlins au goût d'aventure. Nuit de rideaux légers qui bougent tout doucement avec la brise qui entre par la seule fenêtre laissée entrouverte. Nuit new-yorkaise. Nuit de lumières au néon, nuit haute, nuit de circulation au loin.

Les heures passent. Alex se retourne dans le lit, la regarde. Niki dort profondément. Une respiration lente, un léger claquement de ses lèvres de temps à autre, comme une petite bulle, un saut, une respiration un peu rebelle. Qui sait si elle rêve. Et à quoi. Niki dort, elle dort parce qu'elle ne sait pas. Alex respire profondément, il est fatigué, il voudrait s'endormir lui aussi, mais il est un peu nerveux. Il sait tout, lui. La tension et l'émotion qui le submergent l'arrachent au sommeil. *Que va-t-il se passer ? Peut-on être sûrs que nos décisions vont rendre l'autre heureux ? Serons-nous toujours autant en harmonie, après que je lui aurai dit ? Ai-je bien interprété les signaux ? Ou bien me suis-je fait des illusions ? Le bonheur est compliqué, parfois. Tous ces doutes. Et pourtant, il suffirait d'y croire complètement, de se jeter à l'eau, comme elle l'a fait avec moi il y a deux ans. Envers et contre tout. Même contre mes stupides changements d'avis. Elle, si courageuse. Sage. Incroyable.* Alex regarde une dernière fois le rideau qui danse devant la vitre. Il aimerait se sentir aussi léger.

46

Le lendemain matin, devant l'hôtel.

— Alors ? Vous êtes en retard... Les gens comme ça, je n'en veux pas, moi. Mouse m'avait garanti... Comme d'habitude, il ne faut pas se fier à certaines personnes.

Claudio Teodori est un ancien journaliste italien qui, depuis des années déjà, est devenu guide touristique. Mouse en a souvent parlé à Alex, mais sans l'avertir de son caractère bourru.

— Bon, vous montez, oui ou non ? demande Claudio qui les regarde depuis sa Mustang rouge aussi vieille que lui. Vous voulez quoi, une invitation écrite ?

Alex et Niki ne se le font pas répéter deux fois, ils montent dans la voiture. Claudio n'attend même pas qu'Alex ait refermé la portière pour démarrer.

— Allez, on va prendre le petit déjeuner.

Alex sourit en essayant de rattraper le coup.

— En général, nous sommes très ponctuels...

Claudio le regarde avec un drôle de petit sourire.

— Ah, vous utilisez tous les mêmes mots : très ponctuels. Mais ça n'existe pas ! On est ponctuel ou on ne l'est pas. Il n'y a pas de superlatif. On ne peut pas arriver encore plus à l'heure... en admettant qu'on soit à l'heure.

Alex n'avait pas prévu ça. Cependant, contre toute attente, Claudio le bourru se révèle très surprenant. Il leur fait découvrir un New York inattendu, loin des clichés touristiques.

— Il n'est pas méchant... c'est juste la première impression, sourit Niki.

Ils vagabondent dans l'East et le West Side de Manhattan. Claudio parle des natifs, des pirates, de la construction du pont de Brooklyn et des interventions urbanistiques de Robert Moses.

— C'est fou tout ce que tu sais, Claudio... Ça fait longtemps que tu vis ici ? demande Niki.

— Assez pour comprendre qu'il existe deux catégories de New-Yorkais : ceux qui sont nés à New York et les autres. Moi, je serai toujours un « autre », peu importe depuis combien de temps je suis ici. J'ai tellement appris sur leur façon de vivre que je me la suis appropriée.

— Raconte...

— Par exemple le brunch, le repas qu'on prend habituellement le dimanche. À New York, le brunch est servi dans des centaines de bars comme la Tavern on the Green ou le Mickey Mantle's, près de Central Park. Et puis, l'happy hour, qui se fait aussi chez vous, mais pas de la même façon. Ici, dans les bureaux, on travaille généralement de 9 heures à 17 heures. Ensuite, les gens ne rentrent pas directement chez eux, ils s'arrêtent boire un verre et les bars offrent deux consommations pour le prix d'une.

Claudio les emmène dans des quartiers cachés parmi les mormons, les vieux brocanteurs de SoHo, et même une bande cingalaise du Bronx avec drapeau de gang, photos et petites culottes accrochées en guise de trophées de conquêtes plus ou moins réelles.

— Ça me rappelle le film *The Warriors*...

Claudio se tourne et répond très sérieusement à Alex :

— Je devrais abandonner dans ce repaire tous ceux qui ont plus de cinq minutes de retard... Je plaisante, ajoute-t-il en souriant. Je ne ferais jamais une chose pareille. Ils n'ont pas le sens de l'humour, ces gens-là. Regardez, dit-il soudain en indiquant une sorte d'énorme laverie dans un hangar couvert de vieux graffitis, au milieu des maisons populaires. Ici, dans le Bronx, c'est la mode des *magasins-poupées russes*, surtout depuis qu'il y a la crise.

— Qu'est-ce que ça veut dire ?

– Un magasin dans un autre, pour économiser de l'espace et de l'argent. Là, par exemple, Hawa Sidibe, une coiffeuse malaise, utilise un coin de la laverie qu'elle sous-loue au propriétaire pour travailler. Pendant que les vêtements tournent dans les grands sèche-linge, elle coupe les cheveux des clients. Mais pas seulement. Au besoin, elle vend aussi des articles religieux, de la lingerie et j'en passe. Elle ne pourrait pas se permettre d'avoir une boutique à elle… Comme ça, pendant qu'une dame apporte ses vêtements à laver, elle trompe l'attente en se faisant coiffer. Pas mal, non? On trouve aussi ça à Jackson Heights, dans le Queens. Ils partagent les loyers et optimisent les services… Certains magasins sont en règle, d'autres non…

Finalement, Claudio les ramène au centre de Manhattan.

– Maintenant, ouste, descendez. Fin du tour, et début de votre séance de shopping.

– Au revoir…

– Et merci!

La voiture s'éloigne.

– Pfff… On s'en est bien tirés!

– Oui, on a risqué gros.

– À mon avis, il en rajoutait un peu.

– Pas tant que ça! En tout cas, il connaît vraiment bien New York. Allez, on y va.

Ils entrent chez Gap, puis chez Brooks Brothers, et enfin chez Levi's.

– Ça coûte vraiment moins cher, et puis ils ont les trucs introuvables que j'adore…

– Prends-les, mon amour!

Ils font des trouvailles invraisemblables, du manteau en velours côtelé au fameux blouson en cuir qui ne coûte presque rien, en passant par des pantalons, de marque ou aux griffes inconnues. Et, dans la rue, chaque fois qu'ils s'arrêtent quelque part pour regarder le plan de leur guide *Lonely Planet*, il y a toujours une femme, un homme, un jeune homme ou un policier américain pour s'arrêter et leur demander :

– *May I help you?*

Alex et Niki répondent en chœur.

– *Yes, thanks.*

Ça aussi, c'est devenu un jeu.

47

Plus tard, ils repassent à l'hôtel pour prendre une douche, vraiment rapide cette fois, puis remontent en voiture avec Fred pour aller voir le spectacle *Fuerzabruta*.

Les spectateurs, au centre d'un petit théâtre, sont debout et se déplacent pour suivre le spectacle. Alex et Niki, enlacés au milieu des autres, regardent en l'air. Une toile transparente avec de l'eau dessus, des jeux de lumières, des femmes nues et des hommes qui se lancent avec elles sur ce drôle de toboggan, puis encore des artistes qui courent en cercle dans les hauteurs du théâtre, accrochés à un câble. Des danseurs et danseuses, parfaitement en rythme, se poursuivent, se poussent et s'approchent à nouveau, dans une drôle de guérilla physique et sensuelle sur des voiles dorés. Le final : une explosion soudaine de mille petites feuilles argentées qui tombent du plafond, lentement, en dansant sur elles-mêmes.

— Alors, comment c'était ? Mon fils avait raison ?
— Oui. Magnifique... Unique. Il est vraiment fort, ce chorégraphe, c'est ce que j'avais lu. Ce n'est pas son premier spectacle à succès, on en a même parlé en Italie.
Ils arrivent à une grande place.
— Voilà, nous y sommes. Parfaitement à l'heure.
Niki ne comprend pas.
— Mais que se passe-t-il ?
Alex la prend par la main.
— Nous descendons.
— Mais qu'y a-t-il, ici ? Je ne vois rien...
— Ça va arriver, lui répond Alex le visage tourné vers le ciel.
Juste à ce moment-là un hélicoptère noir, dont les grandes pales luisent de reflets argentés, débouche à grand bruit de derrière un gratte-ciel. Il descend tout doucement pour atterrir sur la place, juste devant eux. Le pilote ouvre la porte et leur fait signe de monter.
— J'ai peur ! dit Niki en se serrant contre Alex.
— Mon amour, ne t'inquiète pas. C'est magnifique, et puis les Américains sont les meilleurs, ils font ça tous les jours... Vraiment,

mon trésor… Il ne faut pas avoir peur, pas de choses comme ça. Parfois, la peur empêche de vivre.

Cette dernière phrase convainc Niki qui va s'asseoir à côté de lui et lui attrape le bras. Alex referme la porte, et c'est le signal, l'hélicoptère part sur le côté, s'élève entre les gratte-ciel et, après un habile virage, prend de l'altitude. Au fur et à mesure qu'il monte le bruit s'atténue, il cesse de se répercuter contre les immeubles.

Niki observe les deux pilotes et se rassure peu à peu, elle finit même par lâcher le bras d'Alex.

— Ouf!… Tu étais en train de me l'écraser…

Niki jette un coup d'œil en contrebas.

— Ouh la la… C'est fou. Nous sommes très haut… Mais tu as raison, parfois la peur empêche de vivre des choses aussi belles…

Alex sourit. Cette peur a bien failli gâcher tout ce qu'il avait préparé. Et là, comme convenu, un message arrive sur son portable. Il le lit.

Je vous vois, vous arrivez, tout est prêt. Mouse.

Alex répond un rapide *OK* puis pousse un soupir. *Maintenant ou plus jamais. Maintenant.*

— Niki…

Elle se tourne vers lui, toute joyeuse.

— Oui?

Il avale sa salive.

— Cela fait plusieurs nuits que je ne dors pas pour chercher les mots justes, pour réussir à te faire comprendre combien je t'aime, combien chacun de tes sourires, chacune de tes respirations, chacun de tes mouvements, est ma raison de vivre. Je voudrais résister, faire semblant de rien… mais c'est impossible…

Alex regarde à nouveau dehors. Parfait timing. L'Empire State Building est juste devant eux. Il se tourne vers elle.

— Excuse-moi, mais c'est comme ça… je ne peux rien y faire!

Niki le regarde sans comprendre.

— Mais quoi?

— Niki, excuse-moi…

— Excuse-moi?

À ce moment précis, le dernier étage du gratte-ciel devant eux. Une immense inscription apparaît. Alex la lui lit : « Excuse-moi mais je veux t'épouser! ».

Niki en reste bouche bée et, quand elle se retourne, il lui tend un étui ouvert. Une bague avec un petit diamant brille dans la nuit. Alex sourit, ému. On dirait presque qu'il brille lui aussi.

— Niki?

Elle a la bouche ouverte. Alex lui sourit.

— D'habitude, à ce moment-là, la femme, c'est-à-dire toi, dans le cas présent, devrait dire oui ou non...

Niki se jette à son cou.

— Oui, oui, oui! Mille fois oui...

Elle manque de les faire tomber tous les deux du siège.

— À l'aide!

Alex réussit à ne pas perdre la bague, il tombe à la renverse et rit, enthousiaste et heureux que tout se soit bien passé. Niki pleure.

— Mon amour! Regarde... Tu m'as fait pleurer de bonheur! Merde alors...

Ils rient, il passe l'anneau à son doigt tandis qu'elle essuie le mascara qui a coulé sur ses joues.

L'hélicoptère finit par atterrir sur le toit de l'immeuble. Ils sont ensuite accueillis au restaurant de l'Empire State Building par des applaudissements, ce qui ne manque pas d'émouvoir Niki.

— Tout le monde est au courant...

— Il semblerait que oui.

On les accompagne à une table. Mouse apparaît au fond du restaurant, lève un pouce et demande de loin, amusé :

— Tout s'est bien passé?

Alex lève son pouce à son tour, pour lui répondre que oui. Niki s'en aperçoit.

— Mais c'est Mouse! Trop fort...

— Oui, il m'a donné un coup de main. Et il m'a dit que quand ici, à l'Empire, ils ont eu vent de mon idée, ils ont organisé une soirée spéciale et reservé deux fois plus de couverts!

— Non!?

— Si! Tous les clients sont venus pour nous voir... L'idée de la demande en mariage en plein vol, avec le dernier étage qui s'éclaire, a eu un grand succès.

— Bien sûr... Un vrai truc d'agence de pub...

Ils rient. Un serveur vient prendre leur commande, tandis qu'un autre leur verse du champagne et qu'un violoniste s'approche en entonnant pour eux les notes de la chanson que Niki aime tant, « I Really Want You », de James Blunt.

— Noooon... Je n'y crois pas. Mais c'est un rêve!

Alex lui sourit et lui prend la main.

— C'est toi, mon rêve.

— Alex… maintenant qu'on va se marier, il faut que tu en parles à mes parents…

— Ah bon ?

— Bien sûr… D'ailleurs, tu devrais même leur demander…

— Bien sûr ! dit Alex en dépliant sa serviette et en la posant sur ses genoux. Je dois les emmener en hélicoptère, eux aussi ?

— Non, ça non !

— Alors, espérons seulement qu'ils disent oui…

— Au pire, je me chargerai de leur parler, après…

— Niki !

Ils dégustent un pâté de canard accompagné de glace à la menthe sur un lit de salade, puis un steak *medium rare* avec d'énormes pommes de terre merveilleusement frites, et pour finir un cheese-cake très léger… Le tout arrosé d'un excellent sassicaia conseillé par le sommelier.

— Il faut trouver l'église… et la robe…

— On fait ça dans un endroit classique ? Ou on cherche quelque chose de plus original ?

— Et toi, Alex, tu ne vas pas mettre un costume trop sérieux, quand même ?

Et puis :

— Il faut choisir les bonbonnières…

— Et le traiteur !

— Ah oui… On pourrait ne servir que du poisson… Mais si quelqu'un est allergique ?

— Au poisson ? On ne l'invite pas !

— Ce n'est pas gentil !

— Et des beignets salés ?

— Oui, il en faut !

— Et un peu de jambon cru ?

— Il en faut !

— Et un peu de parmesan ?

— Il en faut ! s'exclament-ils en chœur.

Ils inventent, rêvent, cherchent dans toutes les directions.

— Ah oui… pour la musique, je voudrais un groupe de rock… Ou plutôt non, juste des cuivres. Du jazz. D'ailleurs, on pourrait carrément appeler les Negramaro.

— Mais combien ça va coûter ?

— Alors, Gigi D'Alessio… Imagine mes parents !

— Pourquoi, ils n'aiment pas?

— Mais non! C'est que, inviter à ton mariage quelqu'un qui s'est séparé…

— Ah oui, c'est vrai…

— Eh… Ce n'est pas facile, d'organiser un mariage.

Ils finissent de dîner et toute la salle, en les voyant sortir, se lève pour les applaudir à nouveau. Alex sourit d'un air gêné et lève la main à la façon d'un président.

— Ça… Il va me le payer, Mouse… Et puis, maintenant, nous avons un problème.

— Lequel? demande Niki, perplexe.

— Nous ne pouvons pas les décevoir!

— Idiot!

Ils reprennent l'hélicoptère et traversent New York pour rejoindre le toit de leur hôtel.

— Merci pour tout! crient-ils aux pilotes avant de descendre et de regagner leur chambre.

— Alex, j'ai passé une soirée fantastique… déclare Niki en s'allongeant sur l'énorme lit.

— Ça t'a plu? demande-t-il en se laissant tomber à côté d'elle.

— Oui, tout était parfait…

— Tu sais quoi? J'avais tout organisé de Rome, je connaissais chaque étape, chaque moment, et pourtant en voyant les choses se réaliser j'avais l'impression que ça ne pouvait pas être vrai. Je me demandais si je rêvais…

— Mon amour, dit Niki en se tournant vers lui, émue. Tu veux encore me faire pleurer?

— Non… Jamais…

Alex la serre dans ses bras et l'étreint longuement.

— Je n'aurais jamais imaginé… Tu sais, depuis que je suis petite je pense à ce moment… au jour où on me demanderait : « Niki, veux-tu m'épouser? » Je l'ai imaginé de toutes les façons, les plus étranges, les plus belles.

— Ce n'est pas possible.

— Pourquoi?

— Parce que tu ne me connaissais pas encore.

— Idiot… En tout cas, ce que tu m'as offert surpasse tous mes rêves.

Alex lui sourit. Quand on est aussi amoureux de quelqu'un, on a l'impression qu'aucun mot, aucune surprise ne peut suffire pour le lui faire comprendre. *Je t'aime, Niki. Je t'aime d'amour, et pour toujours.* Et puis un baiser, un autre, et une lumière qui s'éteint. Les néons des immeubles alentour, quelques nuages au loin qui jouent avec la lune, dont les rayons éclairent la pièce par intermittence, comme des avions au loin… ou la lumière d'un phare. Lentement, les vêtements tombent du lit.

— Je ne connaissais pas, cet ensemble…
— Tu aimes?
— Beaucoup…
— Je l'ai acheté en cachette chez Victoria's Secret…
— Mmh, je veux le voir de près…

Un sourire dans la pénombre, une main furtive, un plaisir inattendu, une morsure, un soupir, une furieuse envie de continuer à rêver en faisant l'amour. Et puis, la nuit. Nuit profonde et sombre. Nuit lourde. Nuit immobile. Et solide. Nuit bloquée. Nuit qui semble ne jamais finir. Alex dort paisiblement, àmoitié nu, sur le ventre, les bras sous l'oreiller, les épaules découvertes. Un pâle rayon de lune veille sur son sommeil.

À côté, l'oreiller de Niki est vide. Dans la chambre, le temps semble s'être arrêté. Un grand fauteuil où sont abandonnés quelques vêtements, un ou deux objets posés sur une table, une lampe éteinte, un tableau moderne aux couleurs vives. Tout est silencieux, en attente. Un peu plus loin, dans la salle de bains fermée, derrière la porte, Niki s'appuie au lavabo pour ne pas tomber.

Essoufflée, le front perlé de sueur. Un drôle de nœud dans le ventre, en cette nuit qui devrait pourtant être parfaite. *Niki, que t'arrive-t-il? C'est de la panique, ça, de la peur, de la terreur… Niki, tu as peur de te marier?* Elle se regarde dans le miroir, se lave pour la quatrième fois le visage, s'essuie avec la grande serviette blanche accrochée sous le lavabo. Sa respiration ralentit, son cœur bat plus lentement, elle retrouve peu à peu son souffle. Tout d'un coup, c'est comme si en se regardant dans le miroir elle se voyait dix ans plus tard. Son visage est en sueur, ses cheveux tombent, rebelles, en boucles éparses, ébouriffées, dont quelques-unes sont blanches! Quelques rides autour des yeux, une expression fatiguée. Niki regarde plus attentivement…

Oh non. « Maman, maman ! » Un enfant tire sur sa robe. « Maman ? Maman. » Mais… C'est mon fils. De l'autre côté, un autre enfant. « Maman, j'ai faim ! » Cette fois, c'est une petite fille ! Soudain, elle se sent gonflée et lourde, gauche, elle se regarde dans la glace et son visage lui semble bouffi. Alors elle baisse les yeux. « Oh non ! » Un ventre énorme. *Je suis encore enceinte. Du troisième ! Trois, le nombre parfait !* À ce moment-là, Alex entre en souriant dans la cuisine imaginaire. Ses quelques mèches blanches sur les tempes lui vont à ravir… Il est toujours aussi svelte. « Salut, mon amour… Salut, les enfants ! Niki, moi je sors… »

Elle reste seule dans la cuisine, encore plus en nage, avec son ventre énorme et les enfants qui hurlent. De la vaisselle sale s'entasse dans l'évier, dans un équilibre précaire. Les piles d'assiettes viennent s'appuyer les unes contre les autres. Elles se penchent, puis tombent, se cassent, explosent en projetant de la sauce, des pâtes et des morceaux de nourriture. Niki se nettoie le visage avec son tablier mouillé. Elle est couverte de sauce, elle a envie de pleurer. Susanna, la femme de Pietro, sort de la pénombre.

« Salut ! Niki, tu as entendu ? Je sors. »

Susanna l'aide à se nettoyer. « C'est comme ça qu'ils font… À nous les petits… » dit-elle en indiquant les enfants qui, telles des furies, courent dans la cuisine, hurlent, se tirent les cheveux, se frappent et finissent par disparaître de la pièce. « Pendant qu'eux, ils s'amusent, tu comprends ? Ils font semblant de travailler, restent au bureau jusqu'à 21 heures… Mais sont-ils vraiment au bureau ? La seule fois où j'ai vraiment eu besoin de lui, je l'ai trouvé au lit avec une autre… »

À ce moment-là, Camilla arrive à son tour. « Oui, que pourraient-ils faire d'autre… Les crétins… avec leur secrétaire… Ou une stagiaire, une jeune assistante… Parce que, souviens-toi… » Camilla lui tapote l'épaule avec deux doigts. « … que sur cette terre, il y aura toujours plus jeune que toi ! » Niki lève un sourcil. *Non. Je n'y crois pas, ceci n'est pas un cauchemar. C'est pire. C'est le nouveau Wes Craven. Un* Scream *sur l'amour…*

Camilla sourit. « C'est pour ça que je suis partie aux Maldives avec un avocat plus jeune que moi… Pourquoi seraient-ils les seuls à le faire ? J'ai préféré agir avant qu'il ne s'en charge… J'ai bien fait, non ? »

Susanna ajoute : « Oui, mais elle est si jeune, elle ! Avec Alex, elle s'en sortira, elle n'aura pas nos problèmes… »

Camilla n'en est pas si sûre. « Tu crois ? Tu sais, les hommes sont tous les mêmes, au bout de quelques années la différence d'âge

165

s'estompe, même une fille plus jeune devient comme toutes les autres... L'habitude : le sépulcre du mariage. Chère Niki, attends de le voir traîner à la maison en pyjama le dimanche après-midi, regarder le foot sans t'écouter... ne plus t'offrir de fleurs... Après les dragées, place à la routine ! »

Susanna intervient à nouveau. « Et s'il t'apporte des fleurs, ça ne sera que parce qu'il te cache quelque chose... ou bien il n'aura encore rien fait, mais il sera en train d'y penser, alors il te les offrira pour brouiller les pistes... »

Elles disparaissent à leur tour de la pièce, laissant Niki en proie à une panique totale. Heureusement, Cristina fait son apparition. « Niki, ne les écoute pas, elles exagèrent... C'est dur, mais on peut y arriver ! C'est sûr, au bout de quelques années l'enthousiasme des premiers temps disparaît, les surprises quand tu rentres à la maison, les voyages organisés au dernier moment, la passion sous les draps... Mais il faut avancer... Comme un petit soldat, tac, tac, et même quand tu n'es pas d'accord il faut y passer... Malheureusement ils ont souvent envie, ils n'ont pas notre candeur... Du moins la candeur de certaines d'entre nous... » Elle secoue la tête et sort elle aussi de scène. Flavio arrive, la regarde, sourit, ne dit rien, hausse les épaules et suit Cristina. Niki s'appuie au lavabo. *Non. Ce n'est pas possible, pas comme ça, je ne peux pas. J'ai vingt ans. Tout juste vingt ans... Un âge splendide, et je vais finir comme ça ? Elles sont tristes à mourir, ces femmes... Mais alors... Vous ne me l'aviez jamais dit, que ça finissait comme ça, pas un sourire, ni d'enthousiasme, aucun bonheur... Mais alors... Le mariage est un piège !* À ce moment-là, ses parents, Roberto et Simona, apparaissent devant elle. Sa mère la regarde avec amour.

« Et nous, Niki ? Que fais-tu de nous ? De notre bonheur ? La beauté d'un parcours fait ensemble, tomber et se relever, s'aimer et se pardonner, s'améliorer conjointement, main dans la main, même quand nous sommes loin, notre cœur dans le cœur de l'autre. »

Roberto soupire. « Tu sais à combien de matches j'ai renoncé pour elle, à combien de déplacements... »

Simona le frappe. « Roberto ! »

Il lui sourit. « Attends, laisse-moi finir... Au final, j'ai bien fait de renoncer, parce qu'un jour tu es arrivée, toi, ton premier sourire... Et notre immense bonheur. »

Simona reprend : « Et puis, ton frère est arrivé... Et puis, les jours ont passé, l'un après l'autre, fatigants, durs, difficiles, parfois épuisants… mais aussi beaux, forts, sains, conscients, des jours qu'on choisit chaque jour parce qu'on veut construire… » Roberto prend la main de Simona, elle s'appuie contre lui. « Et aujourd'hui, nous sommes encore là… C'est magnifique, et ça ne finit jamais, il n'y a pas de ligne d'arrivée, pas de final, juste de la beauté, si on sait l'apprécier, à cueillir au milieu de la peur d'échouer… Si tu veux, Niki, tu peux y arriver, ça dépend de toi… »

Simona indique la porte de la salle de bains. « Et de lui… »

Niki retrouve le sourire, sa sueur sèche, ses cheveux se recomposent, ses mèches blanches disparaissent. Simona et Roberto la couvent tendrement du regard, puis s'effacent lentement de la pièce qui redevient une simple salle de bains.

Niki se glisse sous les draps, près d'Alex, s'encastre entre ses jambes, dans sa tiédeur tranquille. Elle pose son pied contre le sien pour le sentir proche, comme pour se rassurer. *Oui, je peux y arriver. Je me suis laissé entraîner par ces pensées stupides. Mais je peux dormir, maintenant.* Or elle ne sait pas que parfois, quand on n'affronte pas une peur, quand on ne la dépasse pas entièrement, elle ne se résout pas tout à fait, elle reste là, en suspens, comme une panthère noire dissimulée dans l'herbe haute, dans la confusion du quotidien, prête à bondir soudain dans toute sa violence… ne laissant plus de place à la fuite.

48

Italie. Rome. Via Penisperna. Assise sur le grand canapé bleu, Ingrid, entourée d'Anna et d'Enrico, regarde le DVD de *Monstres contre Aliens*. Les images la fascinent. Elle se jette dans les bras d'Anna et y reste un moment. Enrico les regarde. Oui, elles sont vraiment bien ensemble. Puis il s'aperçoit qu'il est 19 heures.

– Anna, qu'en dis-tu, on prépare quelque chose et on mange tous ensemble ? Tu peux monter plus tard, non ?

Anna regarde sa montre et soupire.

– Si tu ne peux pas, ce n'est pas grave…

– Non, ce n'est pas ça… Je remarquais juste qu'ici je ne vois pas le temps passer… comme si les journées duraient cinq minutes. Bon, d'accord, on peut faire des pâtes aux courgettes, ça te dit ? Il y a tout ce qu'il faut, parce que ce matin Ingrid et moi avons fait les courses. Pas vrai, princesse ? dit-elle en pinçant doucement le bras grassouillet de la fillette, qui éclate de rire.

— Génial ! J'adore les pâtes aux courgettes.

Ils s'installent à la cuisine. Anna lave et coupe les légumes en fines rondelles. Enrico prend une poêle antiadhésive, y met un filet d'huile, un peu d'échalote et la place sur la plaque en vitrocéramique. Ils se taquinent en riant sous le regard d'Ingrid qui, assise sur sa chaise haute, participe à sa façon en déplaçant des objets sur la table dressée.

— C'est sympa de cuisiner avec toi ! dit Anna en mettant le couvercle sur la casserole.

— Oui ! On utilise quelles pâtes ?

— Des pâtes aux œufs, il y en a dans le placard.

Il sourit. *Elle connaît mieux ma maison que moi. Elle s'est bien adaptée.* Ces pensées lui procurent un plaisir inattendu.

Quand c'est prêt, ils s'asseyent tous à table et dévorent de bon cœur ces pâtes excellentes, légèrement al dente, saupoudrées de persil et de parmesan. Ingrid mange son petit pot à la cuillère. Elle est sereine, elle aussi. Ensuite, de bons fruits frais, et un café. Anna va coucher Ingrid et revient dans la cuisine. Enrico a enfilé un tablier et des gants en caoutchouc.

— Vu que tu as cuisiné, je lave et tu essuies !

— En effet, le lave-vaisselle est vide et il n'y a presque rien, autant le faire à la main. Ou alors tu les mets dedans et on attend qu'il soit plein pour le mettre en marche. Tu sais, il est important de ne pas gâcher l'eau ni l'énergie. Je fais très attention à ces choses-là.

— D'accord, chef ! s'exclame Enrico. Moi aussi, je vais me mettre à l'écologie.

— Tu as raison, la planète t'en sera reconnaissante ! Je t'annonce que demain j'achèterai des ampoules à basse consommation pour remplacer les tiennes. Elles coûtent un peu plus cher mais elles durent très longtemps, au final on fait des économies.

— OK, merci, je te laisserai l'argent sur la table.

— Non, tu me rembourseras après ! Allez, on s'y met ! N'utilise pas trop d'eau ni de produit vaisselle.

Tout en étant à leur tâche, ils rient encore, se racontent des épisodes variés, des souvenirs de camping, de leurs vies de célibataires.

— Tu sais, Anna, dit-il en lui tendant un bol…

— Oui ?

— Je ne sais pas comment te le dire…

— Quoi donc? demande-t-elle, intriguée par l'air sérieux d'Enrico.

— J'ai un peu honte, mais je dois reconnaître une chose…

— Quoi?

— Ce n'est pas facile à dire, mais quand je suis avec toi…

Anna arrête d'essuyer le bol et le fixe.

— Oui, bref, quand je suis avec toi, pour la première fois depuis longtemps j'arrive à penser à autre chose qu'à Ingrid…

Anna lui sourit avec douceur, un peu gênée. Puis, pour dissiper la petite tension qui s'est créée, elle range la casserole. Enrico aurait envie d'en dire plus. De lui raconter cette légèreté qu'il ressent à nouveau depuis quelque temps. Cette sensation d'exister qu'il avait oubliée. Il aimerait lui dire qu'elle est si belle. Si douce. Et qu'il est vraiment bien, en sa compagnie. Mais au moment où Anna se tourne vers lui, les mots restent coincés dans sa gorge, il baisse la tête et se replonge dans la vaisselle. Un de ces moments qui semblent sur le point d'exploser mais qui d'un coup, sans raison, s'éteignent. Anna attend quelque chose. Quelque chose de plus qu'une assiette à essuyer. Une phrase. Un mot. Peut-être espère-t-elle. Elle aussi se sent étrange, comme exposée. Ils se taisent pendant un moment.

— Oui… dans le sens où j'ai passé des jours à m'inquiéter pour ma fille, à me demander comment m'occuper d'elle, comment faire pour qu'elle ne ressente pas le manque de sa mère… Je me suis comme effacé. J'allais travailler, je passais chez ma mère pour lui laisser Ingrid, puis je la récupérais et je rentrais ici. Chaque jour. Chaque soir. Plus de place pour le foot, les soirées avec Alex, Flavio et Pietro. Rien… Mais maintenant, grâce à toi, j'arrive de nouveau à me détendre, à penser que j'ai aussi une vie hors d'ici, des amis. Bref, sans ton aide, je me serais perdu. Tu es une collaboratrice précieuse. Si un de mes amis a besoin d'une baby-sitter, je te recommanderai sans hésiter!

Il continue de passer des assiettes à Anna, qui esquisse un sourire amer, distant, peut-être déçu. Puis elle ouvre un placard et y range un pot. Oui, c'est ça. Parfois, tout semble possible et tout peut changer. Soudain, un doute, la peur de se tromper et de n'avoir pas bien compris ce que notre cœur nous dictait. Et pouf, plus rien. Une promesse manquée.

49

Diletta termine de mettre la table, puis elle regarde dans le four. *Bien. La cuisson se poursuit. Et l'eau pour les pâtes bout presque.* Elle regarde sa montre. 20 heures. Nous y sommes. Quelques minutes plus tard, on sonne à l'Interphone. Elle va ouvrir.

— C'est moi!

Filippo arrive, un peu essoufflé d'avoir monté à pied les quatre étages.

— Je suis à l'heure, mon amour? Cette fois, tu as vu, pas de retard!

Diletta sourit. Plus que jamais ce mot a un sens particulier. *Retard. Non, mon amour, tu n'as pas de retard, voudrait-elle lui dire... Mais moi, oui!*

— Quand vont-ils réparer l'ascenseur? demande-t-il en l'embrassant doucement sur les lèvres, avant de lui tendre une bouteille de vin blanc. Tiens! On la met un peu au frigo?

— Oui! Tu sais, ça te fait du bien, ces escaliers... Surtout quand tu viens manger chez moi! Tu sais bien qu'ici on ne sert pas des portions de moineaux.

Ils passent à table. Un dîner improvisé, un moment volé dans l'appartement libre. Un dîner tranquille, sans sortir, parce que certaines choses ont besoin d'intimité. Un excellent hors-d'œuvre, des crevettes sauce cocktail avec du pain grillé, puis des pâtes légères à la dorade et aux légumes, et enfin des sardines au four gratinées à la chapelure. Ils rient, parlent de tout et de rien.

— Ils rentrent à quelle heure, tes parents?

— Ils sont au théâtre, ça doit finir vers minuit. Ensuite, il y a le trajet, ce n'est pas tout près. Je dirais vers minuit et demi...

— Bien! Alors on peut aussi manger tranquillement le dessert... dit-il avec un sourire malicieux.

Diletta les ressert en vin, puis elle lève son verre.

— On trinque?

— Bien sûr! À quoi?

— Aux surprises qui changent la vie.

Ils se regardent dans les yeux en faisant tinter leurs verres. Puis Diletta sort de table.

— Attends-moi...

Elle revient avec un petit sac en plastique dont elle tire une boîte.

— Qu'est-ce que c'est, mon amour ?

— La surprise qui change la vie…

— Mais comment, pourquoi… que se passe-t-il ?

— Il se passe que j'ai du retard…

Filippo la regarde sans comprendre. Puis il prend la boîte, lit et écarquille les yeux. Diletta lui sourit pour alléger l'atmosphère.

— Oui. On le fait ensemble ? Tu sais, moi aussi j'ai peur…

Elle fait le tour de la table pour s'approcher de lui. L'embrasse. Le prend par la main. Filippo bouge comme un automate. La regarde. Regarde la boîte. Se laisse conduire jusqu'à la porte de la salle de bains.

— Attends-moi.

Elle entre, Filippo reste dans le couloir, hébété. *Je ne peux pas y croire. Et maintenant ? Vraiment ? Non… C'est un rêve. Et puis, ce n'est pas dit. Mais si c'était le cas ? Que ferais-je ? Ou plutôt, que ferait-on ?* Il fait les cent pas, les mains dans les poches, la tête pleine de doutes et le cœur qui bat fort.

Diletta sort les deux tests de grossesse qu'elle a achetés au supermarché cet après-midi, un peu gênée. Elle a essayé à la pharmacie mais elle n'a pas pu. Elle s'est imaginée demander à la dame, qui l'aurait regardée en faisant des hypothèses sur son âge, et quelqu'un derrière elle aurait pu la juger… À la caisse, elle a essayé de cacher la boîte sous des biscuits, des crackers et des yaourts qu'elle a achetés sans réel besoin, peut-être pour se consoler ou pour cacher son achat si insolite posé sur le tapis roulant noir. Puis elle a tout mis dans un sachet et s'est enfuie comme une voleuse, comme quelqu'un qui a quelque chose à cacher. À la maison elle a cherché des recettes faciles sur Internet, et elle s'est mise aux fourneaux. Elle a résisté à l'envie de le faire toute seule, elle a préféré attendre Filippo. Et d'abord profiter de ce dîner tous les deux, préparé avec amour. Manger et savoir que bientôt tout pourrait changer. Dans un sens ou dans l'autre.

Diletta enlève la Cellophane. Elle s'est renseignée sur Internet. Les tests relèvent dans l'urine la présence d'une hormone typique de la grossesse. L'HCG. *Tu parles d'un nom. Le résultat apparaîtra dans quelques minutes. Une ligne sombre. Ou deux. Une vie change d'un coup pour un trait qui se colore ou non. Bien sûr, il y a aussi de faux positifs et de faux négatifs, mais ils sont très rares.* Diletta soupire. Elle pense aussi aux autres symptômes qu'elle a lus sur Internet. Vomissements, nausées, tensions dans les seins, variations de l'humeur et de l'appétit. Symptômes de grossesse. *Est-ce que j'en ai ? Bah. Difficile de savoir. Je me sens tellement confuse. Bon, c'est fait.* Diletta se rhabille, tourne le stick pour ne pas voir tout de suite, s'assied sur le bord de la baignoire et appelle Filippo.

— Mon amour, viens...

Filippo entre, blanc comme un linge.

— Alors?

— Justement, on va regarder ensemble, non?

Elle l'invite à s'asseoir à côté d'elle. Il s'exécute. Elle lui prend la main, la serre. De l'autre, elle tourne le stick. Une seconde. Deux. Trois. Dix. Filippo et Diletta scrutent la petite fenêtre, puis ils se regardent. Ébahis. Hébétés. Mais encore comme suspendus. Ils n'arrivent pas à y croire.

Diletta tourne et retourne le stick dans ses mains. Elle sent les larmes monter. L'émotion. Positif. Elle est enceinte. C'est comme si toute la tension nerveuse de ces derniers jours retombait d'un coup. Filippo s'en aperçoit. Il a peur. Il la prend dans ses bras. La serre contre lui.

— Allez, mon amour, on va le refaire.

— Tu sais, ils sont fiables, en général...

— Mais non... On va le refaire. Au moins, on sera sûrs, non? C'est important. De toute façon, il y en a deux dans la boîte.

— Oui, mais...

Filippo lui tend l'autre test.

— Tiens.

Diletta le regarde d'un air hésitant. Il n'y croit pas encore. Mais oui, il a peut-être raison, mieux vaut le refaire. À nouveau, Filippo attend avec elle. À nouveau, ils s'asseyent sur le bord de la baignoire. Un. Deux. Trois. Dix secondes. Le résultat est identique. Deux petites lignes. Deux signes. Deux. Mais qui ne signifient qu'une seule chose. Un enfant.

Filippo se lève, prend la boîte des tests, déplie la petite feuille avec les instructions, la lit.

— Filippo, nous savons très bien ce que ça veut dire.

— Non, nous avons peut-être mal compris...

Il lit nerveusement. Parcourt la feuille des yeux. *Non. Ce n'est pas possible.* « Le résultat est positif (grossesse) quand à côté de la ligne (ou point) de contrôle en apparaît une autre. Le test doit être considéré comme positif même si la ligne (ou le point) est moins définie et de couleur moins intense que la bande de contrôle. Le pourcentage de fiabilité des tests déclaré par l'entreprise qui le produit est supérieur à 99 % (comparable à un test de laboratoire). » Filippo lit à voix basse, en mangeant les mots. Ils résonnent dans sa tête. *Deux lignes. Grossesse. Et ce pourcentage, 99 %. Et même plus de 99 %. En pratique, c'est certain. Et encore.* « On conseille de confirmer la grossesse par un test en laboratoire, sur ordonnance médicale. Mieux vaut suspendre l'absorption de médicaments qui pourraient nuire au fœtus (y compris la contraception orale), l'ingestion d'alcool, et s'abstenir de fumer. » Il s'arrête. Il a presque envie de rire. Pendant un instant, il s'accroche à un souvenir comme à une bouée de sauvetage. Quelque chose qu'il a appris au lycée, pendant un exercice d'italien sur l'étymologie des mots. Les instructions des médicaments s'appellent aussi *bugiardino*[1] : on pense que ce nom dérive du nom qu'on donnait dans la province de Sienne, en Toscane, aux couvertures des quotidiens exposées devant les kiosques à journaux. Par extension, on a appelé ainsi les feuilles d'instruction des médicaments. On disait que c'était parce que les « instructions pour l'emploi » ne soulignaient que les qualités et l'efficacité des médicaments. Brefs, ils faisaient de petits mensonges. Filippo espère. Il espère que ce verdict est faux. Ce coup de massue. Cette nouvelle absurde.

Il se rassoit sur le bord de la baignoire et regarde Diletta. Elle a la main sur sa bouche, elle a encore envie de pleurer.

— Et maintenant ? demande Filippo, bouleversé. Que fait-on ?

— Je ne sais pas… Je ne m'y attendais pas…

— Quoi qu'il en soit, c'est écrit là. Le test peut se tromper, il faut la confirmation du médecin. Peut-être que le test était faussé, que nous avons fait une erreur, qu'il avait été mal conservé au supermarché, que tu avais pris des médicaments…

Diletta regarde Filippo d'un air perplexe.

— Mon amour… Je ne prends pas de médicaments.

— Bon. En tout cas, on va chez le médecin. Et vite.

— Oui, demain j'appelle pour prendre rendez-vous.

Ils restent assis sur la baignoire, les yeux dans le vide. Proches. Très proches. Diletta lui touche une jambe et appuie la tête sur son

1. Littéralement, « petit menteur ».

épaule. En même temps, une pensée, cette pensée si grande et insolite, les assaille. Mais de façon si différente.

50

Pietro se gare devant le club. Les huit courts de tennis en terre battue sont tous occupés. Il aperçoit son fils Lorenzo qui renvoie la balle
de l'autre côté avec une certaine confiance en lui. Carolina, sa petite
sœur, est moins sûre d'elle : elle ne serre pas encore la raquette assez
fort, elle frappe avec moins de détermination. Pietro va rejoindre
Susanna assise sur les gradins.

— Mon amour…

Elle est en train de faire un sudoku, elle ne lève pas les yeux, ne
stoppe pas sa tentative de trouver le bon numéro, mais elle reconnaît
parfaitement cette voix. Au fond d'elle-même, elle s'y attendait.

— Excuse-moi…

Elle se tourne avec un sourire forcé mais dur, décidé, ferme. Et
même plus. Tranchant.

— Excuse-moi, mais ne m'appelle plus mon amour. Tu ne peux
plus te le permettre. Tu n'en as plus le droit…

— Mais, mon trésor…

Susanna lui lance un regard noir. Pietro écarte les bras.

— Mon trésor, tu ne l'avais pas interdit.

Susanna secoue la tête, agacée, et replonge le nez dans sa grille.
Du moins elle essaie. Pietro continue.

— Mon trésor, je trouve absurde de ne pas faire une croix sur ce
qu'il s'est passé… C'était un dérapage.

— Un dérapage? Si seulement c'était vrai… J'aurais préféré que
tu te prennes les pieds dans une marche et que tu te casses toutes
les dents… Tu aurais peut-être arrêté de sourire bêtement comme
tu le fais. Mais te rends-tu compte de ce que tu as fait? Regarde…
regarde…

Susanna arrête d'écrire et lui montre le court où jouent Lorenzo
et Carolina… Juste à ce moment-là, peut-être un coup de chance,
Carolina envoie parfaitement la balle de l'autre côté. Elle se tourne
vers eux et sourit, cherchant l'approbation de ses parents. Pietro conti-

nue à regarder dans cette direction mais ne comprend pas à quoi Susanna fait référence. Alors il risque un commentaire.

– Oui, ils jouent bien, ils font des progrès.

– Ce n'est pas ça. Ils sont un miracle. Ils sont à nous, nous les avons faits ensemble. Ils sont ce que j'ai de plus précieux, et malheureusement la seule chose qui me relie encore à toi…

– Tu es trop dure, Susanna… Ce n'était rien. Cette femme ne m'intéresse pas… Ce n'est pas comme dans *Juste un baiser*.

– Quel rapport?

– Je l'ai revu hier par hasard, il tombe amoureux de l'autre.

– Mais non! C'est la peur du mariage qui lui fait croire qu'il l'aime, l'envie de rester célibataire… de ne pas grandir! La même que la tienne… depuis toujours, Pietro!

– Ne dis pas ça!

Susanna jette un œil aux alentours.

– Je ne peux pas crier, je risquerais de me faire chasser du club, mes enfants auraient peur et Carolina se mettrait sûrement à pleurer…

– Mon amour…

– Je t'ai déjà dit de ne pas m'appeler comme ça.

– Réfléchis-y.

– J'ai déjà réfléchi, et tu sais quel est le problème? Que tu ne te rendes pas compte à quel point ce que tu as fait est grave, parce que tu l'as toujours fait, c'est juste que tu ne t'es jamais fait surprendre. Mieux vaut tard que jamais!

– C'est que je n'ai pas eu de chance. Je n'aurais pas dû tomber malade. J'ai eu de la fièvre. Je délirais… Elle est arrivée… J'avais pris deux aspirines. J'avais peut-être bu du vin au déjeuner… Non, je sais, du Coca-Cola. Tu sais qu'aspirine et Coca-Cola mélangés sont comme une drogue, ils ont un effet très bizarre, comme les stupéfiants. Voilà, j'étais drogué! Comme c'est arrivé à Daniel Ducruet, l'ex-mari de Stéphanie de Monaco, tu le sais, non, il l'a dit à tous les journaux : quand il s'est fait prendre avec cette fille, il avait été drogué.

– Sa femme ne lui a pas pardonné pour autant.

– Oui, mais ils s'entendent toujours bien, elle a compris qu'il n'était pas responsable… Et puis, tu ne peux pas réagir comme ça, je n'étais pas dans mon état normal… J'étais drogué!

– Non! C'est moi qui étais droguée quand je t'ai épousé! Droguée à l'amour! Tu m'avais bien monté la tête! Ensuite, tu m'as

175

mise enceinte une fois, puis une autre, comme ça, j'étais doublement enchaînée... dit-elle en indiquant ses enfants. Tu m'as gardée prisonnière à la maison grâce à l'amour démesuré que je leur portais. Mais maintenant, c'est terminé... Je me suis libérée.

— Tu ne les aimes plus?

— Non, c'est toi que je n'aime plus... Tu es un salaud! Tu as compris? Tu n'es qu'un salaud. Si la seule fois en dix ans où je rentre à la maison sans prévenir je te trouve au lit avec une autre, alors je peux imaginer que tu en as fait de belles...

— Mais, mon trésor... ça ne peut pas finir comme ça.

Pietro s'approche pour lui prendre la main, Susanna l'enlève et tente de le frapper avec son crayon.

— Ne me touche pas! Et ne m'appelle pas mon trésor...

Pietro la regarde d'un air triste, déçu, blessé, en essayant de l'émouvoir.

— Pardonne-moi... Je t'en supplie.

— Tu ne m'inspires aucune pitié, tu sais, aucune tendresse, je n'en ai plus rien à faire, sérieusement, je te dis ça avec sérénité. C'est inutile. Tu gâcherais aussi le peu de bonnes choses qu'il y a peut-être eu, je dis bien peut-être, entre nous au début. Donc, c'est un conseil, évite...

— Mais c'est mon manque de confiance en moi qui m'a conduit à...

— C'est-à-dire? Explique-moi un peu cette trouvaille...

Pietro reprend son souffle.

— Quand j'avais dix-huit ans, j'étais avec une... Bon, oui, bref... Je suis parti pour l'été et pendant ce temps-là elle est sortie avec un ami à moi, et puis aussi avec un autre type, là où elle allait en vacances, un type qu'elle a rencontré à la fin de l'été... Un peu avant mon retour...

— Et alors?

— Et alors je fais tout ça pour essayer d'être celui qui trompe avant d'être trompé...

— Écoute... la différence fondamentale, c'est que cette fille était une fille facile, ça arrive, surtout quand on est jeune, de ne pas faire la part des choses... Mais moi je ne suis pas une putain comme elle, compris? Tu devrais le savoir. Et maintenant tu viens me dire que tu me trompes pour éviter que je ne le fasse avant toi? Mais pour qui tu me prends? Je suis une femme qui s'est mariée avec conviction, qui a voulu faire un choix, le respecter, et qui a su renoncer chaque jour pour défendre son choix.

— Comment ça... Ça veut dire quoi, renoncer chaque jour? demande Pietro, curieux.

— Que j'ai eu bien des propositions, qu'on m'a courtisée, on m'a fait rire, on a allumé ma vanité de femme... Mais rien de plus, tu vois? Tu crois que tu es le seul à plaire? Et pourtant, je t'ai toujours respecté, j'ai respecté notre mariage. Moi.

— Qui sont ces types? Qui?

Susanna se tourne vers lui et rit, découragée.

— Tu vois... Tu es comme ça, tu es futile! Comme s'il était important de savoir qui m'a fait la cour, plutôt que d'apprendre que j'ai refusé toutes les propositions...

— Bien sûr... Ça dépend de qui te faisait la cour.

— Que veux-tu dire?

— Si c'était l'électricien ou le maçon qui nous ont fait les travaux cet été, alors ton renoncement est ridicule.

— Non... Tu es ridicule! Quoi qu'il en soit, ce sont des gens qui valent mieux que toi, et je regrette presque de n'avoir pas cédé. Imagine, ça pourrait être quelqu'un de ce club, l'un des avocats que nous avons parfois invités à dîner à la maison... Ou carrément un de tes amis... Mais je ne te dis qu'une chose : maintenant, sans avoir à me cacher comme tu le fais toi, tranquillement, je vais y réfléchir et voir si je change d'avis... C'est clair?

— Ah oui... Et nos enfants?

— Pourquoi, tu as pensé à eux quand tu baisais des minettes?

— Quel rapport... Moi, je suis le père.

— Ah, et donc tu as l'immunité. À la différence de toi, moi j'ai une conscience de parent. J'ai déjà parlé avec eux. Je leur ai tenu un discours adulte et mûr. Ce que tu n'arrives pas encore à faire pour toi-même, mais qu'eux ont très bien compris.

Pietro regarde autour de lui, il est perdu, il ne sait plus quoi faire ni quoi dire.

— Je t'en prie, Susanna, donne-moi une autre chance...

— D'accord, je te la donne. Maintenant, Lorenzo, Carolina et moi allons rentrer à la maison. Ils vont prendre une douche, et puis nous sortirons. Nous passerons la journée dehors, nous irons manger au MacDo, puis au cinéma... dit Susanna tandis que Pietro la regarde, plein d'espoir. Oui, nous avons besoin d'une journée de liberté, de temps pour nous. Nous rentrerons à la maison vers 23 heures… maximum minuit !

— Oui, ma chérie… Tu peux faire tout ce que tu veux…

— Je n'ai pas besoin de ta permission. Voici ta dernière chance : si pour cette heure-là tu n'as pas débarrassé tes affaires de l'armoire, je brûlerai tout ce que tu auras laissé ou oublié.

— Mais…

Juste à ce moment-là arrivent Lorenzo et Carolina.

— Salut, papa…

— Salut…

— On ne t'embrasse pas, on est en nage.

— Et puis, de toute façon, tu as fâché maman, ajoute Carolina, innocente.

Ils s'éloignent, Susanna prend ses enfants par la main sans se retourner, tandis que les derniers mots de Pietro meurent dans l'indifférence.

— Mais… ce n'est pas juste.

Ces enfants sont aussi les miens. Soudain, il pense à cette chanson. « Celui qui viendra après toi respirera ton odeur en pensant que c'est la mienne… » Il se souvient l'avoir chantée à un piano-bar. « Mille jours de toi et de moi… »

Susanna. Il la regarde partir et reste là, avec à l'intérieur un immense vide. La sensation d'avoir perdu quelque chose, elle. Une certitude, une sécurité, cet ensemble de choses qui le faisaient se sentir unique, au-dessus de tout, presque immortel. « Cet instant d'éternité qui n'existe pas… » Pietro se sent plus ridicule que jamais. Et seul. Il a envie de pleurer. Vraiment.

51

Olly tente désespérément de ranger son appartement. Elle fait disparaître les vêtements qui jonchent le sol dans un gros panier en liège derrière la porte de la salle de bains. Elle lance bottes et chaussures dans l'armoire. Elle cache les CD et DVD qui traînent sur le fauteuil sous un grand tissu. Elle met d'autres vêtements dans un second panier sur lequel elle saute à pieds joints pour les faire tous rentrer.

Elle prend quelques bouteilles d'eau dans le sac du supermarché et les met au réfrigérateur, glisse aussi quatre bouteilles de bitter au premier étage, une grande bouteille de Coca-Cola dans la porte, et enfin elle cache une bouteille de Dom Pérignon dans le congélateur, sous la viande.

Voilà, c'est fait… Je ne pense pas en avoir besoin… Mais on ne sait jamais. Et puis, en cas de bonne nouvelle, elle est prête ! Si on ne l'ouvre pas ce soir, il faudra que je pense à la retirer du congélateur, sinon elle va exploser. Elle continue à vider le sac, gobelets en plastique, assiettes, serviettes en papier. Quelques biscuits pour l'apéritif, des petites pizzas, une tablette de Lindt. Elle prend trois coupelles dans le placard et les remplit, l'une de chips, une autre de pistaches. Puis elle essaie d'ouvrir le sachet de pop-corn, elle tire avec ses deux mains, mais quand enfin elle y arrive, c'est d'un coup. La quasi-totalité finit par terre. « Quelle barbe ! Il ne manquait plus que ça… » Elle met ceux qu'elle a réussi à sauver dans la dernière coupelle et entreprend de ramasser les autres. Au même moment, on sonne à l'Interphone. Elle ouvre sans même demander qui c'est, puis nettoie le sol. Juste à temps pour aller ouvrir la porte. Cette fois, avant d'ouvrir, elle regarde par le judas.

— Alors ? Que se passe-t-il ?

Erica entre, tout essoufflée.

— Je n'en sais rien, j'espérais que tu puisses m'en dire plus.

Elle enlève son manteau, son bonnet et son écharpe et les jette sur le canapé.

— Excuse-moi, dit Olly, tu pourrais les ranger dans l'armoire ?

Erica lève un sourcil, étonnée.

— Que se passe-t-il ? Le travail t'est monté à la tête ? Mesdames et messieurs, ce n'est plus *Le Diable s'habille en Prada*, c'est « Olly range son appartement ».

— Sympa ! Vu qu'on m'a demandé ce service…

— Et surtout, vu que tu es la seule qui vienne d'une famille assez aisée pour te permettre de vivre seule…

— Je travaille, tu sais… et je paye la moitié du loyer… dit Olly en souriant. Oui, bon, d'accord, à partir du mois de mai…

— En attendant, elle est bien généreuse, ta petite maman !

— C'est elle qui a insisté…

— Je me demande bien pourquoi ?! Elle voulait être tranquille, peut-être…

179

Olly la regarde méchamment.

— Tu te trompes, tu vois le mal partout. Ma mère n'est pas aussi déchaînée que toi. Elle a beaucoup voyagé et elle dit que partout en Europe les jeunes partent de chez eux quand ils vont à l'université.

— Bien sûr, mais combien ont une maman qui leur paye le loyer ? Dis-lui que partout en Europe les loyers sont beaucoup plus bas qu'en Italie !

Olly décide de laisser tomber. Elle ne peut pas lui dire que sa mère a carrément acheté l'appartement. Le loyer n'est qu'un prétexte pour se sentir encore reliée à elle, en quelque sorte.

— Écoute, au lieu de faire la rebelle, viens m'aider, va…

— Qu'est-ce que je dois faire ?

— Déballe les verres et les assiettes qui sont dans le placard au-dessus du lavabo.

Erica dispose la vaisselle en plastique sur la table puis, d'un geste habile, pose la main sur les serviettes en papier et appuie en faisant un tour complexe sur elle-même pour les disposer en éventail au centre de la table. On sonne à nouveau à l'Interphone.

— J'y vais, dit Erica en courant ouvrir. C'est Diletta !

— Alors, tu sais quelque chose ?

Diletta secoue la tête.

— Je sais juste que je devais t'apporter ça.

— Mais qui te l'a demandé ? demande Erica en regardant les mains de Diletta.

— Olly !

Elle apparaît sur le seuil de la chambre à coucher. Elle s'est changée. Erica la regarde, outrée.

— Je n'y crois pas. Tu lui as dit d'acheter des petits-fours chez Mondi et chez Antonioni, c'est doublement cruel… Moi qui avais réussi à perdre un kilo, je vais en prendre deux avant la fin de la soirée !

— Tu aimes ceux de Mondi, moi ceux d'Antonioni, sourit Olly… Je ne comprends pas pourquoi pour une belle soirée comme celle-ci, où on se voit finalement tranquillement toutes les quatre, il faudrait se priver de quoi que ce soit.

Diletta sourit.

— Exact ! D'ailleurs, pour être un peu égoïste, j'ai aussi apporté de la glace de chez San Crispino, ma préférée, vanille et fruits…

Erica s'éloigne en secouant la tête.

— Je vous déteste, vous n'êtes qu'un orgasme culinaire...

— C'est-à-dire ? demande Olly. Je ne l'avais jamais entendue, celle-là...

— C'est-à-dire que je pourrais manger tout ce qu'il y a ici... en jouissant comme une folle.

— Tu ne m'as pas laissé le temps de finir, ajoute Diletta. J'ai aussi apporté des délices de chez Ciuri Ciuri... pour rester sur le même thème : *cannoli* siciliens[1] !

— Je n'y crois pas, toi aussi tu ne penses qu'à ça ! Ah non, hein, ça non...

On sonne à nouveau à l'Interphone. Olly va ouvrir.

— Vous avez vraiment l'esprit mal placé !

— Moi qui suis toujours au régime, dit innocemment Diletta.

— Oui, en ce qui concerne la nourriture !

— Allez, allez... Je vais aller ouvrir la porte, et on se met toutes là pour l'attendre !

Olly, Diletta et Erica se jettent sur le canapé. Olly croise ses mains sur ses genoux.

— Comme ça, faites comme moi !

Les autres l'imitent et elles attendent avec impatience que la porte s'ouvre. Elles entendent l'ascenseur arriver, puis ses pas sur le palier.

— Vous êtes là ?

Niki les trouve assises bien droites sur le canapé. Olly lève un sourcil et dit, curieuse mais distinguée :

— Alors, nous voudrions connaître le motif de cette convocation...

— Vous êtes folles, ou quoi ? Ce n'est pas comme ça que je vous dirai quoi que ce soit. D'ailleurs, vous savez quoi ? Je vais m'en aller.

Elle fait mine de partir mais elles lui sautent dessus. Olly, la plus rapide, atteint la porte et ferme le verrou. Diletta lui arrache le paquet qu'elle tient dans sa main gauche, Erica celui de l'autre main, et elles les posent sur la table.

— Tu ne vas nulle part ! Parle, sinon on te torture !

— Comme ça, ça ne va pas, dit Niki en souriant et en enlevant son manteau.

— Donne-le-moi, lui propose gentiment Olly.

— Voilà, là c'est mieux... Quelqu'un peut-il me servir quelque chose à boire ?

---

1. Petits gâteaux cylindriques fourrés à la ricotta.

Erica court vers le réfrigérateur.

— Bien sûr, qu'est-ce que tu veux, de l'eau, un bitter, un Coca?

— Un Coca, merci.

Niki enlève aussi son bonnet et son écharpe puis elle s'assied sur le canapé. Ses amies se rassemblent autour d'elle, chacune un verre à la main. Niki pose ses mains sur ses genoux et regarde les Ondes, amusée.

— Alors...

— Attends, attends, dit Olly... Voyons voir qui va deviner.

— D'accord, ça me plaît, répond Niki. Voyons voir...

Olly plisse les yeux et fait semblant d'entrer en transe.

— Donc, donc. Nous savons que tu es allée à l'étranger...

Erica la regarde en acquiesçant, envieuse.

— Oui, quatre jours à New York! Génial...

Diletta lève la main.

— Je sais! Tu vas faire la campagne LaLune en Amérique, un truc comme ça...

Niki secoue la tête.

— Non...

— Je suis loin?

— Très loin... un gouffre.

Erica se lance à son tour.

— Vous êtes allés là-bas pour adopter un enfant!

— Mais non... et puis, pardon, mais pourquoi adopter? Ça serait tellement beau d'en faire un...

Erica rit.

— Oui... et agréable! Qu'est-ce que j'en sais, moi. Vous pourriez avoir un problème, et puis c'est à la mode, aux États-Unis...

— Oui, mais ils viennent plutôt chercher les enfants ici!

— Bon, de toute façon vous n'y êtes pas du tout!

Diletta fronce les sourcils.

— Je sais. C'est très moche. Tu en aimes un autre.

— Un autre? demande Niki, choquée. Et quel autre?

— Tu sais, celui de la fac dont tu ne nous as pas dit le nom, répond Olly en souriant.

— Il s'appelle Guido... Mais non, non, je n'y ai même pas pensé.

Erica lorgne vers Diletta.

— Et puis, pardon, mais pourquoi ça serait moche? Si elle en aime un autre, c'est beau...

— Mais si tu souffres parce que tu n'arrives pas à quitter le premier, ou du moins à lui faire comprendre que c'est fini, alors c'est moche, rétorque avec surprise Diletta.

Erica lui lance un regard noir.

— Tu fais allusion à Giò et moi, par hasard?

— Toi, tu n'as pas la conscience tranquille...

— Allez, ne vous disputez pas! De toute façon, ce n'est pas ça. Alors, c'est quelque chose de très beau. Qui a un rapport avec les États-Unis, mais en même temps non, vous allez comprendre pourquoi... D'accord?

Niki se lève et déballe un paquet.

— Ça, c'est une délicieuse tarte rustique... Mais ça n'a rien à voir.

— J'ai compris! s'exclame Olly. Tu vas ouvrir un restaurant outre-Atlantique.

— Nooon, sourit Niki. Pas du tout!

Elle sort un grand couteau pour en couper une part. Elle le déballe. Il est neuf. Quand on touche le manche, il entonne *Joyeux anniversaire*, *Jolly Good Fellow*, *Joyeux Noël* et la marche nuptiale. La musique brise le silence. « Ta ta ta ta... Ta ta ta ta... »

Diletta est la première à ouvrir grand la bouche, suivie d'Olly, puis Erica.

— Tu te maries! crient-elles en chœur. Oh, mon Dieu!

— Oh, mon Dieu!

Niki acquiesce.

— Oui, c'est vrai! C'est vrai!

Olly boit un peu d'eau et se met à hurler. Diletta bouge la tête, comme pour se remettre. Erica est encore stupéfaite.

— Mais c'est trop beau!

Elles lui sautent dessus, la serrent, l'embrassent, pleurent, rient.

— Regarde le Rimmel! Tu es toute tachée.

— Ça ne fait rien...

— Que c'est beau, Niki, tu es heureuse?

— Oui, oui! Très...

— Je suis trop contente pour toi!

— C'est... c'est trop beau! Trop!

Elles se rasseyent progressivement sur le canapé, se versent à boire, rient puis enfin se calment pour tenter d'en savoir un peu plus. Olly écarte un instant les bras, perplexe.

— C'est bien avec Alex, n'est-ce pas?

— Crétine! Tu ne mérites même pas que je te réponde.

— Ce n'est pas dit, tu sais, dans la vie, on ne sait jamais…

— Raconte-nous comment il te l'a demandé! supplie Diletta.

— Alors, je suis arrivée en bas de chez moi, et il y avait une limousine…

— Il t'a fait ça, en bas de chez toi! Une limousine!

— Oui, et puis quand nous sommes arrivés à New York, il y en avait une autre qui nous attendait.

— Une limousine à New York aussi?

— Oui, à l'aéroport!

— Alors oui, tu fais bien de l'épouser! Tu n'en retrouveras pas un autre comme ça!

— Idiote! Comme si c'était ça qui comptait.

— Bah, pour moi c'est ça aussi, et ça vaut pour la plupart d'entre nous, je t'assure… Pardon, mais qui ne voudrait pas d'un homme comme ça?

— Moi, il me plaît même sans limousine, précise Erica.

— Arrêtez! Je ne vous raconte plus rien…

— Non, non, je t'en prie… Tais-toi, Erica, si tu ouvres encore la bouche et qu'elle refuse de nous dire comment il le lui a demandé… je te mords!

Niki rit et raconte son séjour, son shopping chez Gap, Brook Brothers, Century 21, Macy's, Levi's, Bloomingdale's.

— Et tu ne nous as rien rapporté?

— Si, un petit cadeau pour chacune.

Olly donne un coup de coude à Erica.

— Ne l'interromps pas!

— J'étais curieuse…

Niki sourit.

— Le deuxième soir nous sommes allés voir ce magnifique spectacle au théâtre, et un hélicoptère nous attendait…

— Carrément!

— Non, je ne te crois pas!

— Mais c'est un rêve…

— Oui, et je ne me suis pas encore réveillée…

Niki raconte, les yeux brillants. Voler au-dessus des gratte-ciel, puis ses mots d'amour, et soudain tout le dernier étage qui s'allume : *Excuse-moi mais je veux t'épouser…*

— Nooooon!

Olly, Diletta et Erica, presque aussi émues qu'elle, captivées par son récit, boivent ses paroles, chaque phrase, chaque mot.

– Et puis, il a sorti ça de sa poche…

Elle montre sa main à ses amies, la bague discrète mais lumineuse à son doigt.

– Elle est magnifique !

– Oui. Je lui ai sauté dessus, nous sommes tombés par terre, les pilotes riaient…

Exactement comme les Ondes à cet instant précis. Puis Niki poursuit. Son histoire est émaillée des interventions des autres.

– Vous avez décidé quand ? Et où ?

– Il va falloir s'occuper de ta robe.

En réalité, chacune est déjà dans ses pensées.

Olly arrange ses cheveux. *Elle n'a que vingt ans… Mais elle n'a pas peur ? Moi, j'aurais peur, si j'étais avec quelqu'un comme Alex… Il est tellement plus âgé.*

Le doux sourire de Diletta. *Si Filippo me le demandait, qu'est-ce que je ferais ? Je ne suis pas prête ! C'est-à-dire, je l'admire… J'aimerais être comme elle… Mais est-elle vraiment prête ? J'espère que oui…*

Enfin, Erica semble être la plus attentive aux propos de Niki, mais au fond est complètement terrorisée. *Elle est folle. Et les autres ? Tous les autres hommes ? D'accord, Alex lui a fait une surprise vraiment belle, magnifique, mais ensuite ? Ensuite ? Que se passera-t-il ensuite ? Moi, je ne me marie pas, les filles…*

Niki fait irruption dans leurs pensées et ouvre un petit sac.

– Voilà, ça c'est pour vous !

– Ils sont superbes ! Des sweat-shirts Abercrombie… On n'en trouve pas ici.

Erica pose le sien contre elle.

– Il me va parfaitement ! Mais c'est vrai, ce qu'on raconte, que dans le magasin de New York il n'y a que des mannequins super beaux, tellement beaux que les gens achètent des sweat-shirts dans l'espoir dans draguer un, n'importe lequel ?

– Erica !

Olly déplie son sweat-shirt, curieuse.

– Ça veut dire quoi, ce numéro un ?

– Moi j'ai le deux ! dit Diletta.

– Et moi le trois !

Niki sourit.

— Ce n'est pas un ordre hiérarchique… Ça veut dire que vous trois… une, deux et trois, vous serez mes témoins !

— C'est magnifique ! Niki, nous sommes très heureuses pour toi.

Elles s'enlacent, émues, étonnées de cet instant incroyable qu'elles vivent toutes ensemble, avec peur et émotion. Elles savaient bien que ce moment arriverait pour l'une d'elles, tôt ou tard. Mais personne n'imaginait que ça soit aussi tôt. Pas même Niki.

52

Plusieurs coups frappés à la porte. Enrico se retourne dans son lit. *Que se passe-t-il ?* D'autres coups. *On dirait des coups de pied. Ça ne va pas la tête ?* Il court ouvrir.

— Qu'y a-t-il ? Que se passe-t-il ?

Il entrouvre à peine la porte qu'un type bâti comme une armoire à glace, le crâne rasé, portant un T-shirt moulant, le pousse si fort qu'il tombe sur le sol du salon. Enrico maintient sa tête pour éviter qu'elle ne touche le sol, mais son dos cogne contre le parquet. Il n'y comprend rien. *Un vol ? Une agression ? Mais qui est ce type ?* Puis il le regarde mieux et le reconnaît : il l'a déjà vu avec Anna. *Son petit ami.* Rocco, lui semble-t-il. *Oui, Rocco.*

— Tu es fou, ou quoi ? Qu'est-ce que tu veux ? Ma fille dort, vas-y doucement ! De toute façon, Anna n'est pas là, si c'est elle que tu cherches !

Enrico se relève avec peine et secoue un peu la tête, étourdi.

— Je m'en fous d'Anna, c'est toi que je cherche…

Il le pousse à nouveau, cette fois Enrico finit sur le canapé. Pendant un instant, un court instant, il revoit la scène du film *Bus de nuit*, quand l'énorme Titti s'introduit chez Franz, Valerio Mastandrea, en démolissant la porte, et qu'il le cogne à cause d'une dette de poker non réglée. Il se sent exactement comme Franz. Parce que ce type ressemble à Titti.

— Oui, c'est toi que je cherche. Je t'ai découvert, tu sais ? J'ai tout lu.

— Mais tout quoi ? Qu'est-ce que tu veux de moi ?

— Ne fais pas l'innocent. J'ai lu ce qu'Anna écrit dans son journal !

Il donne un autre coup de poing à Enrico, qui se retrouve à nouveau à terre. Rocco se tourne et sort sans ajouter un mot. Enrico, très secoué, retrouve peu à peu ses esprits. *Le plus absurde de toute cette histoire c'est qu'Anna ne m'a rien dit, à moi.* Une chose est sûre : il a mal à la mâchoire.

53

Cristina, aux fourneaux, goûte la soupe à même la louche. *Non, ça ne va pas, c'est fade.* Elle ajoute un peu de sel. Ouvre une boîte de bouillon végétal lyophilisé et en verse une demi – cuillérée. Puis elle penche la tête sur le côté et réfléchit un instant. *Mais oui, un peu de piment, aussi. Allez.* Elle en coupe un en deux et le jette dans la casserole. Sa joue est posée contre son épaule droite, où est coincé son téléphone portable, ce qui lui permet d'avoir les mains libres tout en écoutant son interlocutrice s'épancher. De façon tout à fait justifiée.

— Nous sommes définitivement séparés. Je l'ai mis dehors avec toutes ses affaires, dit Susanna avant de marquer une pause. Et tu sais quoi ? Je me demande pourquoi je n'ai pas fait ça plus tôt. Dans le fond, j'ai toujours su qu'il voyait d'autres femmes : il disparaissait, revenait et sortait, parfois jusque tard, et même le week-end, de temps en temps. Depuis quand les rendez-vous ou les réunions ont-ils lieu le samedi et le dimanche ? Cela n'arrivait qu'à lui ! Tous les clients du week-end étaient pour lui !

Cristina trempe à nouveau ses lèvres dans la préparation. *C'est mieux.* Mais elle est intriguée par l'histoire de Susanna.

— Et ça ne te pèse pas ? Tes enfants, par exemple, que disent-ils ? demande-t-elle sans cesser de remuer la soupe.

— J'en ai longuement parlé avec eux. Nous pensons toujours qu'ils ne comprennent pas... Mais ce n'est pas vrai, ils sont déjà très mûrs et responsables. Mon fils m'avait vue pleurer, tu sais ce qu'il m'a dit ? « Maman, si c'est ce que tu décides, ça veut dire que c'est juste. Ça nous va à nous aussi, mais je t'en supplie ne pleure plus jamais. » Tu comprends ? Un vrai homme ! Il veut mon bonheur ! Pas comme cet invertébré de Pietro ! Plus j'y pense et plus je me dis que j'étais vraiment abrutie, quand je l'ai épousé !

— Oui… rit Cristina à l'autre bout du fil. Abrutie par l'amour…

— Non! Par les conneries qu'il me racontait! Bon, allez, je te laisse, je dois préparer le… dit Susanna avant de s'interrompre en s'apercevant qu'elle ne lui a posé aucune question. Et toi, comment tu vas?

— Bien.

— Tu es sûre? Tout va bien?

— Oui, merci.

— Bon, je suis contente. Alors on s'appelle demain, ou plus tard ce soir, si tu veux, moi je suis à la maison.

— D'accord, ciao.

Cristina raccroche. *Bien. Pourquoi j'ai dit bien? Je n'avais pas envie de parler, de raconter mes histoires, j'écoute tout le monde et je n'ai jamais le courage de me livrer. Non, je ne vais pas bien. Il faut que je le dise, que je l'avoue à moi-même et aux autres.* D'un geste rageur, elle remet le couvercle sur la casserole, faisant gicler un peu de bouillon. Cristina est comme affaiblie par cette confession sincère et toute personnelle. Elle se laisse tomber sur une chaise devant la télé, qu'elle allume avec la télécommande d'un geste machinal, presque sans s'en apercevoir. Et comme cela arrive souvent, on dirait un clin d'œil du destin. À l'écran, la caméra zoome sur un psychologue, comme pour donner plus d'importance à ce qu'il va dire.

« Parfois nous sommes tout simplement incapables de parler, et la douleur augmente. Le vrai problème, ce n'est pas l'échec lui-même, c'est de ne pas réussir à admettre notre échec. Quelle que soit sa nature, l'incapacité de le raconter ne nous permet pas de le comprendre vraiment, de l'affronter, de le résoudre, de l'analyser. Nous cachons notre incapacité de diverses façons, en trompant, en nous entourant constamment de gens, en écoutant les récits des autres, en faisant des achats compulsifs. Ce chaos, ce bruit existentiel, le fait de fermer les yeux, de se boucher les oreilles et l'esprit, s'appelle "tentative de fuite". Mais on peut difficilement fuir éternellement, tôt ou tard on s'écroule. Et quand cela se produit, il suffit parfois d'un rien… »

Petit à petit, l'esprit de Cristina s'évade, elle est ailleurs, n'entend plus ces mots, se réfugie dans ses pensées. Elle se revoit jeune fille. Sur une plage, poursuivie par Flavio. Ils rient, se jettent dans l'eau. Leurs premières vacances ensemble, en Grèce, à Lefkada. Elle fouille encore dans ses souvenirs. Une nuit, ils se promènent au bord de l'eau, jusqu'à la pointe où un petit phare envoie par intermittence une lumière verte, et là, cachés dans la pénombre entre rochers et anfractuosités, derrière des roseaux agités par la brise nocturne, ils font l'amour. Cristina se le rappelle bien, et elle sourit en jouant avec une cuillère sur la table. Cette folie, ce désir soudain, jeunes et affamés d'amour, ces baisers qui deviennent des morsures, parmi le bruit léger des cannes au vent et du ressac. Un autre souvenir. La blancheur de la neige éclairée par le soleil. Une magnifique journée à Sappada, près de Cortina, glisser sur la neige fraîche, les genoux fléchis, agile et rapide, en avant, les pointes des skis bien hautes pour ne pas freiner. Se dépasser, se rejoindre et enfin, fatigués, s'arrêter. Elle se le rappelle comme si c'était hier, comme si elle assistait à un film. Un beau film d'amour. Puis ce baiser sous le soleil. Les mains avides qui fouillent dans les combinaisons, enlever les skis, se réfugier à l'abri des regards pour continuer à se déshabiller, gauches et pleins de désir, l'envie de s'étreindre comme ça, en plein milieu de la piste, en haletant, rebelles, fous de cet amour beau, entier, adolescent, enfant, idiot et capricieux, incontrôlable. Ensuite, se remettre à skier jusque tard le soir, simplement amoureux. *Nous étions fous*, pense Cristina en rangeant la cuillère. *Avides d'amour. Et maintenant? Où en sommes-nous, maintenant?* Elle se voit comme embuée, mariée, oui, mais fatiguée d'amour. *Quelle tristesse!* Fatiguée d'amour, assise, exactement comme elle est assise en cet instant précis devant ce psychologue qui a l'air de parler de sa belle histoire désormais terminée... À ce moment-là, elle entend la porte d'entrée.

— Chérie... tu es là?

Flavio ferme la porte, pose son sac sur la table de l'entrée, jette son manteau sur le canapé puis se dirige vers la cuisine.

— Cris? Où es-tu? Ah, te voilà. Regarde ce que j'ai acheté... Une machine à café, celle de George Clooney! Tu aurais préféré qu'il te l'apporte lui-même, hein... ajoute-t-il en la posant sur la table, avant d'ouvrir le réfrigérateur pour se servir à boire.

Les paroles du psychologue résonnent dans la tête de Cristina : « Ils achètent de façon compulsive des choses inutiles... pour se cacher, pour fermer les yeux, pour avancer en faisant semblant de rien... » Elle se met à pleurer tout doucement, en silence, tournée vers le mur.

— Cris? Mais tu ne dis rien? Elle te plaît? Tu es contente que je l'aie achetée?

189

Flavio se retourne et reste bouche bée. Son cœur se serre, il est perdu, déconcerté, sincèrement surpris.

— Mon trésor, mais que se passe-t-il? demande-t-il en s'approchant d'elle, presque sur la pointe des pieds, avec la terreur que quelque chose d'autre puisse se produire, que la situation se dégrade encore plus. C'est à cause de notre dispute?

Cristina secoue la tête, elle n'arrive pas à parler, elle renifle, sanglote encore, puis fixe le carrelage au sol, celui qu'ils ont choisi ensemble quand ils ont aménagé la cuisine. Elle le voit à travers ses larmes qui ne cessent d'augmenter. Elle ne peut rien dire, elle a la gorge nouée. À nouveau les mots du psychologue résonnent dans sa tête : « Le vrai problème, ce n'est pas l'échec lui-même, c'est de ne pas réussir à admettre notre échec. » Flavio met une main sous son menton, essaie de relever son visage avec douceur, cherchant son regard. Cristina relève la tête, le visage accablé, les yeux pleins de larmes, et soudain elle trouve les mots.

— Je ne suis plus amoureuse.

Flavio est incrédule.

— Pourquoi tu dis ça?

Cristina s'assied, et c'est comme si elle avait franchi l'obstacle, qu'elle avait enfin émergé du puits profond où elle s'était enfoncée jour après jour, de plus en plus loin.

— Parce que c'est fini entre nous, Flavio. Tu ne t'en rends pas compte, tu ne veux pas t'en rendre compte. Regarde. Tu achètes de plus en plus de choses, un presse-agrumes électrique, une télé à écran plasma, un nouveau four à micro-ondes... Cette maison est remplie d'appareils modernes et coûteux... Mais nous? Où sommes-nous?

— Nous sommes ici...

Flavio s'installe en face d'elle, mais il comprend combien sa réponse est faible face au problème qu'elle soulève. Il continue en essayant de se montrer sûr de lui, et plus convaincu.

— Nous sommes là où nous étions, là où nous avons toujours été...

— Non, répond Cristina en secouant la tête. Nous n'y sommes plus. Il ne suffit pas d'y être... comme ça. Nous ne parlons plus, nous ne nous racontons plus rien, de notre travail... de nos amis. Tu ne m'as rien dit de Pietro et Susanna.

— Je ne savais pas comment te le dire...

Flavio s'agite nerveusement sur sa chaise. *Voilà*, pense-t-il, *c'est encore la faute de ce salaud de Pietro et de ses histoires.* Cristina lui sourit.

190

– Mais ce n'est pas ça, cela n'a pas d'importance, même si cela prouve que tu n'as plus envie de partager les choses avec moi comme avant. Le vrai problème, c'est que je ne suis plus motivée… Je n'ai même pas envie de m'énerver parce que tu ne me l'as pas raconté… J'ai l'impression que nous avançons parce qu'il faut avancer, mais ce n'est pas ça, la vie, pas vrai? Il faut de l'enthousiasme. Même quand le temps passe. Surtout quand le temps passe, d'ailleurs. Nous grandissons, nous changeons, et être ensemble signifie se dire les choses, se dire ces changements pour construire ensuite un nouvel équilibre… Et rester nous-mêmes, mais différents, plus grands, plus riches d'expériences. En revanche, nous, nous sommes ici, oui, comme tu le dis, mais nous ne sommes plus que l'image de ce que nous étions, un reflet. Nous sommes déjà ailleurs.

– Oui, bien sûr…

Flavio ne sait pas quoi dire. Il tente quelque chose, mais c'est le pire choix qu'il pouvait faire.

– Dis-moi la vérité… Tu as rencontré quelqu'un d'autre?

Cristina le regarde avec surprise. Déçue. Comme quand on fait l'effort d'aborder un problème mais que la personne en face de nous, le destinataire de notre sincérité, ne comprend pas… Parce qu'elle est vraiment ailleurs.

– On dirait que tu ne me connais pas.

– Tu n'as pas répondu.

Elle le regarde durement.

– J'ai répondu par mon comportement. Non. Je n'ai rencontré personne. Tu es content?

Flavio se tait. *Me dit-elle la vérité? Pourquoi me le dirait-elle, si elle avait rencontré quelqu'un? C'est sûr, ça fait longtemps que nous n'avons pas fait l'amour, et même quand nous le faisons…*

– À quoi penses-tu?

– Moi? À rien…

– Ce n'est pas vrai. Je le sais.

– Qu'en sais-tu? Tu sais à quoi je pense?

– Non. Je sais seulement que tu ne me dis pas la vérité.

– Je te l'ai dit. À rien. Mais tu ne me crois pas.

Cristina secoue la tête, Flavio soupire.

– D'accord… Je me demandais si tu me mens ou pas… Tu as rencontré quelqu'un d'autre?

C'est impossible. Il insiste. Il ne me croit pas. Il n'arrive pas à me croire. Soit j'ai quelqu'un d'autre, soit le problème n'existe pas. Maintenant,

Cristina est en colère : sa personne ne compte pas, seule une trahison est digne d'attention ?

— Tu ne comprends pas, tu ne veux pas comprendre le problème. Je n'ai rencontré personne, si c'est tout ce qui t'intéresse.

Elle éteint le feu, met la casserole sur la table, prend la louche et sert la soupe dans des assiettes. Flavio ne sait pas quoi dire.

— Je vais me laver les mains, j'arrive.

Un peu plus tard, ils mangent l'un en face de l'autre, dans un silence pesant. Encore plus lourd parce qu'il est interrompu par le zapping de Flavio.

— Il devait y avoir De Gregori, à l'émission de Fazio...

Le psychologue avait raison.

Cristina se sert à nouveau. *Encore ces mots. Se boucher les oreilles et l'esprit, ça s'appelle « tentative de fuite ».* Soudain elle se sent plus paisible, comme si un nœud s'était défait à l'intérieur d'elle-même. Une douce chaleur l'enveloppe, et ce n'est pas seulement à cause de la soupe brûlante.

— Flavio, tu peux éteindre la télé, s'il te plaît ?

Il la regarde d'un air étonné, mais en la voyant si déterminée il n'hésite pas une seconde et s'exécute. Elle sourit.

— Merci... Je t'en prie, écoute-moi sans m'interrompre. J'ai pris une décision et je ne reviendrai pas dessus. Si tu m'aimes encore, ou si du moins tu m'as aimée, je te demande de l'accepter sans discuter. S'il te plaît.

Flavio se tait. Il avale sa salive, puis acquiesce sans trouver aucune phrase qui puisse convenir. Alors Cristina ferme les yeux, puis les rouvre. Elle a enfin trouvé le courage. Affronter un échec, c'est déjà une façon de le dépasser. Alors, tout doucement, elle se met à parler.

— Je ne suis plus heureuse.

Et c'est comme si une digue se rompait. Le fleuve sort de son lit, inonde les terres alentour, se répand, emplit chaque espace, enfin libre. Il emporte tout sur son passage, et fait parfois mal. Mais elle continue, libérée et irrépressible, vraie et sincère. Douloureuse.

— Ça fait longtemps que je ne suis plus heureuse.

54

Anna allonge délicatement Ingrid sur la table à langer pour la changer. Enrico l'aide en lui tendant une couche propre et du talc.

— Je mets aussi un peu de crème.

— En tout cas, mon Ingrid a de la chance de t'avoir rencontrée.

— C'est tellement facile, avec Ingrid! Elle est mignonne, et tellement gentille...

Elle la rhabille et la remet dans son grand parc plein de peluches colorées, de coussins et de couvertures.

— Voilà, tu es toute propre et tu sens bon!

Anna retourne à la table à langer pour ranger, puis s'arrête et, fixant une affiche de Winnie l'Ourson accrochée au mur, déclare :

— Tu sais, j'ai quitté Rocco... Impossible de communiquer avec lui. Nous sommes trop différents. Et puis, il me frappait, pas souvent mais c'est arrivé. Je l'ai mis à la porte.

— Je te crois... dit Enrico en touchant sa lèvre fendue et gonflée. Mais moi je n'ai pas eu le temps de le mettre dehors... il est parti tout seul de chez moi.

Anna le regarde alors attentivement.

— Zut alors, je n'avais pas vu. Que s'est-il passé? demande-t-elle en s'approchant et en effleurant sa lèvre, désolée. C'est lui?

— Oui, il est venu ici, a donné des coups de pied dans la porte, m'a poussé...

— Mais c'est absurde... et pourquoi?

— Je ne sais pas, il parlait d'un journal, ton journal, il disait que tu avais écrit des choses.

Anna réfléchit. Elle est un peu gênée.

— Ah oui... Je voulais voir s'il allait le lire. Je voulais le mettre à l'épreuve, voir comment il réagirait, et en effet il a réagi. Je suis désolée, c'est toi qui en as fait les frais...

— Ah, donc c'était juste une mise à l'épreuve... dit Enrico. De toute façon, tu as bien fait. Tu ne peux pas rester avec quelqu'un qui ne te respecte pas.

L'espace d'un instant, il voudrait être Rambo ou Rocky. Mais il repense à la carrure de Rocco, et il se rappelle une réplique de Woody Allen : « J'ai été agressé et frappé, mais je me suis bien défendu. J'ai même cassé la main d'un type : j'ai dû utiliser tout mon visage, mais j'ai réussi. »

— Écoute, s'il vient t'embêter à nouveau, préviens-moi, nous inventerons quelque chose...

Il sourit, mais pour l'instant il ne voit qu'une solution : la fuite.

Anna acquiesce comprenant que, pour Enrico, ce sourire est déjà un gros effort.

— Bien sûr, merci.

55

La pluie tombe à verse. Une voiture éclabousse le gros sac de Susanna.

— Merci, hein! crie-t-elle au conducteur qui a déjà filé. Quel mufle, alors! Je suis trempée.

— Salut! Je peux te déposer quelque part?

La voix de Davide dans son dos. Susanna se sent rougir. Elle se retourne, en espérant que la nuit tombante le masquera et qu'il ne s'en apercevra pas.

— Oh, salut... Tout à l'heure une amie m'a accompagnée parce qu'on voulait bavarder un peu et je pensais rentrer en métro, mais il pleut et je n'ai pas de parapluie pour aller jusqu'à la station. D'habitude, je viens en voiture.

— Justement, je vais te raccompagner. Tu habites loin?

— Non, pas tellement... Quelques kilomètres.

— Allons-y. Ma voiture est là-bas... dit-il en indiquant une Smart Fortwo bleue. Susanna lève un sourcil, Davide le remarque.

— J'en ai deux. L'autre, c'est une BMW.

Susanna ne dit rien, mais elle s'en veut : *Quelle idiote je fais, comme si avoir une belle voiture était important. Ça aussi, c'est la faute de Pietro, avant je ne pensais pas comme ça. C'est comment, le proverbe? Derrière un grand homme il y a toujours une grande femme... Je devrais en inventer un autre : derrière un petit homme, on peut devenir une petite femme.* Mais ensuite, elle sourit à Davide. *Il est encore temps de me rattraper.*

— Elle est mignonne, la Smart, j'ai toujours rêvé d'en avoir une, mais avec deux enfants...

— C'est sûr. Je te prête la mienne quand tu veux...

— Merci.

Il est trop sympathique, ce Davide. J'aimerais comprendre : où est l'ar-naque ?

Ils montent dans la voiture.

— Tu peux mettre ton sac derrière. Cette voiture a l'air petite, mais elle ne l'est pas. Et puis, les sièges sont très confortables...

Il allume la radio et cherche une station. Au bout d'un moment, il l'éteint.

— Je préfère parler avec toi, dit-il en la regardant.

Le cœur de Susanna bat la chamade. *Que m'arrive-t-il ? Cela fait des siècles que je ne me suis pas sentie comme ça.* Les rues de Rome défilent, éclairées et mouillées. De petites gouttes glissent le long de la vitre, déviées par la vitesse. *C'est sûr, il est vraiment beau. Et puis, il a l'air gentil. Susanna ! Il est plus jeune que toi. Il doit avoir trente ans. Peut-être moins. Peut-être huit ou neuf ans de moins que toi. Bah, à la télé j'ai entendu qu'aujourd'hui les couples où la femme est plus âgée sont très courants. Demi Moore, Valeria Golino. Oui, mais c'est parce qu'elles sont célèbres. Ou peut-être pas... N'importe quel homme peut être fasciné par l'idée de séduire une femme plus âgée, avec plus d'expérience. Mais de quoi je parle ? Ce type est juste en train de me raccompagner chez moi.* Susanna regarde dehors, en essayant de balayer cette pensée avec la pluie.

Davide conduit avec une seule main sur le volant. L'autre est posée contre le bord de la fenêtre.

— Ça te plaît, le kickboxing ? Tu sais, c'est parfait pour garder la forme et puis, tu as vu, ça sert aussi d'alternative à la parole !

— En fait...

— Non, tu n'as aucune explication à me donner... Si tu l'as frappé, c'est parce que tu n'en pouvais plus. En tant qu'entraîneur, je peux juste dire que mes cours te profitent...

— C'est une histoire compliquée...

— Toutes les histoires le sont.

Susanna regarde à nouveau dehors.

— Nous y sommes. Prends la deuxième à droite, c'est là que j'habite.

— D'accord, à vos ordres ! Sinon je vais me prendre une droite, moi aussi...

— Non, je les réserve aux maris ! Voilà, tu peux t'arrêter là.

Davide se range sur le côté, met les warnings et éteint le moteur. Susanna se tourne pour prendre son sac. Elle se demande si sa mère aura fait dîner les enfants.

— Attends…

Susanna s'arrête et le regarde.

— Si tu sors maintenant, tu vas être vraiment trempée. Malheureusement, je n'ai même pas de parapluie à te prêter. Attends au moins que ça se calme un peu…

— De toute façon, au point où j'en suis… dit Susanna en se réinstallant plus confortablement.

— Au point où tu en es? Ne dis jamais « au point où j'en suis »…

Il a raison, mais pourquoi mon cœur bat-il aussi vite, s'interroge Susanna.

— C'est comme la pluie, non? Tu as vu le film *Le Corbeau*?

— Non, désolée…

— Ne sois pas désolée. Il y avait une réplique qui disait : « Il ne peut pas pleuvoir pour toujours ». La vie est pleine de surprises, souvent très belles… Et puis, il n'y a pas que des maris à envoyer au tapis… ou plutôt si, tu peux toujours les envoyer au tapis, mais ça dépend comment… et où! Ça peut être un tapis moelleux, ou même un matelas! dit-il en riant.

Il s'aperçoit que Susanna est un peu étonnée, alors il la secoue légèrement jusqu'à ce qu'elle arrête de résister et sourie. Elle se sent légère. Elle se rappelle quand, petite fille, quelqu'un qui lui faisait battre le cœur la raccompagnait en bas de chez elle, comme ça, simplement, et ils parlaient pendant deux heures. Le regard de Davide l'attirait comme un aimant, leurs visages toujours plus proches et…

— Oh! Il ne pleut plus. Si tu sors maintenant, tu ne seras pas mouillée. Allez, je te passe ton sac. On se voit après-demain au cours, n'est-ce pas?

— Oui, bien sûr, et merci de m'avoir déposée…

Susanna ouvre lentement la portière, comme si elle espérait quelque chose, un peu plus… Mais personne ne l'arrête. Personne ne la retient. Elle se retrouve dehors, referme la portière et s'apprête à traverser la rue.

— Quoi qu'il en soit… dit Davide, qui a baissé sa vitre. Quand tu veux, je te sers volontiers de chauffeur.

Il sourit et remonte sa vitre. Susanna lui rend son sourire et se retourne. Elle se rend compte qu'elle a modifié son allure, elle avance avec plus de fluidité, elle se déhanche un peu. Et elle rougit à nouveau, ravie de ce petit imprévu, et en pensant que ça faisait longtemps que ça ne lui était pas arrivé.

56

Olly débarrasse, met les bouteilles au réfrigérateur, puis s'assied sur le canapé, jambes croisées. Seule. Ses amies sont parties depuis environ une demi-heure. *Niki se marie. Je n'y crois pas.* Soudain, elle fond en larmes. *Mon amie se marie. Elle devient adulte. C'est un peu comme si tout se terminait. Une époque. La nôtre. L'adolescence. Moi, je ne suis pas prête. Je me sens encore tellement jeune. Et elle, elle se marie. Elle franchit ce pas si important. J'ai l'impression que c'était il y a des siècles, qu'on courait dans les couloirs du lycée en faisant les idiotes pendant la récréation. Et les sorties le soir. Les concerts. Le journal intime. Se couvrir réciproquement. Elle qui venait dormir chez moi. Elle peut toujours dire que ça ne changera rien. Ça changera tout. Rien ne sera plus comme avant. Elle aura un mari, et plus aucun temps pour nous. Heureusement que nous nous étions promis qu'aucun homme ne nous séparerait jamais. Des mots. Rien que des mots.* D'un coup elle se sent égoïste, méchante, petite, sans défense. Alors, dans un sursaut d'orgueil, elle se reprend. *Non. Je me trompe. Je devrais être contente pour elle, elle avait l'air si heureuse, et moi je me dis qu'elle va me manquer, que le mariage va me l'enlever. Oui. Je le pense. Et je veux être honnête envers moi-même. Peut-être que je l'envie. Peut-être que j'ai peur. Mais là, en ce moment précis, je n'arrive pas à sourire.* Olly pense à Giampi. Son Giampi. Il lui plaît beaucoup, mais l'épouserait-elle? Peut-être. En tout cas, sûrement pas maintenant. Quelque chose la trouble. La façon dont il parle aux autres femmes. Comme s'il leur faisait la cour. Les Ondes lui ont dit mille fois que Giampi est un garçon gentil et expansif, qui ne donne pas l'impression de courir les filles... *Un coureur! Mon Dieu, quel mot terrible.* Mais pour Olly, ça ne change rien. Elle est jalouse. Comme elle ne l'a jamais été. Et maintenant, à l'idée que Niki se marie, elle sent le sol se dérober sous ses pieds. Comme si tout ce à quoi elle avait toujours cru disparaissait d'un coup. *Niki. Mon amie. En robe blanche. Niki et le courage de grandir. De prendre une décision d'adulte. De femme. Mûre. Différente. Inconsciente. Oui, inconsciente, avec tout ce qu'on entend sur le mariage. Des*

197

gens qui se séparent un an après les noces. Des familles détruites. Elle a l'air si sûre d'elle. Convaincue. Comment fait-elle ? Olly décroise et recroise les jambes, se laisse aller en arrière, pose la tête contre le canapé. Elle ferme les yeux et sent un drôle de vide dans son estomac. Comme un pressentiment.

57

Erica se gare en bas de chez elle. Il n'est pas très tard. Même pas une heure. Elles ont fini tôt. Chacune avait des engagements le lendemain. Toujours pressées, toujours à courir. Ce n'est plus comme avant. Les rythmes ont changé. Pour l'amitié aussi. Elles ont décidé d'aller se coucher tôt après cette réunion inattendue convoquée par Niki. Peut-être aussi à cause de la nouvelle qu'elle leur a annoncée. Avant de descendre de voiture, elle réfléchit. Elle n'arrive pas encore à y croire. *Niki se marie. Cela ne me semble pas réel. Elle est folle ! Moi je ne pourrais jamais. Me marier à vingt ans. Perdre ma liberté. M'engager sérieusement avec quelqu'un. Vivre à deux. Être fidèle. Pour toujours. Partager joies, douleurs, habitudes. Tout changer. Quitter la maison, les parents. Et aussi un peu les amies. Mes amies. Ma liberté de faire, connaître, décider qui me plaît ou non. Se marier, ça veut dire abandonner tout ça. Ça veut dire se fermer au monde. Et puis, à vingt ans... à quarante, à la limite. Mais pas à vingt ans. On entend tellement d'histoires de gens qui se marient tôt et qui se séparent au bout de même pas deux ans parce qu'ils se rendent compte que ça ne marche pas. Parce qu'ils n'y ont pas assez réfléchi. Rien ne sert de dire que tout restera comme avant, ce n'est pas vrai. Niki nous abandonne un peu. Je suis contente pour elle, bien sûr, si elle est convaincue. Mais ça me fait un peu enrager. Je ne peux pas faire semblant. Peut-être que je ne le lui dirai jamais. Je ne veux pas qu'elle pense que je ne suis pas heureuse pour elle. Elle est mon amie. Mais je n'arrive pas encore à partager totalement son choix. Je n'y arrive pas. C'est un peu comme si elle nous avait trahies. Comme si son bonheur était plus important que le fait de rester ensemble et d'être les Ondes. Je sais, je ne devrais pas penser ça. Mais je le pense.*

Erica sort de sa voiture, emportant avec elle ces pensées un peu tristes, un peu rageuses. Mais sincères.

58

Elle tourne la clé dans la serrure, entre sans faire de bruit. De toute façon, elle ne porte presque jamais de talons. Diletta aime les ballerines. Et ce soir, elle a choisi des bleues avec des petites boules marron et un ruban assorti. Elle va dans sa chambre. Personne ne l'a entendue. Elle regarde la grosse horloge accrochée au mur au-dessus de son lit. 1 h 10. Elles ont parlé tard. Diletta se repasse mentalement les conversations de la soirée. *Est-ce bien vrai ? Oui.* Et l'espace d'un instant, elle a peur. Peur que tout ne finisse. Son amie se marie. *Et après ? Comment tout pourra-t-il rester comme avant ?* Elle repense à une chanson de Renato Zero. « Que fais-tu ici tout seul ? À deux, ton vol est plus bleu, un ami c'est beau, un ami c'est tout, c'est l'éternité, c'est ce qui ne passe pas quand tout s'en va, ami, ami, ami, le meilleur ami est celui qui résistera. » *Qui résistera ? Oui... Qui ? Elle se marie.* Diletta se répète ces paroles plusieurs fois. *Elle se marie. Elle devient adulte, mûre, femme. Elle aura un mari, une famille, des enfants. Elle étudiera, puis travaillera, et elle aura de moins en moins de temps pour moi, pour nous. Mais elle n'a pas peur, de faire ça à vingt ans ?* Diletta se déshabille, enfile son pyjama puis s'assied sur le lit, jambes croisées. Soudain, elle sourit. Elle pense à sa propre situation. À toutes ses peurs la nuit, quand elle se réveillait en sursaut, les yeux écarquillés et le cœur battant la chamade. L'envie de s'enfuir, de chercher une autre solution. Définitive. Absolue. Sans appel. Et puis non, penser à nouveau que c'était absurde, qu'elle ne pourrait jamais échapper ainsi à son futur. Mais ensuite l'angoisse revenait. *Peut-être que Niki aussi se sent comme ça, même si elle fait tout pour ne pas le montrer. Elle se regarde dans le miroir. Elle se voit un peu plus âgée. Ses yeux ont une expression différente, plus intense, elle se sent un peu soulagée. Mais qu'est-ce que je dis ? Si Niki a peur, alors moi qu'est-ce que je devrais dire ? Si elle le fait, si Niki est capable de franchir un tel pas, alors moi aussi je peux le faire.* Et puis, une autre pensée : « *Le meilleur ami est celui qui résistera.* » *Qui cela pourra-t-il bien être ? Pourquoi se marier aussi tôt ? C'est un pas important. Trop. Elle sera engloutie par des préoccupations qui ne sont pas de son âge. Elle perdra la légèreté, la possibilité de faire ce qui lui plaît. D'autres expériences, étudier à l'étranger, tout ce qu'on peut faire quand on n'est pas mariée. Quand on est libre de choisir sans avoir de comptes à rendre à personne. Quand on n'a devant soi que des possibilités et des voies nouvelles. Mais ça, je n'ai pas réussi* à le lui dire. *D'un côté, je suis contente pour elle, je l'ai trouvée heureuse. De l'autre, je ressens de la peur, et même de la rage. Oui, de la rage, parce qu'on peut retourner le problème dans tous les sens, c'est quand même la fin de quelque chose d'important. Une époque. Une vie. Nous avant. Et Niki s'en va la première, d'une certaine façon.* Elle a un peu honte de ses pensées. *Les Ondes. Toujours ensemble, envers et contre tout. Et maintenant, un nouveau défi à affronter.* Diletta prend son portable et écrit un texto : *Qu'est-ce que tu en penses, toi ?* Elle l'envoie en double. Olly répond : *Bah, ça m'a fait un de ces effets… je suis bouleversée ! Un peu énervée… Pas contre elle, mais énervée de penser que les choses changent…* Au bout de quelques secondes, c'est au tour d'Erica : *À mon avis, elle est folle de se marier à vingt ans… rien que d'y penser, j'ai peur…* Toutes les trois partagent les mêmes doutes. Alors elle renvoie : *Oui, pour moi aussi c'est comme ça. Mais je la protégerai avec tout mon amour… d'Onde. Bonne nuit.* Diletta se glisse sous les couvertures, éteint son portable, le pose sur sa table de nuit et se couvre jusqu'aux yeux, comme quand elle était petite. Son lit de petite fille. Un peu court, mais toujours son lit. Elle peut toucher le bout avec ses pieds. En sécurité dans ce refuge où personne ne peut entrer, elle se sent protégée. Elle s'éloigne pendant un moment de cette drôle de sensation créée par la nouvelle du mariage de Niki.

59

De retour chez elle, Niki saut au cou de Simona.
— Je suis la personne la plus heureuse au monde !
— Mon Dieu, que s'est-il passé ?
Elle sautille dans la cuisine en entraînant sa mère.
— Papa est là ?
— Oui, il est à la salle de bains.
— Et Matteo ?
— Il est chez Vanni.
C'est mieux. Je vais d'abord le dire à mes parents. Niki se jette sur le canapé. Simona s'assied devant elle sur un pouf.
— Alors ? Tu me dis quelque chose, en attendant papa ? Je suis trop curieuse…

Niki sourit en secouant la tête.

— Non, rien du tout. Nous l'attendons…

Sa mère la regarde, curieuse mais pas inquiète. Elle est tellement heureuse, c'est forcément une bonne nouvelle, quelle qu'elle soit.

— Je sais… Tu as gagné au Loto !

— Maman, ce que tu es vénale ! Mais… presque ! ajoute-t-elle avec un sourire incroyable.

— À l'aide ! Que se passe-t-il ? Je vais vraiment m'inquiéter… J'ai compris : tu as trouvé un travail très bien payé… dit-elle en réfléchissant, avant de devenir soudain triste. Et tu dois t'installer aux États-Unis ! Dis-moi que ce n'est pas ça, je t'en prie, dis-moi que je me trompe.

— Tu te trompes.

Simona est soulagée, mais change à nouveau d'expression, elle est encore inquiète.

— Tu ne me racontes pas de bêtises, pas vrai ? Ce n'est pas ça ?

— Non, maman, la rassure Niki. Je te l'ai dit, ce n'est pas ça.

— Jure.

— Je le jure.

— Toi et moi, on s'est toujours tout dit…

Niki l'imite, elles répètent ensemble la phrase habituelle :

— On doit tout se dire, mais alors tout tout tout !

Elles éclatent de rire. À ce moment-là arrive Roberto.

— Alors, que se passe-t-il ? Vous vous amusez bien, vous avez de la chance…

Simona tapote le pouf à côté d'elle.

— Viens, Robi, assieds-toi ici, Niki veut nous raconter quelque chose de très important…

Roberto s'installe et, la voyant si joyeuse, déclare :

— J'ai compris. Tu as gagné au Loto ? On va changer de vie !

Niki n'en revient pas.

— Maman ! Papa ! Vous ne pensez qu'à ça…

— Je lui ai posé la même question, dit Simona en regardant son mari.

— Ah…

— Et elle m'a répondu : presque !

Roberto sourit.

— Mmh, alors ça doit être quelque chose dans le genre… Peut-être qu'on y gagnera un peu, nous aussi !

201

Niki arbore un large sourire : au contraire ils vont perdre plein d'argent, mais ils ne le savent pas encore. Elle les regarde. Ils sont confiants, contents et curieux. *Mon Dieu, et s'ils le prenaient mal ? S'ils n'étaient pas heureux ? S'ils me faisaient la tête ? S'ils voulaient m'en empêcher ? S'ils me faisaient du chantage, genre « Fais ce que tu veux, nous ne pouvons pas te forcer, mais en tout cas tu nous déçois beaucoup... » ?* En un instant, elle repasse dans sa tête tous les essais qu'elle a faits pour se préparer à cette annonce, au moins mille depuis qu'elle est rentrée de New York.

Le soir, dans son lit. *Maman, papa, je me marie... Non, ça ne va pas. Maman, papa, Alex et moi avons décidé de nous marier. Non, ce n'est pas vrai. Il a décidé et j'ai dit oui.* Le matin, dans la salle de bains, devant la glace. *Maman, papa, Alex m'a demandé de l'épouser. Et encore... Alex et moi nous marions.* Sur tous les tons, avec toutes les nuances, les expressions et les grimaces possibles et imaginables. Et puis, après tous ces essais, se regarder dans la glace et admettre : *Je n'y arriverai jamais. En effet, ce n'est pas moi qui dois leur dire, c'est lui !*

Niki observent ses parents. *De toute façon,* pense-t-elle, *c'est son problème.*

— Voilà, attendez ici...

Elle sort du salon. Roberto et Simona échangent un regard sans rien dire. Puis Roberto dévisage sa femme avec curiosité et malice.

— Tu sais quelque chose, pas vrai ?

— Je te jure que non... Je te le dirais !

— Mmh, je ne pressens rien de bon...

— Si elle est si heureuse, nous allons l'être aussi !

— Ce qui rend un enfant heureux est parfois une tragédie pour ses parents...

— Ce que tu peux être lourd !

Simona le frappe à l'épaule. Juste après, Niki revient au salon accompagnée d'Alex.

— Nous voici...

— Mais où était-il ? Caché dans ta chambre ?

— Non... C'est juste que... Il n'arrivait pas à se garer.

Elle avait au moins préparé cette excuse. En réalité, Niki l'avait « garé » sur le palier parce qu'elle voulait d'abord tout préparer, elle voulait que ses parents soient bien installés pour entendre la nouvelle.

Niki jette un dernier coup d'œil à Alex, qui lui serre fort la main et se lance.

— Niki et moi voudrions nous marier. J'espère que vous êtes heureux de cette décision…

Juste à ce moment-là, Roberto, qui s'installait mieux sur le pouf, pose mal sa main et tombe par terre.

— Papa! dit Niki en éclatant de rire. Ne le prends pas comme ça!

Simona aide son mari à se relever.

— Je ne voulais pas, je te le jure…

Simona court vers sa fille.

— C'est merveilleux, ma chérie! dit-elle en l'embrassant.

— Oh, maman, ce que je suis heureuse! Tu ne peux pas savoir combien de fois j'ai répété cette scène, dans mon lit, à la salle de bains…

Alex acquiesce.

— Oui, et au final c'est moi qui m'en suis chargé!

— Bien sûr, qui d'autre devait le faire? dit Roberto en s'approchant d'Alex. Viens ici que je te serre dans mes bras.

Suit une accolade rude et masculine. Roberto donne quelques tapes dans le dos d'Alex.

— Je suis très heureux pour ma petite fille.

Il serre Niki dans ses bras et lui donne un baiser.

— Oh, papa… Je t'aime tellement.

Simona embrasse à son tour Alex, avec plus de retenue. Puis elle s'écarte et annonce, tout heureuse :

— Il faut fêter ça. Nous avons une bouteille au frigo, que nous gardions pour une grande occasion. Je n'en vois pas de meilleure que celle-ci!

— Je te suis, mon amour, dit Roberto. Je viens la chercher avec toi.

Alex et Niki, restés seuls, s'enlacent.

— Tu as vu, Niki, on se fait toujours plein d'idées, mais les choses sont toujours plus simples que prévu…

— Tu crois?

— Bien sûr! Tu as bien vu comme tes parents étaient contents.

— Mon père est tombé par terre en entendant la nouvelle.

— Il a juste glissé du pouf. Allez, ça aurait pu se produire si tu lui avais raconté autre chose.

— Tu ne le connais pas. Je crois qu'il est bouleversé.

À la cuisine, Roberto et Simona sont adossés à l'évier et regardent dans le vide. Roberto a la bouche ouverte.

— Je n'y crois pas, c'est impossible, dis-moi que je rêve... Dis-moi que c'est un terrible cauchemar dont nous allons nous réveiller. Je n'y crois pas. Ma petite fille...

Simona lui donne un coup de coude, pour plaisanter.

— Elle est aussi à moi... D'ailleurs, elle a été d'abord à moi. Et puis à toi !

— Nous l'avons faite ensemble, tu sais.

— Oui, mais je l'ai élevée toute seule les neuf premiers mois !

Roberto se tourne vers elle.

— Et toutes les fois où je me levais la nuit parce qu'elle hurlait, et toi tu étais crevée et tu ne voulais pas aller la consoler, qui s'occupait d'elle, hein ? Qui y allait ?

Simona lui prend la main.

— Toi. C'est vrai, toi aussi tu as beaucoup fait pour elle.

— Nous avons tous les deux toujours tout fait pour elle... Et maintenant, qui va la prendre ? Lui.

— Allez, arrête. Retournons là-bas, sinon ils vont s'inquiéter.

— Et surtout, Niki va comprendre.

— Elle a déjà compris.

— Non...

— Alors tu ne connais pas ta fille.

Simona prend une bouteille d'excellent champagne, des flûtes, et elle retourne au salon en souriant.

— Nous voici... Nous avons enfin trouvé les verres !

Ils prennent place tous les quatre pendant que Roberto débouche la bouteille et remplit les flûtes, en essayant de ne pas avoir l'air bouleversé.

60

Dimanche, une journée tranquille, le ciel est bleu, à peine nuageux. Il est 13 heures, des gens sortent de la messe, une fille promène un grand danois noir. Elle doit le traîner pour qu'il avance. Un monsieur fait la queue au kiosque à journaux.

— Donnez-moi *Il Messaggero* et *La Repubblica*...

Un autre, énervé parce qu'on l'a doublé, demande aussi vite qu'il peut :

— Le dernier numéro de *Dove* est sorti ?

Le marchand, un jeune garçon avec des piercings au sourcil, se penche pour l'aider.

— Le voici.

Il indique une revue, se montrant plus lucide que son client, malgré sa dernière soirée en boîte qui l'a conduit directement au kiosque sans passer par chez lui.

Alex s'arrête à la pâtisserie Euclide, via Stelluti, et en ressort avec un plateau de petits gâteaux. Il en a pris vingt, dont ceux aux marrons glacés et à la châtaigne qui plaisent tant à sa mère, Silvia.

Alex a le sourire aux lèvres en remontant en voiture. *C'est la seule qui sera émue, j'en suis sûre, elle versera une larme, moi je l'embrasserai et elle, pour donner le change, elle mangera un de ces petits gâteaux à la châtaigne sans dire un mot, plouf, elle le fera disparaître en silence. Mais au fond elle sera contente, je le sais. Ça lui a toujours fait bizarre que moi, son fils aîné, je sois le seul de la famille et de tous les enfants de ses amies à ne pas être marié.* Sur cette dernière considération, il prend sereinement le chemin de la maison de ses parents. Il met un CD, une compilation que lui a faite Niki. Ah, cette chanson tombe à pic : « Home », de Michael Bublé. Il se sent en harmonie avec le monde. *Je suis si heureux de cette décision. J'aurais dû la prendre plus tôt !* Il sourit intérieurement. *Ce que tu es crétin, Alex. Tu n'étais pas avec Niki, avant.* Soudain, une pensée lui traverse l'esprit comme un nuage noir dans un ciel clair. *Où est-elle ? Comment vit-elle ce moment ? Est-elle heureuse de mon choix ? C'est-à-dire, de notre choix ? Parce que c'est notre choix, pas vrai ? Pas seulement le mien… Ou bien vit-elle ce jour comme n'importe quel autre jour de la semaine ?* Il l'imagine à l'université, elle rit, évolue au milieu des jeunes gens de son âge qui la regardent, parlent d'elle quand elle passe, puis avec un prof, à la sortie d'un cours, puis un type qui la regarde un peu trop longtemps. Ensuite, il la visualise attendant à la poste, devant un type qui fait le malin avec elle. Puis, comme si du temps avait passé, la voilà plus adulte, habillée en femme, en tailleur, sérieuse, chez un épicier, qui fait les courses, ou bien au bureau à terminer quelque chose, avec un collègue qui la drague gentiment. Elle est posée, très femme, très sûre d'elle. Ces réflexions le rassurent. Sans un véritable pourquoi, sans raison, elles ont chassé la jalousie. Alex ne sait pas que sa sensation était juste, ni qu'il devra bientôt affronter ces peurs. Quand il entre dans le jardin de la villa de ses parents, il est trop tranquille.

61

Du grand salon, on aperçoit une splendide roseraie qui traverse le jardin d'hiver et une pergola, et au loin une vigne.

— Maman, papa, vous êtes là?

Luigi, son père, s'occupe d'une plante rebelle.

— Alex, quel plaisir de te voir!

Ils s'embrassent.

— Et maman?

— La voilà, elle arrive.

Silvia sort soudain des haies non loin, accompagnée de Margherita et Claudia, les sœurs d'Alex, avec leurs maris respectifs, Gregorio et Davide.

— Salut, maman! dit Alex en sortant pour les rejoindre.

— Salut! Tu es arrivé! Tu as vu, tes sœurs sont venues aussi... Nous n'arrivons jamais à être tous ensemble.

— Tu as raison, maman. C'est que j'étais très pris par mon travail, ces derniers temps...

— À propos, tu ne nous as pas dit ce que tu es allé faire à New York, demande Gregorio, le mari comptable de Margherita. Vous ouvrez une succursale là-bas? Aujourd'hui, avec le dollar, c'est intéressant...

— Non, ce n'est pas ça, ça n'avait rien à voir avec le travail...

Davide enlace Claudia, la sœur aînée.

— Une affaire de cœur? Tu sais que nous avons envie d'y aller à Pâques?

— Vraiment? Alors je vous donnerai quelques bonnes adresses.

Alex pense à Mouse. Gregorio et Margherita se greffent sur le projet.

— Si on arrive à laisser les filles, on viendrait bien, nous aussi... tu les garderais, maman?

— Je ne sais pas, on verra... C'est quand, Pâques, cette année? Nous sommes peut-être invités chez les Pescucci.

Alex, tout en écoutant, pense à quel point Mouse a été gentil. *Non, je ne peux pas le punir ainsi.* Silvia regarde son époux.

— Luigi... tu en as pour combien de temps?

Le père d'Alex fixe la dernière branche et serre le petit cordon qui tient les plantes.

– J'ai fini! Me voici, ma chérie, prêt pour de nouvelles aventures.

– Il s'agit simplement de se mettre à table.

– Alors tout dépend de ce que l'on mange. Ça peut être une aventure très dangereuse...

– Fais le malin... Dina, notre domestique sarde, a fait de gros progrès!

– Oui, mon amour, dit Luigi en enlaçant Silvia. Je ne parlais pas d'elle... mais de toi!

Elle se dégage de son étreinte.

– Ce que tu es méchant... Je t'ai toujours préparé d'excellents petits plats. Et d'ailleurs, toi qui étais en grande forme quand on s'est mariés, depuis tu n'as fait que grossir. Tu n'as un peu reperdu que depuis que c'est elle qui cuisine. Tu vois... J'aurais dû abandonner la cuisine plus tôt...

– Mais, mon amour, je plaisantais... Et puis, ce n'est pas vrai, j'ai été en forme longtemps, je mangeais bien mais je faisais aussi plus d'exercice...

Il la plante là, sur cette allusion stupide.

Silvia rougit un peu et change de sujet.

– J'ai fait mettre le couvert dans le nouveau patio... Sur la table en céramique qui est arrivée directement d'Ischia.

– Parfait!

– Mais il ne va pas faire froid?

– J'ai forcé votre père à acheter ces trucs en métal avec des parasols chauffants...

– Des calorifères, maman, ça s'appelle des calorifères.

– D'accord, donc nous avons mis ces calorifères à gaz et vous allez voir, on sera très bien...

Ils s'installent tous dans le patio.

– En effet, on est très bien, dit Alex en versant de l'eau dans le verre de sa mère, assise à côté de lui.

Ses sœurs déplient leurs serviettes sur leurs genoux, pendant que leurs maris s'occupent du vin. Dina apporte les premiers hors-d'œuvre.

– Bonjour tout le monde...

Silvia coupe du pain dans sa petite assiette, à gauche.

– J'ai mis un peu de musique... dit Luigi en souriant et en s'installant en bout de table. En effet, de la musique classique sort des petites enceintes cachées en hauteur dans les coins du patio. Vivaldi. *Les Airs d'Opéra.*

— C'est l'idéal, par une belle journée comme celle-ci. Non? demande-t-il. Alors, tu t'es amusé, à New York?

— Oui, beaucoup...

— Tu étais avec qui?

— Juste avec Niki...

Margherita regarde Claudia et lui dit tout bas :

— Dis donc... ça dure, avec la jeunette.

Claudia sourit mais lui fait « Chut ». Silvia, bien qu'ayant entendu, ne dit rien.

— Ah, bien, et où êtes-vous allés?

Alex raconte les rues, les théâtres, les nouveaux magasins et les restaurants, tandis que les plats arrivent les uns après les autres, le risotto à l'orange, les *penne* aux aubergines et à la ricotta, le tout accompagné d'un bon vin blanc.

— C'est un southern de 1989, vous plaît-il?

— Mmh, il est très délicat...

Alex continue son récit, satisfaisant aux curiosités de chacun, décrivant en détail le spectacle *Fuerzabruta*, où le public est aussi un des protagonistes, les artistes pratiquant leurs acrobaties aquatiques au-dessus de la tête des spectateurs, sur une membrane qui se remplit d'eau et se substitue au mur du théâtre, et les ballets, la musique, les lumières... Ses sœurs sont enthousiastes, elles ont hâte d'aller à New York, et Margherita insiste.

— Alors, maman, tu peux garder Manuela? Je t'en prie, ça fait des années que je ne suis pas allée à New York... Après le récit d'Alex, je sens l'appel de la Grosse Pomme.

— Nous verrons, sourit Silvia.

Alex sourit aussi et continue son récit, y compris le splendide dîner à l'Empire State Building, omettant naturellement l'hélicoptère et surtout l'inscription surprise. Margherita, la plus âgée des deux sœurs, qui a écouté avec amusement, plisse soudain les yeux, étonnée de ne pas y avoir pensé avant.

— Mais comment ça se fait que vous êtes allés à New York? Oui, c'est vrai... Pourquoi ce voyage improvisé, comme ça, sans raison de travail?

Alex sourit. Le déjeuner touche à sa fin. C'est le bon moment, il ne manque qu'une chose.

— Dina, excusez-moi... J'ai apporté un paquet, il est au frigo, pourriez-vous l'apporter? Merci...

Dina disparaît. Alex se verse un peu de vin.

– C'est vrai, papa... Ce southern est vraiment excellent.

Il crée ainsi un peu plus de suspense. On entend presque les élégantes chaussures des deux sœurs piaffer sous la table. La mère, tout aussi curieuse, est néanmoins plus tranquille. Les hommes attendent sereinement. Dina revient enfin et pose les gâteaux au centre de la table avant de retourner à la cuisine.

– Mmh, fait la mère. Il y a même ceux à la châtaigne que j'aime tant.

– Oui, dit Alex.

Puis il s'essuie la bouche, sourit à la tablée et, avec un calme à toute épreuve, il annonce :

– J'ai décidé de me marier.

Les deux sœurs avalent leur salive en même temps, le père sourit, surpris. Les deux maris lui lancent un regard poli et content à la fois, en repensant aux différents passages de leur cauchemar personnel. La mère est, comme s'y attendait Alex, la plus surprise.

– Alex! Je suis très heureuse pour toi! Tu l'as dit à ses parents?

– Oui.

– Et comment ils l'ont pris?

– Très bien, quelle question!

– Tu sais... La différence d'âge...

– Ils l'avaient déjà acceptée.

– Oui, mais ils ne pensaient peut-être pas que c'était aussi sérieux!

Tout le monde rit.

– Et puis, tu sais, quand il s'agit d'une fille... Oui, bref... c'est toujours plus délicat, intervient le père en regardant Margherita et Claudia, et surtout leurs maris.

– Oui... Imagine que quand je l'ai dit à son père, il en est tombé à la renverse...

– Il s'est fait mal? s'inquiète la mère.

– Maman, c'est une façon de parler! intervient Margherita.

– Non, non, il est vraiment tombé! Je pense qu'ils ne s'y attendaient vraiment pas... Et puis, voir sa fille se marier à cet âge et partir de chez elle, eh bien, ça fait un certain effet...

C'est à ce moment-là que Silvia, émue, prend un gâteau à la châtaigne et le fait disparaître en une bouchée. Alex s'en aperçoit, et un coin de sa bouche se relève. Puis sa mère en choisit un autre, au sabayon et à la crème, encore plus sucré, et lui fait subir le même sort. Alors Alex s'inquiète. *Elle est vraiment émue! Je ne pensais pas que ça serait à ce point.* Il se lève et la serre dans ses bras. Sa mère ferme les yeux et se laisse faire. Elle sourit. Ses filles se moquent d'elle.

— Bouh… Tu n'as pas fait ça, pour nous!

— Oui, tu t'en fichais…

— Tu voulais te débarrasser de nous… Voilà la vérité!

— Pour toi, nous étions les demi-sœurs, Javotte et Anastasie, tandis qu'Alex est ta Cendrillon.

Alex va se rasseoir à sa place.

— Plus que Cendrillon, j'aurais espéré être le Prince charmant!

— Oui, pour Niki, au moins!

— Nous voulons être tes témoins…

— Vous l'avez déjà été l'une pour l'autre…

— Mais toi, tu étais témoin dans les deux cas!

— C'est vous qui me l'avez demandé!

— Ça nous semblait gentil, tu aurais pu mal le prendre, toi que personne ne voulait épouser.

— Carrément!

— Et puis, nous voudrions conseiller la mariée.

— Oui, nous voudrions décider avec elle, pour le traiteur.

— Et la robe…

— Oui, et les bonbonnières!

— Ah oui, ça c'est important!

— Vous avez décidé où vous allez vous marier?

— Et quand?

— Et les fleurs pour l'église?

— Et les noms sur les tables? Oui, comment vous allez faire le plan?

— Et les invités… combien serons-nous?

— Ça doit être quelque chose de grand…

À ce moment-là, Alex croise le regard de Davide et Gregorio, qui lui donnent un signe de soutien, voire de solidarité. Et lui, ne sachant pas quoi faire d'autre, tend la main et devance sa mère.

— Excuse-moi, maman…

Il mange le dernier petit gâteau à la châtaigne.

62

Ils déambulent dans le salon vide.

— C'est magnifique... Vraiment... J'habiterais bien ici, moi...

Pietro regarde Enrico, surpris.

— Tu te fous de moi ?

— Non, pas du tout, j'adore ! Un loft dans le quartier Flaminio... le rêve. Et puis, ça a l'air calme et c'est très grand, ajoute-t-il, sincèrement impressionné. En plus, ça donne sur des arbres... c'est en ville, mais on se croirait à la campagne.

— Oui, oui... j'ai compris, va. Moi, je préférais être chez moi, avec ma femme et mes enfants.

Il a l'air vraiment triste.

— Tu récoltes les fruits de ce que tu as semé, tu sais.

— Qu'est-ce que tu racontes ? Tu es fou ? Les graines que j'ai semées, c'étaient celles du mariage... Et j'en planterais volontiers d'autres !

— Non, c'est le contraire ! C'est toi qui as tout gâché... Tu as choisi cette situation, contrairement à moi. Moi, j'ai été quitté par ma femme. Toi, tu as tout fait pour être quitté...

— Écoute, heureusement que tu es comptable et pas avocat spécialisé dans le divorce... Parce que je suis sûr que sinon Susanna t'aurait choisi et que tu m'aurais massacré !

— Tu vois, tu vois... Ce qui t'inquiète, c'est l'argent, pas le fait de te remettre avec elle. En plus, tu te plains ! Moi, je trouve que pendant longtemps tu as eu une chance de miraculé, mais tu as trop tiré sur la corde... et patatras... elle s'est rompue !

— Ce que tu me dis me déprime encore plus... Tout est ma faute, maintenant... J'ai cassé la corde et je me retrouve avec un bout à la main, dont je ne peux faire qu'une chose...

Enrico lève un sourcil, curieux.

— Et quoi donc ?

— Me pendre !

— Ne dis pas ça, ne dramatise pas, peut-être que cette situation va te servir, d'une manière ou d'une autre... Peut-être que tu réfléchiras mieux tout seul... et puis... dit-il en indiquant le loft, regarde où tu vas vivre...

— Cet appartement appartient à un client qui ne m'a pas payé depuis des années et qui me fait suivre toutes les affaires de ses immeubles... Il a plein d'appartements. D'ailleurs, il aurait pu m'en donner un plus central, plus près de ma famille...

— Voilà, Pietro, bravo, c'est une belle pensée, être plus près de tes enfants.

— Non, comme ça j'aurais pu surveiller ma femme!

— Ah, voilà... Pour la première fois, je te trouvais vraiment impliqué, mais non, en fait tu n'en as rien à faire des choses importantes.

— Comment ça, je n'en ai rien à faire des choses importantes! Pardon, mais je paye encore le crédit de l'appartement où elle vit... Et elle, elle sort peut-être avec un autre. Elle s'amuse à mes frais, en gros! Ce n'est pas ma fille, que je sache?

— Les bras m'en tombent. Tu te rends compte de ce que tu dis? Moi je crois que tu t'es un peu trop amusé, et que maintenant il est juste que ça soit son tour...

Pietro le regarde, et une pensée le tourmente un instant. *Mon Dieu, serait-il au courant de mon histoire avec Camilla? C'était il y a longtemps. Sa femme était triste, elle s'ennuyait, elle avait envie de s'amuser.* Il se rappelle un moment intime passé avec elle. *Elle avait envie de s'amuser, et comment!* Mais il a un peu honte.

Enrico le coupe dans sa réflexion.

— Qu'y a-t-il? À quoi penses-tu?

— Moi? À rien... Que tu as raison, que je me suis trop amusé, et que la roue tourne. Mais je pensais que tu étais mon ami, pas le sien...

— En effet, je suis venu ici pour t'aider, toi, pas elle... Mais être amis, c'est aussi se dire la vérité, ce qui ne fait pas toujours plaisir à entendre mais sert pour accepter la réalité...

Ouf, pense Pietro, *il ne sait rien.*

— Oui, oui, bien sûr...

— D'ailleurs, à propos de réalité à accepter, on va aller chercher tes affaires dans la voiture...

Ils sortent de l'immeuble. Pietro ouvre son coffre et décharge une montagne de sacs.

— Tu as emporté toute la maison, ou quoi?

— Tout ce dont j'ai besoin... Mes vêtements, des livres, des draps, des pulls, des chemises, mes dossiers... Tout. Elle a dit que ce que je laissais serait brûlé...

Enrico prend deux valises et retourne à l'appartement.

— En tout cas, elle était vraiment en colère...

Pietro arrive avec deux autres valises.

— Oui, vraiment. Je ne sais pas comment, mais elle a aussi ressorti d'autres histoires... Sincèrement, je ne sais pas qui l'a appelée, mais la nouvelle de notre séparation s'est diffusée, c'était comme si tout le monde savait quelque chose sur moi. On lui a raconté un tas d'histoires, avec les baby-sitters de mes enfants, avec une de ses amies, avec une autre qui allait chez son coiffeur.

— Sérieusement? Mais elles sont vraies, ces histoires?

— Non! Les gens sont méchants... Ou bien, ils aiment noircir le tableau...

Enrico aide Pietro à prendre d'autres sacs dans la voiture.

— Imagine, on lui a même dit que j'avais une relation avec la femme d'un de mes amis. Tu te rends compte? Avec la femme d'un ami! Avec toutes les femmes qu'il y a sur cette planète... Tu crois que j'aurais une histoire avec la femme d'un ami?

— C'est vrai, dit Enrico en secouant la tête, les gens ne sont heureux que quand ils sont méchants.

En fait, Pietro ment, on ne lui a rien dit à ce sujet, mais si l'histoire avec Camilla éclate au grand jour, au moins il en aura parlé.

— Je les mets où, celles-ci?

— Pose-les là, sous l'escalier.

Enrico pose les deux valises à terre, puis il regarde autour de lui.

— Il y a combien de pièces?

— Au-dessus, il y a quatre chambres à coucher. Plus les salles de bains. En bas il y en a une, le salon, là-bas une autre pièce, une salle de bains et la cuisine au fond... Plus ce double séjour, tu vois, qui donne sur le jardin intérieur...

Pietro ouvre un rideau et découvre un grand espace, dehors.

— Cet appartement est magnifique! Il doit te devoir un paquet d'argent, ce client...

— Oui, mais les gens sont vraiment stupides. Au lieu de le louer et de me rembourser ensuite ce qu'il me doit, il préfère me le prêter. En réalité, il y perd. Mais quelle heure est-il?

— 20 heures.

— Ils devraient être déjà arrivés.

— Qui?

— Flavio et Alex. J'ai donné rendez-vous à tout le monde ici...

213

— Bah, ils vont arriver. En attendant, on peut ranger un peu.

— C'est pour ça que je voulais qu'ils soient là aussi. On serait allés plus vite !

— Ah...

— Et je me demande bien ce qu'Alex doit nous annoncer... Il avait l'air tout excité !

— Moi j'ai bien une idée...

— Quoi donc ?

— Mais je ne dirai rien, par superstition.

Flavio sonne à la porte.

— Ah, c'est là... J'avais peur de m'être trompé.

Il entre, tout triste, et se jette sur le canapé. Pietro ferme la porte et rejoint Enrico au salon. Ils regardent Flavio avec inquiétude.

— Que se passe-t-il ?

— Tu as perdu ton boulot ?

— Non, pire. J'ai perdu ma femme.

Enrico s'assied à côté de lui.

— Merde, toi aussi. Je suis désolé.

Il lui pose une main sur la jambe. Flavio se tourne vers lui. Il est triste. Ils se serrent dans les bras.

— Merde, je suis vraiment désolé...

— Bon... Nous y voilà... dit Pietro en écartant les bras. D'une manière ou d'une autre, nous en sommes revenus exactement à ce que nous étions à l'époque de la fac.

— C'est-à-dire ?

— Célibataires. Tout recommence ici. Nous sommes trois... et pleins d'espoir, dit-il en ouvrant le frigo.

— Non, non... Nous sommes vraiment des ratés.

Flavio et Enrico le regardent.

— Comment ça ?

Pietro ouvre grand la porte du réfrigérateur.

— Il n'y a rien à boire !

On sonne à la porte. C'est Alex.

— Me voici !

Pietro lui arrache ce qu'il a dans les mains.

— Incroyable. Regardez ce qu'il a apporté... Une bouteille de champagne !

— Ça alors !

— Génial !

— Tu vois, parfois, la chance...

Pietro enlève le papier autour du bouchon. Alex se place au centre du salon.

– Vous savez ce que je veux fêter?

– Non, dis-nous...

– Je me marie!

Flavio n'en croit pas ses oreilles.

– Non. Ce n'est pas possible.

Il se prend la tête entre les mains. Alex le regarde avec étonnement. Il s'approche de Pietro et lui murmure, inquiet :

– Pourquoi il le prend comme ça? Il ne voulait pas?

– Non... mais Cristina vient de le quitter, aujourd'hui même.

– Ah, je suis désolé. Ça alors!...

Au moment précis où il prononce ces mots, le bouchon de la bouteille saute, tout à fait à propos.

63

L'appartement mansardé d'Olly est noir de monde. Tous ces gens sont venus faire la fête en l'honneur de Niki. Erica, assise sur le canapé, boit un Bellini en fixant un beau garçon. Niki le remarque, elle cherche Olly et Diletta des yeux et leur fait signe de l'observer. Elles secouent la tête. Nous y voilà. Une nouvelle histoire va commencer. Elles connaissent Erica, elles savent très bien ce qui va se passer. Et en effet, elle engage la conversation.

– Salut... Sympa, cette fête, hein?

– Oui, très.

– L'appartement est tout petit... Mais c'est mieux, on se disperse moins...

– Oui... Enchanté, je m'appelle Tiziano, dit-il en lui tendant la main.

Erica met son verre dans sa main gauche et tend la droite.

– Enchanté, Erica! Tu es un ami de qui?

– Je suis à l'université avec Niki mais je connais bien Giulia, répond-il en indiquant la fille qui danse au milieu de la pièce.

– Ah, et moi je suis une amie de la mariée!

– Oui, je sais, j'ai demandé à Niki, tout à l'heure...

Erica le regarde un peu de travers, puis sourit.

— Tu t'es renseigné sur moi?

— Oui, bien sûr... Ça te surprend?

— Non... c'est-à-dire si... dans le sens... et pourquoi?

— Bah, je ne sais pas... tu es mignonne et je ne te connais pas. Tout simplement.

— Ah, alors... merci! On trinque? dit-elle en levant son verre.

— D'accord, à quoi?

— Aux jeunes femmes courageuses!

— À elles!

Ils trinquent en riant, puis poursuivent leur bavardage, plaisantent, et de temps à autre Diletta, Niki ou Olly leur demande si tout va bien. Pour toute réponse, Erica leur tire la langue, et Tiziano ne comprend pas bien ce qu'il se passe. Mais cette brune plutôt douce lui est sympathique, il a envie d'approfondir, donc il n'y prête pas trop attention.

— On s'échange nos numéros? Je suis sur Facebook également...

— Moi aussi.

Il lui dicte son numéro de portable. Erica le mémorise, puis l'appelle pour que son propre numéro s'affiche sur l'écran de Tiziano.

— Très bien. On s'appelle bientôt?

— Oui, on pourrait aller boire une bière, dit Erica en se levant du canapé.

— Parfait, ça me va, quand tu veux!

Erica s'éloigne et rejoint Olly, qui est très énervée.

— Qu'y a-t-il? Que se passe-t-il?

— Rien... Buvons un coup, répond Olly en lui versant un peu de sangria dans un verre en carton.

— Mmh, elle est bonne, dit Erica en la goûtant. Qui l'a faite?

— Giampi, cet après-midi.

— C'est gentil de sa part.

— Oui...

Olly boit nerveusement.

— Oh, tu as vu? Il est mignon, cet ami de Giulia avec qui je parlais, Tiziano?

— Oui... Vous avez parlé longtemps! Francesco n'est pas là, ce soir?

— Non... Et puis, ça suffit, je passe trop de temps avec Francesco. Tu veux bien comprendre que nous ne sommes pas ensemble? Nous sommes amis, c'est tout.

– Oui, mais tu ferais bien de le lui dire, je pense qu'il n'est pas au courant...

– Il le sait, il le sait. Nous coopérons, c'est tout.

– Oui, avec un associé majoritaire qui n'en fait qu'à sa tête... toi!

Erica lui donne un petit coup sur le bras et rit. Elles plaisantent, regardent les autres invités. Niki a l'air de beaucoup s'amuser, elle bat le rythme avec sa tête. Sa musique préférée envahit l'appartement. Olly a vraiment fait du bon travail. Ça lui a pris trois jours. Elle a mis des guirlandes, préparé des petits mots surprises, commandé le buffet chez un traiteur et s'est occupée des boissons. Une parfaite petite maîtresse de maison qui organise une fête pour son amie qui se marie. Les gens s'amusent : certains dansent, d'autres sont assis sur le canapé ou sur les poufs, ils bavardent, fument, sirotent un cocktail. Canapés, minipizzas, petits-fours et salades de pâtes sont disposés sur la table avec un couscous aux légumes. Erica discute avec un copain de fac de Niki.

Olly prend un plateau d'olives farcies et le fait passer parmi les invités en prenant des poses de serveuse. Elle s'approche de Niki.

– Madame? demande-t-elle en faisant une petite révérence.

Niki prend un pic avec une olive et la remercie.

– Félicitations, tout est parfait...

– Vos désirs sont des ordres...

Olly poursuit joyeusement son tour. Puis elle aperçoit Giampi, près de la porte-fenêtre, un verre dans une main et une petite assiette de canapés dans l'autre. Il est de dos. Olly s'approche en souriant.

– Tiens, mon amour! dit-elle en lui présentant le plateau.

Elle s'aperçoit alors qu'il est en pleine conversation avec une brune aux cheveux longs, très mignonne, qui se tient à côté de lui sur la terrasse. Olly s'arrête net. Giampi se retourne.

– Te voilà! s'exclame-t-il en l'embrassant sur la bouche. Tu as bien travaillé, la fête est parfaite.

– Oh, oui, c'est vrai, ajoute la brune en souriant à Olly. Tout est parfait! Nous sommes venus ici pour fumer, nous ne voulions pas le faire dans la maison. Tu sais, pour les odeurs...

Olly lui lance un regard noir, puis se tourne vers Giampi.

– Oui... merci... Tu sais, pour mon amie Niki...

– Tu as été géniale. Niki va être très heureuse! Je te présente Ilenia, c'est une amie d'Erica, elles se sont rencontrées au travail l'été dernier.

Ilenia tend la main à Olly.

217

— Enchantée !

— Enchantée, répond Olly en lui serrant la main à contrecœur.

— Ton appartement est très joli.

— Merci.

Mais elle veut quoi, celle-là ? Pourquoi elle fait la gentille ? Qu'est-ce qu'elle croit, qu'elle m'est sympathique ? Et pourquoi Giampi est-il si préve-nant avec elle ? Olly sent monter en elle une rage qu'elle essaie de conte-nir. Elle est jalouse. Oui, elle l'admet. Jalouse de lui. De comment les filles le regardent. De l'attention qui leur porte à toutes.

Olly les quitte un peu brusquement et va retrouver Niki.

Ilenia regarde Giampi, déconcertée.

— J'ai dit quelque chose qu'il ne fallait pas ? Si c'est le cas, je vais aller m'excuser.

— Non, non... Olly est comme ça. De temps en temps, elle est jalouse pour rien. Ça n'a rien à voir avec toi...

Il boit une gorgée de vin rouge et regarde au loin, au-delà du petit mur de la terrasse, tandis qu'Ilenia termine sa cigarette et l'éteint dans un grand dessous de pot plein de sable.

À l'intérieur, Olly interrompt Niki en pleine conversation avec Giulia.

— Tu as vu ?

— Quoi donc ?

— Cette fille, à côté de Giampi...

— Eh bien ?

— Elle n'arrête pas de minauder, et lui, il s'y laisse prendre...

Niki se tourne pour regarder.

— Ils ont l'air de discuter, rien de plus.

— Tu dis ça parce que ce n'est pas d'Alex dont il s'agit.

— Olly, tu as fini, oui ? Depuis que tu es avec Giampi, tu es deve-nue complètement parano... Soit tu as confiance, soit tu n'as pas confiance. Et si tu n'as pas confiance, ne reste pas avec lui. Tu ne peux pas vivre comme ça, en première ligne, toujours prête à tirer sur toutes celles qui s'approchent...

— Mais je l'aime, qu'est-ce que je peux y faire ?

— Alors, si tu l'aimes, détends-toi... Comme ça, tu vas le perdre... Je le trouve un peu trop patient, d'ailleurs...

— Facile pour toi de parler, toi tu te maries, tu t'en fiches…

— Quel rapport ? Je dis ça pour ton bien. Si tu ne règles pas ce problème de jalousie, tu vas beaucoup souffrir. Tu ne profites de rien, tu vois des ennemies partout…

Olly la regarde méchamment, lui fait une grimace et s'en va. Niki secoue la tête. *Mais quand comprendra-t-elle que cette jalousie, stérile, injustifiée et continue, ne sert à rien ?*

64

Une heure plus tard, ils sont tous au salon, vautrés sur le canapé. Alex verse la dernière goutte de champagne dans le verre de Flavio. Enrico lève sa flûte.

— Vous savez ce que j'ai envie de faire ?

— Non, quoi ?

— Porter un toast… Un toast à la seule chose qui dure dans le temps, la seule chose inoxydable… qui résiste aux succès, aux échecs… aux tempêtes de la vie… Un toast à l'amitié.

Pour commencer, ironie du sort, il trinque avec Pietro. Flavio et Alex se joignent immédiatement à eux.

— Oui, c'est vrai…

— À l'amitié…

— Le proverbe est bien vrai, dit Pietro en vidant son verre d'un trait… Les femmes passent… les amis restent. Oh, excuse-moi, ajoute-t-il en s'adressant à Alex… Tu ne fais peut-être pas partie de cette catégorie. Oui, excuse-moi tu es une exception !

— Je n'ai pas compris… J'ai apporté du champagne, et quel champagne… vous avez vu ? Le meilleur !

— Mon Dieu, c'est très vilain, cette habitude de faire remarquer combien coûtent les choses…

— Il faut bien ça pour vous faire comprendre l'importance de ce moment, et vous…

— J'ai compris… mais tu plaisantes, pas vrai ?

Flavio pose son verre.

— Cristina m'a quitté. Elle m'a dit que c'était fini. Je n'arrive vraiment pas à être heureux… Même quand tu nous dis que tu te maries et que tu apportes une excellente bouteille de champagne !

— On ne va quand même pas se disputer. Et puis, pardon, Flavio, mais… intervient Pietro. Tu as dit qu'elle n'avait rencontré personne d'autre, c'est bien ça ?

— Oui.

— Tu as vérifié ses textos, ses appels, son courrier, son mail…

— Non, répond Flavio d'un air mauvais.

— Tu n'as pas vérifié ? Alors comment tu peux savoir qu'elle te dit la vérité ?

— Parce qu'elle me l'a dit. C'est le plus beau : je n'ai même pas besoin de l'espionner. C'est pour ça que je souffre. Parce qu'il me suffit de savoir qu'elle me l'a dit… C'est comme ça, elle était la plus belle chose de ma vie, je le lui répétais souvent, elle était mon île secrète, ma plage heureuse, mon port de confiance…

— J'ai compris : elle voit quelqu'un d'autre, dit Pietro en gesticulant.

— Qu'est-ce que tu racontes…

— Elle n'en pouvait plus. C'est par réaction. L'île secrète, la plage heureuse, le port de confiance… Elle a rencontré un marin !

— Tu n'arrêtes jamais les blagues, toi, s'énerve Flavio.

— Excuse-moi, intervient Enrico, mais tu devrais être moins défaitiste. La situation est encore parfaitement récupérable… Ça me fait mal de le dire, mais ce n'est pas comme Camilla, qui est partie aux Maldives avec l'avocat… Ou comme Susanna, qui a trouvé Pietro avec la doctoresse…

Enrico regarde Pietro, qui ne peut pas s'empêcher d'intervenir.

— J'avais de la fièvre, beaucoup, et je n'avais pas toutes mes facultés mentales… mes facultés physiques, en revanche, n'étaient pas altérées, ajoute-t-il avec un sourire malicieux…

Enrico et Alex secouent la tête. Enrico regarde Flavio et continue.

— Tu vois ? Son cas est pathologique… mais pas le tien. C'est un mauvais moment. Peut-être qu'elle a besoin… Depuis combien de temps êtes-vous mariés ?

— Huit ans…

— Et depuis combien de temps étiez-vous ensemble, avant ? intervient Pietro.

— Six…

— Tu vois ! Six plus huit… Quatorze. C'est la classique crise double !

— Oui, deux fois celle de la septième année !

Alex prend la parole.

– Écoutez… Laissez-moi rêver un peu. Je suis venu partager un moment de grand bonheur avec vous… Et je suis désolé, Flavio, que ça te soit arrivé juste maintenant, mais Enrico a raison, tout va s'arranger.

– Je l'espère vraiment…

Pietro sourit.

– Je viens de penser à quelque chose. Vous voulez savoir quelle est la chose la plus absurde de cette soirée ?

– Voyons voir, dit Enrico, inquiet. Tant que ce n'est pas une de tes crétineries habituelles.

– Non, non, je suis sérieux. Il faut fêter ça, avant nous étions mariés tous les trois et il était le seul à ne pas l'être.

– Je vous enviais un peu, sourit Alex, et même beaucoup…

– Maintenant, nous sommes tous les trois séparés et il sera le seul marié à ne pas l'être !

Flavio se lève d'un bond.

– Pardon, mais vous avez dit que moi j'ai peut-être une chance ! Vous vous foutiez de moi !

Pietro s'approche de lui et le caresse comme un petit chien.

– Gentil, gentil… Tranquille ! Assis, assis… tranquille !

– Pourquoi tu me traites comme ça ? Va te faire voir ! explose Flavio en le repoussant.

– Je faisais ça pour plaisanter, pour dédramatiser… C'est une façon d'être proche de toi ! Tu préfères quoi, qu'on s'apitoie sur ton sort ? Ce n'est pas comme ça que tu vas réagir ! Merde !

Flavio lui met une main sur le visage et le pousse.

– Ah oui… Je vais te montrer comment je réagis, alors !

Mais Enrico et Alex interviennent immédiatement pour les arrêter.

– Calmez-vous ! Mais qu'est-ce qui vous prend ?

– Oui, c'est vrai… En plus de vingt ans nous ne nous sommes jamais disputés, et vous voulez commencer maintenant ?

– Vingt ans…

– Oui, et peut-être même plus, d'ailleurs, depuis le lycée.

– C'est vrai, dit Pietro. Et toi, tu me passais toujours les devoirs de maths, ajoute-t-il en s'adressant à Flavio.

– C'est grâce à moi que tu as eu ton bac, tu n'étais pas doué… Et toi, pour me remercier, tu fais quoi ? Tu me traites comme un chien.

— Tu as raison, excuse-moi.

Ils se jettent dans les bras l'un de l'autre, puis Pietro se détache et lui demande, curieux :

— Tu sais te servir des retenues?

Cette fois, c'est Flavio qui rit.

— Oui… un peu que je sais! Attention, il faut toujours diviser par deux et retenir un… Mais, va au diable!

Alex sourit.

— Bien… Vous me plaisez, comme ça. Avec un peu de calme, on arrive à bout de tout…

— Oui, oui… Toi, en attendant, marie-toi… Ça fait combien de temps que tu es avec Niki? demande Pietro.

— Presque deux ans.

— Ah, alors on en reparle dans cinq ans… Je demande à voir!

Alex se met les mains dans les poches.

— On fait quoi, là, c'est chacun pour soi ou quoi? Les gars, il faut nous épauler, espérer que tout aille bien pour tout le monde… Moi, je ne suis jamais heureux quand l'un de vous a un problème… Avant de décider de me marier, je n'espérais pas que vous vous sépariez tous pour qu'on soit dans la même situation, non? J'avais plutôt envie de me marier, moi aussi. J'aurais voulu épouser Elena, et puis il s'est passé ce qu'il s'est passé… Maintenant, j'espère épouser Niki. Ou plutôt, je veux l'épouser et j'espère… Oui, tout va bien se passer, et vous allez m'aider. Parce que ça me rendrait heureux. Parce que le bonheur de mes amis est mon bonheur… Et je voudrais qu'il en soit de même pour vous… Que mon bonheur soit le vôtre!

Alex les observe. Ils se taisent.

— Il m'a ému, ton discours, dit enfin Enrico en souriant.

— Oui, très beau, acquiesce Flavio.

— Tu as raison, je me suis trompé, ajoute Pietro.

Enrico le serre dans ses bras.

— Félicitations, Alex. Je voudrais que tu sois heureux!

Flavio les rejoint.

— Oui, moi aussi.

Et enfin Pietro.

— Moi aussi, qu'est-ce que vous croyez! Vous vouliez me tenir à l'écart? Salauds!

— Ah, c'est nous les salauds?

Ils restent un moment enlacés au milieu du salon. Ils rient, plaisantent. Pietro sautille.

— Je vous aime…

— C'est ça !

Ils ne s'aperçoivent pas que quelqu'un est en train d'ouvrir la porte avec une clé. Medi, une Philippine d'une cinquantaine d'années, a un choc en découvrant ces quatre hommes qui sautillent au milieu du salon, enlacés.

— Je t'aime !

— Non, moi je t'aime plus !

— Moi je voudrais divorcer et me marier avec vous tous !

Pietro croise soudain le regard de la Philippine.

— Ah, bonsoir ! dit-il en se détachant du groupe. Vous êtes Medi, pas vrai ? Martinelli m'a dit que vous passiez de temps en temps pour vous occuper de la maison… À partir de maintenant, c'est moi qui vais y vivre…

— Oui, le monsieur m'a dit, j'ai apporté ça, comme il m'a demandé, dit-elle en montrant un pack de bouteilles d'eau. Parce que l'autre jour j'ai terminé celle qui restait… et ça aussi…

Pietro prend l'enveloppe qu'elle lui tend, et qui contient les factures d'eau, de gaz et d'électricité.

— Il m'a dit que vous deviez faire des transferts et que vous alliez en avoir besoin… Et puis, si vous voulez, je peux revenir dès demain… Voici mon numéro et le salaire que je demande…

Pietro regarde le dépliant qu'elle lui tend, avec tout ce que « Mediservice » est en mesure de faire.

— Neuf euros de l'heure ?

— Comme toutes les autres, mieux que toutes les autres…

Pietro se tourne vers ses amis.

— Elle a même un slogan ! Alex, cette femme va te piquer ton travail, dit-il en la raccompagnant à la porte. Bon, merci. Je vous tiendrai au courant…

— Non mais, vous vous rendez compte ?

Flavio acquiesce.

— De nos jours, elles sont super organisées.

— C'est que nos femmes leur ont laissé trop d'espace, ajoute Enrico. Il aurait fallu s'occuper de ça aussi, mais nous avons perdu le contrôle de la situation.

Pietro se tait. Alex s'approche de lui.

— À quoi penses-tu ?

— Que Martinelli s'est tout de suite occupé des factures, et que cette femme, en nous voyant ainsi enlacés à sautiller et rire comme des crétins, qui sait ce qu'elle aura pensé... et surtout, ce qu'elle va raconter.

— Elle doit penser... que nous sommes amis, dit Flavio.

— C'est vrai, répond Pietro.

— Et même, ajoute Flavio en changeant d'expression... Je peux te demander quelque chose ? Vu que Cristina veut rester seule, et que moi je dois trouver un appartement, est-ce que je peux vivre chez toi tant que je cherche ?

Pietro marque une pause, puis remarque les yeux d'Enrico, et surtout le regard noir d'Alex. Il sourit.

— Mais bien sûr ! Évidemment... Ce ne sont pas les chambres qui manquent, ici !

— Merci ! dit Flavio en l'embrassant. Je vais tout de suite chercher ma valise dans la voiture.

— Ah, il avait sa valise avec lui, dit Pietro dès qu'il est sorti... Donc il était sûr, il savait déjà qu'il pourrait habiter chez moi !

— Mais non... intervient Alex en secouant la tête. Tu es perfide !

Juste à ce moment, son portable sonne. C'est Niki. Il sourit, un peu gêné, et s'éloigne.

— Allô, Niki !

— Mon amour ! Alors, comment ça s'est passé, avec tes parents ?

— Très bien...

Un drôle de silence suit.

— Tu es sûr ? Tu me dis la vérité ?

— Bien sûr, mon amour, et puis quoi encore ?

— Mais où es-tu ? demande-t-elle, inquiète.

— Chez Pietro...

À ce moment-là, Flavio arrive avec deux valises et plusieurs petits sacs.

— C'est quoi, tout se bruit ?

— Nous sommes tous les quatre.

— Ah oui ? demande Niki avec enthousiasme. Et tu leur as dit, à eux aussi ?

— Oui...

— Comment ils ont pris la nouvelle ?

En même temps, Flavio sort de sa valise plusieurs pulls et des souvenirs de sa vie avec Cristina. Il s'assombrit.

— Je n'arrive pas à y croire...

Enrico et Pietro essaient de lui remonter le moral, mais Flavio est vraiment déprimé. Niki insiste.

— Alors, comment ils ont pris la nouvelle, tes amis ?

Alex comprend que parfois il vaut mieux mentir un peu.

— Bien ! C'est un moment magnifique pour tout le monde !

Au même moment, Flavio éclate en sanglots.

— Que se passe-t-il ? demande Niki.

— Rien de grave, je pense...

— Qui est-ce qui pleure comme ça ?

Alex réfléchit un instant et finit par trouver in extremis une porte de sortie.

— C'est Ingrid, la fille d'Enrico ! Elle doit avoir faim... Niki, excuse-moi, je te rappelle plus tard...

— Bien sûr, vas-y...

Alex raccroche et rejoint Flavio.

— Qu'y a-t-il ? Que se passe-t-il ?

— En ouvrant ma valise, je suis tombé sur ce pull.

— Et alors ?

— C'est elle qui me l'a offert...

— Bon, mais ce n'est pas si grave...

— Si, tu ne peux pas comprendre. C'était la Saint-Valentin, nous nous étions promenés toute la journée, et comme nous parlions toujours de partir en bateau...

— Ça y est, le marin est de retour !

— Oh, arrête, Pietro !

— Vous avez raison, excusez-moi.

— Ce soir-là, continue Flavio, nous avons ouvert nos paquets... Eh bien, nous nous étions tous les deux offert le même pull ! Mais exactement le même, même marque, même couleur... dit-il en le dépliant, avant de se remettre à pleurer. Que fait Cristina, à l'heure qu'il est ?

— Et que fait Susanna, soupire Pietro... Elle est peut-être en train de coucher Carolina...

— Moi, en revanche, soupire Enrico, je ne me demande pas ce que fait Camilla... C'est pire : je l'imagine.

Alex prend la situation en mains.

— Écoutez, il faut remonter le moral des troupes. On va dîner tous ensemble, comme au bon vieux temps ?

— Japonais ?

— Ça marche !

— Bière et partie de poker ?

— Oui ! répondent-ils en chœur.

Alex met les choses au clair.

— Mais pas jusqu'à l'aube, hein, demain j'ai une réunion...

Ils lui lancent tous un regard noir.

— Ah, ça y est, voilà le presque marié!

Il comprend que mieux vaut ne pas insister.

— Bon... C'est moi qui donne les cartes.

Ils partagent autour de la table un moment de camaraderie et d'amitié, comme ils n'en avaient pas vécu depuis longtemps. Pendant que les cartes tournent et font la chance ou la malchance des joueurs, mille pensées différentes se croisent au-dessus de leur tête. Pietro repense à une réplique de Woody Allen : « Je suis le seul au monde à recevoir une donne de cinq cartes au poker sans qu'il y en ait deux de la même couleur! » Ils éclatent de rire.

— En tout cas, ce n'est pas mon cas! Si vous saviez ce que j'ai en main...

— Tu bluffes!

— Viens voir, si tu as le courage. Cent euros!

Personne ne sait qui gagnera ce tour. Mais une chose est certaine. Aucun ne renoncera jamais à cette splendide amitié.

65

Olly coupe le moteur de sa voiture et met les deux mains sur le volant. Elle est éclairée par la lumière du lampadaire. Elle suit des yeux un chien qui traverse la rue en courant. Giampi la regarde.

— La fête était réussie, pas vrai? Et merci de m'avoir raccompagné chez moi.

Olly regarde toujours droit devant elle.

— Oui, sympa... Et Niki était contente.

Giampi se rend compte que l'humeur d'Olly n'est pas des meilleures. Alors il s'approche d'elle, lui caresse doucement la joue. Elle s'écarte un peu.

— Qu'est-ce que tu as, mon amour...

Olly se tourne et le regarde, mi-dure mi-triste.

— Rien...

— Rien et tu fais cette tête? Allez, dis-moi, qu'est-ce que tu as?

— Mais rien... Tu t'es bien amusé, toi?

— Oui... Il y avait des gens sympas. Imagine que trois personnes m'ont proposé de me ramener chez moi, quand j'ai raconté que tu étais venue me chercher pour que nous préparions tout ensemble...

— Ah, c'est gentil... Ilenia était parmi les trois, j'imagine...

— Ben oui... Elle est gentille. Tu nous as quittés un peu brusquement, tu aurais dû rester bavarder avec nous. Tu l'aurais trouvée sympa.

Olly joue nerveusement avec son arbre magique au pin. Elle ne dit rien. Giampi continue.

— Elle fait des études d'infirmière. Et puis, elle danse. Oui, c'est une fille qui assure. J'aime bien rencontrer des gens intéressants.

— Je veux bien le croire. Surtout si ce sont de jolies filles.

— Que veux-tu dire ?

— Rien. Vous avez échangé vos numéros de téléphone ? Sinon, tu peux le demander à Erica, tu as dit que c'était une amie à elle, non ?

— Mais pourquoi je voudrais son numéro ? Non, nous n'avons rien échangé du tout. Nous nous recroiserons peut-être à une fête, chez toi ou chez Erica, par hasard, tout simplement... Olly, mais tu n'es quand même pas jalouse ?

— Moi ? Mais non. Pourquoi le serais-je ? Il faut toujours que tu parles avec d'autres femmes, que tu fasses le beau, j'ai l'impression de ne pas te suffire...

— Olly, on va recommencer ? Je t'aime et je suis bien avec toi, je te l'ai prouvé plus d'une fois. C'est juste que j'aime parler avec les gens. Jeunes, vieux, hommes ou femmes. C'est comme ça que tu m'as rencontré, non ? Tu as dit que c'était ça qui t'avait plu chez moi... Et maintenant, je suis censé faire quoi ? Faire semblant d'être différent ? Me retenir ? Je ne t'ai jamais trompée, tu sais...

Olly est tiraillée. Elle sait bien qu'elle exagère mais elle n'arrive pas à s'arrêter, à revenir en arrière. Elle l'écoute, le regarde, et finit par dire :

— Ça suffit, Giampi. Tu dis toujours ça... mais moi je trouve que tu n'es intéressé que par les belles filles... Tu me manques de respect...

— Qu'est-ce que tu racontes, Olly ? Je te manque de respect ? Mais qu'est-ce que j'ai fait ?

Olly se mord les lèvres, puis fond en larmes.

— Tu me fais me sentir mal, comme ce soir, tu as passé toute la soirée à parler avec cette fille...

— Olly... vraiment... maintenant, ça suffit. Ça fait des mois que ça dure. À t'écouter, on dirait que je te trompe toutes les deux minutes.

C'est toi qui me manques de respect... Il vaut peut-être mieux qu'on arrête de se voir pendant quelque temps...

Il sort de la voiture, fâché, et claque la portière. Olly le regarde disparaître dans son immeuble. Elle se défoule à coups de poing sur son volant, furieuse contre le monde entier, et surtout contre elle-même et contre sa satanée faiblesse.

66

— Lorenzo!

Le petit garçon, qui vient de glisser par terre, allait tenter une dernière fois de frapper la balle, mais, en entendant sa mère hurler ainsi, il décide de renoncer.

— Je t'ai dit de ne pas jouer comme ça!

Il se lève en nettoyant son survêtement.

— Mais, maman, on perd!

— Je m'en fiche! Compris?

— Mais pas moi!

Lorenzo se remet à courir, plus excité et en nage que jamais. Ses longs cheveux blonds, que son bandeau en éponge n'arrive plus à retenir, lui couvrent les yeux et collent à ses joues. Il les écarte de la main et poursuit le ballon sur le terrain improvisé dans le jardin de la Villa Balestra, dans le quartier Parioli, sous les yeux agacés de Susanna. Lorenzo arrive à hauteur de la balle et recommence. Sa mère secoue la tête et regarde en direction du Monte Mario. Puis à nouveau autour d'elle, ce jardin à la forme elliptique, les allées parallèles, les grottes creusées dans le tuf à mi-hauteur. Elle s'aperçoit soudain qu'elle n'a pas surveillé Carolina depuis un moment, se tourne vers là où elle l'a vue pour la dernière fois, la cherche des yeux.

— Ah, la voilà!

Assise sur son vélo, Carolina bavarde tranquillement avec ses copines. Elle ne transpire pas, malgré son blouson. *Bon, c'est déjà ça.*

Susanna boit la dernière gorgée du soda rouge posé devant elle. Elle mange une chips, puis une olive, et encore une chips. Susanna repense à sa résolution. *J'ai dit que je voulais faire attention, plus de cochonneries entre les repas, je me suis même mise au kickboxing... Et je craque pour une chips? Je ne vais quand même pas faire comme ces femmes* qui se consolent de leurs chagrins d'amour avec la nourriture parce qu'elles pensent qu'elles n'attirent plus personne. Elles finissent par grossir tellement qu'au bout du compte personne ne les regarde plus... Mais je ne résiste pas. Susanna cède et mange sa chips en deux bouchées, contente de sa décision. Bon, demain, je m'y remets. Je ne vais quand même pas prendre de poids en une journée. Il ne faut pas être trop extrémiste au début, chaque chose en son temps, mieux vaut s'améliorer un peu chaque jour pour atteindre le meilleur résultat possible.

— Excusez-moi, madame, ces chaises sont libres ?

En voyant ce grand jeune homme aux cheveux bruns ondulés, aux yeux d'un bleu profond, et surtout au sourire magnifique, Susanna rougit.

— Bien sûr, je vous en prie...

— Merci.

Le jeune homme les apporte à une table où l'attend une belle jeune fille blonde aux cheveux raides. Quelle idiote je fais. J'ai rougi. Susanna mange une olive, puis observe le couple. Je le connais, lui, il s'appelle Giorgio Altieri. Il fréquentait la même salle de sport que moi. Nous étions toutes folles de lui, avec mes amies. Nous savions tout de lui, nous plaisantions sur comment il devait être au lit. Il sentait bon même en nage. Susanna le détaille plus attentivement. Il a depuis toujours ce sourire irrésistible. Et aussi cette splendide petite amie. Ils venaient s'entraîner ensemble. Quelle barbe ! Comment peuvent ils-résister aussi longtemps, ces deux-là ? Je les envie. Peut-être qu'il ne la trompe même pas. Si c'est le cas, il est vraiment fort... Parce qu'il est tellement beau...

En se tournant pour commander, Giorgio croise le regard de Susanna. Cette fois, elle ne rougit pas. Il lui fait un clin d'œil. Je le savais ! Susanna baisse les yeux et cherche le salut dans son bitter, mais elle s'empourpre à nouveau. Quelle idiote je fais. Et puis, mon soda est terminé !

— Excuse-moi, je suis en retard !

— Ce n'est pas grave !

Cristina arrive à point nommé, elle sourit mais semble fatiguée, ses yeux sont rouges, comme si elle n'avait pas dormi.

— Tu veux quelque chose ?

— Oui, un cappuccino.

Susanna arrête un serveur.

— Un cappuccino, s'il vous plaît. Tu veux aussi quelque chose à manger ? demande-t-elle à Cristina.

— Non, non, juste un cappuccino.

— Alors, un cappuccino, un bitter rouge, et encore des chips...
et des olives, aussi !

Susanna regarde à nouveau en direction de Giorgio, mais il est en
grande conversation avec sa compagne.

— Alors, que se passe-t-il ?

— Rien, pourquoi ?

— Rien ? Depuis que je viens à la Villa Balestra, tu n'es jamais passée me voir un après-midi.

— Ce n'est pas vrai. Je suis venue une fois.

— Quand ? Je ne m'en souviens pas...

— Il y a deux ans.

— C'est vrai ! Tu as raison... Tu es venue... Attends... Parce
que...

À ce moment-là, le serveur revient avec la commande.

— Merci, dit Susanna en se jetant sur une chips, avant de prendre
une gorgée de bitter. Ah, oui, je m'en souviens très bien, tu t'étais dis-
putée avec Flavio... Oui, parce que tu voulais continuer à travailler,
tu trouvais qu'il était tôt pour avoir un enfant, et lui... se rappelle-
t-elle avant de se tourner brusquement vers Cristina. Vous vous êtes
à nouveau disputés ?

— Pire, répond Cristina en buvant une gorgée de cappuccino,
avant de reposer délicatement la tasse. Nous nous sommes séparés.

— Vraiment ? Ça doit juste être une dispute un peu plus méchante,
ça va se régler, non ?

— Non. Je ne crois pas.

Cristina met ses cheveux en arrière et regarde au loin, vers la cou-
pole de l'église Belle Arti, et encore plus loin, vers le nord de Rome,
là où il n'y a plus de constructions, ni d'entraves, mais des champs et
des terrains cultivés à perte de vue. Là où quelque chose est encore à
naître. Pas comme son histoire.

— C'est fini, Susanna. Nous avons parlé toute la nuit dernière,
nous avons pleuré, nous nous sommes rappelé à quel point nous nous
voulons du bien... Et puis, je lui ai dit une chose importante.

— Quoi donc ?

— Que je veux être seule, que j'ai besoin de temps, que je n'en
peux plus de sentir sa présence, que le voir est une souffrance. C'est
de ne plus ressentir d'amour pour lui, qui me détruit...

— Cristina, dis-moi la vérité.

— Non, répond-elle en lui souriant. Je sais déjà ce que tu vas me demander. Je n'ai rencontré personne d'autre.

Elle prend une dernière gorgée de cappuccino et regarde Susanna.

— Je ne te mens pas, je te le jure! Tu ne peux pas savoir à quel point il serait plus simple d'avoir un autre homme en tête, ou même rien que de penser à coucher avec quelqu'un.

Susanna, sans le vouloir, comme guidée par son instinct, se tourne vers Giorgio Altieri, mais la table est vide. Elle le cherche des yeux, sans succès. Susanna hausse les épaules et regarde à nouveau Cristina, qui s'est rendu compte de sa distraction.

— À quoi penses-tu?

— À rien. En fait, tu as parlé de vouloir coucher avec quelqu'un, et j'ai pensé à un type que je vois souvent ici... qui était là tout à l'heure. Un certain Giorgio. Mais il est parti.

— Ah... Bravo!

— Mais moi je ne veux pas simplement coucher avec lui... je veux du sexe!

— Susanna!

— Oh, pourquoi est-ce que seuls les hommes pourraient avoir cet instinct? Merde alors!

— Susanna!

— Oui, j'ai envie d'être grossière, et alors?

Elle éclate de rire, Cristina sourit à son tour, elles se serrent dans les bras l'une de l'autre. Puis Susanna reprend son sérieux.

— Dis-moi, tu ne l'as pas fait à cause de notre conversation de l'autre jour, au moins?

— Laquelle?

— Tu sais, quand je t'ai raconté tous ces trucs sur Pietro, la vie, le mariage, notre groupe... tu as pu te sentir tellement concernée que tu as voulu faire quelque chose de beaucoup plus grand et important...

— Non, dit Cristina en secouant la tête. Tu sais combien de fois j'y ai pensé? Tout ce qui ne me plaisait plus dans ma vie, tout ce qui n'allait pas, et surtout tout ce dont il ne s'apercevait même pas? Le fait de rester parfois en silence près de lui, à table, pour le dîner. Il regardait la télé et ignorait mes yeux, ma tristesse... Il aurait pu me regarder, non? Il aurait vu, compris, il aurait pu me poser des questions.

— Et que lui aurais-tu répondu?

Cristina regarde les enfants de Susanna. Ils sont ensemble, maintenant, ils ont rejoint les autres et jouent dans l'herbe avec un petit chien.

— Je ne sais pas. L'important n'aurait pas été ce que je lui aurais répondu, mais de savoir qu'il s'en inquiétait...

Ses cheveux sont soulevés par le vent, elle a l'air plus calme et même plus reposée. Susanna lui caresse le bras.

— Peut-être qu'il s'en apercevra. Et qu'il se demandera pourquoi il n'a pas posé ces questions.

— Peut-être qu'il sera trop tard. Peut-être qu'il est déjà trop tard. C'est sûr...

Susanna prend les deux tickets de caisse posés sur la table et vérifie l'addition.

— Ce n'est qu'un mauvais moment à passer. Maintenant, tu vas peut-être ressentir avec plaisir ce que je ressens, moi, c'est-à-dire l'envie de me venger de Pietro et de notre échec dont il est responsable... Peut-être que tu auras toi aussi envie de ce Giorgio...

— Pour l'instant, ça n'a rien à voir.

— Oui, mais il ne faut pas t'enfermer chez toi, tu vas déprimer. Excusez-moi?

Un serveur arrive.

— Non, l'arrête Cristina, c'est pour moi, allez...

— Il n'en est pas question!

Susanna sort un billet de cinquante, attend la monnaie et laisse un pourboire de deux euros au serveur, qui s'éloigne pour apporter la commande d'une autre table.

— Tu m'inviteras à dîner la prochaine fois...

— D'accord, à charge de revanche!

— Si tant est que nos cavaliers acceptent d'être entretenus... dit Susanna en souriant.

— Et qui sont nos deux cavaliers?

— Je ne sais pas, mais ça n'a pas d'importance! Peut-être un type aussi beau que Giorgio Altieri, ou même plus, oui, encore plus beau!

— Pour l'instant, je n'ai pas vraiment envie de sortir.

— Ça ne veut pas dire que tu es obligée de coucher avec lui!

Lorenzo arrive à ce moment-là.

— Maman... Salut, Cristina!

Il lui dit bonjour avant que Susanna, comme d'habitude, ne le reprenne. Puis il sourit à sa mère. Ils savent tous deux qu'il a failli commettre l'erreur habituelle.

– Qu'y a-t-il?

– Tu me donnes trois euros pour que je prenne un Coca?

– Non. Je te les donne, mais prends un jus, sans bulles et pas trop froid…

– D'accord!

– Non, répète! Que vas-tu demander?

– Je sais : sans bulles, et pas trop froid.

– Tiens.

Lorenzo, l'argent à la main, court vers le bar.

– Tu sais ce qui est le plus terrible? demande Cristina en regardant le petit garçon. Que quoi qu'il en soit, même si ton histoire avec Pietro est terminée, et que maintenant tu doives tout assumer seule, repassage, lessive, cuisine, tous les soucis du ménage, tout cela est compensé par le fait qu'il t'en reste quelque chose. Quelque chose de grand : tes enfants…

Susanna ne sait pas quoi répondre. Elle tente un sourire.

– Tandis que pour moi, c'est comme avoir jeté ces années au vent, je regarde en arrière et je ne vois que le vide. Un échec terrible, tu sais. On n'a même pas essayé, tu comprends?

Susanna aperçoit Lorenzo sortir du bar, une paille à la bouche, une boisson à la main. Elle se penche pour contrôler. Lorenzo, en la voyant, court vers ses amis en dissimulant la canette. Mais il suffit d'un instant, Susanna reconnaît parfaitement le rouge et l'inscription Coca-Cola.

– Bravo! Ne me demande plus rien! Et si tout à l'heure tu as mal au ventre, ne viens pas faire ton numéro habituel dans ma chambre!

L'enfant fait semblant de ne pas entendre et il va retrouver ses amis sans plus se soucier de cacher son Coca.

– Excuse-moi, Cristina, mais il a tout pris de son père, celui-là… Il se croit malin, mais il se fait toujours pincer! Il ne comprend pas qu'il est inutile de mentir. C'est-à-dire, de mentir quand il n'y en a pas besoin. Je pense que c'est une maladie héréditaire. Non, vraiment, je vais consulter un médecin! Mais dis-moi plutôt : Flavio, comment il a pris ça? Comment il va?

– Je l'ai eu au téléphone, il avait l'air tranquille.

– Vraiment? Et il est parti où, chez sa mère?

– Non, il n'a pas encore eu le courage de lui dire quoi que ce soit…

À ce moment-là le portable de Susanna sonne, elle le sort de son sac et regarde l'écran.

— Justement, c'est ma mère ! À croire qu'elle le fait exprès...
Moi, je lui ai tout raconté, mais elle est casse-pieds ! Casse-pieds !
Salut, maman, qu'y a-t-il ?... Non, comme je t'ai dit, pareil qu'hier,
et il n'y aucune raison que ça change. C'est une situation ridicule, et
je ne compte pas continuer simplement parce que tu n'as pas envie
de dire à tes amis que ta fille s'est séparée !... Non. Tu devrais être
contente de pouvoir aller à cette fête et dire : « Ma fille est à nouveau
heureuse ! » Écoute, maman, je suis avec une amie, je n'ai pas envie
d'en parler. Si tu veux t'occuper de temps en temps de Lorenzo et
Carolina, ça me rend service, sinon je me débrouillerai toute seule...
Voilà... Parfait, merci, maman, dit-elle avant de raccrocher. Elle a
enfin entendu. Elle est un peu longue à la détente. Elle n'arrive pas
à se mettre en tête le fait que je ne veux pas retourner avec Pietro...
Mais, pardon, tu me parlais de Flavio...

— Oui, il n'a rien dit à sa famille.

— Tu vois, il est clair qu'il espère encore te retrouver... Mais il
va dormir où ?

Cristina la regarde dans les yeux.

— Je pensais que tu étais au courant.

— Non. Chez qui ?

— Chez Pietro.

— Je vois ! À deux, ils ne sont même pas capables de faire une
demi-assiette de pâtes !

67

— Ça brûle !

— Souffle avant de goûter...

— Bon, alors je souffle, hein... comme ça ?

— Oui, comme ça.

Pietro retire la cuillère de sa bouche.

— La sauce n'a aucun goût !

Flavio essaie à son tour, mais se brûle la langue.

— Aïe ! C'est vrai.

— On va ajouter un peu de vin rouge, de piment... De l'huile, du
sel... N'importe quoi pour relever ça.

Flavio remue la sauce avec une spatule trop grande pour la petite casserole où les tomates cuisent. Le feu est trop vif.

— Tu m'écoutes ?

Flavio goûte à nouveau la sauce.

— C'est vrai. Ça n'a aucune saveur.

— Je viens de te le dire !

— Écoute, moi, les quelques fois où j'ai cuisiné, j'ai fait comme ça… Et puis, on ne peut pas ajouter des ingrédients au petit bonheur la chance.

— Tu ne regardais pas comment Cristina préparait à manger ? Tu n'as jamais rien appris ?

— Eh non.

Pietro soupire et prend une bouteille de vin.

— Quelle histoire !

— Quand j'arrivais, tout était déjà prêt.

— Toujours ?

— En tout cas, je ne m'installais pas à la cuisine avec elle pour voir comment elle faisait.

— Mais alors tu la traitais comme une bonniche ! Deux mots : Comment s'est passée ta journée ? Le travail, le tien, le sien… Non ?

Il a envie d'ajouter : *Pas étonnant qu'elle t'ait largué !* Mais il préfère éviter.

Pietro réussit enfin à ouvrir la bouteille. Flavio le regarde, inquiet.

— J'aurais dû, hein… C'est peut-être pour ça.

Pietro acquiesce.

— Une femme a besoin de certaines attentions. Elle doit se sentir importante, considérée, une princesse, même si elle prépare des pâtes toutes simples à l'huile, à l'ail et au piment ! Ah, voilà, c'est ça qu'on aurait dû faire, c'est plus facile, dit-il en sentant le vin, avant de le déguster. Mmh… Il est bon. En tout cas, je plaisantais, hein. Tu sais qu'en fait tu n'es pas si nul ? Tu as une certaine classe quand tu cuisines, ça se voit à ton jeu de poignet, à comment tu laisses tomber le sel avec grâce…

— Tu te fous de moi ?

— Non… Je veux que tu te sentes… comme un prince charmant ! Les pâtes en seront peut-être meilleures… Baisse le feu, ça brûle.

Pietro approche les assiettes.

— Tu as vu *Ratatouille* ?

— Non.

— C'est un très beau film d'animation, c'est pour les enfants, mais à mon avis ça plaît tout autant aux grands, comme tous les dessins animés qu'ils font depuis quelques années, d'ailleurs. C'est l'histoire d'un rat gourmet, passionné par la cuisine, les saveurs... À un moment, il dit que la nourriture trouve toujours ceux qui aiment cuisiner. Donc, dépêche-toi... sinon elle ne nous trouvera plus et nous mourrons de faim !

Flavio secoue la tête et, après moult casseroles sales et quelques prières inutiles, il annonce :

— Voilà, la sauce est prête.

Pietro s'assied à table. Flavio s'approche et sert la sauce. Il s'installe et se verse du vin. Pietro ne l'attend pas. Affamé, il prend une bouchée de pâtes.

— Alors ? Qu'en dis-tu ?

— J'en dis que même ce rat, les yeux fermés, il aurait fait mieux. C'est immonde. C'est trop cuit et ça n'a aucun goût.

— Je croyais que j'étais le Prince charmant !

— Je me trompais... tu n'es même pas le vilain petit canard.

Flavio l'envoie se faire voir d'un geste de la main, puis décide de goûter les pâtes à son tour.

— Je sais que tu exagères toujours, dit-il avant de mâcher un peu et de recracher directement dans son assiette. Pouah ! C'est terrible ! Elles ne sont pas trop cuites, elles sont carrément molles ! S'il y a bien quelque chose que je ne supporte pas, ce sont les pâtes molles... Et puis, il n'y a pas assez de sauce...

Pietro avale son verre de rouge, s'en sert un autre qu'il vide également d'un trait.

— Tu fais quoi ? Tu veux te saouler ?

— Oui, je bois pour oublier... le goût de ce plat. En plus, la sauce avait brûlé.

Il ouvre son ordinateur.

— Tu fais quoi ? Tu cherches une nouvelle recette ? demande Flavio, étonné.

— Non... Je veux voir si quelqu'un peut nous apporter à manger à la maison... Voilà. Livraison, traiteur japonais...

Il se lève, prend son portable dans la poche de sa veste et revient devant l'écran. Il compose le numéro.

— Allô ? Bonsoir, je voudrais passer une commande... Oui, sushis et sashimis... Pour toi aussi, Flavio ?

— Oui, oui, la même chose que toi...

Il écoute la commande de Pietro, son enthousiasme, sa vitalité.

– Et je vous en prie, apportez-nous quelque chose de bon, nous sommes deux *neosingles*! D'ailleurs, les tempuras, ils ne seront pas un peu mous, en arrivant? C'est une femme, ajoute-t-il en couvrant le micro. Elle a une voix très sensuelle... J'aime bien l'idée d'une Asiatique, pas toi?

Flavio fait non de la tête. Pietro hausse les épaules.

– Tu es triste... Moi j'aime bien l'idée! Oui, dit-il en reprenant le téléphone, du bon riz blanc, aussi. Et pas trop cuit, ajoute-t-il en faisant un clin d'œil à Flavio.

Ce dernier se sert à boire et, assis sur le canapé, regarde tristement Pietro, qui tente avec enthousiasme de séduire la fille au téléphone.

– C'est comment, votre nom? Non, pas le restaurant! Vous... Comment vous vous appelez? Fu Tan Chi... Ah. Fu Dam Chi. Ah non. Tuta Chi? Bon... ça ne fait rien.

Flavio pense à Cristina. *Que fait-elle? Avec qui?* Mais il n'est pas jaloux. Il l'imagine dans la maison, en train de préparer à manger, comme elle l'a toujours fait pour lui, tous les soirs, quand il rentrait à la maison, même tard, et ce bouillon clair, ce simple bouillon clair, idiot, parfois un peu insipide, lui semble soudain la meilleure chose qu'il ait jamais mangée. Il se remémore certains souvenirs. Cristina. Cristina qui rit. Cristina qui est émue à la fin d'un film. Cristina qui dort. Cristina qui prend son petit déjeuner, encore un peu endormie. Cristina qui fait l'amour. Cette nuit à la mer, après avoir bu un peu, cette promenade, cette plage, cette eau, cette lune cachée. Ce silence, il n'y avait personne sur la plage. *Où étions-nous? En Espagne. À Ibiza. Non, non, ça c'était l'année d'après! Nous étions en Grèce.* Il revoit chaque instant, chaque sensation, ce jeu de lumières, la pénombre entre les rochers... Cette femme abandonnée entre ses bras, en dessous de lui, cette passion qui ne tient plus compte de rien, comme une faim soudaine, quand on ne se contrôle plus. Comme happé, Flavio se retrouve là-bas, face à la passion, nette, forte, presque encombrante dans sa beauté. Excité, il regarde dans le vide, dans la nuit, et il sent à nouveau l'écho lointain de ces soupirs, le halètement du désir, la splendide faim d'amour. Il est envahi, emporté par une immense tristesse.

– J'ai passé la commande... pour tous les deux.

– Oui, oui, merci...

Flavio se lève, va dans sa chambre, ferme la porte et s'allonge sur le lit sans même enlever ses chaussures. *Je ne peux pas y croire. Ça ne peut pas être vrai. Ça ne peut pas finir comme ça. Comment j'ai pu ne pas m'en rendre compte ? Ou alors, peut-être que je le savais mais que je ne voulais pas l'affronter.* Puis sans trop savoir pourquoi, il pense à cette chanson : « Sans toi. Sans racines, désormais. Tous ces jours en poche, tous là, à passer. » Soudain, ces jours lui semblent plus inutiles que jamais. Il se demande s'il aurait pu faire autrement. C'est le souvenir de cette chanson qui lui donne la réponse. « J'étais fatigué et apathique, il n'y avait pas de solution, oui, j'ai bien fait... »[1] Il a envie de sourire, stupidement. *J'ai bien fait. Mais qu'est-ce que je raconte ? Ce n'est pas moi qui ai pris cette décision. Elle a tout décidé. Cristina, mais qu'est-ce qui t'a poussée à agir ainsi ? Il y a toujours quelque chose, quelqu'un, un fait, une histoire, un film, un instant qui joue le rôle de l'élément déclencheur de nos décisions. Un ressort, le courage de quelqu'un d'autre qui devient tien, qui te montre ce que tu ne voulais pas voir et t'entraîne vers un nouveau chemin. Qu'est-ce que ça a été, pour toi, Cristina ? Qu'est-ce qui t'a fait faire le pas ?* Il repense à une autre chanson. « Un pas en arrière et je sais déjà que j'ai tort, je n'ai plus les mots qui déplacent le soleil. Un pas en avant et le ciel est bleu, le reste ne pèse plus comme tes mots qui déplacent le soleil[2]. » « Un passo indietro ». *Les Negramaro. Elle les adore. Parfois, elle me parlait d'un texte, d'une phrase qui l'avait marquée, mais comme je ne les supporte pas, au bout d'un moment je l'interrompais et je parlais d'autre chose... Stupide. J'ai dû le faire bien d'autres fois, même sur des sujets importants. Même si je n'en avais pas l'impression. Je t'ai toujours aimée. Comment l'amour peut-il s'éteindre ainsi ?* Il s'efforce de comprendre, de se rappeler si une des phrases de cette chanson peut avoir été le ressort... Mais il ne le sait pas, il ne le saura peut-être jamais. Ils ont parlé toute la nuit, il a tenté de la convaincre à tout prix. Rien. Il n'y a rien eu à faire.

Alors Flavio se tourne de l'autre côté, se met en chien de fusil, comme s'il avait besoin de protection. Et cette chanson de Lucio Battisti continue à tourner dans sa tête : « Je me sens comme un sac vide, un truc abandonné. » Il se sent plus seul que jamais, comme s'il avait tout perdu, il a le sentiment de n'avoir plus de soutien, de réalité, d'existence, de maison, de bureau, de travail, comme s'il était en pleine mer, naufragé de lui-même. Une crise de panique, il suffoque, son cœur bat à un rythme nouveau, lointain, pendant quelques secondes. Tachycardie. Terreur. Il prend son portable dans sa poche, l'ouvre, cherche le nom « Cristina portable ». Mais à nouveau cette

---

1. Extraits de Lucio BATTISTI, « Elena no », Ricordi, 1972.
2. Extrait de NEGRAMARO, *La Finestra*, « Un passo indietro », Sugarmusic, 2007.

chanson lui tombe dessus. Cette fois, elle semble sévère, dure et déterminée. Comme si on criait à l'intérieur de lui : « Orgueil et dignité ! Loin du téléphone… » Alors il raccroche. Tout doucement sa respiration redevient normale. « Attends au moins un instant… Sinon… On sait… » *Oui. Tu as raison, Lucio.* Il remet son portable dans sa poche au moment où Pietro frappe à la porte.

— Tu es là ? Tout va bien ? Le livreur est arrivé, moi je vais manger.

— J'arrive.

Flavio sort de sa chambre, va à la salle de bains, se lave le visage et se retrouve assis devant Pietro. Il se met lui aussi à manger.

— C'est bon… mais les tempuras ne sont pas terribles.

— Je crois, dit Flavio en souriant, qu'un de nous deux doit sérieusement se mettre à la cuisine.

— Oui, répond Pietro en s'essuyant la bouche. Tu te rappelles *Drôle de couple* ?

— Oui, c'est génial.

— Bon, alors je fais Walter Matthau, celui qui a toujours plein de femmes, et je t'en trouve pour toi aussi, et tu es Jack Lemmon, celui qui sait cuisiner…

— D'accord, dit Flavio en avalant un morceau de saumon. En tout cas, nous pouvons continuer avec ce japonais, les sashimis sont frais et délicieux !

— Oui, sourit Pietro, mais il va quand même falloir en changer. La livreuse qui les a apportés était un vrai thon !

68

Quelques temps plus tard. Nuit de Saint-Valentin. Nuit d'amour. Mais aussi nuit de divertissement, de musique, de mots, d'événements. Nuit artistique. Nuit des grands esprits.

— Allô, Alex, tu ne répondais pas !

Niki se bouche l'autre oreille pour entendre la réponse. La salle est très bruyante.

— Excuse-moi… Je dîne avec le directeur et les autres, j'avais mis le téléphone sur silencieux et il était dans ma veste sur la chaise, je ne l'entendais pas…

— Trop long, ce discours... Justement aujourd'hui, le jour de la Saint-Valentin! D'accord, je n'ai pas voulu la fêter parce que j'aime bien aller à contre-courant, mais là tu exagères... et tu m'inquiètes!

Alex se lève de table en s'excusant, puis va s'isoler pour parler plus au calme.

— Mon amour, tu es folle de dire des choses pareilles! Rien que le fait de les penser...

Il a envie d'ajouter : *Après ce que je t'ai demandé! Tu te rends compte? Je t'ai demandée en mariage, mon amour!* Mais il préfère écouter la réponse de Niki.

— Quel rapport... Il faut toujours les penser! Il ne faut jamais s'endormir... Et puis, je veux tout savoir : où tu es, avec qui, et ce que tu fais.

Alex éclate de rire.

— Niki la dictatrice! Tu me fais peur...

— Peut-être, mais, en attendant, réponds!

— Je suis au Duke's, viale Parioli. Je suis avec Soldini, Alessia, le directeur avec sa femme et une nouvelle assistante...

— Ah... Tu m'as dit que Soldini et Alessia étaient ensemble et qu'ils sont très heureux et amoureux, non?

— Oui... s'inquiète Alex, qui sait déjà comment ça va finir.

— Le directeur et sa femme, bien que je ne connaisse pas leurs sentiments, sont quand même le directeur et sa femme... Pas vrai?

— C'est également vrai.

— Il reste donc à comprendre qui est cette nouvelle assistante.

— Mais non... Il n'y a pas grand-chose à comprendre, nous avons un nouveau type de travail à faire, pour la première fois nous nous occupons directement de la partie production, et elle a déjà fait ces choses-là.

— Bref, elle est forte?

— Très...

— Et belle?

Alex ferme les yeux et serre les dents, il savait qu'il aurait à répondre à cette question.

— Oui... dans son genre.

Dans ces moments, il faut choisir la meilleure solution, la réponse la plus spontanée et immédiate pour ne pas tomber dans le piège de la sensibilité féminine, cette capacité unique qu'ont les femmes de tout comprendre et de percevoir toutes les nuances, surtout celles qu'on ne pensait pas avoir laissées transparaître.

— Dans son genre, hein… Je vois. Elle est très belle.

— J'ai dit dans son genre.

— Oui, dans son genre de beauté !

— Bon, d'accord… Comment tu as fait pour le comprendre ?

— Ah, donc j'avais raison ! Alex ?! Pourquoi tu ne me l'as pas dit tout de suite ?

— Mais non, mon amour, je plaisantais… Écoute, pour moi c'est un genre, peut-être que quelqu'un d'autre la trouverait belle… Mais en ce qui me concerne, nous en avons déjà trop parlé.

— Hum… Je ne suis pas convaincue…

— Je voudrais être avec toi. Ça te convainc, ça ?

— Un peu plus, sourit Niki… Mais pas assez.

— Je t'aime.

— Ça, au moins, c'est clair… Ça me convainc tout à fait. Tu sais, c'est dommage que tu ne puisses pas passer. Je pense que ça va être très bien. Il y a celui qui passe toujours à la télé, Renato Materia, qui lit ses textes…

— Ah, oui, je vois qui c'est, celui qui fait semblant d'être de gauche.

— Pourquoi « fait semblant » ?

— Nous l'avons contacté pour une pub Onlus où tout allait à des œuvres de bienfaisance, il a demandé un cachet très élevé, nous lui avons proposé un peu moins et il a refusé…

— Ah bon… Dommage, il a l'air si authentique.

— Oui, bien sûr… barbe de trois jours, pull ras du cou… Tout pour passer à la télé, où il dit être le porte-parole du peuple, savoir écouter sa rage, des trucs comme ça… Mais essaie de lui faire ouvrir son portefeuille pour une bonne cause, il devient sourd… Ils sont tous comme ça. Tu sais combien de noms je pourrais citer ? De toute façon, tôt ou tard, il sera percé à jour.

— Bon, salut, mon amour. Je te laisse à ton dîner.

— Salut, amuse-toi bien.

— Toi aussi…

Alex revient à la table.

— Excusez-moi.

— C'était Niki ? demande le directeur, à qui sa femme lance immédiatement un regard de reproche.

— Oui.

241

— Ils sont en pleins préparatifs! continue le directeur, imperturbable.

— De quoi? s'enquiert sa femme.

— Je peux? demande le directeur en regardant Alex.

— Bien sûr.

Il aurait envie d'ajouter : « De toute façon, tu l'as déjà dit, je ne vois pas comment je pourrais t'en empêcher! ».

— Alex se marie!

— Vraiment? C'est magnifique! Trop fort! s'exclame Soldini en lui serrant la main. Ton histoire avec Niki est un vrai conte de fées.

— Merci, merci... répond Alex, un peu gêné.

Il croise le regarde de Raffaella, l'assistante. Elle a l'air sincèrement contente.

— Félicitations. C'est la fille de LaLune, n'est-ce pas?

— Oui...

— Elle est très belle. Je suis très heureuse pour vous.

Le directeur reprend la situation en mains.

— Bon, alors commandons, comme ça on pourra discuter aussi un peu de notre projet, d'accord?

Comme des automates, ils ouvrent le menu. Tous repensent à ce qu'ils ont mangé au déjeuner et essayent d'adapter leur choix pour ne pas exagérer avec les calories. Mieux vaut un hors-d'œuvre et une viande ou des pâtes et une viande? Bon, en tout cas je prendrai un dessert!

— Mmh, il y a du canard aux myrtilles.

— C'est quoi, les *paccheri*?

— Ce sont de grosses pâtes, un peu comme les coquillettes, mais beaucoup plus grandes...

— Ah, merci.

Tandis que chacun fait part de ses considérations, Raffaella regarde longuement Alex. Il ne s'aperçoit de rien, il pense à autre chose. Elle finit par sourire et conclut mentalement : *Il n'est pas encore marié.* Raffaella referme le menu, particulièrement satisfaite.

— Moi, j'ai choisi.

— Tu prends quoi?

Quelqu'un s'intéresse à son choix, Alex fait semblant de se joindre à lui. En réalité, il sait très bien qu'elle le regarde. Certains jeux sont clairs dès le départ. Reste à voir si on a envie de jouer, ou si la mise est trop élevée.

– D'abord, des spaghettis alla Norma...

– Mmh, c'est vrai que c'est bon! Tomates, ricotta et aubergines...

– Ce n'est pas un peu lourd?

Raffaella hausse les épaules.

– J'aime trop ça. Je prends le risque!

Elle fixe à nouveau Alex, et cette fois il est trop tard pour échapper à son regard.

– Ah non, moi je vais faire plus léger... Je passe directement à la viande. Un steak et une salade... J'ai pris quelques kilos...

Raffaella sourit et n'ajoute rien. Puis, sans le vouloir, elle rougit, mais heureusement personne ne s'en aperçoit. Elle aurait bien une idée pour le faire maigrir.

69

Le téléphone de Cristina sonne.

– Allô!

– Allô, tu étais où?

– Salut, Susanna, j'étais sous la douche mais je suis sortie juste à temps pour décrocher.

– Tant mieux! Écoute, je voulais te proposer quelque chose... ce soir, c'est la Saint-Valentin...

Cristina frictionne ses cheveux qui gouttent sur le tapis.

– Je sais...

– On s'est séparées juste avant la fête, hein...

– Oui... Je dirais que nous n'avons rien à fêter...

– C'est toi qui le dis, ma chérie. C'est bien pour ça que je t'appelle. On n'a qu'à sortir toutes les deux! On pourrait aller au resto, se détendre. Je laisse les enfants à ma mère.

– Oui, mais ça ne va pas être marrant de voir tous ces couples... J'avais le projet de dîner, me mettre en pyjama et regarder un film.

– Tu ne préférerais pas une super soirée, entre célibataires?

– Mais c'est la fête des amoureux!

– Au pire, on nous prendra pour un couple, nous aussi! Ça n'a pas marché avec les hommes, nous sommes passées aux femmes!

Cristina sourit. Susanna a le sens de la formule.

— Tout doit déjà être réservé...

— On s'en fiche! On va au hasard, et on peut commencer par un apéritif. Allez, je passe te prendre dans une heure. Et fais-toi belle, hein! Je ne te veux pas en jogging ou en souillon. Bien habillée, et maquillée!

Elle raccroche sans lui laisser le temps de répondre. Cristina ouvre son armoire, fouille dans ses robes, en sort deux ou trois et s'aperçoit que cela fait longtemps qu'elle ne les a pas mises. Flavio aimait bien la noire. Cristina la pose contre elle, se regarde dans le miroir, puis la laisse tomber. Elle en prend une lilas avec des petites fleurs blanches. Un peu plus malicieuse. Des bottes beiges iront très bien avec celle-là. Elle s'habille, se coiffe et se maquille. En observant son reflet, elle se dit : *Oui, ce soir j'ai vraiment envie de me changer les idées.*

70

Quelques jeunes gens dansent dans un coin de la salle. D'autres bavardent dans le couloir, boivent une bière, l'un d'eux roule une cigarette de tabac, un autre se cache un peu pour en allumer une autre, aux effets plus spéciaux.

Dans la grande salle, des gens sont assis sur les gradins ou sur les tables, d'autres, plus respectueux, ou du moins plus ponctuels, ont déjà pris place sur les chaises. Soudain la porte au fond de la salle, au centre de la petite estrade, s'ouvre pour laisser entrer Renato Materia, « artiste de gauche jeune et vigoureux », si l'on en croit les tracts qui ont fait le tour de l'université. Il s'empare du micro posé et entame un rap. Il se déplace en n'agitant que la tête. De temps à autre, il s'arrête et lève le bras, le poing fermé, pour souligner sa conviction.

— Menteurs et voleurs, faux politiques, gourous fanatiques, dégagez de ce monde, enlevez les mains de notre ronde. Nous sommes pour la substance, nous détestons les apparences, ceux qui parlent en sortant de la salle et ne s'éteignent pas dans l'indifférence. Nous sommes ceux de l'intérieur, qui savent tourmenter par les mots, nous sommes ceux qui font la fête et n'ont jamais honte de dire stop. Menteurs et voleurs, faux politiques, gourous fanatiques, tombez plutôt amoureux, allez sur ce beau pont, enchaînez-vous avec un cadenas, et plongez vous-mêmes avec la clé[1]... Un joli saut du parapet. Et nous, libres ! Libres ! Nous redevenons libres, libres !

Mais, du fond de la salle, la voix d'Adriano Mei, un des piliers de l'*Onda*, s'élève dans un mégaphone.

— Oui, libérés de toi !

C'est le signal, le cri de guerre.

— À l'attaque !

Une pluie de tomates, céleris et autres légumes pourris s'abat des quatre coins de la salle. Adriano Mei continue sa lutte toute personnelle dans le mégaphone.

— Bouffon, menteur, faux artiste de gauche ! Tu es un vendu... Tu as refusé de soutenir une œuvre de bienfaisance parce que tu voulais plus d'argent. Tu n'es qu'un produit dégueulasse du système... Rase cette barbe, fais pousser autre chose, fais-toi connaître, ne te cache plus, sale imposteur !

Renato Materia est maintenant couvert de produits agricoles en tout genre. Comble du comble, un œuf tiré avec force et précision le touche en plein front et explose sur son visage, le contraignant à une retraite honteuse.

— Salaud ! Salaud ! Salaud !

Au même moment, son pseudo-agent, Aldo Lanni, est en pleine conversation avec une jolie fille.

— Je peux te faire faire quelque chose d'important à la télé, nous avons plein de contacts...

— Vraiment ? Ça me plairait.

— Alors donne-moi ton numéro, je t'appelle.

À cet instant précis, la porte s'ouvre et Materia déboule, couvert de légumes et puant l'œuf pourri.

— Qu'est-ce qu'ils t'ont fait ?

---

1. Allusion à *J'ai envie de toi*, du même auteur, paru en 2007 aux éditions Calmann-Lévy, où les héros accrochent un cadenas à un lampadaire du Ponte Milvio, à Rome, pour symboliser leur amour, avant d'en jeter la clé dans le Tibre. Ceci a suscité une véritable mode en Italie, où les cadenas prolifèrent sur tous les ponts.

– Une macédoine, voilà ce qu'ils m'ont fait! Ils m'ont balancé tous ces trucs... et s'ils nous chopent, on y passe... Allez, vite, on s'en va!

Aldo Lanni n'a pas le temps de prendre le numéro de la potentielle vedette de la télé. Materia le tire par son blouson.

– Merde alors!

– On va à la voiture, allez, vite!

– Elle est garée où?

– Un peu plus loin.

Aldo Lanni démarre sa Mercedes berline, mais les jeunes gens menés par Adriano Mei se lancent à leur poursuite.

– Les voilà! Démarre!

L'un des étudiants envoie avec force et rage la bouteille qu'il tient à la main et atteint le pare-brise arrière, qui explose en mille morceaux.

– Merde, elle a deux mois, cette voiture!

Aldo Lanni fonce vers la sortie. Materia vérifie que les jeunes ne les suivent plus. Ils sont désormais hors de danger.

– On peut savoir pourquoi ils se sont énervés comme ça? Qu'est-ce que tu as dit?

– Je n'ai rien dit du tout! Je faisais le morceau habituel... Cette connerie sur les hommes politiques et les cadenas...

– Je t'ai dit qu'il fallait en changer. Les gens sont fatigués de l'entendre!

– Mais non, ce n'est pas ça. Je ne sais pas comment, mais ils étaient au courant pour la demande d'augmentation du cachet pour Onlus.

Aldo Lanni secoue la tête.

– Je te l'avais dit, ça aussi. Tu aurais dû accepter ce qu'ils t'offraient... Tu as trop tiré sur la corde.

– Je crois que tu as raison...

Il se tait. Un petit ruisseau de blanc d'œuf lui dégouline du front. Un sourire se dessine sur le visage d'Aldo. *Bien fait pour lui. Ça lui apprendra à ne pas accepter ce qu'on lui propose, et surtout à réduire ma commission à cinq pour cent. Qu'est-ce qu'il croit? Qu'il s'est fait tout seul? Que son succès ne tient qu'à lui?... Et à la télé, en plus! Un truc de fou. Il a été parfait, cet Adriano Mei, il a utilisé au mieux ce que je lui ai dit : pas de violence, juste une bonne trouille. Avec ça, Materia va rentrer un peu dans les rangs et se remettre au travail... Et ça, c'est tout bénef pour moi.*

— Écoute un peu, dit Materia en se tournant vers lui. « Une gauche constructive, c'est ça qu'il nous faut, un homme intelligent qui travaille avec son esprit, plus de rondes mais des pensées plus profondes. » C'est comment ? C'est bon ? Hein, c'est bon ?

— Excellent… C'est avec des trucs comme ça que les gens vont à nouveau croire en toi et en tes mots. D'ailleurs, il faut aussi que tu abandonnes cette idée de l'Interphone. Elle a vieilli.

— Tu as raison. Ah… Comment ferais-je sans toi ?

Aldo acquiesce et lui donne une tape sur la jambe gauche, la seule zone sortie intacte de l'attaque d'Adriano Mei et de ses compagnons.

Tout doucement, après quelques commentaires amusés, le petit groupe retourne dans la salle, certains se remettent à danser, d'autres s'embrassent, d'autres encore rient en se racontant une anecdote amusante, une fille regarde de loin le garçon qui lui plaît tant mais qu'elle n'a pas le courage d'approcher.

— Alors, qu'est-ce qu'on fait ?

Guido surprend Niki de dos. Dans sa main un gobelet en plastique contenant une limonade agrémentée d'un peu de vodka et d'une feuille de menthe.

— Eh, tu m'as fait une de ces peurs !

— Pour si peu… Tu es une vraie téméraire, toi.

— C'est-à-dire ? Pourquoi tu me dis ça ?

Guido sourit et boit une gorgée à la paille, prenant le temps de créer encore plus de suspense.

— Mmh, c'est bon… Tu en veux ?

Niki regarde la paille qu'il vient d'utiliser. Et puis quoi encore ? Il est vraiment mufle. Beau et mufle. Cela l'ennuie de devoir l'admettre.

— Non, merci… Je voudrais plutôt savoir à quoi tu faisais référence.

— Oh, rien… Pourquoi, tu n'as pas la conscience tranquille ?

— Si, tout à fait, je poursuis tranquillement mon chemin. C'est toi qui as fait irruption dans mes pensées, ajoute-t-elle avec un sourire forcé.

— Tu pensais aux musiques que tu vas choisir ?

Surprise, elle lève un sourcil.

— Pour le mariage… J'ai appris que tu allais te marier. C'est vrai ?

Niki sent son cœur s'emballer et elle rougit, pire que si elle avait descendu la vodka d'un trait. *Mais pourquoi je réagis comme ça ? Je suis bête, ou quoi ? Que se passe-t-il ? Pourquoi je rougis ?* Elle ne trouve aucune explication. Un tourbillon de pensées, de sensations, une tempête d'émotions mettent son cœur en émoi.

— On se connaît à peine…

— Justement, c'est comme si tu te réfugiais dans un mariage soudain.

— Tu plaisantes ? Et pourquoi ?

— Tu sais… dit Guido en s'asseyant sur le muret tout en sirotant doucement sa limonade. C'est toujours comme ça, quand on n'arrive pas à s'expliquer quelque chose : au lieu de l'affronter, on fuit ou on se cache.

— Je ne fuis pas, je ne me cache pas… Et sincèrement, je trouve cette dispute absurde.

— Dispute ? Nous parlons, c'est tout… Je ne pensais pas que dire à tout le monde que tu te maries te mettrait dans cet état. D'habitude, c'est un sujet de grand bonheur, chez les filles, non ?

Une vraie tête à claques.

— En effet, ça l'est. Mais je n'en parle pas avec le premier venu…
Guido lâche sa paille, surpris.

— C'est qui, ce type ? Montre-le-moi, je lui règle son compte, je lui casse la figure.

— C'est toi.

— Moi ? Mmh… Tu sais ce que disait Jim Morrison ? « Parfois il suffit d'un instant pour oublier une vie, mais parfois une vie ne suffit pas à oublier un instant. »

— Pas mal ! Tu as l'air fort en phrases comme celles qu'on trouve dans les Carambars !

— Oui, c'est vrai… En effet, beaucoup de filles me disent que je suis très doux. Un petit chocolat… Les autres, celles qui ne m'ont pas goûté, gardent leurs distances parce qu'elles ont peur.

— Moi je n'ai pas peur.

— En effet, je ne parlais pas de toi.

Niki le regarde de travers, les yeux presque fermés. Guido s'en aperçoit et comprend.

— Aïe aïe… Elle est énervée…Très énervée. Bon… sourit-il en buvant sa dernière gorgée et en descendant du muret. Écoute, je pense que nous donnons une mauvaise tournure aux choses : chaque fois que nous nous voyons, nous finissons par nous disputer, quelque chose ne fonctionne pas entre nous.

— Oui, toi.

— Tu vois, tu es trop agressive. Pourquoi n'irions-nous pas dîner ensemble un soir pour en parler plus longuement ? Tu n'es pas encore mariée...

— Quel rapport, je pourrais sortir même si j'étais mariée.

— Je ne crois pas, rit Guido... Combien de temps durerait votre mariage ?

Niki mime des cornes en guise d'insulte.

— Tu sais, elles devraient porter bonheur, mais la plupart du temps ce sont elles qui causent la fin des mariages : les cornes ! Regarde là-bas... ajoute-t-il sans lui laisser le temps de répondre.

Il indique, dans le groupe près de l'estrade, des jeunes qui dansent. Parmi eux, un peu stone, une fille bouge, se laisse aller, les yeux fermés. Ses cheveux ondulent sur ses épaules, elle est pieds nus, elle tient une cigarette dans la main gauche et une bière dans la droite, elle alterne les deux avec un seul désir, s'étourdir.

— C'est une de mes ex. Elle a vingt-trois ans... Elle est en retard dans ses études, mais nous avions fait plein de projets ensemble, nous avons été heureux pendant un an et demi... Puis quelque chose s'est produit. Elle a commencé à fumer. Y compris des joints. Et à boire, et d'autres choses qu'elle n'avait jamais faites auparavant... Tu comprends ? D'un extrême à l'autre, sans raison.

— Sans raison pour toi. Il y a toujours un pourquoi aux choses... C'est que parfois il vous échappe, à vous les hommes.

— C'est vrai. Ton futur mari, saura-t-il comprendre ? Saura-t-il observer ce qu'il se passe ? Évoluer et te suivre dans tes changements ?

— Oh... J'ai confiance en lui.

— En effet. J'en suis certain. C'est en toi, qu'il ne faut pas avoir confiance...

— En moi ! Mais pourquoi ?

— « Ceux qui peuvent renoncer à une liberté essentielle pour obtenir un peu de sûreté provisoire ne méritent ni la liberté ni la sûreté », disait Benjamin Franklin. Et puis, trop de sécurité, ça fait déraper...

— Alors tu es Monsieur Citations.

— J'en connais plein… Mais si tu veux, si on va dîner ensemble, je n'en dirai aucune et je parlerai d'autre chose… À condition que tu n'aies pas peur, bien sûr.

Niki reprend son sérieux.

— Je te l'ai dit. Je n'ai pas peur. Mais je n'ai pas non plus de bonne raison pour dîner avec toi.

Elle le laisse là, amusé et curieux, satisfait d'avoir réussi à faire bouger quelque chose en elle. Guido sourit, optimiste, en suivant une pensée secrète.

71

20 heures. Le rituel de l'apéritif. Sur fond de musique lounge, les serveurs préparent des cocktails et servent du vin et du *prosecco* dans des verres à pied. Sur le comptoir sont disposés des amuse-bouches appétissants, petites sauces, toasts, chips, pistaches et cacahuètes, ainsi que des plateaux remplis de beignets de légumes et de petites pizzas. Des cœurs et des banderoles « I love You » rouges sont accrochés partout.

— Tu as vu tout ce monde ? demande Susanna. Et il n'y a pas que des couples.

Cristina regarde autour d'elle.

— En effet, il y a aussi des groupes de jeunes.

Susanna sirote un Negroni.

— Mmh, regarde ce garçon, là-bas…

Cristina se penche sur son tabouret. Un grand brun, debout devant le comptoir, a l'air de s'ennuyer.

— À mon avis, il attend sa copine.

— À mon avis non, dit Susanna en lui faisant signe de les rejoindre.

— Susanna, qu'est-ce que tu fais ?

Cristina se couvre le visage de la main. Le type regarde Susanna, un peu perplexe, puis il secoue la tête, sourit et se lève pour les rejoindre. Il est jeune, bien habillé, un peu bronzé. Cristina se tourne de l'autre côté.

— Non, Susanna, je t'en prie…

— Qu'est-ce que ça peut te faire, regarde comme il est beau…

Le type arrive juste à côté de Susanna.

— C'est à moi que tu t'adressais?

— Oui. Écoute, mon amie et moi cherchons un endroit où sortir ce soir… un bon endroit pour faire la fête…

Le jeune homme regarde Cristina, qui ne sait plus où se mettre.

— Vous pouvez aller chez Joia, via Galvani. Il y a plein de VIP et ils font toujours des réductions pour les femmes. Ils ont même un restaurant au dernier étage, mais c'est plutôt privé, je ne sais pas si ce soir…

Susanna l'observe, déçue.

— Excellent conseil. D'ailleurs, si tu n'as rien prévu d'autre, pourquoi tu ne viens pas avec nous? On y sera vers minuit… On va d'abord aller dîner, et ensuite au Joia. Tu nous as convaincues, pas vrai Cris? dit-elle en se tournant vers Cristina qui acquiesce à peine, gênée. Tu sais, mon amie est timide mais elle apprécie, elle aussi. Alors, on se voit là-bas? Ou tu attends ta copine?

— Non, sourit le type, je suis juste passé prendre un apéritif. D'accord, ça peut se faire, à tout à l'heure au Joia, on pourra faire plus ample connaissance, salut, beautés… ajoute-t-il en faisant un clin d'œil à Susanna.

Dès qu'il s'est éloigné, Susanna éclate de rire.

— Allez, Cris, détends-toi! Quel mal y a-t-il, tu as vu ce canon?

— Mais, Susanna, tu viens de donner rendez-vous à un type que tu ne connais même pas!

— Je lui ai juste donné rendez-vous, je ne l'ai pas épousé, que je sache! Allez, on va s'amuser, faire un tour…

Elle prend Cristina par le bras. Elles se mettent en route. Plusieurs types dans le bar les remarquent et leur font des commentaires au passage. Un compliment. Une phrase. Une tentative d'approche. Susanna rit et les laisse faire, Cristina un peu moins, mais elle finit par jouer le jeu avec son amie. Deux quarantenaires approchent. Susanna engage la conversation. Elle donne rendez-vous à tout le monde à minuit au Joia.

— Susanna, mais comment on va faire?

— Simple! On ne va pas faire! Allez, on va dîner.

Au bout d'une demi-heure, elles sont installées dans un petit restaurant. Elles mangent de bon cœur, boivent du vin rouge, trinquent. Cristina se sent plus à son aise. Elle admire son amie qui sait se divertir. *Mais oui. Il faut que j'apprenne. Que je recommence à vivre, à me sentir femme.* Et même au restaurant, Susanna trouve le moyen de donner rendez-vous au Joia aux hommes d'une table voisine. Puis elles règlent l'addition et courent à la voiture en faisant les idiotes, un peu essoufflées.

— Tu es folle, Susanna!

— Tu ne peux pas savoir combien de temps ça fait que je ne me suis pas sentie comme ça! Et toi? Ça va?

— Oui!

Susanna démarre.

— Il est presque minuit. Allons voir combien de crétins on aura ramassés ce soir!

En arrivant devant le Joia, elles ralentissent et les aperçoivent tous devant : le beau mec, le groupe de jeunes, les deux quarantenaires et ceux du restaurant. Tous regroupés devant l'entrée. Certains fument, d'autres bavardent.

— Je n'y crois pas! Ils sont tous venus! dit Cristina en regardant par la fenêtre.

— Imagine si on descendait et qu'on se pointait là-bas!

— Ça serait l'émeute! Tout le monde se taperait dessus!

Susanna et Cristina échangent un regard amusé et complice.

— Non, c'est sur nous qu'ils taperaient! disent-elles en éclatant de rire.

Susanna accélère et elles s'en vont ainsi, dans la nuit de Rome, insouciantes et heureuses comme deux adolescentes.

72

— Merci, dit Niki en interrompant Giulia, Barbara et Sara, ses copines de fac.

— De quoi? demande Sara étonnée.

— D'avoir raconté à Guido que je me marie.

— Moi je ne lui ai rien dit, la rassure Giulia.

— Moi non plus, ajoute Barbara.

— Ni moi. Peut-être les garçons, suggère Sara.

Barbara hausse les épaules.

— On ne pouvait pas ne pas le lui dire… C'est une si bonne nouvelle. Mais qu'est-ce qu'il s'est passé, il t'a embêtée?

— Non…

— Ah mon avis, tu lui plais et il enrage un peu…

— Dans le doute, avant de te marier, au lieu du classique enterrement de vie de jeune fille avec strip-teaseur… Tu n'as qu'à sortir avec lui et t'offrir un vrai adieu au célibat !

Giulia, la seule célibataire, ajoute, amusée :

— Consommation comprise ! À mon avis, ça ne doit pas être mal du tout.

— Giulia ! Je t'en supplie… Ce qui est drôle, c'est de passer cette soirée toutes ensemble avant le mariage… Un peu de transgression, et c'est tout ! On ne fait pas ça pour coucher sérieusement avec quelqu'un.

— Si ce quelqu'un était Guido… ça vaudrait vraiment le coup !

— Les strip-teaseurs ne sont pas mal non plus…

— Avant l'été, je suis allée à l'enterrement de vie de jeune fille de l'une de mes amies qui se mariait… Juste parce qu'elle était enceinte, hein… dit Giulia avant de se rendre compte qu'elle vient de faire une gaffe, et de la tête que fait Niki. Oh, excuse-moi… bon… Niki, dit-elle plus sérieusement, tu es un cas rarissime, les filles qui se marient à vingt ans le font presque toujours pour cette raison !

— Ce n'est pas vrai ! Certaines le font par amour…

— Je veux un nom !

— Par exemple… réfléchit Niki. Niki Cavalli…

— Toujours la même !

— Bon, je vous disais qu'à cet enterrement de vie de jeune fille, les copines ont apporté de tout, du string à la lingerie léopard… et même un vibromasseur rose.

— Non !

— Si… avec le mode d'emploi…

— On ne sait jamais ! Bon, et à un moment… un énorme gâteau est arrivé avec une seule bougie et l'inscription : « Éteins-moi… Que je t'allume ! » Mon amie Valeria souffle sur la bougie et boum ! Le gâteau explose et en sort un strip-teaseur de folie avec un corps à tomber à la renverse… Bref, la musique démarre et il nous fait un de ces shows, je ne vous raconte pas ! Je vous jure, des filles hurlaient, d'autres s'arrachaient leurs vêtements, à mon avis il y en avait même qui jouissaient.

— Giulia !

— C'est vrai… Il était d'une sensualité… Des mouvements parfaits, ni trop osés ni trop vulgaires. Et puis, une fois quasi nu, il s'est approché de Valeria et a mimé un rapport sexuel avec elle. Je vous jure, c'était un spectacle magnifique.

— Mais pourquoi tu nous racontes tout ça ? Tu veux nous donner envie ?

— Ensuite, on a discuté avec ce type, Daniele. Il a deux maîtrises, une en astrophysique et une en ingénierie aérospatiale, il a écrit plusieurs articles dans des revues étrangères, et il fait des strip-teases pour payer son loyer...

— Parce qu'il n'y a pas de bourses d'études dans ces disciplines, en Italie. Vous vous rendez compte ?

— Quelle tristesse...

— Ah, à propos de tristesse, il est avec quelqu'un... et le plus triste, c'est que c'est un homme !

— Allez ! C'est toujours la même histoire ! Un génie gay... pour nous, pauvres célibataires... Une sorte d'icône impossible à atteindre.

— Autant miser sur une valeur sûre : Guido !

— Ah oui... Il n'est pas gay, c'est sûr.

Niki rit.

— Oui, mais il ne sait peut-être pas s'effeuiller avec autant de grâce, et en tout cas il n'a pas sa maîtrise ! C'est toujours le même problème... Être sincère avec soi-même, et surtout savoir ce qu'on cherche vraiment dans un homme !

— Il y en a aussi un autre, ajoute Barbara avec un sourire malicieux. Un homme essaie trop souvent de te tromper sur la marchandise.

Au moment où elle finit sa phrase arrivent Luca et Marco.

— Nous vous avons apporté à boire ! disent-ils en tendant un plateau avec des verres pleins.

— Merci... dit Niki en prenant un Coca.

— Alors, de quoi parlaient ces jolies demoiselles ?

— Oh, sourit Sara. Tu connais le *Journal d'un séducteur*, de Kierkegaard ? Voilà... des trucs dans le genre...

Luca enlace Barbara.

— Je le savais, j'ai de la chance... Il est déjà difficile de trouver une fille belle et drôle... Alors si en plus elle est intelligente !

Barbara se tourne vers lui, l'air étonné.

— Mon amour... Tu ne m'avais pas dit que tu sortais avec une autre ?

Ils éclatent tous de rire, y compris Niki. Elle boit une gorgée de Coca et remarque Guido, de l'autre côté de la salle, qui bavarde avec une belle étudiante. Il croise son regard ; il lève son verre et fait mine de trinquer en son honneur. Elle finit par lever son verre à son tour. *Mais oui, c'est absurde de se disputer comme ça à chaque fois, dans le fond il est sympathique. Et il n'est pas dangereux.* Mais les mots de Guido résonnent dans sa tête : « C'est en toi, qu'il ne faut pas avoir confiance... Trop de sécurité, ça fait déraper... » Alors, un peu moins sûre d'elle, elle boit une autre gorgée. Elle croise ensuite les yeux de Giulia qui lui sourit, amusée. Elle a assisté à l'échange. Maintenant, elle fixe Niki d'un air malicieux, comme si elle s'imaginait quelque chose... elle a l'air d'en savoir long, et Niki sait qu'il sera désormais impossible de faire comme si de rien n'était.

73

Alex frappe à la porte, hors d'haleine. Flavio lui ouvre, les traits tirés et un peu tristes.

— Alors, que se passe-t-il encore ? Qu'y a-t-il de si urgent ? J'ai eu un mal fou à abréger ma réunion pour courir ici.

— Écoute, je ne sais pas quoi te dire... Je ne sais pas ce qui lui est arrivé... Il s'est enfermé là-dedans et il refuse de me parler, il ne veut rien savoir, il ne veut pas entendre raison.

— Vraiment ?

— J'ai l'air de plaisanter ?

Alex est sceptique, mais Flavio est sincèrement accablé.

— Il a dit qu'il ne voulait parler qu'avec toi. Je suis sérieux, Alex.

Alex est enfin convaincu. Peut-être a-t-il parlé avec Susanna, peut-être ont-ils eu une conversation difficile, peut-être ont-ils évoqué le souvenir d'une époque lointaine, ou encore quelque chose qui concerne les enfants. Puis Alex a une illumination. Peut-être que lui, qui a toujours eu toutes ces femmes... vient de découvrir que c'est elle qui a quelqu'un, cette fois. Cette dernière réflexion achève de le convaincre. Il frappe timidement à la porte.

— Pietro... Pietro, tu es là ? Allez, ne fais pas ça... Parlons-en... Quoi que cela puisse-t-il être... mieux vaut en parler, plutôt que de

tout garder à l'intérieur. Ça ne fait qu'empirer les choses, un silence…
comme le tien !

La porte s'ouvre enfin. La musique est à fond, Alex reconnaît
la chanson. « Zazuera… Zazuera… A E I O U ipsilon ! » Pietro
sort à la tête d'un petit train de joyeux lurons. « Brazil… parapara-
pappapa ! »

Il chante à haute voix, plus heureux et gai que jamais. Derrière lui,
les mains posées sur ses hanches, une fille noire, une Vénézuélienne à
peine plus claire de peau et trois Italiennes.

— Accroche-toi, allez, viens avec nous ! Nous n'avons pas assez
fêté la nouvelle, la dernière fois !

Le petit train défile gaiement devant Alex, succession de cheveux
bruns bouclés puis raides, blonds, et même roux. Les parfums se
mélangent dans l'air, du plus doux au plus sec, mais tous parfaitement
et agréablement désirables.

Alex foudroie Flavio du regard. Celui-ci hausse les épaules.

— Il m'a dit de ne rien te dire, que cette surprise te ferait plaisir.

— Bien sûr !

Comme si cela ne suffisait pas, en queue du petit train, avec un
drôle de bandeau coloré dans les cheveux et un boa bleu ciel autour
du cou, il aperçoit Enrico.

Alex n'en revient pas.

— Toi aussi ?

— Oui ! Je suis trop content. J'ai trouvé une baby-sitter… Et puis,
Pietro a raison, et même Flavio est d'accord. Nous devons être heureux pour toi ! C'est toi qui l'as dit, non ? Tu te maries ! Il faut faire la
fête comme il faut… Nous, de toute façon, on l'a déjà fait… On ne
court plus aucun risque. Pe pe pe pe pe pe pe pe pe…

Il disparaît en se déhanchant comme un parfait Carioca derrière
cette sarabande bigarrée, variée en formes et en origines ethniques…
Et surtout, superbement équipée en termes de courbes, comme celles
sur lesquelles Enrico pose ses mains.

— Zazuera… Zazuera…

Dring dring. Le portable d'Alex sonne.

— Niki ! Elle tombe toujours à pic… Mon amour, j'allais t'appeler.

— Comment ça se fait que tu es toujours sur le point de m'appeler et qu'à chaque fois je te précède, ne serait-ce que de quelques
secondes ?

Alex y réfléchit un instant.

— Tu as raison… Ça doit dépendre de la naissance, tu dois avoir une horloge biologique qui ferait pâmer d'envie un Suisse. Ou alors, plus simple, tu es en parfaite harmonie avec mes pensées… mais tu es plus rapide que moi!

— Je ne sais pas pourquoi, mais derrière tous tes compliments je sens toujours l'arnaque.

— Mon amour! C'est moche… Tu me prives de la joie de souligner, de hurler au monde la chance que j'ai d'avoir à mes côtés une femme aussi parfaite… Et bientôt pour toujours!

L'espace d'un instant Niki a comme un sursaut, un frisson, elle manque d'air. Peur. Ces mots. Pour toujours. Mais en une seconde elle retrouve son équilibre, respire un grand coup et repart comme si de rien n'était.

— Oui, oui… et quand tu dis ça, plutôt que l'arnaque, je sens que tu te fiches de moi.

— Mon amour, je sais que tu ne me crois peut-être pas, mais je le pense vraiment. Qu'est-ce qui pourrait pousser un homme à demander la main d'une femme, si ce n'est tout ce que je ressens pour toi…

Il n'a pas le temps de finir sa phrase que le petit train coloré sort du salon. « Zazuera… Zazuera… » Il passe près d'Alex, qui s'éloigne très vite pour chercher un coin plus tranquille. Mais, comme d'habitude, rien n'échappe à Niki.

— Alex, mais où es-tu? En boîte?

— Non… chez Pietro.

— Comment ça, tu m'avais dit qu'il était triste, qu'il fallait que tu ailles urgemment le voir, que Flavio t'avait appelé, que tu ne savais pas ce qu'il s'était passé…

— Oui, en effet.

Pietro arrive devant lui et lui déroule un sifflet en papier en plein visage. Biiip…

Alex le chasse et ferme la porte.

— C'était quoi, ce bruit?

— Je ne sais pas… Peut-être une alarme… J'ai changé de pièce.

— Alors?

— Alors, rien. Je suis arrivé ici et je pensais le trouver comme je te l'avais dit, mais en fait c'était une blague, ils m'ont préparé une surprise…

— Quel genre de surprise?

— Quel genre… Rien, un peu de monde, du champagne, des trucs à manger, de la musique… Une petite fête en l'honneur de notre mariage.

— Donc, il y a de belles filles…

— Oui, je crois que ce sont celles de l'étude de Pietro… Je ne sais pas, je venais d'arriver quand tu m'as appelé.

Niki marque une petite pause.

— Mmh… J'en ai justement parlé aujourd'hui avec mes amies, qui ont quelques idées pour mon enterrement de vie de jeune fille…

— Mon amour, ce n'est pas mon enterrement de vie de garçon, il est bien trop tôt…

— Ah, alors je peux venir…

Alex en reste sans voix, pris au dépourvu par sa question. Il regarde à travers la vitre qui sépare la cuisine de la salle à manger. Pietro danse en se frottant à la beauté noire et à la superbe Vénézuélienne. Dans des moments pareils, mieux vaut ne pas avoir l'air réticent.

— Bien sûr que tu peux venir… Tu as envie?!

Niki marque une pause. Alex retient sa respiration.

— Non, non… J'ai cours tôt, demain matin… Mais ne rentre pas trop tard, hein… Ne t'amuse pas trop et ne bois pas trop… Et ne fais rien que tu ne puisses pas me raconter!

— Mon amour… Je suis d'accord sur tout, sauf sur ce que tu as dit en dernier…

— C'est-à-dire?

— Si ensuite, je te raconte tout… C'est comme si j'avais la permission de tout faire!

— C'est ça! Essaie un peu… raconte-moi, et après on en reparle.

Sur cette dernière menace, Niki raccroche. Alex secoue joyeusement la tête. *Quelle chance d'être avec une fille comme ça, je suis vraiment heureux de l'épouser. Quand on peut tout se dire, on se sent léger, sans soucis, on peut être soi-même. Rien n'est plus moche que de devoir s'efforcer d'être ce qu'en réalité on n'est pas. C'était un peu le cas avec Elena. C'est sûr, Elena était une femme exceptionnelle, j'ai passé de vraiment beaux moments avec elle. Par exemple, faire l'amour avec elle était incroyable. Elena savait aller très loin et mettre du piment dans nos ébats. Comme la fois où elle a absolument voulu que nous allions voir* Lucie et le sexe *au cinéma et que nous nous mettions au dernier rang… Je m'en souviens encore, elle portait une jupe, un chemisier, une veste, des bas résille… et*

c'est tout. Pendant le film, elle s'est laissé emporter par ce qui se passait,
elle a pris ma main et… Et ça suffit, Alex! Elle était bizarre, Elena, et en
effet ensuite tu as découvert à quel point, et ce qu'elle te cachait! Pourquoi
tu penses à ça maintenant? Tu crois que la beauté du désir physique avec
Niki pourrait diminuer parce qu'elle n'a pas les mêmes fantasmes qu'Elena?
Parce qu'au fond elle n'est pas « cochonne »? Peut-être, Alex. Ça sera à toi
d'être capable d'inventer, de changer, d'alimenter votre désir, alors qu'avant
tu étais en quelque sorte celui qui se laissait séduire… maintenant, ça sera
à toi de le faire. Et peut-être que ça te plaira encore plus… Ou bien Niki
tout doucement changera, deviendra plus femme, plus adulte, s'habillera en
cuir, mettra des cuissardes… Alex se retrouve à imaginer une Niki sensuelle, différente, les cheveux courts, coupés au carré, une sorte de
Niki-Valentina de Crepax, tout en noir, les fesses nues sous une
veste en cuir, de drôles d'objets dans les mains… Elle est audacieuse,
prend des poses lascives, s'appuie aux meubles de la cuisine… Elle
se tourne vers lui, ses yeux maquillés de noir, elle porte un rouge à
lèvres très vif, elle sourit et attend qu'Alex s'approche. Elle se penche
légèrement en avant…

— Alex, qu'est-ce que tu fais? demande Pietro en déboulant dans
la cuisine. Tu es encore au téléphone? Allez! Cette fête est pour toi,
tu sais… Amuse-toi, ce soir, ensuite ce n'est pas demain la veille que
tu pourras prendre pareille liberté!
   Alex sourit, sort de la cuisine et rejoint la file indienne qui ne s'est
toujours pas arrêtée. Enrico lui fait de la place devant lui.
   — Allez, viens!
   La fête se poursuit. Même Flavio, sur le canapé, a l'air content,
il bavarde avec une Brésilienne en essayant de lui faire comprendre
comment on dit certains mots en italien, qu'elle n'a pas du tout l'air
de comprendre.
   — Tu as le feu aux fesses!
   — Ça veut dire quoi, que j'ai belles fesses?
   — Non… qu'il n'y a pas d'ambiguïté, avec toi.
   — Pas d'ambiguïté?
   — Tu es très claire! Tu comprends? Tu vas droit au but!
   — Non!
   La Brésilienne se lève et se met à danser devant lui, parfaitement
en rythme.
   — Moi pas droite… moi courbes!

Alex secoue la tête puis admire les hanches souples et minces de la superbe Vénézuélienne, qui lui sourit. *Oui, elle est belle, c'est ma fête et j'ai envie de m'amuser. Mais comment oublier Niki-Valentina ?* Il se lance sur la piste de danse, gai et serein, conscient que son vrai rêve interdit l'attend chez lui.

74

Olly arrive avec quelques minutes de retard. Les demoiselles de l'accueil lui font signe. Elle monte les marches deux à deux, dit bonjour à ses collègues et va s'asseoir à son bureau. Elle regarde par la fenêtre. La journée est un peu nuageuse mais il ne pleut pas, du moins pour l'instant. Olly allume son ordinateur portable. Elle doit terminer de mettre de l'ordre dans l'un des listings pour la nouvelle campagne publicitaire. Il s'agit juste de classer par ordre alphabétique et d'ajouter quelques noms. Olly soupire et ouvre le fichier Excel. À ce moment-là, Simon entre. En la voyant, il s'arrange les cheveux et ajuste ses lunettes.

— Salut, comment ça va ?

— Ça ne va pas...

— Je sais... Mais tu vois, ça fait plus d'un mois que tu es là, et si Eddy ne t'a pas encore chassée ça veut dire qu'il te trouve valable...

— Tu parles d'une consolation. Il ne m'adresse jamais la parole, mon stage se termine dans un mois et je n'ai rien appris en stylisme...

— Tu sais ce qu'on dit : « Pour apprendre à écrire, mets une paire de chaussures et va marcher... » On part de très loin...

— Tu l'as entendue où, celle-là ?

Olly tape sur son clavier sans regarder Simon mais elle se rend compte qu'elle est impolie, alors elle lève les yeux.

— Excuse-moi, ce n'est pas à toi que j'en veux... C'est que tout va mal. Même ma vie amoureuse.

Simon préfère ne pas approfondir.

— Et tes dessins, comment ça avance ?

— Bah, je suis la seule à les regarder... Personne ne s'y intéresse. Ils sont encore dans mon tiroir...

— Montre-moi les plus récents.

Olly penche nonchalamment la tête sur le côté.

— Non, tu sais…

— Allez, ne te fais pas prier…

Simon fait le tour de la table et ouvre le tiroir.

— Non, dit Olly en essayant de l'arrêter.

Mais Simon est plus rapide, il attrape le dossier.

— Ils sont magnifiques, Olly !

— Tu es le seul à dire ça…

— Non, je suis objectif… Fais-moi confiance.

Olly sourit. *Ce garçon est vraiment adorable. Il fait tout pour être gentil avec moi. Mais je me sens tellement mal. Je n'arrête pas de penser à Giampi. Il ne répond ni à mes textos ni à mes mails. Même sur Facebook, il m'ignore, et quand on est tous les deux connectés et que j'essaie de chatter il se met immédiatement sur absent. Sur son profil, il a ajouté :* Déçu par l'amour. *Super. Je me sens nulle.*

— Ça te dit, un café, Olly ? Tu étais un peu en retard, mais cinq minutes de plus ou de moins… Viens, on descend…

Simon la prend par la main. Ils se rendent au bar où ils se préparent des cafés avec la machine à expresso.

— Vraiment, Olly, tu devrais croire un peu plus en ton travail…

— Tu es trop gentil. La seule personne qui compte ici, Eddy m'a attribué le niveau jardin d'enfants, puis CE1.

— Tu vois, tu as déjà fait des progrès. Aujourd'hui, tu as bien dû atteindre le niveau sixième !

— Tu es un vrai optimiste, toi, hein ? Depuis ce jour-là, il ne m'a plus rien dit… Il ne se rappelle même pas que j'existe.

Simon la regarde. *Moi, je me rappelle que tu existes. Tu es belle. Je me demande si tu le sais. Si ça te fait quelque chose. Si tu sais que tu me plais.* Olly s'aperçoit qu'il la fixe, un peu hébété. Simon sursaute et avale son café de travers. Olly sourit.

— Viens, on remonte… Sinon, si Eddy passe, il me mettra à la porte illico presto.

En revenant dans son bureau, elle n'en croit pas ses yeux : Eddy est assis à sa place. Simon fait un clin d'œil à Olly puis s'éloigne.

— On n'en fait qu'à sa tête, hein ? Pause café à 9 h 30. Tu ne t'es même pas encore mise au travail que tu t'en vas déjà. Et ce matin tu es arrivée en retard, en plus !

Olly tremble. *Il a des espions, ou quoi ?* Quoi qu'il en soit, il faut qu'elle garde son calme. Eddy s'approche d'une autre fille, lui fait une réflexion sur son travail. Avant de sortir, il regarde Olly.

– Tu ne fais vraiment rien, toi, hein ? Tu ne serais même pas capable de préparer, qu'est-ce que j'en sais, moi, trois dessins de modèles, avec les tissus. Et pourtant, c'est le métier que tu voudrais faire...

Il s'en va. Olly acquiesce sans un mot. *Qu'est-ce que je lui ai fait, à ce type ?*

75

Pietro feuillette son journal en buvant un cappuccino. *Quels escrocs, 50 % des nouvelles qui paraissent dans les journaux sont fausses ! Il faudrait tout vérifier.* Flavio déboule dans le salon, les cheveux ébouriffés et la veste de pyjama à l'envers.

– Mon Dieu, quelle soirée, quelle nuit...

– Dis les choses franchement : mon Dieu... quelle partie de jambes en l'air ! Ou je me trompe ?

– Tu as raison... incroyable.

Flavio est encore vaseux mais il sourit, s'assied fièrement à la table et se verse du café.

– Je n'aurais jamais imaginé, une vraie furie, j'ai presque eu du mal à suivre... Quelle nuit de folie !

– J'espère bien que tu es content, avec tout ce qu'elle m'a coûté...

– Qui ça, la Brésilienne ?

– Bien sûr, elle et la Vénézuélienne prennent cinq cents euros la nuit... Avec toi et Alex, je voulais être sûr de mon coup. Toi, tu avais besoin de retrouver un peu de confiance en toi, de te calmer, et surtout... de te défouler ! Et lui... lui... c'était sa fête... En fait, on pourrait plutôt dire son sacrifice ! Bref, il méritait une *escort girl* un peu spéciale.

Pietro s'aperçoit alors que Flavio n'en revient pas.

– Pardon, mais tu croyais quoi, que c'était une fille normale ? On le comprenait quand elle dansait... Tu as vu comment elle te mettait ses seins devant la figure, et comment elle bougeait ses fesses ? Un truc à avoir un infarctus...

– Oui, en effet... Non... non... tente de se rattraper Flavio. J'avais compris... Oui, bref... Elle jouait beaucoup à ne pas dévoiler...

– Bien sûr! C'est son métier. Le mâle doit toujours se sentir prédateur!

– Et les autres?

– Non, elles, c'étaient seulement des filles pour l'image. Cent cinquante euros.

– Ah, seulement... Elles dansaient bien, elles aussi.

– Oui, très bien. Bon, je vais travailler. En tout cas, je suis vraiment content, la soirée était très réussie.

Flavio a une illumination soudaine.

– Et Enrico et Alex, ils ont fait quoi, pour finir?

Pietro enfile son manteau.

– Toi, tu étais bourré, tu ne t'es rendu compte de rien. À un moment, Ingrid a commencé à manquer à Enrico...

– Malgré la baby-sitter, cette Anna dont il dit tant de bien?

– Oui, il en a eu assez et il est parti... Imagine que Samantha, l'une des filles, avait fini sa soirée et voulait qu'il la raccompagne. Eh bien lui, il a refusé.

– Non!

– Si, j'ai dû lui appeler un taxi.

– Il ne va vraiment pas bien... et Alex?

– La Vénézuélienne... Tu as vu comme elle était belle, non?

– Oui, à côté Belen Rodriguez est un thon.

– Voilà. Je te raconterais bien ce que j'ai vu Alex faire... mais je suis un gentleman.

– Depuis quand, tu es un gentleman?

– Pirate et gentleman... dit Pietro en se dirigeant vers la porte. Je ne te dis qu'une chose : tu dormais, mais moi je l'ai entendue hurler!

Sur ces mots, il sort, laissant Flavio sans voix.

Incroyable. Je ne l'aurais jamais cru. Alex qui l'a fait hurler. Comme quoi les gens...

Au même moment, la porte de l'appartement se rouvre.

– Eh, je plaisantais, sur Alex, hein! J'aurais bien voulu qu'il se laisse faire... mais il est fou amoureux, même avec une pute il aurait l'impression de la tromper, sa Niki.

Flavio se sent soudain soulagé.

– Ah bon. Et alors?

– Alors il n'a rien fait du tout.

– Tu as perdu cinq cents euros?

– Moi? Tu es fou! Je lui ai dit que moi aussi je me mariais le mois prochain! On ne laisse pas passer une fille pareille...

— Il n'y a qu'Alex pour faire ça !

Pietro referme la porte et crie depuis le palier :

— Et n'oublie pas de faire les courses !

Flavio entreprend de faire une liste de tout ce dont ils ont besoin dans la maison. Pâtes, eau, serviettes en papier, verres, vin blanc, rouge, champagne... champagne comme hier soir. Il s'arrête, son regard se perd dans le vide. *En tout cas, Jacqueline, la Brésilienne, était vraiment une force de la nature.* Il a des flashes de cette nuit, la lune, son corps sombre dans les draps blancs... *Tout ce que je lui ai dit, des mots d'amour, des mots doux, des mots ivres. Peut-être qu'elle riait intérieurement, qui sait. J'aurais pu dire n'importe quelle idiotie, elle aurait quand même dit oui. Et moi qui pensais déjà à lui envoyer des fleurs, un petit mot... Des mots d'amour. « Dans l'obscurité de la nuit, un seul sourire, le tien... » Ses dents parfaites...* C'est moi qui l'ai dans les dents. Soudain, il est assailli par une sensation de vide, une tristesse infinie, un mal-être existentiel. Il pense à elle. À Cristina, sa femme, sa vie, son parcours, son envie de construire, et surtout à combien il est bon d'être amoureux. Et ce loft lui semble d'un vide absolu. La phrase que lui avait dite son père avant son mariage lui semble plus vraie que jamais : « Il y aura des jours où tu n'auras pas envie, où il faudra même te forcer pour faire l'amour avec ta femme... Mais il y aura un moment tellement important qu'il effacera tout le reste. Et tu sais quand ça a été, pour moi ? Ta naissance. » Alors Flavio comprend à quel point il est douloureux de grandir.

76

La salle d'attente est bien agréable : éclairage tamisé, petite musique douce. Des couleurs chaudes, rassurantes. Sur l'un des murs, plusieurs images mettent en scène un caneton qui court, soulève des poids, ou encore prépare un gâteau. Les chaises sont confortables, rembourrées, de couleur sombre.

Une dame feuillette une revue d'un air ennuyé. Un couple d'une trentaine d'années se tient la main et plaisante à voix basse sur quelque chose qui s'est passé le matin même dans un magasin. Sous le manteau de la fille, on devine un ventre déjà un peu rond. Ils ont l'air heureux. Une jeune femme, seule, écrit nerveusement un texto. Au bout de quelques instants, elle reçoit la réponse, la lit et écarquille les yeux, encore plus nerveuse. Une autre femme est assise avec un enfant d'environ quatre ans qui la mitraille de questions, auxquelles elle répond avec patience et douceur.

Diletta balance ses pieds. Filippo ne dit rien. Il regarde le couple. Il se demande s'ils sont mariés, s'ils sont bien ensemble. Puis il pense à eux deux. *Nous sommes encore si jeunes. Je n'arrive toujours pas à y croire. Si la gynécologue le confirme, qu'allons-nous faire?* Il se perd dans ces pensées trop grandes pour lui.

Diletta observe le bambin curieux, tout rond, blond et rigolo. Une vie qui grandit. Comme par réflexe, elle se touche le ventre, presque imperceptiblement. Soudain, elle se sent légère. Émue. Elle a peur, oui, et en même temps cette attente est agréable. Cependant, elle ne le dit pas à Filippo. Elle sait bien qu'il est secoué. Très.

— Adeli?

Une voix sort Diletta et Filippo de leurs pensées respectives.

— Oui, c'est nous.

Ils se lèvent et entrent dans le cabinet du médecin.

— Bonjour. Asseyez-vous.

Le docteur Rossi est une femme d'une quarantaine d'années, mince, les cheveux mi-longs, raides, châtain clair. Elle porte des lunettes. Son regard est bienveillant et son sourire rassurant.

— Dites-moi tout...

Diletta et Filippo regardent autour d'eux. Des posters expliquent les différentes phases de la grossesse, d'autres le cycle menstruel. Près de la porte vitrée, une grande plante est éclairée par le soleil de la fin d'après-midi. Sur le bureau, un cadre avec la photo de deux enfants souriants, à la mer.

Diletta prend son courage à deux mains.

— Oui... Donc, hier soir nous avons fait deux tests de grossesse...

Le docteur Rossi prend un dossier vierge dans le petit meuble derrière elle, y inscrit le nom de famille de Diletta puis note quelque chose.

— Ils étaient tous deux positifs, les deux lignes sont apparues... continue timidement Diletta. Mais nous ne savons pas si...

— J'imagine. Vous avez combien de jours de retard?

— Deux semaines.

— Donc vous voulez savoir si le résultat est fiable. Vous avez bien fait de venir. Mieux vaut faire un examen plus poussé, une échographie nous en dira plus… Et puis, il faut faire le Beta HCG, l'examen sanguin. D'accord ?

Son ton est tranquille. Elle comprend qu'ils sont tous deux très jeunes et effrayés.

— D'accord, répond Diletta en souriant.

Elle se tourne vers Filippo, qui acquiesce. Il est un peu pâle. Elle se demande à quoi il pense. Dans le fond, il ne lui a encore rien dit, à propos d'hier soir.

Filippo regarde l'écran allumé, un peu plus loin, près du lit d'examen. Il espère apprendre quelque chose de bien différent de ce qu'il craint.

— Vous avez besoin d'aller aux toilettes ? demande le docteur à Diletta.

— Non, non, ça va, j'y suis allée pendant qu'on attendait.

— Parfait. L'échographie vaginale se fait la vessie vide.

— Mon ami doit-il sortir ? J'aimerais bien qu'il reste…

— Comme il voudra… Pour moi, c'est la même chose.

La gynécologue invite Diletta à s'installer. Elle lui parle pour la rassurer, plaisante un peu. Diletta se détend et se laisse examiner. Filippo ne se sent pas très bien, en l'observant. Le médecin introduit la sonde recouverte d'une gaine souple et de gel à ultrasons. En même temps, elle leur explique ce qu'il se passe avec des mots simples.

— Dites-moi si je vous fais mal… Je vais tout doucement. Nous allons commencer l'observation de l'utérus et des ovaires. Vous pouvez regarder sur l'écran…

Diletta acquiesce. Elle sent une petite gêne, mais rien d'insupportable. Cette gynécologue est gentille. Elle penche un peu la tête sur le côté, indiquant l'écran où apparaît une sorte de demi-lune.

— Voilà… Vous ne vous étiez jamais vue comme ça, j'imagine ? C'est fort, n'est-ce pas ? Ce type d'échographie nous permet de voir la cavité utérine, explique-t-elle en bougeant lentement la sonde pour tout explorer. Donc…

Filippo s'approche. Il essaie de comprendre quelque chose à ces images qui bougent sur l'écran.

— Voilà, ça, c'est la poche gestationnelle. Elle mesure environ un centimètre de diamètre, mais elle va grandir dans les jours à venir…

— Ça veut dire quoi ? demande Filippo, un peu effrayé.

— Que Diletta est dans un état intéressant… dit-elle en souriant. Quoi qu'il en soit, vous avez encore plusieurs semaines pour décider si vous voulez le garder ou non... Nous allons en parler. Vous pouvez vous rhabiller.

Diletta obéit. Filippo, un peu en transe, se rassoit sans dire un mot. *Dans un état intéressant. Pourquoi on appelle ça comme ça ? Intéressant. Pour qui ? Pas pour moi. Je trouve d'autres choses intéressantes. Courir au parc. Les compétitions. Certains examens d'architecture. Mes CD. Les films avec Tom Cruise. Le gâteau au chocolat noir et à la noix de coco. Diletta quand nous faisons l'amour. Mais pas ça. Ça, ça me fait peur.*

Diletta lui touche le bras. Il tente de lui sourire.

Le docteur Rossi leur parle avec douceur.

— J'imagine que c'est une grande surprise pour vous... Je comprends. Dans tous les cas, ne dramatisons pas. Pour commencer, je vous suggère d'en parler à vos parents. Vous êtes majeurs, mais vous êtes quand même très jeunes, mieux vaut donc partager ce moment avec eux. Ensuite, comme je vous l'ai dit, vous pouvez décider tranquillement quoi faire... Je vous conseille d'aller au planning familial, où des experts écouteront vos doutes, vos peurs éventuelles, et pourront vous donner des informations utiles... Vous pouvez y aller en toute tranquillité, d'ailleurs c'est très important. De même qu'il est important d'en parler à vos proches...

— Mais vous parlez de l'interruption... ? intervient Filippo.

En entendant ce mot, Diletta le regarde d'un air interrogateur. La gynécologue s'en aperçoit.

— Oui, c'est une des possibilités... Cependant, avant de décider quoi que ce soit, prenez le temps d'en parler. Défoulez-vous. Ne cachez rien de ce que vous ressentez... Il est fondamental de ne pas se mentir à soi-même, dans ces cas-là. Essayez d'imaginer les différents scénarios possibles, les conséquences de vos choix sur chacun, et parlez-en... Ensuite, seulement ensuite, vous déciderez. Écoutez vos cœurs et restez lucides. Je le dis toujours : ne vous inquiétez pas. La grossesse est un moment important à tout âge.

Diletta est encore incrédule.

— Docteur, est-ce que je peux revenir vous voir ? Je n'ai pas de gynécologue. Je ne connais que mon médecin de famille. Vous me plaisez...

— Merci ! Bien sûr, si vous voulez, volontiers... Je vais vous prescrire l'examen sanguin et compléter votre dossier. Ensuite, vous m'apporterez les résultats, et vous me raconterez un peu comment se passent les premiers jours après la nouvelle, hein ?

— Oui...

– Bien. Alors, donnez-moi vos coordonnées, je vais les écrire là…

Filippo ne sait pas quoi faire. *Quoi penser. Diletta qui répond au médecin et lui demande si elle peut la suivre. Diletta qui le regarde mal quand il parle d'avortement. Elles parlent de tout ça comme si c'était la chose la plus naturelle du monde. Et moi ? Je suis où, moi ? Vous y avez pensé ? Arrêtez tout, je veux descendre. Je veux revenir à cette soirée dans la voiture. Et tout changer. Comment j'ai pu avoir cette idée de faire un tour pour montrer cet arc à Diletta ? Je ne pouvais pas la ramener directement chez elle ? À partir de maintenant, j'aurai dix préservatifs dans ma boîte à gants. Je veux m'enfuir. Je veux me réveiller demain matin et découvrir que ce n'était qu'un rêve. Que Diletta a ses règles, que tout est comme toujours, que je ne vais pas devenir… père ! Père ! Au secours ! Un enfant dans les bras. Mon enfant.* Il pense aux scènes les plus absurdes. *Trois hommes et un bébé.* Il est passé à la télé, l'autre soir. Il l'a regardé, ça l'a même fait rire. Peter, architecte, Michael, dessinateur de bandes dessinées et Jack, ex-publicitaire, trouvent un matin devant chez eux un berceau avec Mary, un nouveau-né. Tu parles d'une histoire, ensuite, pour la changer, lui donner à manger… Filippo se met à trembler légèrement. Il a le souffle court, son cœur bat la chamade.

– Pas vrai, Filippo ?

Il sursaute en entendant son nom.

– Hein ? Qu'y a-t-il ?

– Tu ne m'écoutais pas ? Je disais que nous allions revenir dans une semaine avec les résultats du Beta HCG. D'accord ?

– Ah… oui, bien sûr.

– Diletta, il est important que vous sachiez que dès maintenant, dès les premières semaines, les hormones se modifient pour protéger la grossesse. Vous allez vous sentir un peu différente… par exemple, un peu engourdie. Vous allez avoir la nausée, vous pourriez ne pas vouloir certains aliments ni ne supporter certaines odeurs. C'est tout à fait normal, ne vous inquiétez pas.

Diletta acquiesce. Elle est comme suspendue. Elle écoute les mots, les comprend, mais ne se rend pas encore bien compte.

– Bon. Je vous laisse ma carte. Revenez dans une semaine, à 18 heures précises. Je vous attends. Et surtout… pas d'inquiétude. D'accord ?

– Oui, merci, docteur… Nous reviendrons dans sept jours.

Elle les raccompagne et retourne dans son cabinet. Elle regarde les photos de ses deux enfants souriants, heureux, sur cette plage de

Fregene. Un souvenir furtif lui traverse l'esprit. Une jeune fille de dix-neuf ans, belle, déterminée, sûre d'elle. Pleine d'amis et de sourires. Une nuit ratée. Ou peut-être risquée. Quelqu'un à aimer, une seule nuit. Puis un carrefour. La peur. La solitude. Et un choix. Ce choix. Drastique. Décidé après tant de nuits de pleurs et d'incertitudes. Personne avec qui les partager. Personne à prévenir. Les parents tenus à l'écart, lointains, ignorants. Les apparences sauvées. Et puis la clinique. Ces heures. Tout comme prévu. Tout comme si de rien n'était.

Le docteur Rossi regarde la photo, de retour dans le présent. Les visages de ses deux enfants, nés il y a quelques années, lui sourient. Le troisième, plus grand, ne peut être qu'imaginé. Un secret laissé en arrière, dans un temps lointain fait de silences et des peurs d'une fille fragile. Elle repose le cadre sur la table. Elle se lève, va ouvrir la porte.

– Personne suivante. Costantini…

77

Dans le hall, noir de monde, une musique dansante couvre à peine le brouhaha. Des mannequins déambulent, le sourire aux lèvres, se font servir à boire. La fête annuelle de la maison de couture organisée en l'honneur des distributeurs, fournisseurs et clients, est un succès, tout respire l'élégance. Olly a invité les Ondes, seule Diletta n'est pas venue, elle se sentait un peu fatiguée. Erica tient une conversation animée avec Tiziano. Niki, sur l'un des deux canapés blancs de l'entrée, est courtisée par deux beaux jeunes gens, peut-être des mannequins. Olly court partout avec une grande gigue du service marketing.

– Il faut aller chercher d'autres catalogues, il n'y en a plus.

– Oui, ils sont là-bas… Allons-y !

– Tout ce beau monde ! Je n'avais jamais été à une fête de ce genre !

– C'est comme ça dans la mode, répond la fille. Nous en faisons une ici chaque année, plus deux autres dans des endroits branchés de Rome, et une à Milan.

– Génial !

— Oui. En plus, s'il reste des pièces de collection, elles nous sont parfois redistribuées...

— Vraiment ? Je n'y crois pas !

— Si, je veux dire entre nous, les employés...

— Ah...

Olly fait une grimace et suit la fille.

— Salut ! l'interpelle Simon.

— Salut ! Tu n'es pas en bas ?

— Si, j'y étais jusqu'à maintenant, mais j'en ai eu ras le bol... Vous faites quoi ?

— On prend des catalogues, aide-nous, répond l'autre fille.

Simon obéit, et quelques instants plus tard ils les disposent sur des petites tables en verre dans le grand salon. Les mannequins les distribuent aux invités avec un gadget de la maison, un porte-clés griffé.

— Je vais aux toilettes !

— D'accord, on t'attend au buffet, dit Simon en s'éloignant.

Tandis qu'elle se fraye un chemin parmi la foule, Olly sent qu'on l'attrape par le bras. C'est un très beau jeune homme aux cheveux longs dégradés, une mèche sur les yeux. Elle aperçoit un Nikon D3 professionnel accroché à son cou. Un modèle qui vaut au moins quatre mille euros.

— Excuse-moi, mais je dois...

— Tu dois te faire prendre en photo par moi... Tu es superbe... Tu es mannequin ?

— Non... Je travaille ici... mais je ne suis pas mannequin.

— Dommage, tu devrais...

Il la dévore du regard. Olly rougit un peu.

— Tu sais, il y a une très belle terrasse, là-haut... Je t'en supplie, il faut absolument que je te prenne en photo... Allez, ça ne te coûte rien... Ah, j'oubliais, je m'appelle Christian. Chris.

Christian. Mais oui ! Un jeune loup assez connu à Rome. Elle a vu passer quelques-uns de ses travaux, depuis qu'elle est ici.

— Je m'appelle Olly...

— Un nom magnifique... comme toi...

Il la prend par la main. Quand ils passent devant un serveur portant un plateau plein de coupes de *prosecco*, Olly en attrape une et la vide d'un trait. Chris rit. Un mannequin immense passe devant Tiziano, qui la regarde la bouche ouverte. Erica lui donne un coup sur l'épaule.

— Qu'est-ce qu'il y a? Si j'avais su que tu allais baver comme ça, je ne t'aurais pas emmené à cette fête!

— Ce qu'il y a? Mais ce qu'il y a c'est qu'il n'y a que des bombes, ici! Tu es une vraie amie, je l'ai toujours dit!

Il l'embrasse.

— Sauf que je suis un peu plus qu'une amie, je suis ta *special friend*. Tu n'étais jamais allé à une soirée couture avant?

— Parce que toi tu y vas tous les jours, peut-être! Bien sûr que non! C'est la première fois. Moi, les mannequins, je n'en vois qu'à la télé ou dans les magazines. Jamais... en vrai! Et je dois dire que c'est autre chose! Regarde celle-là... Et la blonde, là-bas... Et l'autre, là, avec les cheveux raides... Mon Dieu, je vais mourir! Allons boire un coup, va... Mais tu crois qu'Olly, vu qu'elle travaille ici, pourrait m'en présenter une ou deux? Juste pour faire quelques photos avec mon portable et faire baver mes potes.

Erica lui pince le bras.

— Aïe! Qu'est-ce que j'ai dit? Je n'ai pas parlé de coucher avec elles! Et même si c'était le cas...

— Il ne manquerait plus que ça! Tu te rappelles que tu es venu ici avec moi? Tu parles d'un cavalier...

— Oh, si tu veux que je sois ton cavalier, il ne faut pas m'emmener dans un endroit pareil... Tu te rends compte? Et puis, ils ne te font pas effet, à toi, tous ces mannequins? Tu as vu tous ces types?

— Un peu que je les ai vus! Mais je suis bien élevée et gentille, je ne mets pas mon cavalier en difficulté!

En disant ces mots, elle balaye la salle du regard et aperçoit Olly bras dessus, bras dessous avec un superbe jeune homme aux cheveux longs. Elle plisse les yeux pour mieux voir. Ce n'est pas possible. Oui, elle l'a vu quelques fois à la télé. *C'est Chris, le photographe à la mode, l'un des plus mignons et célèbres du moment! Et Olly le tient par le bras! Quelle chance! Elle est douée.* Erica cherche le regard d'Olly, lève le bras pour attirer son attention. Elle lève le pouce et lui fait un clin d'œil. *Oui, elle a le coup de main, mon amie. Quand je pense aux belles photos qu'elle aura demain... Allez, Olly, donne le meilleur de toi-même!*

Simon aussi l'aperçoit. Il s'assombrit mais évite de se faire remarquer. Olly et Chris arrivent en haut, prennent le couloir et vont jusqu'à la grande serre qui donne sur la terrasse. Chris fait faire deux pirouettes à Olly, qui rit de bon cœur.

271

— Tu es splendide... Essaie de bouger naturellement...

Olly fait un nouveau tour sur elle-même, s'appuie à la balustrade, regarde les étoiles, sourit puis fait des grimaces, se touche les cheveux, soulève un peu sa jupe, provocante. Elle se sent bien, légère et se laisse aller. Elle oublie tout : Giampi, Eddy qui ignore ses dessins, la fête. Elle se sent libre grâce au *prosecco*, grâce à ce superbe jeune homme qui la mitraille et lui tourne autour comme un papillon auprès d'une fleur. Christian s'approche encore, relâche son Nikon. Olly le regarde avec malice. Leurs lèvres se frôlent. Elle s'abandonne à ce baiser nouveau, différent, inconnu. C'est aussi ça, le bonheur, une petite folie, un moment pour soi. Cette étreinte est le meilleur remède à sa douleur.

Un peu plus loin, Simon se demande où elle est passée. Il monte, entre dans plusieurs bureaux, frappe à la porte des toilettes. Rien. Il se rend dans la serre, ne voit personne. Puis ce bruit. Comme un murmure. Simon s'approche. Il fait noir, mais pas assez pour l'empêcher de distinguer la fille qui lui plaît tant perdue dans les bras d'un autre. C'est impossible. Elle a l'air différente. En les voyant, il sent un pincement profond au cœur. Il sait très bien qui est cet homme. Il retourne à la fête. Jamais tous ces gens qui sourient ne lui ont semblé aussi faux.

78

Niki entre chez elle telle une furie.

— Maman, papa... Où êtes-vous ?

— Ici, au salon. On regarde *L'Hérédité*, le quiz de Carlo Conti. Il est trop fort. Et puis, on adore la guillotine...

— C'est quoi ?

— Le jeu où ils donnent cinq mots et il faut trouver le dernier, qui est en rapport avec les autres.

Simona lâche l'écran des yeux.

— Tu voulais nous dire quelque chose ?

Niki change complètement d'expression.

— Ce week-end, nous sommes invités à la campagne chez les parents d'Alex, pour que vous puissiez faire connaissance...

Roberto boit un peu d'eau.

— Ah… et moi qui ai cru que tu avais changé d'avis, l'espace d'un instant…

— C'est-à-dire?

— C'est-à-dire que tu ne te mariais plus.

— Mais papa, pour qui tu me prends? C'est une décision importante… Tu crois que je l'ai prise à la légère?

Fâchée, elle sort du salon et croise Matteo, son petit frère.

— Qu'est-ce qu'il se passe? Niki ne se marie plus?

Simona tape du poing sur le canapé.

— Tel père tel fils! Vous n'en ratez pas une, tous les deux…

— Niki, excuse-moi! hurle Roberto du salon. Je ne voulais pas te mettre en colère… Au contraire… Je voulais te faire comprendre que nous te laissons la plus totale liberté…

Niki revient dans la pièce.

— … de choix! Tu comprends, ma fille, ajoute-t-il en se levant pour l'embrasser et la serrer dans ses bras. Ma chérie, je voudrais que tu te sentes tranquille.

— Mais je suis tranquille!

— Encore plus. Tu sais, nous serons toujours avec toi, quoi que tu décides, même si tu décides de t'enfuir au moment d'aller à l'autel, comme dans ce film… comment il s'appelait, déjà?

Simona et Niki répondent en chœur :

— *Just married (ou presque)*!

— Oui, c'est ça… Nous te comprendrons toujours… Même au dernier moment, dit-il en regardant Simona, souriant. Voilà, si jamais tu avais un doute, une ombre, une pensée, bref, n'importe quelle hésitation, il serait mieux d'en parler avant d'organiser tout le mariage… insiste Roberto. D'ailleurs, non… Même au dernier moment.

— Tu sais, n'est-ce pas, que c'est à la mariée, et donc à ses parents, de payer le traiteur pour tous les invités… dit Simona en faisant un clin d'œil à Niki. Dans les quatre cents…

— Oui, peut-être, répond Niki en haussant les épaules… Plus ou moins.

Simona regarde à nouveau Roberto, qui prend un air conciliant.

— Donc… la fille doit se sentir libre de prendre n'importe quelle décision, même au dernier moment… Bien sûr… si tu y penses avant… évite de nous ruiner inutilement!

— Papa! s'insurge Niki en faisant mine de retourner dans sa chambre.

— Mais, Niki, je plaisantais ! tente Roberto en lui courant après.

— Tu as un sens de l'humour terrible, vraiment cheap ! déclare-t-elle en revenant au salon avec lui.

— *Tchip* ?

— Papa, intervient Matteo... Tu habites sur quelle planète ? Ça veut dire nul, qui fait pitié... Tu croyais quoi ?

— Bon... Eh bien, je suis peut-être *tchip* quand je parle d'argent, mais je veux que ma fille prenne sa décision sereinement et n'ait jamais peur de ne pas pouvoir revenir en arrière.

Niki l'embrasse.

— Merci, papa, je t'adore... Bon, je vais dans ma chambre travailler un peu...

— Moi aussi je vais dans ma chambre, déclare Matteo en se levant du pouf. Mais sur MSN avec mes amis.

— Matteo... mais...

— Maman, j'ai fait mes devoirs cet après-midi exprès pour avoir un peu de temps libre maintenant... dit-il avant de s'arrêter sur le seuil de la porte. Au fait, je dois venir aussi, ce week-end ?

— Oui, bien sûr. Tu ne fais pas partie de la famille, peut-être ?

— Si, mais j'avais prévu de jouer au foot avec mes copains. Et puis, comment pouvons-nous être sûrs qu'elle va vraiment se marier, avec un type aussi âgé ?

— Ne t'y mets pas, toi aussi, hein !

— Pourquoi, il est interdit d'exprimer son opinion ?

— Tu n'as qu'à faire un sondage avec tes amis sur MSN, tant que tu y es... tu verras les pourcentages...

— C'est moche ! Vous me donnez l'impression de compter pour rien...

Matteo s'en va à son tour, Simona et Roberto retournent à leur émission. Carlo Conti annonce :

— Alors, le prix est de cent vingt mille euros, bravo pour le choix des mots, que je rappelle : tour, Napoléon, loup, bague et moineau. Voyons voir si tu trouves le mot auquel ils sont reliés...

Roberto et Simona regardent fixement la télévision en cherchant la solution à cette énigme, puis elle dit sans même regarder son mari :

— Il faut faire attention, à mon avis Niki n'est pas tout à fait décidée... au fond d'elle-même, elle a peur...

— Mais non... Tu as vu comme elle s'est énervée : elle est très déterminée.

Simona secoue la tête.

— Elle fait ça parce qu'elle veut se convaincre elle-même de son choix…

— Tu crois ?

— J'en suis sûre.

— Peut-être… Dis-moi, plutôt… L'usage n'est pas de partager entre le marié et la mariée, pour la réception ?

— Non.

— Pour nous aussi, c'était comme ça ?

— Oui.

— Ah… Voilà pourquoi le déjeuner laissait un peu à désirer !

Simona le frappe.

— Crétin… Même la musique était parfaite. J'avais choisi le meilleur groupe du moment, qui coûtait une fortune…

— Heureusement, ce n'était pas de l'argent gâché.

Simona le regarde en levant un sourcil.

— Pour l'instant…

— Nous aussi, nous sommes encore en zone à risque ?

— Bien sûr ! Toujours… Et laisse ta fille tranquille !

— Je sais : solitaire !

— Quoi ?

— Le mot du jeu.

— Ah… dit Simona en regardant les cinq mots. Oui, c'est ça. Solitaire.

Un jeu du destin, plutôt que le jeu de la guillotine.

79

Un martellement qui monte de la rue réveille Olly. Elle se met l'oreiller sur la tête. Inutile, le bruit est trop fort. Elle s'assied sur le lit et regarde autour d'elle. La chambre à coucher meublée avec goût, moderne, parquet en bouleau assorti à la porte et aux boiseries. Au pied du très grand lit, bas et rond, un tapis moelleux. À sa gauche, le beau dos bronzé de Chris. Ses tatouages. Il dort encore. *Alors je l'ai vraiment fait. J'ai couché avec lui. Il ne me semble pas que cela ait été génial. Je me rappelle avoir beaucoup dormi.* Olly remarque le Nikon posé sur une petite table. Elle l'allume, fait défiler les clichés. Magnifiques. Elle prend des poses très différentes sur chacun d'entre eux. *Il est vraiment talentueux.* La pièce regorge de photos de mannequins. Et de photos de lui. Olly lève un sourcil et quitte l'endroit pour se promener dans le superbe appartement. Une mezzanine accessible par un escalier en métal. Des étagères pleines de livres, des instruments de musculation. Des petits mots encadrés, tous écrits dans des écritures différentes.

Chris... je t'adooooore! Appelle-moi quand tu veux, Tu me manques déjà, Tu es génial, tu sais où me trouver..., et ainsi de suite. À côté, un bloc-notes avec un stylo. Ce n'est pas possible. *Ces filles viennent ici, elles lui laissent des petits mots, et lui il les met sous verre? Quelle horreur!* Olly regarde autour d'elle et s'aperçoit d'un coup que c'est un véritable Narcisse qui vit dans cet appartement. Elle n'y réfléchit pas à deux fois. Elle court dans la chambre, s'habille en vitesse sans réveiller Chris, passe à la salle de bains, ne se coiffe même pas. Elle enfile ses bottes, prend son sac et sort. Elle se dirige vers l'ascenseur, mais elle a envie de marcher, alors elle descend les escaliers. Presque en courant.

Une fois dans la cour, elle allume son portable. Au même moment, elle entend son nom. C'est Simon, qui sort d'un autre bâtiment.

— Je n'y crois pas... Que fais-tu ici? demande Olly en se reprenant.

Simon la regarde avec étonnement. Remarque qu'elle est un peu débraillée.

— J'habite ici.

— Vraiment?

— Oui, vraiment. Et je pars travailler. Et toi? Que fais-tu ici?

En posant la question, Simon regarde vers l'autre immeuble, celui dont Olly est sortie. Il sait bien qui habite là. Ce type. Le photographe. Mais il décide de ne rien dire. Peut-être que ce n'est pas ça... peut-être qu'il se trompe.

— Oh, non, rien... rien...

— Je t'accompagne au travail?

Olly s'embrouille.

— Non, non, merci... Je vais prendre deux heures... Je vais passer chez moi, me changer... On se voit tout à l'heure. Dis-leur, au bureau...

Elle s'enfuit, confuse et gênée. *Simon habite là. Justement lui. C'est vraiment pas de bol...* Dans la rue, elle prend son téléphone et appelle un taxi. En l'attendant, elle monte et descend nerveusement du trottoir.

80

Le samedi matin, Niki a bu un jus d'orange, mais elle est tellement nerveuse qu'elle n'a rien pu avaler d'autre.

— Maman, papa, vous êtes prêts ?

Elle entre dans leur chambre. Simona termine de préparer son sac.

— Maman ! Il faut qu'on y soit pour le thé.

— Je sais, mais je ne sais pas comment vont être les soirées, je ne savais pas quoi prendre.

Roberto sort de la salle de bains avec sa trousse de toilette.

— J'ai fini, je suis prêt.

Matteo entre à son tour.

— Je peux prendre mon ballon, comme ça au moins si je m'ennuie je pourrai m'entraîner un peu ?

Tous les trois, en chœur :

— Non !

Au moins, ils sont d'accord là-dessus. Ils éclatent de rire.

— Allez, on y va !

Roberto prend le sac de Simona, et devant son poids il s'exclame :

— Tu comptes rester combien de temps ? Un mois ?

— Si l'endroit est beau et s'ils veulent bien de moi, pourquoi pas...

Matteo arrive avec son blouson en jean déchiré. Sa mère le prend par l'épaule, lui fait faire demi-tour et le renvoie vers sa chambre.

— Mets le nouveau, le bleu foncé, celui que je t'ai acheté la semaine dernière.

— Mais, maman, il est trop élégant !

— Justement !

— Et va te coiffer !

— Me coiffer ?

— Oui, sinon je m'en charge.

— Jamais de la vie !

Roberto a mis son manteau bleu marine, Simona une très belle veste noire qu'elle n'avait pas portée depuis longtemps et Niki a choisi une tenue simple mais très chic.

En sortant de l'immeuble, ils rencontrent le gardien qui met le courrier dans les boîtes aux lettres.

— Bonjour, les salue-t-il avec un grand sourire. Où allez-vous donc, si bien habillés… À un mariage ?

— Oui, le mien ! déclare Niki avant de monter dans la voiture.

La Volvo familiale démarre et s'insère tranquillement dans la circulation de ce samedi matin, sous le regard du gardien.

— Ils sont sympas, ces Cavalli, ils ont toujours le mot pour rire !

Roberto conduit lentement. Simona a les mains posées sur ses jambes avec son sac élégant. Niki, les yeux rivés à la fenêtre, est plongée dans ses pensées. Matteo, le seul vraiment tranquille, joue avec sa GameBoy. Après avoir passé un niveau avec un excellent score, il regarde un instant autour de lui.

— On dirait qu'on va à un enterrement…

— Matteo !

— Bon, bon, d'accord… Je vais faire semblant que tout est normal.

Niki le foudroie du regard.

— Il ne manquait plus que ça, le frère trouble-fête.

— Moi j'ai bien proposé de ne pas venir… Ils n'ont rien voulu entendre ! Tu devrais faire comme si j'étais la mascotte… Allez, Niki, tout s'est bien passé jusqu'ici, au pire ce week-end sera raté.

— Mais…

Roberto intervient avant qu'une dispute n'éclate.

— Un peu de musique ? demande-t-il avant d'allumer la radio.

Tout le monde se détend un peu en entendant Tiziano Ferro. La voiture file sur la via Aurelia. Le décor change rapidement : il se pare d'abord d'un vert léger, puis apparaît de plus en plus d'oliviers, entre le Latium et la Toscane. L'air se charge d'iode progressivement, et les voici en Maremme.

— Nous sommes presque arrivés, annonce Roberto en souriant à Simona.

— Parfaitement à l'heure.

Matteo, qui a atteint le onzième niveau, arrête un instant de jouer. Il se tourne vers Niki, qui contemple toujours le paysage, et lui tend la main.

— Excuse-moi pour tout à l'heure, petite sœur... Tu verras, tout va bien se passer, ajoute-t-il en la voyant nerveuse.

Niki lui sourit, tout en pensant que si son frère dit une chose pareille, c'est qu'elle doit vraiment paraître inquiète !

— Nous y sommes !

Roberto sort de l'Aurelia et, après quelques virages, prend un chemin de terre qui monte vers une grande propriété. Au bout du chemin se trouve un grand portail, sur lequel trône une plaque en bronze où il est inscrit « Villa Belli dei Cedri ».

— C'est bien celle-ci ?

Simona regarde le papier où sont notées les indications.

— Oui, tout à fait. C'est magnifique... Un spectacle unique...

La Volvo avance dans le parc de la villa. Les haies, les pelouses, les arbres, tout est parfaitement entretenu. Matteo regarde dehors. La voiture passe devant des écuries où un homme est en train de lustrer le pelage d'un magnifique étalon.

— Ils ont même des chevaux ! C'est un endroit de rêve...

— Oui.

— Excellent choix ! dit-il à sa sœur en lui tapotant la cuisse.

Roberto et Simona se regardent sans mot dire. Après un dernier virage, ils se retrouvent devant une majestueuse bâtisse rouge.

Un majordome s'approche de leur véhicule pour ouvrir la portière de Simona. Juste avant, Niki s'était penchée entre les sièges de ses parents.

— Papa, maman... Merci pour tout ce que vous faites pour moi, hein... mais restons vagues.

Sans attendre, elle ouvre sa portière et sort de la voiture. Roberto regarde Simona.

— Restons vagues ? Qu'est-ce que ça veut dire ?

Simona essaie de le rassurer.

— Je te l'ai dit... En fait, cet engagement lui fait peur ! Allez, descendons...

Alex, en tenue de gardien de bétail de la Maremme, sort de la maison et court à la rencontre de Niki.

— Mon amour ! Vous êtes arrivés !

Il l'embrasse et la serre dans ses bras, heureux. Puis il salue ses parents.

— Salut, Roberto, bonjour, Simona... Ça va, Matteo ?

— Très bien. Génial, cet endroit... Où puis-je trouver un cheval ?

Alex rit.

— Nous irons en faire ensemble ! Oh… Voici mes parents, je vais vous présenter. Maman, papa, voici Niki… Et ses parents, Simona et Roberto.

— Quel plaisir… Enfin !

Le père d'Alex serre d'abord la main de Simona.

— Deux sœurs, on dirait deux sœurs… vous et Niki. À tel point que je ne sais plus laquelle des deux va épouser mon fils !

Roberto intervient en essayant d'être spirituel.

— C'est très facile… celle qui n'est pas mariée. Parce que l'autre, elle est à moi !

— Ah, bien sûr, quel idiot ! répond le père d'Alex d'un ton jovial.

Silvia accueille ses invités puis donne des ordres aux deux domestiques.

— Saïd et Kalim, portez les valises dans les chambres et accompagnez nos invités…

— Vas-y, mon amour, dit Alex à Niki. Nous vous attendons au jardin… Il y a aussi mes deux sœurs avec leurs maris respectifs, et une amie.

— D'accord, à tout à l'heure.

Les Cavalli suivent les majordomes dans les escaliers de la superbe demeure. Les murs sont couverts de tapisseries anciennes, de trophées de chasse, de tableaux champêtres ou de portraits d'ancêtres illustres. Niki et Matteo restent béats devant la richesse du mobilier et le caractère imposant de ces salles, les sols aux grandes pierres cirées, les lourdes tentures. À tel point que Matteo ne peut s'empêcher de laisser échapper un « Putain… ».

Niki lui fait les gros yeux.

— Voici votre chambre… dit l'un des maîtres d'hôtel en indiquant aux parents de Niki une superbe chambre double, avec lit à baldaquin et lavabos en céramique.

— Je vous en prie…

Ils font entrer les invités, les suivent et posent leurs valises sur les coffres qui leur permettront de les ouvrir sans se pencher.

— Voilà… La salle de bains est ici.

À l'intérieur, Roberto et Simona aperçoivent deux peignoirs, des grands draps de bain et des serviettes de différentes tailles, le tout parfaitement en ordre à côté du lavabo. Ornés de liserés brodés dans des tons clairs et nuancés, ils sont d'une élégance sobre et très raffinée.

– Et là, il y a le minibar, où vous trouverez de tout : Coca-Cola, champagne, eau minérale. Si vous désirez quoi que ce soit d'autre, vous n'avez qu'à sonner...

Ils indiquent près du lit une grosse corde en velours assortie aux couleurs de la pièce.

– Merci.

Roberto s'apprête à sortir son portefeuille mais Simona l'arrête.

– Mon amour, lui dit-elle à voix basse. Nous sommes chez la famille Belli, pas à l'hôtel...

– Ah oui, c'est vrai.

Roberto s'allonge sur le lit après leur départ.

– C'est mieux que tous les hôtels où nous sommes allés !

– Oui... J'espère vraiment que Niki sera heureuse, quel que soit son choix...

– Au moins, dans tous les cas nous aurons passé un bon week-end !

Niki et Matteo emboîtent le pas aux majordomes.

– Voici votre chambre.

Les couleurs sont plus claires. Après leur avoir montré la salle de bains et le minibar, ils les laissent seuls.

– Quel pied ! Vise un peu ça... dit Matteo en allumant la télé. Ils ont toutes les chaînes, et le bar est plein de trucs, il y a même des chips et des cacahuètes ! Je vais tout de suite me prendre un Coca, tu en veux un, Niki ? Ou alors... du champagne ?

– Non ! dit Niki énervée, en se laissant tomber sur le lit les bras ballants.

– Qu'y a-t-il ? lui demande Matteo.

– J'aimerais bien savoir pourquoi je ne dors pas avec Alex !

– Qu'est-ce que ça peut te faire ? Résiste ! C'est juste pour une nuit ! Comme ça, tu me liras peut-être une histoire, comme quand on était petits.

– Matteo !

Au bout du couloir, les maîtres d'hôtel s'arrêtent. Saïd est un peu perplexe.

– Kalim, tu sais combien de temps ils restent, toi ?

– Juste pour le week-end, je crois... Pourquoi ?

– La valise de la dame pèse assez pour deux semaines !

Saïd secoue la tête.

– Plus ils sont riches, moins je les comprends !

– Je ne crois pas qu'ils soient très riches, eux...

— Pourquoi?

— Le monsieur a failli me donner un pourboire!

— Oui, très cheap…

Un peu plus tard, la famille Cavalli se retrouve dans le couloir.

— Matteo, qu'est-ce que c'est que ça?

Simona s'approche de lui et secoue son pull pour en enlever une infinité de petites miettes.

— J'ai mangé des chips…

— Oui, deux paquets, dit Niki. Essaie de te tenir à carreau, Matteo.

— Mon Dieu, ce que vous êtes lourds! Alex a dit qu'on irait faire du cheval.

— Oui, mais ne le lui rappelle pas toutes les deux minutes.

Ils descendent l'escalier qui donne sur le salon et voient dans le jardin un groupe de gens attablés sous un immense chêne, entre des tréteaux dressés et les rideaux d'un kiosque, aussi blancs que les nappes, qui ondulent sous une brise légère.

— Les voilà, ils sont là… dit Simona avec enthousiasme. On dirait une scène de film…

— Oui, c'est vrai, approuve Roberto, avec une petite différence…

— Laquelle? demande Niki.

— Ici, tout est vrai!

La mère d'Alex s'aperçoit la première de leur présence.

— Les voilà, les voilà, ils arrivent!

Alex se lève pour aller à leur rencontre.

— Tu te souviens de mes sœurs, non? Margherita et son mari Gregorio.

— Enchantée.

— Claudia et Davide…

— Bonjour.

— Et voici Eleonora, une amie d'enfance…

— Bonjour! Quel plaisir de te rencontrer. J'ai beaucoup entendu parler de toi, mais je ne t'imaginais pas comme ça…

Niki la regarde. « Comme ça comment? », a-t-elle envie de lui demander, mais elle se dit qu'avec tout ce monde mieux vaut ne pas lancer de polémique. *Dans le fond, ils sont tous ici pour moi. Alors elle sourit, contente de la réponse qu'elle a trouvée toute seule.* Cependant, elle tient quand même à satisfaire sa curiosité.

— Excuse-moi, Alex, lui dit-elle à l'oreille en s'installant. Mais c'est une amie d'enfance de qui ?

— Bah... répond Alex, un peu gêné. De nous... De tout le monde... Quand nous allions à la plage à Forte dei Marmi, elle était toujours avec nous.

— Ah.

Niki la regarde plus attentivement tandis qu'elle se verse du thé. Elle est vraiment belle, un corps tonique, et surtout parfaitement assortie... à la nappe. Oui, elles sont toutes deux en dentelle ! Eleonora se tourne vers elle.

— Tu en veux ?

— Oui, merci.

— Du lait, du citron ?

— Du lait, merci.

Je ne le prends pas amer comme toi, moi !

— Du sucre ?

— Non merci.

— Moi aussi j'essaie de faire attention à ma ligne.

Niki prend la tasse.

— Oh, moi j'aime le thé sans sucre. Je mange de tout, de toute façon je brûle les graisses ensuite.

Matteo se penche vers sa sœur.

— Oui... Sauf ce soir...

Niki lui donne un coup de coude, avant de lui dire à voix basse.

— Sale traître... Tu es qui, un ami de l'infiltrée ?

Luigi, le père d'Alex, prend la situation en main.

— Alors, nous avons appris cette merveilleuse nouvelle...

— C'est vrai... acquiesce Roberto.

— Nous sommes vraiment heureux. Bien sûr, il y a une certaine différence d'âge, mais aujourd'hui on voit vraiment de tout... Quand l'amour est là, tout est possible !

— C'est vrai...

Simona donne un léger coup de coude à Roberto.

— Mon trésor, essaie de dire quelque chose de plus que « c'est vrai », sinon ils vont penser que notre vocabulaire est limité.

Roberto tente une remarque plus brillante.

— Je suis d'accord ! Nous avons pensé la même chose, et en effet nous avons peur.

Simona lui lance un regard noir. Roberto se rattrape in extremis.

– Nous avons ? Nous avions ! Mais l'enthousiasme de Niki nous a convaincus.

Luigi applaudit.

– Bravo ! D'ailleurs… dit-il en les regardant et en les montrant successivement du doigt. Vous aussi, vous vous êtes mariés malgré une grande différence d'âge… Il est juste que l'homme soit un peu plus âgé et mûr…

Roberto est un peu surpris.

– En fait, j'étais dans la classe juste au-dessus de la sienne… Nous avons presque le même âge.

Le père d'Alex comprend qu'il vient de faire une gaffe.

– Vous voulez encore du thé ?

Tout doucement, la conversation devient plus aisée.

– Alors, vous avez déjà choisi l'église ?

– En fait, non.

– Et la date ? Ne faites pas ça un samedi, c'est vraiment cheap…

Roberto les regarde d'un air amusé. Ils sont dans le vent, ici…

Margherita et Claudia viennent s'asseoir à côté de Niki.

– Tu sais, nous aimerions vraiment t'aider, si ce n'est pas un problème.

– Moi… non, non… pas du tout.

– Nous sommes passées par là et nous savons bien les erreurs que l'on peut faire…

– Oui, intervient Matteo… en plus de celle de se marier !

Niki est un peu gênée.

– Mon frère… Il veut toujours jouer au mec cool… mais ça ne lui réussit pas tellement !

– Qu'il est mignon, dit Margherita en lui souriant. Regarde, là-bas il y a mes filles, Céleste et Miriam. Tu veux aller jouer avec elles ? Elles sont aux balançoires, près du manège.

– D'accord, je vais aller les rejoindre.

Avant de s'éloigner, il demande à Alex :

– Ensuite on va faire du cheval, d'accord ?

– Bien sûr… Tout à l'heure, ou demain matin.

– D'accord. Je compte sur toi, hein… Sinon, ajoute-t-il à voix basse, je raconte toutes les fois où tu es venu à la maison quand les parents étaient sortis.

Alex lui fait un sourire forcé. Silvia lui demande, curieuse :

– Que t'a-t-il dit, Alex ?

— Rien, que sur la PlayStation aussi on peut faire des courses de chevaux.

— Ah oui, les jeunes d'aujourd'hui, ils ne savent plus s'ils vivent dans la réalité ou dans un monde virtuel.

Gregorio repense soudain à quelque chose.

— Oh oui, et puis il y a l'histoire de ce couple anglais… Vous en avez entendu parler ? Ils se sont rencontrés sur un chat et séparés parce qu'ils se trompaient virtuellement avec d'autres.

— Quitte à tromper, intervient Davide, autant tromper pour de bon, dans la réalité, pas virtuellement !

Claudia lui lance un regard noir.

— Au moins, comme ça, ils ne se sentaient pas coupables.

Margherita hausse les épaules.

— Certains ne se sentent jamais coupables…

— Les choses étaient plus simples à notre époque, intervient Luigi. Il n'y avait ni téléphones portables, ni tous ces trucs compliqués. J'ai lu que la plupart des infidélités sont découvertes à cause des textos…

Silvia se joint à la conversation.

— C'est très vrai… *Verba volent, scripta manent !*

— Moi je suis allé une fois sur un chat, dit Davide. Mais pour le travail…

— Ah oui, sourit Alex. Ça s'utilise beaucoup, maintenant, pour faire de la pub, mais les jeunes générations l'emploient comme nous on employait le téléphone…

Il regarde Niki, qui écoute toujours les suggestions de ses sœurs.

— Alors, pour le traiteur, tu devrais essayer les grands hôtels, ce sont les meilleurs…

Luigi, curieux, demande à Roberto en indiquant Simona.

— Et vous, comment vous êtes-vous rencontrés ?

— Nous jouions dans le même groupe… punk…

— Oui, au lycée, intervient Simona. Ensuite, il venait me chercher au conservatoire, où j'ai étudié le piano pendant un petit moment…

— Vraiment ? Vous voulez nous jouer quelque chose ?

— Non, non ! Je n'oserais pas, je suis trop perfectionniste ! Je me sens mal pour une fausse note. Quand les enfants arrivent, on renonce à tout, ce sont eux, notre passion…

— Ahhhhh !

Un cri terrible déchire l'air.

— Que se passe-t-il ? Ça venait des balançoires.

Davide, Margherita, Gregorio et Claudia courent dans cette direction, suivis par Roberto et Simona. La petite Miriam arrive en courant.

— Que se passe-t-il ? Que se passe-t-il ?

Miriam indique les balançoires.

— Céleste s'est envolée !

— Comment ça, envolée ?

— Oui, elle s'est envolée.

Les parents courent vers les balançoires. Au-delà de la palissade, de l'autre côté de la haie, ils aperçoivent Céleste qui pleure, immergée jusqu'à la taille dans le fumier des chevaux.

— Comment tu as atterri là-bas ?

Céleste, toujours en pleurant, indique Matteo.

— C'est lui...

— Maman, c'est elle qui me l'a demandé, elle voulait que je la pousse encore plus fort. Et puis, elle insistait : « Pousse-moi plus fort ! Allez, plus fort, plus fort... » Moi je l'ai poussée fort, et elle s'est envolée. Je ne pouvais pas savoir qu'elle était aussi légère !

Roberto lui donne une taloche derrière la tête.

— Tu aurais quand même dû faire attention !

— Mais c'est elle qui me l'a demandé !

— Heureusement qu'elle ne s'est pas fait mal.

— Elle a atterri dans le caca, elle aura beaucoup de chance, dans le futur !

— Oui, mais pas aujourd'hui ! Elle s'en souviendra... Tu l'as marquée à vie !

Gregorio et Margherita réussissent à sortir Céleste du fumier.

— Bon, nous on retourne dans la maison...

— Oui, on se retrouve pour dîner.

— Volontiers, en espérant qu'on arrive à la laver...

Roberto, Simona, Niki et Matteo retournent vers la maison.

— Quelle gaffe...

— Oui, heureusement qu'elle n'a rien...

— Oui.

Matteo se masse le cou.

— C'est elle qui a insisté... Peut-être qu'elle aura vraiment de la chance... En tout cas, si vous aviez vu comme elle a volé... Si, au lieu de s'appeler Céleste, elle s'était appelée Stella[1]... Étoile filante...

1. « Étoile », en italien.

Comme j'ai été le premier à la voir, j'aurais tout de suite fait un vœu : avoir un scooter!

Roberto lui donne une autre taloche.

— Aïa, papa...

— « Aïe », on dit « aïe »... Continue comme ça, et je te fais faire un de ces vols planés, moi!

Luigi le rejoint et passe son bras sous le sien.

— Allons, Roberto, ne vous inquiétez pas... Avec les enfants, ce sont des choses qui arrivent, et heureusement la nature nous a protégés...

— C'est vrai...

— Bon, rendez-vous dans une heure dans le grand salon.

— D'accord...

Ils s'en vont, laissant Roberto et Simona seuls.

— Ils sont gentils, hein... Ils ne semblent pas nous en tenir rigueur.

— Non... pour rester sur le même thème, disons que sinon on aurait été dans la merde...

Ils se dirigent vers leur chambre en riant.

81

Un peu plus tard, tout le monde est attablé dans le grand salon, sous le gigantesque lustre qui abrite plus de deux cents bougies.

— Mais la cire ne va pas couler?

— Matteo! le reprend Niki avec un sourire forcé. J'aimerais bien qu'elle coule assez pour te clouer le bec...

Deux serveurs impeccables apportent les hors-d'œuvre.

— Nous avons reçu un peu de jambon espagnol, un excellent Pata negra, nous tenions à vous le faire goûter.

Ensuite, viennent les pâtes[1].

— J'ai moi-même passé toute la matinée à faire cette sauce au lièvre...

— Luigi cuisine très bien, moi en revanche je suis nulle. Il m'a épousée par amour, en tout cas sûrement pas pour mes qualités de cordon-bleu...

1. En Italie, le repas complet se compose de hors-d'œuvre, d'un plat de pâtes, de viande ou de poisson accompagnés de légumes et d'un dessert.

Puis arrivent d'excellentes viandes.

— Il y a du canard et du sanglier... Nous ne savions pas si vous préfériez le gibier terrestre... ou céleste!

Matteo regarde Céleste en riant, mais celle-ci lui tire la langue.

— Céleste! la reprend sa mère. Tiens-toi bien.

— Il se moquait de moi.

— Non... Il voulait être gentil.

Le dîner se poursuit, accompagné des meilleurs vins rouges, du morellino di scansano, léger, au prunotto del brodo, et de délicieuses pommes de terre cuites au four ou frites. Matteo ne résiste pas, il en prend une avec la main mais Niki le pince sous la table, alors il la repose à sa place avec son habituel « Aïa ».

— On dit « Aïe ».

— Au lieu de me reprendre, tu ne ferais pas mieux d'arrêter de me frapper?

— Non, comme ça tu apprends à parler... et aussi à bien te tenir à table!

Ensuite est servi un excellent assortiment de desserts, de la panna cotta à la crème brûlée, en passant par de la crème pâtissière, des tartes de différentes sortes, des petits beignets, de la confiture... et enfin des biscuits aux amandes avec du *vino santo*, un vin très doux.

— C'est typiquement toscan.

Les sœurs d'Alex rient en remplissant leurs assiettes.

— Nous, nous n'avons pas besoin de maigrir... Nous sommes déjà mariées...

— L'idéal serait de pouvoir rentrer dans sa robe de mariée dix ans plus tard!

Gregorio tente de casser le mythe.

— Moi, je ne sais même pas où est passé mon costume...

— Il me reste deux ans, donc je peux encore maigrir. Quoi qu'il en soit, c'est vraiment un moment magique... Regarde les photos de tous ceux qui se sont mariés... Il n'y en a pas un qui soit encore aussi mince que le jour de son mariage! ajoute Margherita.

— Et si c'est le cas, précise Davide, c'est généralement qu'il a divorcé!

Ils passent ensuite au salon.

— Un peu de porto? Du rhum? Une eau-de-vie, un digestif? Si vous préférez nous avons de l'*amaro* fait maison...

— Mmh, volontiers!

Tandis qu'Alex sert ses beaux-frères et ses invités, Niki sent son portable vibrer dans sa poche. Elle l'ouvre et lit discrètement un message. *Mais qui peut bien lui écrire à cette heure-ci? Sans doute une des Ondes.* Mais ensuite... une grande surprise.

Je suis au concert, il ne manque que toi. C'est tellement bien que nous ne nous serions peut-être pas disputés, ou alors nous aurions tout de suite fait la paix. Bisou... Guido.

Guido? Niki rougit. *Comment il a eu mon numéro? Je ne lui ai jamais donné. Ça ne peut pas être les Ondes... Elles sont folles, ou quoi? Ou alors Barbara ou Sara.* Elle se rappelle les sourires et les regards pendant cette soirée à la fac. *Giulia. C'est Giulia qui le lui a donné.*

— C'était qui? lui demande Alex.

Niki sent son cœur se serrer.

— Oh... ça a l'air sympa, il y a un concert à la fac...

À sa plus grande stupéfaction, elle ment :

— C'était Olly.

Alex lui sourit et continue son tour pour servir les invités en rhum.

Olly. C'était Olly. Comment j'ai pu, pourquoi j'ai menti? J'aurais eu trop d'explications à donner, ça aurait été trop long. Et puis, au milieu de tous ces gens... Cela aurait été un peu déplacé. Oui, c'est juste pour ça. Elle se sent rassurée. *Oui, c'était juste pour ça.* Elle en est convaincue, à tel point que, pour se rassurer encore plus, elle éteint son portable.

82

— Le dîner était excellent.

— Oui, tout était vraiment parfait.

— Alors à demain matin...

Les femmes se saluent. Luigi s'approche de Roberto.

— Demain il y a une surprise, juste pour nous, les hommes. Chasse au sanglier! Avec mon fidèle chien Edmond, dans notre réserve. Ça promet d'être très amusant. Vous avez déjà chassé le sanglier, Roberto?

— Oh... oui, deux ou trois fois!

— Bien! Nous vous fournirons tout l'équipement. Rendez-vous à 6 heures précises.

Roberto avale sa salive.

– À 6 heures… bien sûr…

– À propos, Roberto, il est temps de nous tutoyer…

– Oui… Bien sûr… Luigi, tu es sûr que le rendez-vous est à 6 heures ?

– Bien sûr ! Donc, au dodo, tout de suite !

Après les salutations de convenance, chacun se retire dans sa chambre. Simona prend Roberto par le bras.

– Mon amour… Pourquoi tu n'as pas dit la vérité ? Tu n'as jamais chassé…

– Ça ne doit pas être compliqué !

– Comment ça, pas compliqué ? Il faut se servir d'un fusil…

– Je sais, mais j'ai vu *Danse avec les loups* au moins dix fois. Au pire, je n'aurai pas de sanglier…

– Il suffit que tu ne tires sur personne d'autre… Après l'envol de Céleste… Il ne manquerait plus que tu abattes quelqu'un !

Ils entrent dans leur chambre.

– Bonne nuit, les enfants.

– Bonne nuit, maman.

– Bonne nuit, papa.

Niki fait semblant d'entrer dans la sienne, mais en fait elle se cache dans le couloir et attend Alex.

– Dis-moi, qu'est-ce que c'est que cette histoire ? Nous sommes obligés de dormir séparément ! Même au collège, je ne faisais pas ça…

– Que veux-tu dire ?

Niki se reprend.

– Disons que même au collège, j'avais plus de liberté.

– Ah, je préfère…

Au même moment passe Eleonora.

– Salut, Alex, bonne nuit, Niki, espérons que l'orage n'arrive pas ! Tu te rappelles, quand on était petits, on avait tellement peur du tonnerre qu'on dormait tous ensemble, toi, tes sœurs et moi !

– Oui…

– Mais la nuit est étoilée, ça ne risque pas.

– C'est vrai… bon, bonne nuit, répond-elle avant de se retirer.

– Alors comme ça, vous dormiez ensemble…

– Avec mes sœurs !

– Même s'il y avait un ouragan, qu'elle essaie… Je la fais voler par la fenêtre, moi, pire que Matteo et Céleste !

— Tu me plais quand tu es jalouse… Viens… dit-il en la prenant par la main et en l'entraînant dans sa chambre. Nous sommes à nouveau au lycée… Tous les deux…

Dans la pénombre de la chambre, éclairé par la lune qui entre par la fenêtre, Alex déshabille Niki.

— Tu me plais, Niki, tu me rends fou… Tu me plais tellement que… je t'épouserais bien…

— Toi aussi…

Et l'idée d'être dans cette maison, avec les parents de l'un et de l'autre dans les chambres à côté, les excite tellement qu'en un rien de temps ils se retrouvent nus sous les draps. Ils se perdent en baisers confus, soupirs rebelles et caresses interdites. Un sourire dans la pénombre, la bouche ouverte, ce doux plaisir, cette envie parfaite et ces deux langues qui parlent d'amour.

83

Après un petit déjeuner léger et sain composé d'œufs, de toasts et de café noir, les chasseurs se retrouvent à l'entrée de la réserve. Un sentier se découpe sur une grande colline qui serpente. Luigi sourit au groupe.

— Alex n'est pas venu… il avait sommeil.

Davide et Gregorio, restés en arrière, échangent un regard complice.

— Normal… avec une fille de vingt ans de moins, moi aussi j'aurais toujours sommeil…

— Chut, le reprend Gregorio… Si le père t'entend… Mais tu as raison : à mon avis, Alex a bien fait… La différence d'âge est peut-être le bon remède pour faire durer un mariage.

— Je ne sais pas… Pour moi, Bruce Springsteen a toujours été un mythe. Il s'est marié avec le mannequin Julianne Philips, une bombe, et ensuite au bout de quelques années il s'est mis avec sa choriste, Patti Scialfa, pas terrible… Tu sais ce qu'il faut conclure de cette histoire ?

— Quoi donc ?

— Que l'amour est le véritable secret du mariage.

— Tu es très philosophe, ce matin! Bon, au lieu de dire des bêtises... essaie plutôt de tirer sur un sanglier.

Ils rejoignent les autres. Luigi est en train de choisir parmi ses beagles.

— Tiens, Roberto, je te le confie, c'est Edmond, mon chien préféré... Mais surtout le meilleur. Pour moi il est comme un fils, j'y suis très attaché, il m'a toujours donné satisfaction. S'il y a un sanglier, il le débusquera! Allez, mes braves... À la chasse!

Ils avancent tous les quatre dans le bois. Roberto n'est pas très à l'aise parce que le pantalon et le blouson qu'on lui a prêtés sont un peu étroits pour lui, et les bottes trop grandes. Il tient sont fusil comme les autres et essaie de les imiter en tout point. À un moment, Davide s'approche de lui.

— Hum...

— Hum?

— Si tu ne le lâches pas, je pense qu'Edmond aura du mal à débusquer quoi que ce soit...

Il ne s'était pas aperçu que les autres avaient lâché leurs beagles.

— Ah oui, bien sûr... J'utilise la technique anglaise.

— C'est-à-dire?

— L'énerver, le tenir, le faire mourir d'envie de chasser pour le motiver encore plus... Et ensuite... Le lâcher!

Il libère Edmond, qui part comme une flèche dans les buissons alentour.

— C'est vrai... Et pour la sécurité aussi, tu as une nouvelle technique?

Roberto s'aperçoit qu'il ne l'a pas enlevée de son fusil, et que mieux vaut ne pas en rajouter.

— Non... non... La chasse n'avait pas encore commencé, pour moi... dit-il en faisant un clin d'œil. Je me déplaçais en sécurité...

Il s'éloigne lentement du point de départ, les chasseurs se perdent sur les sentiers, cherchent dans les buissons et les branchages qui s'étendent sur la colline, chacun derrière son propre chien qui avance à toute allure, comme fou, renifle nerveusement le terrain, court ici et là en suivant une piste. Roberto, essoufflé, peine à suivre Edmond qui grimpe le long d'un sentier pour débusquer un énorme sanglier caché derrière un buisson épais. Roberto arrive juste à temps, il voit Edmond, puis le sanglier, puis Edmond, puis à nouveau le sanglier... et il tire.

— Je l'ai eu ! Je l'ai eu !

Davide, Gregorio puis Luigi accourent chacun d'un endroit différent, traversent les broussailles pour rejoindre Roberto.

— Tu l'as eu ? Où est-il ?

— Oui, où est-il ?

— Là !

Ils regardent tous le gros buisson qui bouge. Lentement, ils voient apparaître Edmond qui fait deux ou trois pas avant de s'écrouler, blessé.

— Tu l'as eu, ça oui, tu l'as eu... Mon chien !

84

Alex et Niki arrivent à leur appartement. Ils sont tous deux nerveux, on sent qu'ils se sont disputés dans la voiture. Elle pose son sac sur le canapé.

— Niki... pose-le à terre. On ne sait pas où Saïd et Kalim l'ont laissé traîner.

— Mon Dieu ! Tu t'y mets, toi aussi... Quand quelque chose est sale, on le lave ! Il faut vivre, tu entends, vivre... On ne peut pas rester empaillés, comme dans cette maison...

— Ah, bien sûr, dit-il d'un ton agacé... Grâce à ton père, il s'en est fallu de peu pour qu'on puisse empailler Edmond !

— Au moins, il aurait fait le pendant d'Eleonora...

— Arrête, elle est sympa...

— C'est fou comme vous les hommes vous ne comprenez rien aux femmes...

— Moi aussi ? Attention, tu tends le bâton pour te faire battre... Rappelle-toi que je t'ai choisie... et que je veux vraiment t'épouser !

— Les désirs du roi sont des ordres.

— D'accord... Je voudrais vraiment t'épouser, corrige Alex.
Niki sourit.

— Quoi qu'il en soit, je suis l'exception qui confirme la règle, l'un des rares cas où un homme ne se trompe pas et choisit une femme qui en vaut la peine ! Mais je commence à penser que tu méritais une femme comme Eleonora...

— C'est-à-dire ?

— Après les banalités d'usage, elle n'a plus rien à dire, elle répète toujours la même chose... « Ah, fait-elle en l'imitant, je me suis acheté un superbe blouson Prada, je veux aller à Paris pour la fashion week, il ne faut pas rater l'inauguration du nouveau Just Cavalli... » Elle n'a rien dit d'autre, toi tu fais de la pub, elle connaît toutes les marques, vous seriez parfaits... En plus, elle a ton âge ! ajoute Niki, un sourire en coin. Et tes parents seraient si heureux...

Alex s'assied sur le canapé, abasourdi.

— Alors, pour commencer, elle est plus jeune que moi de dix ans...

— Ça, c'est ce qu'elle dit...

— Je la connais depuis l'enfance.

— Alors elle fait plus que son âge.

— Tu es vraiment mauvaise langue. Ensuite, mes parents sont heureux si je le suis, moi...

— Oui, mais tes sœurs sont heureuses si Eleonora l'est aussi.

Alex secoue la tête.

— Mes sœurs sont amies avec Eleonora. Primo, je ne m'intéresse pas à elle. Secundo, pourquoi tu insistes autant sur ce sujet ? Tu es jalouse ? Si c'est le cas, ajoute-t-il sur un ton malicieux, tu as remarqué quelque chose qui, je le crains, m'a échappé...

— Qu'est-ce que tu insinues, Alex ? Qu'elle a quelque chose de plus que moi ?

— Moi ? Mais je n'insinue rien du tout ! C'est toi qui me prends la tête avec cette histoire d'Eleonora ! Tu me rends fou, quand tu fais ça !

— Si tu savais comme ça me rend folle, moi, de passer du temps avec tes sœurs ! J'ai même dû accepter de les faire participer aux choix pour mon mariage ! Tu te rends compte ? Mon mariage... et ce sont elles qui décident !

— Mais qui te l'a demandé ?

— Ta mère !

— Non, ma mère a dit qu'elles pourraient probablement te donner un coup de main parce qu'elles connaissent les endroits et tout le reste, vu qu'elles sont passées par là, et elles pourraient t'éviter des soucis. Donc, elle a voulu t'aider. Et puis, si tu ne voulais pas, tu pouvais tout simplement dire non merci !

— Oui... ça aurait été la fin du monde !

— Tu as une vision déformée de la réalité !

— Et toi, de ta famille.

Alex est sur le point de répondre mais il se rend compte que la discussion prend vraiment mauvaise tournure. Parfois les mots deviennent dangereux, nous dépassent. Alors, tout doucement, il se calme, se tait, et pour la première fois il regarde Niki sous un autre jour. Elle a mûri, elle est déterminée, décidée, capable d'utiliser des mots cassants. Elle qui a toujours été gentille, généreuse, même dans les moments difficiles, même quand il s'était remis avec Elena sans lui dire la vérité. Elle lui avait signifié avec simplicité, comme elle le fait toujours, sans une once de méchanceté mais au contraire avec naïveté et pureté, sa surprise d'être blessée sans avoir jamais imaginé que cela puisse arriver. Et soudain, Alex comprend. *Mon Dieu, mais que se passe-t-il ? C'est peut-être ma faute ? Est-ce moi qui la transforme ainsi ? Suis-je en train de forcer les choses ?* Il la regarde, elle respire vite, ses sourcils sont encore froncés d'énervement, et il se rend compte combien il l'aime, combien il voudrait la voir heureuse, combien aussi ces mots, bien que maladroits, lui appartiennent, et pour cette raison lui plaisent aussi ; ils ne sont pas justes, non, mais aimer signifie aussi accepter les erreurs de l'autre… Cela signifie tant que ça, aimer ? Il se le demande, et son cœur répond en souriant : *oui, et même plus.* Alors pour la première fois, il se sent vraiment adulte et sûr de son choix.

Au même moment, Niki aussi comprend. Alex passe de la déception au sourire amoureux, de cet amour capable de dépasser n'importe quelle difficulté humaine.

— Mon amour…

Elle se jette dans ses bras, il la serre contre lui. Niki enfouit le visage dans son torse, les cheveux ébouriffés.

— Excuse-moi, mon amour… Les mots ont dépassé ma pensée.

Elle a les yeux brillants. Une larme coule, Alex la sèche avec son pouce. Niki boude.

— Je me mets à pleurer pour n'importe quelle crétinerie !

— Ce n'est pas une crétinerie… Viens, assieds-toi à côté de moi…

Niki obéit avec une grimace.

— D'accord, mais ne me traite pas comme une petite fille…

Alex est tranquille, maintenant.

— Nous sommes tous des enfants… Cela dépend seulement du moment. Parfois, nous devrions être plus âgés, parfois rester tout petits, le tout est de ne pas confondre un moment avec un autre…

— Et là, moi j'ai confondu.

— Non. Il est normal que tu aies un peu peur, parfois la pression nous joue de mauvais tours… Comme ça m'arrive parfois au travail… Ou plutôt, comme ça m'arrivait. À un moment, j'ai compris. L'importance de vivre. De savoir vivre. Tu te rappelles, je te l'avais dit… « Le bonheur n'est pas un but mais un style de vie. » Tous les jours nous agissons, nous courons, nous nous angoissons inutilement, et entre-temps nous ne nous apercevons pas des belles choses qui nous entourent et qui pourraient nous échapper… Voilà. Une de ces belles choses, c'est toi.

— Mais je ne suis pas en train de m'échapper, Alex !

— Pas aujourd'hui… Je parle du jour où j'étais en train de te perdre et où j'ai su tout quitter pour te faire comprendre à quel point tu comptais pour moi… Aller sur l'île, dans ce phare, c'était la plus belle preuve.

— Tu me pardonnes ?

— Tu es folle, tu n'as rien à te faire pardonner !

— Bien sûr que si… Les méchancetés que j'ai dites sur tes parents…

— Elles sont en partie vraies…

— Et sur tes sœurs…

— Totalement vraies !

— Là, tu exagères dans l'autre sens, Alex !

— Écoute, Niki, dit-il en s'approchant pour lui prendre les mains. C'est de notre mariage qu'il s'agit… Rien ni personne ne doit intervenir dans nos choix et nos décisions. Nous sommes contents ? Alors c'est que ce sont les bonnes décisions ! Si tu n'as pas envie de sortir avec mes sœurs, si leurs conseils ne t'intéressent pas, les endroits qu'elles connaissent, si tu as envie de faire ça toute seule… je leur dirai !

— Tu penses que je n'en suis pas capable ? demande Niki en s'écartant de lui.

— Mais non, Niki, qu'est-ce que **tu** imagines ! Je disais juste ça parce que ta politesse t'a fait te retrouver dans une situation qui te dépasse, et maintenant tu voudrais simplement dire stop mais tu ne trouves pas la façon… Mon amour, il faut que nous soyons… une « petite équipe », voilà ! Tu sais combien de fois ça se produira, que je n'arrive pas à faire quelque chose et que tu doives t'en occuper toi-même ? C'est normal.

— D'accord, mais ça, je m'en occupe moi-même. Tu veux quelque chose à boire ?

Alex sourit en voyant Niki reprendre la situation en main. Il décide d'en profiter.

— Tu sais ce qui me plairait? Un mojito! Il doit y avoir tout ce qu'il faut dans le frigo.

Il se laisse aller contre le dossier du canapé, plus détendu. Mais un doute l'assaille.

— Mon amour, tu sais faire un mojito?

— Bien sûr, ce n'est pas compliqué... dit Niki en disparaissant à la cuisine.

Alex allume son ordinateur et regarde s'il a des mails du bureau ou de nouvelles réunions prévues. Niki ouvre le réfrigérateur, qui est plein à craquer. *C'est fou, tout ce qu'il achète quand il fait les courses, Alex! Et comment on fait un mojito?* Il ne lui reste qu'une chose à faire. Elle prend son portable et appelle Erica. Éteint. *Zut! Elle qui aime boire et qui va en boîte... Elle a éteint son téléphone. Je me demande ce qu'elle peut bien fabriquer.* Elle essaie le numéro d'Olly... « Votre correspondant n'est pas joignable... » Elle raccroche. *Elle aussi, portable éteint! Mais que font donc les Ondes? Elles sont parties en vacances, juste au moment où j'ai besoin d'elles.* Elle essaie la dernière. *Ouf. Ça sonne.*

— Allô, Diletta!

— Niki! Mais que se passe-t-il? Tu parles tout bas...

— Rien, rien, ne t'inquiète pas... C'est une urgence.

— C'est grave?

— Non... C'est alcoolique. Comment on fait un mojito? Je n'en ai pas la moindre idée...

— Un mo... quoi?

— Je vois! Un mojito, tu sais, on en a bu une fois à cette fête! Tu te rappelles? Avec le cuba libre, la caipiroska et la caipirinha... ces délicieux cocktails! Allez, le mojito!

— Oui, oui, délicieux... mais je ne sais pas comment le préparer.

— Alors fais une chose pour moi, cherche sur Google... et envoie-moi tout par SMS, les ingrédients et le dosage, d'accord?

— J'ai compris... Tu veux saouler Alex...

— Non, je voudrais lui montrer que nous formons une belle petite équipe! Mojito. Allez!

Elle raccroche. Alex l'appelle du salon.

— Tout va bien? Tu as trouvé les ingrédients?

— Oui... Je suis en train de le préparer!

— Mets-y aussi du jus de citron vert!

— Bien sûr! C'est la première chose à laquelle j'ai pensé.

Niki fixe son téléphone, désespérément... *Allez, Diletta... Allez, allez... Tu en mets, du temps...* Enfin, le message arrive. Elle l'ouvre. *Ingrédients... préparation.* En conclusion : *Ça m'a rappelé à quel point j'aime le mojito. Il manque juste un ingrédient. Si tu veux savoir lequel, tu dois m'offrir en échange dix mojitos gratis!*

Quelle traîtresse... Tu parles d'une profiteuse... Niki répond immédiatement.

OK. Onde perfide.

Au bout d'une seconde, bip bip, elle ouvre le second texto.

Sucre à volonté!

Elle secoue la tête. Diletta me le paiera. Elle pose son téléphone sur la table et, tout en relisant le premier message, sort les ingrédients du réfrigérateur.

— Comment ça se passe ? demande Alex du salon.

— Très bien! hurle Niki. Maintenant... ajoute-t-elle tout bas.

Quelques minutes plus tard, elle arrive au salon avec un plateau.

— Et voilà le mojito... J'espère qu'il sera à votre goût, monseigneur...

— Mmh, en tout cas il a l'air bon. Tu as même mis des feuilles de menthe... comme dans les bars.

— Et dans les boîtes...

Alex le goûte.

— Délicieux! Je te jure, Niki, il est vraiment bon... Tu sais, je ne crois pas avoir déjà bu un mojito aussi bon.

— Pourquoi tu te moques toujours de moi?

— Mais non, tu te trompes... Je suis sérieux! Chaque fois que je te fais un compliment, tu crois que je suis ironique! Je ne sais plus comment faire...

Niki l'observe attentivement. Non. Elle en est sûre. Il dit la vérité. Rassurée et satisfaite, elle déguste à son tour sa boisson. *C'est vrai que c'est très bon... bravo, Diletta! Tu as bien mérité tes dix mojitos.*

— Alors... Nous formons une belle petite équipe, non? demande-t-elle à Alex.

— La meilleure!

Niki acquiesce.

— Bon, j'ai réfléchi... Je veux que tes sœurs participent.

— Tu es sûre? Tu ne dis pas ça parce que je t'ai accusée de ne pas savoir dire non?

— Non! Tu vois... je l'ai dit...

— Bien ! Je suis content pour toi. Tu verras, elles ne sont pas si stressantes. Elles t'aideront peut-être à ne pas reproduire leurs erreurs.

Niki aspire le fond de son verre avec sa paille, en faisant un peu trop de bruit. Alex lève un sourcil.

— Parce que, dans le fond, elles ne te le montrent peut-être pas mais elles t'aiment bien, comme tout le reste de ma famille.

— Dans le fond... sourit Niki. Mais alors, tout au fond !

— Elles t'adorent...

— Oui, on dirait ce film de Woody Allen, *Stardust Memories*... Aujourd'hui ils t'adorent, demain ils te tirent dessus !

Alex secoue la tête. *Rien à faire, quand elle se bloque sur quelque chose, rien ne peut la faire changer d'avis. Et moi, je l'épouse en espérant être d'accord avec elle sur tout ! À l'aide !* Il prend une gorgée de mojito. *Il est vraiment bon. Mais non, c'est moi qui exagère.*

85

— Tu te rends compte ? C'est une jeunette qui soupire toutes les deux secondes ! Je ne comprends pas ce que mon frère lui trouve.

Claudia déambule dans le salon en gesticulant. Davide, occupé à ranger des livres qu'il vient d'acheter, opine du chef tout en pensant qu'il sait très bien ce qu'Alex lui trouve.

— Et puis, elle n'a rien dit de nos propositions, elle est indécise, je crois qu'elle n'a aucun caractère !

— Moi, je l'ai trouvée très polie et gentille...

— Bien sûr, il suffit qu'elles aient moins de trente ans. Pour vous, il y a deux catégories de femmes, avant et après trente ans... Celles qui doivent ouvrir la bouche et celles qui doivent la fermer...

— Il y a aussi les casse-pieds et les pas casse-pieds !

— Mufle !

— Je ne parlais pas de toi...

— Un peu, que tu parlais de moi ! Une femme casse-pieds, ça n'existe pas. Il y a celles qui font remarquer les choses et celles qui font semblant de ne s'apercevoir de rien... Bon, ça suffit, avec ces discours inutiles, je vais préparer de la viande et une salade. Ça te va ? Pas de pâtes, je me mets au régime... et toi aussi ! Mais au fait, pourquoi tu ordonnes les livres comme ça ?

— Pourquoi, qu'y a-t-il de bizarre? J'ai mis le polar de Jeffery Deaver avec ce thriller, *Enfant 44.*

— Mais tu ne vois pas qu'ils ne sont pas de la même couleur? Moi, les livres, je les classe par couleurs… Comme Fabio Fazio, le présentateur.

— Il fait ça?

— Oui. Je l'ai lu dans une interview. Il fait ça! Et depuis, je le fais aussi, c'est génial… La bibliothèque devient un immense dégradé…

— Tu veux que je dispose les livres comme ça?

— Oui. Range-les par couleurs!

Elle s'en va vers la cuisine d'un pas décidé.

Davide prend les deux ouvrages et place le polar de Jeffery Deaver avec les bleus, plus précisément entre *Un pont sur l'infini*, de Richard Bach, azur, et *Haute fidélité*, de Nick Hornby, bleu foncé. *La question est de savoir si* La neige tombait sur les cèdres *peut être placé entre deux romans d'amour! Et elle dit qu'il n'existe pas de femme casse-pieds… Bien sûr, il y en a une qui bat tous les records : elle! En comparaison, toutes les autres sont serviables et accommodantes!*

— Dis-moi pourquoi, avec toutes les femmes qu'il y a sur cette terre, mon frère choisit celle-là! Je lui ai présenté toutes mes amies et mes collègues, quand il était déprimé après sa séparation avec Elena, et lui qu'est-ce qu'il fait? Il se met avec Niki…

Gregorio lit tranquillement son journal sur le canapé.

— Si c'est Niki qui lui plaît…

— Mais elle ne nous plaît pas, à nous!

— Écoute, Margherita… Tu es ridicule… Et puis, nous qui?

Elle soupire et se plante devant lui, les bras ballants.

— Je suis sûre qu'elle ne plaît pas à Claudia, même si nous n'en avons pas parlé.

Gregorio renonce à lire les détails, du moins pour le moment, du transfert d'un joueur à la Juventus.

— Pourquoi penses-tu qu'elle ne lui plaît pas?

— Parce que… parce que… parce qu'elle fait trop petite fille, voilà pourquoi!

— Vous ne digérez pas son âge, toutes les deux. Moi je la trouve mûre, gentille et mignonne, elle a même accepté de vous impliquer dans l'organisation du mariage…

— Elle avait envie de dire non !

— Peut-être, mais elle ne l'a pas dit. Tu aurais accepté, toi, que mes sœurs te disent quelque chose sur ton traiteur ?

— Tu n'as pas de sœurs !

— D'accord, mais si j'en avais eu ?

— J'ai eu la chance de ne pas me retrouver face à ce dilemme…

Gregorio reprend sa lecture.

— Je vais te le résoudre, moi, ce dilemme dramatique : tu aurais dit non !

Margherita lui arrache son journal.

— Son frère a failli tuer Céleste !

— Quel rapport avec Niki ? Et puis, c'est normal, les enfants jouent, y vont un peu fort, tombent des balançoires à la campagne, finissent par terre et se font mal. Personne n'en fait une affaire personnelle…

Juste à ce moment, un cri arrive de la chambre des filles.

— Ahhhhh… Maman !

— Tu vois… dit Gregorio en souriant et en haussant les épaules. Ça arrive aussi à la maison ! Ou bien tu crois que Matteo s'est caché dans l'armoire ?

Margherita, inquiète, court vers la chambre, mais sans arrêter de parler.

— Je suis curieuse de voir comment ça se passera quand Alex et sa future femme feront leur fête. Les invités seront divisés en deux : une moitié parlera de tout, de la politique à la société, et l'autre fumera des joints, boira de la bière et commentera les derniers exploits du stade…

Gregorio, resté seul, se plonge enfin dans la lecture de l'article sur son équipe préférée. Puis il y réfléchit. *C'est sûr, la fête d'Alex et Niki, avec tous les gens qu'on connaît nous et ceux qu'elle connaît, elle, ça sera pas mal.* Puis un doute : *Mais moi, de quel côté serais-je ? La première ou la seconde moitié ? Sûrement la première… Même si ça serait drôle, d'être dans la seconde !*

Silvia et Luigi sont rentrés dans leur belle maison romaine. Assis à une grande table, ils mangent des fruits.

— Luigi, tu as vu, Edmond sera sur pied dans quelques semaines…

— Merci ! La balle n'a fait que l'effleurer… Heureusement que Roberto n'est pas doué !

— Ne dis pas ça, moi je me suis bien amusée, ce sont des gens différents de nous mais avec les mêmes valeurs, celles que nous avons transmises à Alex et à nos filles. Tu n'es pas heureux ? Ton nom perdurera, si Niki nous donne un beau petit-fils...

— Bien sûr que je suis heureux. Mais il aurait pu me dire tout de suite qu'il n'avait jamais tenu un fusil...

— Mais non, il a dit qu'il avait déjà tiré quelques fois...

— Oui, à la fête foraine !

— Il voulait être spirituel ! Et il l'a été, il a fait rire tout le monde plusieurs fois.

— Pas moi.

— Mon amour, un peu de fraîcheur dans notre cercle d'amis ne nous fait pas de mal. Pense au mariage, ça sera un bon moment...

Luigi imagine ses amis notaires, juges, procureurs et avocats en pleine conversation avec...

— Il a dit qu'il faisait quoi, exactement, le père de Niki ?

— Il ne l'a pas dit exactement...

— C'est vrai...

— Mais si, il l'a dit, il joue dans un groupe !

— C'était dans sa jeunesse, ça.

— Il a peut-être continué ! Imagine si c'était lui qui jouait, au mariage...

— Je ne crois pas qu'il joue encore... Il faut bien qu'il fasse vivre sa famille, d'une manière ou d'une autre !

— Tu sais, j'ai lu dans *Vanity Fair* que les gens les plus riches sont les footballeurs et les chanteurs. Les chanteurs peuvent toucher des droits d'auteur toute leur vie... Ils gagnent des centaines de millions d'euros !

— Oui, les Beatles, Madonna, George Michael ! Mais pas Roberto Cavalli, j'en ai peur, je n'ai jamais vu la moindre affiche pour un de ses concerts...

— Il a peut-être une fortune de famille, alors. C'est peut-être le fils de Cavalli, le styliste.

— Trop vieux !

— Son frère ?

— Avec le même prénom ? Pas beaucoup d'imagination, les parents !

— En tout cas, il est sincère et honnête, ça se lit dans ses yeux... Les yeux sont le miroir de l'âme... Et lui, Luigi, c'est un pur. Il était tellement désolé d'avoir tiré sur Edmond.

— Tu crois ?

— Bien sûr, il a même téléphoné !

— Parce qu'il avait oublié sa trousse de toilette...

— Mais il a appelé deux fois !

— Oui... Il avait aussi oublié les clés de chez lui.

— Mais il a pris des nouvelles d'Edmond, et il était content de savoir qu'il allait mieux...

Luigi hausse les épaules. Il n'est pas tout à fait convaincu. Silvia sourit. *Bien sûr, pour une mère, un fils est tout. Il est essentiel de le voir heureux. Mais oui... ils sont sympathiques, ces Cavalli, ce sont de braves gens, et peut-être que dans le futur Luigi emmènera à nouveau Roberto à la chasse. Une chose est sûre, il le fera rester devant, et pas avant qu'il n'ait son permis de chasse.*

— Vous savez qu'au fond ça m'a plu, la chasse ? dit Roberto en aidant Simona à débarrasser.

— Vraiment, mon chéri ?

— Oui, c'est comme si une passion était née en moi, j'étais là, je sentais l'adrénaline monter, le sanglier qui sort soudain du buisson... J'ai adoré.

Simona s'essuie les mains avec un torchon.

— Je ne pense pas qu'Edmond puisse en dire autant...

Roberto hausse les épaules.

— Bah, un accident, ça arrive...

— Oui, bien sûr... Matteo fait voler Céleste de la balançoire...

— Surnommée « étoile filante », précise Matteo en riant.

— Oui, justement... Et toi, tu tires carrément sur le chien... Qu'est-ce qu'on aurait pu faire d'autre ?

Matteo allume la télé.

— Un rodéo avec les Cavalli[1], ça n'aurait pas été mal... Alex m'avait dit qu'on irait faire du cheval... Espérons qu'ils se marient pour de bon... L'idée de monter à cheval de temps à autre dans ce palace n'est pas pour me déplaire.

— Bravo, dit Roberto en lui mettant une main sur l'épaule. Toi aussi, tu t'es découvert une passion. Monter à cheval, ça doit être un sport magnifique...

1. Cavalli signifie « chevaux » en italien.

— Mais non, papa... c'est juste que... tu imagines à quel point il sera facile de draguer si je peux emmener mes copines dans un endroit pareil ? Bon, allez, bonne nuit, il n'y a rien à la télé, je vais me coucher...

Roberto et Simona restent seuls à la cuisine, ils rangent les dernières assiettes en silence. Puis Roberto l'attire doucement à elle.

— Tu es préoccupée ? Je promets que je ne tirerai plus sur aucun chien...

— Idiot !

Roberto la caresse.

— Tu es belle quand tu ris...

— Oui ? Et quand je suis sérieuse ?

— Sensuelle... dit-il en lui mordant le cou. Miam.

Ils s'embrassent tendrement.

— Tu sais quoi ? Finalement, je suis content que Niki épouse Alex. C'est une belle histoire. Le monde a besoin de belles histoires... dit-il en mettant ses mains dans ses poches et en se dirigeant vers le salon, avant de s'arrêter. Et puis... ils ont une villa de rêve !

Simona prend un air extrêmement sérieux, mais vraiment sérieux.

— Tu es pire que ton fils !

— Mon amour, je plaisantais... Je vais voir si on trouve un film ?

— Oui, d'accord.

Simona reste un moment à la cuisine. Elle se verse un peu d'eau, qu'elle boit à petites gorgées. *Oui. Moi aussi je suis heureuse pour Niki. Le monde a besoin de belles histoires. Mais surtout d'une fin heureuse.* Elle ne peut s'empêcher d'être un peu inquiète à ce sujet.

— Viens, Simo...

— J'arrive !

Elle pose son verre et va au salon, à nouveau souriante. Elle s'assied à côté de son mari.

— Alors, tu as trouvé quoi ?

— *The Game* !

— Je le connais par cœur !

Ils cherchent un autre film. Peut-être le trouveront-ils. En tout cas, une chose est certaine : une mère se trompe rarement.

86

Diletta regarde son téléphone. *Elle ne m'a pas répondu. Ce ne sont pas des manières, ça! Ça fait des jours que je lui envoie des messages, mais elle ne daigne pas donner signe de vie.* Un peu nerveuse, elle ouvre le menu et compose un nouveau texto. *Oh! Tu es là? Tu as lu mes SMS? On se voit quand?* Au bout de quelques minutes, son portable vibre. L'enveloppe clignote. *Salut, mon amour. On va faire un footing au parc, dans deux heures?*

Filippo. Comment ça, un footing? Il a oublié dans quelle situation on se trouve? On dirait qu'il le nie complètement. Elle envoie : *Salut, mon amour. Non, je n'ai pas envie. J'avais un peu la nausée, ce matin...* Au bout de quelques secondes, le portable vibre à nouveau. *Ah... je suis désolé. Alors ce soir, si ça te dit, on va au cinéma, d'accord?* Bizarrement, il ne lui demande pas si elle se sent mieux. *Je t'appelle plus tard.* Si elle en a envie.

Mais pourquoi elle ne répond pas? Ça commence à m'énerver. Stop. Elle ne m'échappera plus. Diletta compose le numéro. Un, deux, trois sonneries. *Si elle ne répond pas, je fais le guet en bas de chez elle.*

— Allô?

— Niki! Mais tu étais où?

— Qui est-ce?

— Comment ça, qui est-ce? C'est moi, Diletta!

— Ah, salut... Non, excuse-moi, c'est que j'ai répondu sans regarder qui c'était... comment tu vas?

C'est vrai, ça, comment je vais? Je suis confuse. Effrayée. Excitée, aussi. Instable au niveau hormonal. L'espace d'un instant, Diletta aurait envie de lui dire... « Oh, bien, je suis enceinte. » *Mais c'est impossible, au téléphone. Non.*

— Je vais bien. Un peu fatiguée, mais je vais bien. Au fait, je peux savoir pourquoi tu n'as pas répondu à mes textos, ces derniers jours? Je t'en ai envoyé au moins sept!

— Tu as raison. Excuse-moi... Je les ai lus, mais je n'avais jamais le temps de te répondre... Je me déteste... Ces préparatifs sont en train de me tuer...

Diletta se rend soudain compte que Niki a une voix bizarre. Basse, un peu traînante. Fatiguée. Ce n'est pas sa voix. On dirait quelqu'un d'autre.

— Niki, mais ça va?

Niki s'assied sur le lit. Elle sent les larmes lui monter aux yeux, mais elle les ravale.

— Oui, oui… C'est juste compliqué. Il y a tellement de choses à faire. Les sœurs d'Alex me donnent un coup de main…

Diletta a comme une boule dans le ventre. Et ce n'est pas la grossesse.

— Ah. Pardon, mais tu aurais pu nous le dire, non? Les Ondes sont prêtes à t'aider… mais si tu ne nous demandes rien, comment on peut faire?

Niki se mord la lèvre. C'est vrai. Elle n'arrive pas à les impliquer. Elles. Ses meilleures amies. Phagocytée par les sœurs d'Alex, elle les a délaissées. Mais est-ce vraiment la seule raison? Elle écoute Diletta.

— Olly et Erica ont également essayé de te joindre, elles sont inquiètes. Depuis le soir où tu nous as dit que tu te mariais, on n'a plus eu de nouvelles, en gros…

Diletta essaie de ne pas en rajouter, mais elle est nerveuse et ça se sent. *Comment? Notre amie se marie et nous ne sommes pas impliquées? Quelque chose ne tourne pas rond. Après toutes ces années où on a tout partagé, les rires et les pleurs, l'aide et la compréhension. Mais que se passe-t-il? J'enrage.* Soudain, elle comprend. Elle comprend à quel point il est difficile pour elle aussi de rester proche de ses amies dans un moment aussi délicat de sa vie. Et elle se sent coupable.

— Quoi qu'il en soit, Niki… On t'aime, tu le sais, et on voudrait te soutenir, t'aider… Allez! On va s'amuser! Qu'est-ce que tu fais aujourd'hui, par exemple?

— Je vais faire un tour dans les magasins de robes de mariée…

— Ah! Super! Je peux venir avec toi? J'envoie un message aux deux autres et on se retrouve… On se retrouve où? À quelle heure?

— J'ai rendez-vous avec les sœurs d'Alex…

— Non, non, aujourd'hui tu es à nous! Annule et viens avec nous. Je passe te prendre dans une heure, d'accord?

Niki réfléchit à toute vitesse. Margherita et Claudia seront fâchées. On avait rendez-vous. Elles vont mal le prendre…

— Niki, d'accord?

— D'accord, je vais trouver une solution. À dans une heure.
Elle raccroche.

Satisfaite, Diletta envoie un double message à Olly et Erica. *Je viens de gagner le prix de détective de l'année. J'ai trouvé Niki! Libérez-vous. Je passe vous prendre dans trente minutes et on va chez elle! Aujourd'hui, essayage de robes de mariée!*

Au bout de quelques secondes, les réponses d'Erica et Olly : *OK, super!* ; puis : *Enfin! À moi elle ne m'a pas répondu, elle va m'entendre!*

Niki pousse un grand soupir et prend son portable.

— Allô... Margherita?

— Bonjour Niki, oui, dis-moi, alors on passe te prendre à 18 heures, d'accord?

— Merci, mais écoute... Je voulais te dire qu'aujourd'hui je ne peux pas. On remet ça à plus tard?

— Mais je l'ai déjà dit à Claudia, et j'ai laissé les filles chez leur grand-mère...

Niki soupire, un peu agacée. Elle se sent terriblement mal à l'aise, mais il est trop tard pour rappeler Diletta et annuler. Elle en ferait toute une histoire. Et puis, Diletta a raison. Ça fait des jours qu'elles ne se sont pas vues.

— Oui, j'imagine, désolée... mais mes amies passent me prendre, je leur ai promis...

— Où est le problème? Tu les vois d'abord, et ensuite on se retrouve. De toute façon, si on arrive à 18 h 30 à l'atelier, ils nous attendront! Bon, on fait comme ça. À 18 h 30 chez toi.

— D'accord... À tout à l'heure.

Je n'y crois pas. Je n'ai pas réussi à dire non. Et maintenant, comment je fais?

87

Partout dans la pièce, de superbes robes présentées sur des mannequins. Des jupes longues, moulantes ou amples, des hauts aux broderies délicates, des châles en dentelle, des boléros, des voiles, des chapeaux, des pèlerines. L'atelier est très soigné, bien meublé, plein de tableaux, de miroirs et de petits canapés où s'asseoir pendant les

longs essayages qui accompagnent généralement le choix d'un vêtement aussi important. La responsable accueille les filles et montre des
robes à Niki.

En attendant, Diletta, Erica et Olly rient et plaisantent. Elles
chantent en chœur, se moquent d'un passant, posent mille questions
sur les préparatifs à Niki, qui répond un peu à contrecœur.

Olly et Erica prennent une des robes placées sur des cintres accrochés à un chariot et la placent devant elles, pour voir comment elle
leur irait.

— Excusez-moi, mesdemoiselles, les sermonne une vendeuse, ces
robes coûtent plusieurs milliers d'euros… Faites attention.

Olly l'imite à voix basse, ce qui fait rire Erica.

— Allez, les filles… leur dit Niki, un peu gênée.

— Mais, Niki, on n'a rien fait…

— Je sais, mais ici…

Elle suit la responsable dans l'autre salle. Erica regarde Olly.

— Elle est devenue folle…

— Je ne sais pas. J'ai bien vu, dans la voiture, qu'elle n'avait pas
envie de parler du mariage.

— Je comprends, mais ça ne sert à rien de se fâcher comme ça…

Diletta s'approche.

— Elle est nerveuse, c'est sûr. Je l'ai bien vu, moi aussi. Mais nous
sommes là pour la soutenir.

— Oui, mais… relax!

Erica appelle Olly.

— Regarde comme il est beau, ce châle…

Niki passe juste à ce moment-là.

— Vous allez arrêter de toucher à tout?

Olly n'en croit pas ses oreilles.

— Écoute, Niki, maintenant ça suffit. Tu disparais pendant des
jours, tu ne donnes pas de nouvelles, tu ne réponds pas au téléphone,
tu nous laisses de côté… et maintenant tu voudrais qu'on reste là plan-
tées comme des statues? Il y a quelques mois, tu aurais été la première
à plaisanter, dans un magasin de ce genre!

— Quel rapport? Je dis seulement qu'il faudrait peut-être nous
comporter un peu mieux, je veux dire, ils ne nous connaissent pas,
vous avez vu cet endroit…

— Oui. Eh bien d'accord. Je vais de ce pas commencer à bien me
comporter.

Olly sort de l'atelier à grandes enjambées. Erica fixe Niki avec insistance, avant de suivre Olly. Diletta, qui a suivi toute la scène, essaie de les arrêter.

— Allez, les filles... Mais bon, c'est vrai, toi, aussi... dit-elle ensuite à Niki.

— Mais qu'est-ce que j'ai fait?

Au moment où elle prononce ces mots, elle connaît déjà la réponse.

Diletta la regarde durement.

— Niki, je ne sais pas ce qu'il t'arrive... mais quand tu auras envie de nous le dire, tu sais où nous trouver.

Elle sort à son tour. Niki reste seule au milieu des mannequins et des tableaux. *Elles sont parties. Elles m'ont laissée ici. Mais pourquoi elles l'ont pris si mal? Olly et Erica plaisantaient. Fut un temps, j'aurais fait pareil...*

— Alors, mademoiselle, venez par ici, je vous ai fait préparer les robes que vous m'avez demandées pour l'essayage... Mais où sont vos amies?

Niki réfléchit un instant, puis elle prend son blouson et son sac posés sur une chaise.

— Excusez-moi, mais que se passe-t-il?

— Rien. Je me suis rendu compte que j'ai un rendez-vous dans très peu de temps. Je ne peux pas rester. Merci, et désolée pour le dérangement.

Elle sort à son tour, laissant la femme bouche bée. Après son départ, la responsable secoue la tête. *Ces jeunes d'aujourd'hui. Elles veulent se marier à vingt ans et elles ne sont même pas capables de prendre la responsabilité de choisir une robe et de respecter le travail des autres. Que croit-elle? Que je prends du temps à choisir des robes qui puissent lui convenir juste pour m'amuser? Je travaille, moi.* Elle retourne dans l'autre pièce pour tout ranger.

Niki fait quelques pas sur le trottoir et s'arrête. Elle a les larmes aux yeux. Elle est en colère. Les Ondes sont parties, elles n'ont pas compris qu'elle était en difficulté, avec les sœurs d'Alex qui ne la lâchent pas, mais surtout avec elle-même. Même si elle ne comprend pas bien pourquoi. Elle regarde autour d'elle. Et se sent soudain perdue.

88

Quelques jours plus tard.

— Maman, tu ne peux vraiment pas venir avec nous ?

— Mon trésor, j'ai rendez-vous avec les professeurs de ton frère… Il est dans une situation dont seul un miracle pourra peut-être le sortir. Je ne sais pas quoi te dire… Vas-y, et puis tu n'es pas obligée de tout décider tout de suite… Choisis les endroits que tu préfères, fais des photos, ou bien prends des brochures, ensuite on verra ensemble.

On sonne à l'Interphone. Niki entend la voix stridente de Claudia.

— Niki est là ? Elle peut descendre ? Nous sommes les sœurs d'Alex.

— C'est moi, j'arrive tout de suite !

Niki regarde sa mère d'un air désespéré.

— Pourquoi je n'ai pas dit non ?!

— Mon trésor… Peut-être qu'elles t'aideront à ne pas reproduire leurs erreurs, à éviter les arnaques qui se cachent derrière ces endroits qui ont tous l'air superbes, d'après ce que tu m'en as dit !

— Oui, maman, tu as raison…

Simona est un peu rassurée.

— Il y a juste un petit problème, continue Niki… Alex m'a dit exactement la même chose, et je suis tombée dans le panneau !

Niki n'a pas le temps de sortir de l'immeuble qu'elle entend un Klaxon. Elle aperçoit une Mercedes, la même qu'Alex mais en rose ! *Dites-moi que c'est un cauchemar, et surtout que je vais vite me réveiller.*

— On est là ! crie Claudia en klaxonnant à nouveau et en se penchant à la fenêtre. Ici !

— Me voici. Merci… Alors, vous êtes sûres que vous avez envie de m'aider ? demande-t-elle en se penchant vers l'avant, tout en croisant les doigts sous son siège. Parce que, ce sont des choses qu'on dit parfois pour être poli, et ensuite on regrette…

Elle garde les doigts croisés, dans l'espoir que l'une d'elles répondent quelque chose du genre « En effet, en ce moment nous avons beaucoup à faire », ou encore « Merci, en effet, il est difficile de se rappeler tout ça, et surtout quel stress de recommencer ! ». Mais non, Margherita se tourne vers elle avec un gentil sourire.

— Absolument pas... Nous voulons être sûres qu'il y a bien tout ce à quoi Alex tient... Mais il est toujours tellement occupé, pour nous il est naturel de te donner un coup de main... dit-elle avant de regarder Niki avec étonnement. Ou bien, c'est quelque chose que tu as pensé, et que tu ne sais pas comment nous dire ? Peut-être que tu voudrais être plus indépendante... N'hésite pas, hein.

— Moi ! sourit Niki. Mais pas du tout...

— Alors allons-y !

Claudia passe la première et la voiture démarre, laissant derrière elle ces étranges mensonges.

89

La Mercedes rose parcourt les petites routes de campagne. Margherita montre à Niki tous les espaces utilisables.

— C'est superbe, regarde cette vue sur le lac ! Il y a même une église intérieure. On pourrait dîner ici, danser là, manger le gâteau là, et là le feu d'artifice !

— La vue sur le lac de Bracciano est superbe, là il y a le vestiaire pour les mariés, le dîner peut être moitié à l'intérieur moitié à l'extérieur...

Niki a à peine le temps de prendre des photos avec son portable que la voiture a déjà quitté la route de San Liberato.

— À votre avis, quel serait le prix, pour celui-ci ?

— Douze mille euros juste pour l'endroit.

— Ah...

— On ne se marie qu'une fois !

Niki lève un sourcil. *Comment j'ai pu me faire avoir ?*

Claudia conduit vite et braque pour déboucher devant l'entrée.

— Voilà, c'est ici qu'Eros Ramazzoti s'est marié avec Michelle Hunziker...

— Mais ils se sont séparés !

— Oui, mais ce n'est pas la faute du château !

Le gardien ouvre la porte pour les laisser entrer.

— Nous connaissons une des filles Odelscalchi... Très sympathique.

— C'est superbe, ici !

– Oui, ça coûte un peu plus, mais ça te garantit une soirée fantastique ! Des salles incroyables avec des armures, des tableaux anciens, des tentures... Tu vois cette cour ? demande-t-elle en indiquant une pelouse pleine de roses, entre les murs du château recouverts d'un lierre un peu jauni par l'automne. Voilà, là on pourrait faire le vin d'honneur...

– Oui, avec des beignets...

– Frits en papillote dans des grandes poêles sur le feu avec l'huile qui crépite, répond Claudia d'un ton amusé. J'adore ce genre de mariages...

– Oh oui, ajoute Margherita. Et puis des tranches de jambon, des copeaux de parmesan, une énorme tresse de mozzarella fraîche...

– Oui, intervient à nouveau Claudia, une mozzarella de Latina, ou de Salerne, elles sont délicieuses... et puis de la *burrata*, la mozzarella à la crème, directement des Pouilles. Mmh, ça me donne faim !

– Allez, Claudia, on continue. Ce sont des détails, ça. Niki doit tout voir !

– Hum... Merci, sourit Niki.

La voiture repart à tombeau ouvert. Un peu plus tard, elles se retrouvent sur la via Appia...

– Et voici la villa des Quintili, un endroit de rêve.

Plus tard, sur la via Aurelia...

– Celle de la via dell'Acqua fredda est très belle, elle a une atmosphère très particulière... et la nuit, c'est fantastique !

Suit une visite des villas antiques de la via Cassia, immergées dans la verdure du Parc di Veio...

– Celle-ci est sublime, plein de VIP s'y sont mariés.

Enfin elles arrivent à Palidoro, dernière étape, près de la Posta Vecchia.

– Ils viennent de la rénover... Le traiteur est excellent, et il y a une splendide vue sur la mer !

Elles finissent par rentrer à Rome en empruntant les petites routes du littoral et de la campagne du Latium.

– Merci pour tout...

– Tu as vu plein de beaux endroits, n'est-ce pas ? Il faut décider vite... C'est dans cinq mois... mais le temps passe vite, c'est incroyable !

– Oui, je me rappelle qu'avant mon mariage les semaines passaient à une vitesse... confirme Claudia. On était à nouveau lundi, j'étais angoissée de n'avoir rien décidé, et puis quand on choisit enfin l'endroit... eh bien, on peut être sûr que quelqu'un a déjà réservé pour cette date-là.

— Espérons que non !

— Bien sûr... c'est pour ça qu'il faut réserver tout de suite, sinon... On dirait une blague du destin... C'est toujours comme ça !

— Bon, à demain...

— Demain ?

— Oui, dit Margherita en dépliant une feuille remplie de notes. Alors : demain, les bonbonnières, le plan de table, les invitations... Après-demain, robe, maquillage et coiffeur... Tu as intérêt à tout faire tout de suite.

— Parce que, la semaine prochaine, intervient Claudia en montrant les notes de Margherita, il y a les cadeaux et la liste de mariage...

— Plus la lune de miel... Vous pouvez décider où vous voulez aller et le mettre sur la liste, d'ailleurs.

— Oui, mais ce n'est pas si intéressant, au final les gens mettent moins que ce que coûte le dîner.

— Oui, nous avons fait cette erreur. Nous sommes allés en Polynésie. Quinze mille euros de voyage. Eh bien, nous l'avons mis sur la liste, mais nous avons à peine couvert la moitié.

— Ne t'inquiète pas, nous te sauverons des pique-assiettes qu'on retrouve à tous les mariages...

Niki soupire, puis sourit.

— Bon... À demain, même heure.

Elles la laissent en bas de chez elle, désespérée. *Elles me sauveront peut-être des pique-assiettes... Mais qui me sauvera d'elles ?* Soudain elle repense à ce film avec Julia Roberts, *Just married (ou presque)*, quand il lui dit qu'elle veut un homme qui l'accompagne à la plage, une main sur les yeux, pour lui faire découvrir la sensation du sable sous les pieds, qu'elle veut un homme qui la réveille à l'aube parce qu'il meurt d'envie de lui parler, pour entendre ce qu'elle dira. *Voilà. C'est ça, ce que je voudrais. Pourquoi les plus belles choses n'arrivent que dans les films ?*

90

— Alors, Niki, comment ça s'est passé ? demande Simona en courant à la rencontre de sa fille.

— J'ai fait plus de soixante photos et au moins cent kilomètres... J'ai vu trente endroits possibles... Et j'ai envie de vomir.

— À cause de la voiture ?

— Oui, mais pas à cause de leur façon de conduire... À cause de ce qu'elles disaient ! Maman, je suis déjà stressée par ce mariage.

— Demain j'ai pris un jour de congé, je viens avec toi, d'accord ?

— Merci, maman ! s'exclame-t-elle en lui sautant au cou.

— Nous nous occuperons de tout tranquillement, ce n'est pas censé t'épuiser, ça doit être un beau mariage, un point c'est tout.

— Espérons...

Simona serre sa fille dans ses bras.

— Ça le sera, tu verras.

Niki, éreintée par sa journée, par les conversations et par la difficulté à choisir parmi toutes ces superbes villas, se traîne jusqu'à sa chambre. Simona la couve du regard. *Ce sera une belle journée, Niki, tu verras, et tout sera plus simple que prévu, chaque chose trouvera sa place comme par magie.* Elle l'entend fermer la porte de sa chambre. *En supposant que toi, Niki, tu le veuilles vraiment.*

Niki se jette sur son lit. Son portable sonne.

— Alex !

— Mon amour, comment ça va ?

— Bien. C'est-à-dire, bien...

— Que s'est-il passé ?

— Rien.

— Ah... Tu me rassures. Et avec mes sœurs, comment ça a été ?

— Bien...

— Sérieusement, ou tu dis ça pour être polie ?

— Bien, parce que ce sont tes sœurs.

Alex rit.

— Je sais... Je les connais. Mon amour, quand tu auras passé cette épreuve, la vie te semblera très facile, tout en descente !

— Et un petit coin tranquille, tout plat, ce n'est pas possible ?

— Tu as raison... Je t'avais donné la possibilité de reculer...

– Non, non, maintenant c'est fait, ça va comme ça. Mais tu nous avais dit que tu nous rejoindrais, et en fait…

– En fait j'ai eu plein de travail, mon amour.

– Je le savais, donc on ne se verra pas non plus demain…

– Je ne crois pas…

– Et dans les prochains jours?

– Difficile…

– Je vais finir par épouser une de tes sœurs!

– On se verra samedi après-midi…

– Oh… Super… Tu m'emmènes où?

Alex ne sait pas trop comment lui dire.

– Il y a le cours prénuptial…

– Le cours prénuptial?

– C'est obligatoire…

– D'accord…

– Allez, on s'appelle tout à l'heure, je vais aller manger, je meurs de faim.

– À tout à l'heure, mon amour… Au fait, Alex… Tes sœurs ne vont pas venir au cours prénuptial, pas vrai?

Le lendemain, malgré la présence de Simona, le programme prévu par Margherita et Claudia constitue un véritable marathon.

– Voilà, ça se sont les cartons d'invitation Pineider, les meilleurs dans l'absolu. Il y a différents grammages…

– Le poids du carton détermine son coût, naturellement… explique la propriétaire. Pardon, ajoute-t-elle en regardant Simona, puis Margherita, et enfin Claudia, mais qui d'entre vous est la mariée?

De concert, elles indiquent Niki.

– Elle!

– Ah… Dans ce cas, nous avons aussi des cartons plus actuels, et puis tout dépend aussi de la police que vous voulez utiliser… C'est ce qui fait la différence aussi bien de coût que de modernité, pour les cartons.

– Mais combien coûte un carton? ne peut s'empêcher de demander Simona.

Margherita et Claudia font comme si de rien n'était. La femme est un peu gênée.

– Disons que si vous en choisissez un, je pourrai être plus précise.

Niki décide de voler au secours de sa mère et prend le premier des cartons exposés sur la table.

— Celui-ci, par exemple...

— Voyons voir... réf. 30... combien d'invités?

— Nous ne savons pas encore... pas vrai, Niki? intervient Simona.

— En effet.

Margherita et Claudia sourient.

— Disons en gros, dans les...

— Dans les...

— Dans les...

Simona et Niki se regardent.

— Dans les...

— Dans les...

Simona se lance :

— Cen...

Devant l'expression de surprise de Margherita, elle se ravise :

— Deux ce...

Un coup d'œil à Claudia et elle change à nouveau :

— Trois ce...

Les deux sœurs acquiescent avec un grand sourire. Soudain, Niki intervient.

— Quatre cents! J'aurai quatre cents invités... dit-elle en souriant à la femme, qui lui rend son sourire avant de se lancer dans le calcul.

— Vous voulez que les cartons soient envoyés directement, pas vrai?

— Oui, bien sûr...

— Alors, le prix pour ces cartons, 30 grammes, avec cette police, expédition à quatre cents invités... entre 1 800 et 2 400 euros...

Simona écarquille les yeux.

— S'ils reçoivent un carton à ce prix-là... Ils vont tous se sentir obligés de venir!

Le choix frénétique de chaque détail du mariage se poursuit.

— Celle-ci vous convient?

Niki secoue la tête en écartant une bonbonnière argentée en forme de balayette.

— Et celle-ci?

Un petit vase en terre cuite. Niki refuse également. Et ainsi de suite, on lui propose des objets disparates, du petit cadre à la carafe, du flocon d'argent au petit plateau, d'un homme et une femme à vélo, stylisés comme les dessins de Peynet, à un rond de serviette. Et bien d'autres choses encore.

— Comment veux-tu faire le plan de table ?
Margherita ne s'arrête jamais.
— Je crois qu'elles se remarient ! dit Niki tout bas à sa mère.
Simona rit. Margherita poursuit son idée.
— Tu sais, mes amies ont toujours trouvé une jolie idée, pour faire les tables…
— Moi, par exemple, intervient Claudia, j'ai utilisé des noms de fleurs… Rose, tulipe…
Margherita surenchérit.
— Moi de pierres précieuses… Par exemple, table diamant, table jade, table émeraude, turquoise…
— Notre amie Ballarini, continue Claudia, a pris les fruits. Table pêche, prune, poire… Elle s'est mariée en été…
Simona sourit en se rappelant son mariage.
— Nous, nous avions fait un plan en lien avec la musique. Les tables portaient des noms de groupes. À cette époque… dit-elle, surtout pour Niki, nous étions fous de musique. Table U2, table Wham, table Aerosmith !
Margherita et Claudia écarquillent les yeux.
— Ah…C'est mignon ! disent-elles avec un sourire forcé.
Niki, elle, est enthousiaste.
— Moi j'aimerais bien faire comme vous ! Mais avec les chanteurs d'aujourd'hui… Genre… Table Negramaro…
— Qui c'est, ça ? demande Margherita avec surprise. On dirait un nom de digestif…
— Ce que tu es ringarde ! intervient Claudia en lui donnant un coup de coude. Moi, je les connais… Il s'appelle Giuliano et il chante très bien.
Cette fois, c'est au tour de Niki et Simona de sourire.

91

Alex choisit un morceau de musique pour le monter sur une séquence de son film.

— C'est vraiment facile de travailler avec ce programme d'Apple. Ce sont de vrais génies. Steve Jobs est un as, il a voulu créer des choses simples pour des gens simples. C'est ainsi qu'est née la petite pomme...

Alex est très absorbé : fondu, images, fondu. Cela va-t-il lui plaire? Il espère bien que oui. Il regarde les dernières photos, elle qui se tourne lentement, et puis ses yeux, le plan serré sur eux, sur ce qu'ils racontent, ce regard, cette histoire d'amour... Et puis ce sourire, fondu, plan large, et elle qui court dans les rues de New York. Oui. Elle va aimer. Il est presque prêt, je vais pouvoir le mettre en ligne sur notre site. Toc, toc. On frappe à la porte.

— Alex, je peux?

— Entrez.

C'est Leonardo.

— Je suis vraiment content. C'était ce à quoi je m'attendais, ce que je voulais, ce pour quoi j'ai lutté et que j'ai obtenu.

— Je ne comprends pas. Je n'ai pas tout suivi, et si tu es en train de m'imputer le mérite ou la faute de quelque chose, je n'ai rien à voir là-dedans...

Leonardo pose triomphalement une feuille sur son bureau. Alex la prend. Elle est encore chaude, elle sort de l'imprimante. Leonardo n'y tient plus.

— C'est ta promotion au niveau international, tu n'auras qu'à faire quelques voyages en plus, mais c'est l'affaire de six déplacements sur l'année, ta base reste ici. Donc... sourit Leonardo, heureux, en ouvrant les bras... gain maximal pour effort minimal... Ton salaire est pratiquement doublé!

Alex pose la feuille sur le bureau.

— Je ne comprends pas à quoi je dois cette promotion. C'est une promotion, n'est-ce pas? Il me semble que nous n'avons envoyé aucun projet, je ne me rappelle pas avoir signé de campagne récemment, nous avons tout au plus fait cette sorte d'entraînement...

— En effet, répond Leonardo en s'asseyant. Tu te souviens de cet essai qu'a sorti Raffaella, ta nouvelle assistante...

— Bien sûr. Je me souviens très bien de cet essai, et aussi de Raffaella, l'assistante dont je ne voulais pas et que tu m'as obligé à accepter.

— Je trouve ça absurde de refuser pour la simple raison qu'elle constitue une tentation. Si c'est le cas, ça veut dire que quelque chose ne fonctionne pas, et il est inutile de faire comme si de rien n'était... Et puis, surtout, elle est vraiment douée.

— Je n'ai rien à dire là-dessus.

— Moi non plus. Et d'ailleurs ces essais de film, ce jeu sur les animaux, sur la nature et sur le produit, nous les avons terminés et envoyés...

— Mais je n'en savais rien !

— Tu étais à New York pour couronner ton autre rêve... Et nous avons envoyé ces essais en ton nom... dit Leonardo, à nouveau sérieux. Mais il n'y a aucune obligation, pour toi... Si ça te dit, tu peux poursuivre la production cinématographique du spot que nous avons terminé. L'important est que notre siège de Londres a dit : « L'inventeur de LaLune a conquis le monde. Voici le Dream World. » Ils sont heureux. Tu leur as permis de finaliser un contrat à cinquante millions de dollars... C'est pour ça qu'ils ont décidé de t'accorder cette promotion. C'était le minimum, non ? Effort minimal, gain maximal. Quand tu auras fait ça, tu pourras partir un mois où tu voudras... Dans un phare, pour changer. Ah, au fait, j'ai une idée magnifique pour ton voyage de noces !

Leonardo ouvre les mains et, comme s'il faisait défiler un slogan dans le vide, il lit un titre au-dessus du bureau d'Alex :

— « Nuits de rêve dans les plus beaux phares du monde. » Qu'en dis-tu ?

— Je te remercie, c'est une très bonne idée, tu ferais un excellent *wedding planner*... Mais si ça ne t'ennuie pas, je préférerais m'occuper tout seul de mon mariage.

— C'est normal... De même qu'il me semble normal, quelle que soit ta décision, de la partager avec la personne qui a contribué à la rendre possible... Je peux l'appeler ?

Sans même attendre la réponse, Leonardo appelle Raffaella et explique à Alex qu'elle veut lui parler.

Craintive, un peu gênée, elle apparaît sur le seuil de la porte quelques secondes plus tard. On dirait une image de pub : son abondante chevelure lumineuse, tout en boucles, et son sourire éblouissant digne d'un spot pour les chewing-gums ou les dentifrices blanchissants, mais sans aucun trucage.

— Salut, Alex… dit Raffaella, toujours à la porte. Je voulais te féliciter pour la promotion…

Elle reste là, image naturellement provocante, plus pécheresse que sainte, tout droit sortie d'un cercle de Dante. Leonardo, conscient de tout cela, regarde Alex avec une expression complice, l'air de dire : « Écoute, nous sommes des hommes, tu ne peux pas nier tout cela, tu ne peux pas faire comme si de rien n'était. D'accord, tu vas te marier, mais cette fille est un véritable canon, reconnais-le, au moins ! » Ou du moins c'est ce qu'Alex lit dans le regard de Leonardo.

— Oui… Je suis content. Mais c'est grâce à toi que cela a été possible.

Raffaella se débarrasse peu à peu de sa gêne et retrouve un minimum de confiance en elle.

— Ne te moque pas de moi. Tu sais très bien que tu m'as donné des indications on ne peut plus claires, je n'ai rien fait de plus que de les mettre en application.

— Oui, mais tu sais ce qu'on dit : « *Good ideas are a dime a dozen…* » Ta réalisation était parfaite. C'est ça qui les a convaincus…

— D'accord, mais sans ton intuition…

— Bon… bon… intervient Leonardo. Vous êtes très bons tous les deux, sans vous je ne saurais pas quoi faire, et c'est grâce à vous deux, d'une manière ou d'une autre, que Londres a gagné tout cet argent, que moi je suis toujours directeur et que la société Osvaldo Festa existe encore… D'accord ? J'aimerais bien vous emmener déjeuner, d'accord ? Et dans le meilleur endroit pour fêter un jour aussi important que celui-ci ! ajoute-t-il. Vous ne pouvez pas dire non… Ne serait-ce que parce que c'est moi qui vous invite, et surtout… parce que c'est moi le boss !

Alex et Raffaella éclatent de rire.

— En effet, présenté comme ça, nous pouvons difficilement refuser.

Leonardo a l'air satisfait.

— Alors, départ dans une heure avec mon chauffeur, ça vous laisse le temps de terminer ce que vous étiez en train de faire…

— À tout à l'heure…

— Réfléchis bien, Alex… Tu ne risques rien. Quelques petites réunions de rien du tout à l'étranger, et de gros gains… Demande conseil à tes proches… Tu ne peux pas me dire non.

— Merci, Leo... Je réfléchis et je te tiens au courant.

Leonardo n'arrive pas à comprendre cette indécision. Pour lui, la réponse devrait déjà être oui. Et un oui enthousiaste. *Bah. Difficile de comprendre les jeunes ambitieux d'aujourd'hui. Ils ont plein de qualités, ils sont intuitifs, déterminés, ils en veulent, et en même temps ils ont peur de la nouveauté.* Il secoue la tête en retournant dans son bureau, avec cette idée qui est devenue une vraie obsession lors des réunions avec ses supérieurs : « Ils sont jeunes... » Il s'assied devant son ordinateur et répond au mail de Londres.

Alex Belli est surpris et heureux de votre proposition. Puis il réfléchit un instant en se massant le menton. *Oui, je pourrais formuler ça comme ça : Il accepte le projet et le mènera à bien. Quant à la promotion et aux nouvelles responsabilités au niveau européen, il souhaite les examiner avec toute l'attention nécessaire.* Satisfait, il envoie le message, puis se laisse aller dans son fauteuil. *En gros, je leur ai dit qu'Alex allait faire le film que nous produisons et qu'il ne dit pas oui tout de suite parce que c'est quelqu'un qui donne leur juste importance aux choses. Mais eux, ça va les faire sourire, ils vont prendre ça pour un oui, certes détourné, mais un oui. C'est sûr, si Alex l'apprend... ça va faire mal. Mais un directeur doit prendre ses responsabilités, non ?* Sur cette dernière considération, il appelle sa secrétaire.

— Oui, monsieur le directeur, je vous écoute.

— Stefania, s'il vous plaît, réservez tout de suite une table pour trois...

— Bien sûr, où ça ? Vous avez une idée ?

— Non... Un endroit important, qui fasse bel effet. Surprenez-moi ! Prenez cette responsabilité !

Stefania sourit.

— Bien sûr, monsieur le directeur... Je vais chercher ce qu'il y a de mieux.

Elle raccroche et secoue la tête. *Prenez cette responsabilité. Je n'ai qu'à organiser sa vie privée, tant qu'on y est ! Bah... Une chose est certaine : tout le monde est promu, et moi qui fais le sale boulot je reste toujours dans l'ombre.*

— Bonjour, je voudrais réserver une table pour trois, s'il vous plaît... Oui, dans une heure environ, avec la plus belle vue que vous ayez. Merci.

92

Une fois seul, Alex se jette sur le téléphone. Une sonnerie, deux, elle répond.

— Niki! Mon amour... Tu ne sais pas la nouvelle...

Mais il s'interrompt et revient en arrière.

— Comment ça va? Bonjour... Tout va bien?

Niki sourit tout en marchant à bonne allure dans les allées de l'université.

— Oui, très bien, sauf que j'ai fait un cauchemar...

— C'est-à-dire?

— J'ai rêvé que mes témoins n'étaient pas mes amies les Ondes, mais tes sœurs!

— Je vois, la situation est délicate... plaisante Alex. Tu es sûre que tu ne veux pas que j'intervienne?

C'est sûr, ça ne serait pas mal. Mais en un sens, ça serait encore pire. Cela voudrait dire abandonner la lutte, se retirer, se déclarer vaincue.

— Non, mon amour... Merci... Ne t'inquiète pas. Je suis sûre que c'est juste une question de stress! Dans quelque temps, je n'en rêverai plus. Mais que voulais-tu me dire?

— Qu'il y a la possibilité d'une belle promotion!

— Super! Et pourquoi donc?

Alex y réfléchit. Il préfère ne pas parler de son assistante et de ce qu'elle a fait.

— J'ai fait un projet qui a plu... On m'a donné cette promotion...

Niki monte les marches de la faculté, se rend compte que la salle est pleine.

— Excuse-moi, Alex! Je suis très contente pour toi, mais je dois aller chercher une place. Je peux te rappeler tout à l'heure?

— Mais c'est si important, de pouvoir partager mes choix avec la personne que j'aime...

— Tu parles de moi, pas vrai?

— Bien sûr... idiote!

— Et si la personne que tu aimes a cours? Tu ne voudrais pas qu'elle rate ses examens pour parler de ta promotion, pas vrai?

Alex secoue la tête. Elle a toujours le dernier mot.

— D'accord, on s'appelle plus tard.

— Alex... dit Niki en s'apercevant qu'il a une voix bizarre. Tu ne dois pas décider tout de suite ? Dès qu'on a un moment tous les deux, on en parle...

— Oui, tu as raison, mon amour... Bon cours.

Il raccroche. *Rien à faire. Elle est trop rapide. Elle répond comme une mitraillette, chaque réplique est un petit slogan à elle toute seule ! Que va-t-elle inventer, pour l'église ? En tout cas, elle a bien changé, en deux ans. Elle s'est épanouie comme une fleur. Mais une fleur, quand elle éclôt le matin, est toujours la même. Niki, c'est comme si elle se cachait sous les pétales, et quand ils s'ouvrent c'est chaque fois une surprise. J'aurais tant voulu lui parler de ce choix... parce que je sais bien que quand Leonardo présente les choses aussi simplement, ça sent l'arnaque. Les voyages à l'étranger, la campagne, les réunions sur un produit très différent, et un nouveau média. Ce n'est pas tout. Il y a forcément un loup.*

On frappe à la porte.

— Je peux ?

— Entre.

Raffaella.

— On y va ?

— J'arrive.

— Je t'attends dehors.

Alex prend sa veste. *Et si le loup, c'était simplement cette Raffaella ?*

93

Niki essaie de se frayer un chemin parmi les étudiants entassés devant la porte de la salle.

— Excusez-moi, pardon, on m'a gardé une place devant !

En fait, elle l'avait demandé à Barbara, mais il n'est pas sûr qu'elle s'en soit souvenue. À peine arrive-t-elle aux premiers rangs que tout le monde se lève et se dirige vers la sortie. Elle manque de se faire renverser.

— Que se passe-t-il ? Que se passe-t-il ?

Elle trébuche, on la bouscule, on la pousse, une main la prend sous l'aisselle et la relève juste à temps. Elle retrouve son équilibre.

— Merci.

Ce sourire, c'est Guido.

— Je t'en prie... Je t'avais vue. Deux types se sont battus pour une place.

— Ils sont fous, ou quoi?

— Oui, et surtout il y a une nouvelle occupation...

— Encore? Pourquoi?

— Contre les nouvelles lois qui réduisent le budget du ministère, et en plus parce que le pape a prévu une nouvelle visite. Pourquoi tient-il tant que ça à venir à l'université? C'est tellement ennuyeux...

— Ce n'est pas vrai. Le cours de littérature italienne est génial, le prof, on dirait un poète, quand il fait ces citations, et puis il traverse les époques, il fait des liens inattendus... moi je le trouve incroyable.

— Émilie du Châtelet disait que pour conserver longtemps l'amour de son amant, l'espoir et la crainte sont indispensables. Tu vois, moi j'en fais tout le temps, des citations, mais tu ne m'apprécies pas tant que ça...

— Ce n'est pas vrai! Je suis ici, avec toi...

— Quel rapport, c'est juste parce que je t'ai sauvée. D'ailleurs, j'ai un doute, peut-être voulais-tu être écrasée pour être ensuite dans tous les journaux, avec ton nom et ta photo?

— Moi?

— Tout le monde veut être célèbre! Tu sais combien ils paieraient, tous, pour être chez B.B., plutôt que d'étudier...

— B.B.?

— Oui, *Big Brother*. Ou alors dans *Koh-Lanta*, ou encore sur *L'Île de la tentation*! Bref, tous ces reality shows qui font croire aux gens qu'ils sont riches et célèbres, alors ils quittent leur femme ou leur mari, changent de travail, sortent de là en pensant que le monde leur appartient, mais en fait au bout de quelques mois ils ne sont plus personne, ou plutôt ils sont de nouveau la personne qu'ils étaient mais qui ne leur suffisait pas...

— Quel philosophe!

— Oui... *L'Être et le paraître dans la société moderne*, de Guido Desio. Pas mal, comme traité, non?

— En effet. Mais je te trouve un peu trop bien informé sur tous ces reality shows. Tu n'aurais pas fait quelques castings, par hasard?

— Non, mais je les ai vécus de près, mon ex voulait à tout prix entrer chez *Big Brother*, et comme elle est allée jusqu'en finale, elle en a fait toute une histoire, et elle a déprimé, alors elle a aussi essayé *Koh-Lanta, La Ferme* et *L'Île de la tentation*... Morale de l'histoire ? À la fin, ne se sentant pas importante pour le public, elle a décidé de le devenir pour quelqu'un de plus âgé, le prof... Tu te rends compte... Non mais, tu te rends compte ? Ça peut sembler absurde, mais on peut s'attendre à tout de la part des femmes, parce que les tentations de la société sont infinies...

— Voilà que continue le traité de Desio. En réalité, je pense que ça vaut aussi pour les hommes...

— Non, ça vaut plus pour les femmes...

Guido sourit, mais pour la première fois Niki s'aperçoit que derrière ses mots se cachent une amertume et une déception sincère. Il avait beaucoup d'espoirs concernant cette relation. Il n'y a rien de plus terrible, quand tu crois en quelqu'un, surtout en amour, que tu te lances en ne pensant plus à rien... En une seconde, Niki voit défiler un millier d'images : se lancer d'un tremplin, les yeux fermés... dans une piscine sans eau, et ce drôle d'exercice qu'on fait à la gym où on se laisse tomber en arrière et que quelqu'un est censé nous rattraper... Et si la personne derrière se déplace ? Si quelqu'un l'appelle, « Eh, viens par ici... », et qu'elle s'en va, sans prévenir, pendant qu'on se laisse aller... Niki rouvre les yeux. Quelle chute ! En réalité, quelqu'un a fait tomber un banc en bois. Un type se relève en se massant les fesses.

— Aïe, j'ai mal !

— Je t'ai vu... Tu étais assis à la fenêtre, les pieds posés sur le dossier du banc, et tu as glissé ! répond un autre en s'éloignant hilare, avec deux copains, bien content de ne pas avoir été la victime de cette mésaventure...

Guido rit, lui aussi.

— Tu as eu peur, hein !

— Oui... Tu as vu comme il a volé... Si c'était moi, je ne me serais pas relevée...

— Mais non... tu as l'air sportive, dit Guido en l'inspectant rapidement. Sérieusement. D'ailleurs, je voudrais te lancer un défi... Ça te dit ?

— Quel défi ?

— C'est une surprise... Ça te dit, oui ou non ?

Niki y réfléchit un peu. Aujourd'hui, elle n'a rien à faire pour le mariage et son cours est annulé. Elle pourrait rentrer chez elle réviser un peu… Guido sent qu'elle hésite.

— Ce n'est pas dangereux… Il y aura aussi Barbara et Luca, et Sara et Marco. Allez, viens, on va s'amuser, tu ne risques rien.

Niki se laisse convaincre.

— D'accord.

Ils se dirigent vers la sortie en parlant de choses et d'autres. *Tu ne risques rien. Mais que voulait-il dire ?*

94

L'après-midi. Un soleil tiède réchauffe les allées de la Villa Borghese. Des jeunes courent, écouteurs dans les oreilles. Un petit groupe d'enfants joue sous la surveillance de leurs mères. Un jeune couple s'embrasse sur un banc.

— Quelle belle journée, n'est-ce pas, mon amour ?

— Oui, très belle…

— Comment tu te sens, tu as eu d'autres désagréments ?

— Non, tout va bien. Et puis, tu as entendu ce qu'a dit le docteur Rossi quand nous lui avons apporté les résultats de la prise de sang. Elle a dit que c'était normal… que j'avais plutôt de la chance, côté symptômes… Tu sais, je me sens bien. Ça m'émeut beaucoup de penser que j'ai une vie à l'intérieur de moi… Je ne pensais pas…

Filippo donne un coup de pied dans un caillou, s'amuse ensuite à dribbler, jusqu'à ce que le caillou finisse dans une poubelle.

— But ! Tu as vu, mon amour ? demande Filippo, tout sourire. Je suis un mythe. Ton champion !

— Bravo ! Imagine qu'un jour tu pourrais faire la même chose, mais avec ton fils qui te court après et qui veut jouer avec toi. Ça ne te plairait pas ?

— Je ne sais pas, je n'y ai pas réfléchi… Tu sais, c'est une énorme surprise pour moi… Quelque chose que je n'avais pas programmé…

— Et moi donc ! Mais il faut réfléchir. Même si nous avons encore le temps, il faut décider… Le dire à nos parents… Savoir si on se sent ou non de…

— Regarde ! l'interrompt Filippo. Là-bas ! Il y a Pier et Fabrizio !

Il se met à courir vers deux jeunes garçons qui s'envoient une balle au milieu d'une allée. Filippo va les retrouver, les salue, indique de loin Diletta qui les salue de la main, puis se met à jouer avec eux.

Diletta l'observe, songeuse. *Mais que fait-il ? Pourquoi ne veut-il pas parler ? Que croit-il, que c'est facile, pour moi ? Que je ne suis pas effrayée, confuse, incertaine ? J'ai besoin de lui, de décider avec lui. Un enfant, ça change la vie. Surtout quand on est si jeune. En même temps, un enfant c'est merveilleux, c'est notre but à tous, notre pont vers le futur.* Elle jette un œil aux alentours et voit une jeune fille qui se promène tranquillement en parlant à son bébé dans son landau, bien qu'il ne comprenne pas ce qu'elle lui dit. Diletta sourit et se laisse envahir par une grande tendresse. Elle se tourne ensuite vers Filippo qui joue, s'amuse, plaisante. *On dirait vraiment un enfant.*

95

— J'ai passé toutes mes vacances d'été à l'île d'Elbe avec mes parents…

— Il paraît que c'est magnifique… Je n'y suis jamais allée !

— Ça alors, toi qui aimes le surf, tu es sûrement allée en Toscane. Mais il y a un endroit plus proche, à la hauteur de Civitavecchia, avec des tempêtes incroyables… Genre *Graffiti Party*…

— Oui, mais il n'y a pas de vagues comme celles du film, là-bas !

Les seules vagues aussi puissantes et belles que je connaisse, pense Niki, *sont mes amies les Ondes.*

— D'accord, mais elles ne sont pas mal quand même ! Il faudra y aller, un jour…

Niki sourit intérieurement. Il faudra y aller. Quand ? Bientôt, je me marie. Je crains que tout ne soit plus compliqué ensuite. Guido la regarde sans comprendre sa perplexité.

— Avec les autres aussi, hein… On pourrait faire un groupe, un soir, et y aller tous ensemble. Surfer de nuit, c'est fabuleux.

— Ce n'est pas dangereux?

— Mais non, il suffit de pointer les phares des voitures vers le large. Le plein d'adrénaline. Si en plus la lune est pleine et qu'il y a des étoiles… un truc à tomber amoureux…

Niki lève un sourcil. Guido sourit à nouveau.

— … de la mer. Et pour toujours. Ne plus jamais pouvoir s'en passer. Je ne comprends pas les gens qui se droguent. Parfois, la nature m'émeut tellement que j'ai l'impression que c'est ça, la vraie drogue. Je suis allé au Brésil, à Fortaleza, là où les dunes blanches sont aussi hautes que des montagnes. Parfois, au crépuscule, on fait une sorte de pèlerinage, on gravit à pied ces montagnes de sable blanc. Il y a des gens de tous les pays, et on atteint le sommet à temps pour voir le soleil rouge qui s'enfonce doucement dans l'eau. Tout le monde s'assoit en tailleur, sur ces grandes dunes pour admirer ce spectacle unique.

— Je te crois… Rien qu'à t'écouter, on sent à quel point ça t'a marqué.

— Les vagues, le sable, quelle féerie! Imagine que tous les soirs on montait voir ce coucher de soleil, et parfois certains d'entre nous apportaient des petites planches et surfaient sur le sable, sur la paroi la plus abrupte, pour redescendre.

— Je ne te crois pas.

— C'est pourtant vrai. Je l'ai fait. Mais c'est dangereux…

— Pourquoi?

— Parce que si tu tombes tu ne peux pas t'arrêter avant d'arriver en bas de la dune, tellement tu glisses vite et tellement la pente est raide…

— Ça t'est arrivé?

— Oui… heureusement j'étais presque en bas… J'ai fait une chute spectaculaire, mais je ne me suis rien cassé, heureusement.

— D'ailleurs, à propos de problème, dit Niki en mettant ses mains sur ses hanches; l'autre soir, tu as bien failli m'en créer un énorme, avec ton message…

— Et pourquoi? Je n'ai rien écrit de mal…

— Tu n'aurais pas dû écrire du tout.

— Pourquoi… Nous ne sommes pas amis?

— Non, et tu le sais… Ou du moins pas encore, et dans tous les cas, il n'aurait pas été simple d'expliquer ce message à mon fiancé.

— Tu exagères! Si au moins j'avais écrit un truc du genre «Je ne peux pas respirer quand tu es loin »... Et encore! C'est Keats! Il aurait dû s'en prendre au poète!

Niki secoue la tête.

— Tu aurais pu m'envoyer directement celle d'Oscar Wilde : « Je résiste à tout, sauf à la tentation. »

— J'ai toujours aimé Oscar Wilde. Et tu sais pourquoi? Parce qu'il ne se cachait pas, il disait toujours la vérité.

Quand ils sortent de l'université, Guido se poste devant sa grosse Harley-Davidson et ouvre la chaîne qui protège le casque.

— Tiens...

Niki le met et Guido, tout en enfilant le sien, enfourche la moto et tend son bras gauche pour qu'elle puisse prendre appui et monter derrière lui. Puis il démarre. Le pot d'échappement vibre, puissant et décidé, sur la place Aldo Moro. Des types qui bavardent, assis sur leurs scooters, se tournent pour regarder. Un autre sourit en voyant filer la splendide 883 qui se faufile dans la circulation et disparaît dans le tunnel menant à la piazza del Popolo.

Guido se tourne vers elle.

— Si tu as peur, tu peux t'accrocher à moi...

Niki le regarde dans le rétroviseur.

— Je te l'ai déjà dit. Je n'ai pas peur!

Guido sourit.

— Tu es sûre?

Il accélère d'un coup. La moto fait un bond en avant et Niki, pour ne pas tomber, est contrainte de s'accrocher à lui. Elle serre fort son blouson tandis qu'il accélère et prend à toute vitesse un virage qui descend sur la route du Muro Torto.

— C'est mieux comme ça...

Niki, un peu agacée, est quand même forcée de se tenir à lui. Guido passe entre les voitures, et se rabat, comme s'il évitait des quilles. Petit à petit, ces mouvements lents et réguliers la rassurent. Niki se perd dans ses pensées. *Mais qu'est-ce que je fais derrière ce type? Imagine si on a un accident! Je lui raconte quoi, à Alex? Ou, pire encore, j'arrive au mariage avec une jambe cassée! Habillée en blanc, mais avec un plâtre. Je ne pourrais rien écrire dessus, ou plutôt si : Aujourd'hui je me marie! Et je pourrais y accrocher des canettes vides. Ça ne serait pas mal. Imagine les parents d'Alex... Et ses sœurs!* Elle serre alors Guido un peu plus fort et se laisse porter.

96

On sonne à la porte, Olly va ouvrir à Erica, qui se présente un plateau de petites pizzas à la main.

— Me voici! dit son amie en se rendant à la cuisine pour attraper la bouteille de Coca-Cola et deux verres.

— Qu'est-ce que tu fais?

— Qu'est-ce que je fais? Je t'ai trouvée un peu déprimée, au téléphone, et j'ai décidé de venir te remonter le moral...

Elle fait asseoir Olly sur le canapé, apporte les victuailles puis s'installe à côté d'elle. Elles bavardent de tout et de rien.

— Tu sais que mon amie Ilenia a été prise comme danseuse dans une émission de télé? C'est une chaîne locale, mais elle est vraiment contente. Un cabaret avec des comiques romains.

— Ilenia?

— Oui, tu t'en souviens, je l'avais invitée à la fête pour Niki?

— Je m'en souviens, je m'en souviens, répond Olly en prenant une petite pizza.

— Elle est très sympa. C'est une fille généreuse : son père est mort récemment et elle s'occupe de sa mère, en plus de ses études et de la danse. Au moins, elle va gagner un peu d'argent. Et puis, elle est depuis des siècles avec son copain. Une de ces histoires qui durent et où les deux ont l'air très amoureux. Bref, une histoire comme je n'en vivrai jamais...

Olly pioche à nouveau dans le plateau de pizzas.

— Donc elle a quelqu'un...

— Oui... et elle est amoureuse, ce qui est plus important.

Olly finit sa bouchée et se verse un peu de Coca. Erica va allumer la radio, et se met à danser au milieu du salon.

— Allez, Olly, viens! Thérapie par le corps! Viens!

Olly reste sur le canapé, elle réfléchit. Elle comprend à quel point sa jalousie était stupide. De même que son comportement, ce soir-là : le fait d'avoir ignoré Ilenia et d'avoir accusé Giampi. *Je suis vraiment stupide. Je me suis laissée entraîner par ma peur. J'ai laissé la superficialité prendre le dessus. Moi qui suis toujours prête à conseiller les autres, à critiquer leur jalousie, je suis tombée dans le panneau.* Elle regarde Erica qui danse, légère, insouciante et joyeuse. Elle va la rejoindre et se laisse porter par la musique, par les paroles de Tiziano Ferro puis, au hasard, de Coldplay, The Fray, Oasis, Nelly Furtado... La radio ne suit aucun ordre logique. Pas plus que les pensées d'Olly.

97

Les berges du Tibre, la piazza Cavour, la moto file, légère. Piazza Belle Arti, encore les berges du Tibre, piazza Mancini. Comme par enchantement, tous les feux sont verts. Ponte Milvio, corso Francia, fontaine de l'Acqua Acetosa. La moto ralentit progressivement pour prendre un large virage et entrer dans un parking.

— Voilà! Nous y sommes.

Niki enlève son casque et descend.

— La voilà, la surprise, nous sommes au bowling!

— Oui, et maintenant à toi de décider : soit tu acceptes le défi... soit tu fais la boule.

— Crétin... Tiens, dit-elle en lui envoyant le casque dans le ventre.

Guido le rattrape en se pliant sur ses genoux.

— Tu vois... Je suis forte, pour dégommer... les quilles!

Niki monte deux à deux les quelques marches qui mènent à la salle de bowling. Guido rit, éteint la moto et lui court après.

— Attends-moi!

Quand ils entrent, leurs amis les hèlent.

— Alors vous êtes venus!

Marco et Sara sont avec Luca et Barbara sur la piste centrale.

— Je n'y crois pas! dit Marco à Luca en lui donnant un coup de coude.

— Tu as vu? Guido avait dit qu'il viendrait avec Niki et tu ne voulais pas le croire...

Niki se tourne vers lui, fâchée. Guido écarte les bras.

— Je leur avais dit qu'on allait les battre, tous les deux... Ils avaient peur! Ils nous craignent... Tu as été sympa d'accepter. Allez, viens, on va changer de chaussures.

— Oui, dépêchez-vous, on recommence une partie!

— Je ne t'avais pas dit oui! Je ne savais pas que c'était ça, le défi!

Guido essaie de la calmer.

— D'accord… Mais tu m'aurais dit oui ?

— Non !

— Mais pourquoi tu es si têtue ? Tu vas voir, on va bien s'amuser !

— Je n'en doute pas… mais je n'aime pas l'idée que tu avais déjà dit que tu venais avec moi !

— C'était pour qu'ils réservent la piste, sinon quelqu'un d'autre aurait pu se joindre à eux et on aurait été trop nombreux. Si je n'étais pas venu avec toi, je serais venu quand même, mais avec une autre…

Niki s'assied et enlève ses chaussures en lui lançant un regard noir.

— Je voulais juste dire que si tu n'avais pas voulu venir… Mais bon, ça n'aurait pas été la même chose… tente-t-il de s'excuser.

— Ça, tu peux en être sûr !

— Ou alors je serais venu avec un copain.

— Oui, c'est ça… Je t'y verrais bien.

Elle passe ses chaussures à un employé.

— Un trente-huit, s'il vous plaît…

— Pour moi, un quarante-deux.

Ils s'assoient sur un banc, côte à côte, pour faire leurs lacets. Guido lui sourit.

— Pourquoi tu as dit cette méchanceté ?

— Laquelle ?

— Que tu ne me verrais pas sortir avec un copain.

— Ce n'est pas une méchanceté, je pense que c'est la réalité.

— Tu sais, après elle, je ne suis plus sorti avec personne…

— Tu t'es pris autant de vents que ça ? Je n'y crois pas !

— Non, en fait c'est que…

Niki attache sa deuxième chaussure et se lève du banc en sautant.

— Allez, dépêche-toi…

Elle se dirige vers la piste, sans lui laisser la possibilité de finir.

— Alors, comment on fait ? Hommes contre femmes ? Ou par couples ?

— Comme vous voulez…

Barbara et Sara se regardent.

— Hommes contre femmes, c'est plus marrant.

— Mais ils tirent plus fort !

— Oui, mais c'est la précision qui compte.

— D'accord, alors les femmes contre les hommes !

— On va vous éclater, dit Niki tout bas à Guido.

— Malheureusement, j'en suis certain!

Niki choisit une boule de la bonne dimension.

— Je fais un ou deux coups pour m'échauffer et on commence, d'accord?

Elle prend son élan, met son pied droit vers l'arrière et envoie la boule, qui glisse parfaitement au centre du parquet. Puis elle se relève, la regarde filer vers le fond, ralentir un peu, faire tomber une première quille, puis toutes les autres.

— Ouah! Quel début! Un strike!

— On est mal barrés, dit Guido à Luca et Marco.

— Tu as amené la plus forte de la fac, et même de Rome!

— Niki, tu viens tous les jours, ou quoi?

Niki prend une nouvelle boule et la soupèse.

— Mais non, la dernière fois, c'était un jour où j'avais séché les cours, au lycée! J'avais seize ans. De la préhistoire!

— Il y a des choses qu'on n'oublie jamais, une fois qu'on les a apprises… comme faire du vélo.

À ce moment-là, Guido se lance à son tour. La boule part très vite mais ralentit et finit dans le couloir latéral sans faire tomber une seule quille. Zéro point.

— Eh, on pourrait vous le donner, lui, comme handicap! Sinon, tu parles d'une partie…, plaisante Marco en s'adressant aux filles.

— J'étais ému, dit Guido en riant… Et puis, Frank Wilczek dit toujours que quand on ne commet pas d'erreur, ça veut dire qu'on n'essaie pas de régler les problèmes vraiment difficiles. Ce qui est une grave erreur.

— Quoi? Qu'est-ce que tu racontes? Ça serait quoi, le problème vraiment difficile? demande Marco.

— Faites-moi confiance, merde, faites-moi confiance… Et à mon signal, déchaînez l'enfer!

— Mais c'était *Gladiator*, ça… Quel rapport?

— Rien, comme ça… Il faut nous battre, et c'est la première chose qui m'a traversé l'esprit.

— Nous avons un poète parmi nous… se moque Marco. Mais pour nous faire perdre!

Guido le prend par le bras.

— Je te jure que je vais m'appliquer. De toute façon, ça ne peut pas être pire…

— Ça, c'est sûr !

— Vous voulez quelque chose à boire ? demande Guido.

— Il essaie de nous corrompre ! dit Luca à Marco.

— Disons que je voudrais rattraper mon erreur. Vous aussi, les filles, vous voulez quelque chose ?

— Oui. Un Coca.

— Moi aussi !

— Moi je voudrais une bière !

— Et moi un jus d'ananas.

— Je crois qu'à partir de maintenant, je ferais mieux de ne plus me tromper... dit Guido d'un air inquiet.

Il va au bar chercher les commandes.

98

— C'est un endroit magnifique... Quel superbe panorama !

Alex sourit devant l'enthousiasme de Raffaella.

— C'est l'Autel de la Patrie, là-bas, n'est-ce pas ?

— Oui, je crois.

Leonardo revient à la table.

— Alors, cet endroit vous plaît ?

— Un rêve !

— Oui, c'est vraiment beau, approuve sincèrement Alex.

Les clients sont élégants, une musique dub emplit la salle juste au bon volume.

— Comment tu fais pour trouver tous ces restaurants incroyables ?

— J'aime bien ces endroits un peu à l'avant-garde, mais où on mange bien. L'autre jour je suis allé chez Gusto, piazza Augusto Imperatore, ils font un buffet de salades, un brunch...

— C'était risqué ! Comment tu t'informes ?

— C'est vrai ! Mais j'aime le risque... Je lis un article, j'en entends parler et je me lance, j'y vais, je tente...

— Quelles peaux de vache au bureau ! intervient Alex. Ils disent que c'est ta secrétaire qui fait tout !

— Mmh... C'est en partie vrai. Elle s'occupe de l'exécutif, elle fait les réservations, mais pour la créativité, le choix de l'endroit, bref, le plus important, c'est moi !

Alex observe plus attentivement la salle du Zodiaque, ce restaurant niché au-dessus du Ponte Mario, près de l'observatoire scientifique universitaire et de la base militaire pour les communications radio. *Il paraît que le chanteur Claudio Baglioni serait venu ici une fois, et c'est là qu'il aurait trouvé l'inspiration pour « La vita è adesso ». C'est vrai, ça, la vie est maintenant. Que dit cette chanson ?* « Les nuages tournent... au-dessus des cafés en plein air et tu te demandes qui tu es, c'est toi qui fais avancer le cœur et le dur travail d'être homme et ne pas savoir ce que sera le futur[1]. » Alex sourit. *Quelque chose dans le genre. Quelle belle chanson. Le dur travail d'être homme et ne pas savoir ce que sera le futur...*

— Alors, que mange-t-on ?

Raffaella est déjà plongée dans son menu.

— Mmh, tout a l'air bon, tout me fait envie.

— Oui, les noms des plats font rêver...

Alex regarde la carte à son tour. *J'aimerais bien des pâtes, mais je dois faire un peu attention à ma ligne. Moi je sais ce que sera le futur, du moins le futur proche. Mon mariage.*

— Pour moi, une grillade et une salade.

— Ah... Au régime pour rentrer dans son costume de marié, hein ! se moque Raffaella. Mais tu as encore le temps ! Pour une fois, tu pourrais faire un écart ! Aujourd'hui, on fête ta promotion !

— C'est vrai. Même si je n'ai pas encore dit oui. Bon, alors des frites, aussi.

Raffaella lève un sourcil, l'air de demander : c'est tout ?

— Et pour commencer, un peu de foie gras !

Elle sourit, satisfaite.

— Pour moi, hors-d'œuvre, pâtes et plats ! Mais je vais prendre du poisson : salade chaude, spaghettis palourdes et tomates cerises, et ensuite écrevisses et langoustines... Avec une vue pareille... On a l'impression de pouvoir voir la mer !

Leonardo referme le menu.

— Moi je n'ai pas d'excuse ! Je dois faire un régime, je m'y tiendrai. Des pâtes à l'*amatriciana* ! Pour commencer...

Alex et Raffaella éclatent de rire.

— Qu'y a-t-il ?

— Non, non, rien, dit Alex d'un air un peu inquiet. Mais dis-moi, ta secrétaire s'occupe aussi de ton régime ?

---

1. Extrait de Claudio Baglioni, *Tutti qui*, « La vita è adesso », Sony BMG, 1985.

— À dire vrai, oui, dit Leonardo qui n'arrive pas à mentir. Mais je fais un régime dissocié. Donc, le midi, je peux manger des pâtes, n'est-ce pas?

— Oui, bien sûr, intervient Raffaella... Mais peut-être pas avec une sauce *amatriciana*! Tomates, oignons, lardons et fromage, ça fait beaucoup non?

— Oui, dit Alex en haussant les épaules... Mais il est déjà marié, lui!

— C'est vrai!

— Alors apportez-nous aussi du champagne!

— Excusez-moi un instant, j'ai un coup de fil à passer, dit Alex en sortant du restaurant.

Il fait les cent pas en composant le numéro de Niki. Ça sonne. Alex regarde la ville en contrebas. Des autobus noirs de monde s'éloignent sur la route qui longe le fleuve, des voitures avancent en rangs sur les rocades, plus loin. Au fond, des sommets enneigés complètent ce paysage de carte postale. Alex regarde son portable. Elle ne répond pas. Il raccroche et réessaie. Il vérifie l'heure. *C'est bizarre, son cours devrait être terminé. Elle est peut-être sur son scooter.* Il remet le téléphone à son oreille et attend encore un peu, confiant. Son regard tombe sur la plaque du nom de la rue. Alex sourit. *Il faudra que j'emmène Niki ici, un jour. L'avenue des Amoureux.*

99

Le téléphone de Niki vibre dans son sac posé sur un banc, au bout de la piste où ils jouent. La boule roule, parfaitement au centre, et fait tomber les quatre quilles restantes.

— Encore un strike! crie Niki en sautillant de bonheur et en embrassant Sara et Barbara. Les filles, c'est un véritable massacre!

— Oui, on est trop fortes...

Luca attend que le mécanisme charge à nouveau les quilles au fond de la piste.

— Ne vous faites pas trop d'illusions, on va remonter...

Convaincu et concentré, il lance la boule. Un tir rapide, sûr, précis, qui prend la première quille et fait tomber toutes les autres avec.

— Cette fois il est pour nous, le strike, et en un coup! dit-il en tapant dans la main de Marco, puis de Guido. Mes beautés, ajoute-t-il en s'adressant aux filles, un strike en un coup, ça vaut double, non? N'essayez pas...

— Essayer quoi? demande Niki en contrôlant les scores. Même si vous en faites quatre d'affilée, vous ne nous rattraperez pas...

Marco s'approche de Sara.

— La prochaine fois, on joue en couple... On les aurait tous battus! dit-il en l'embrassant.

— N'essaie pas de me corrompre, répond-elle en s'écartant... Ça ne marche pas!

Luca enlace Barbara, puis lève le menton vers Marco.

— Et puis, à nombre de coups égaux, si on avait joué en couple Barbara et moi serions en tête, à l'heure qu'il est... Et même carrément en tête, nous avons le plus grand nombre de strikes! Bravo, mon amour!

Il lui donne un baiser.

— Je l'avais dit, qu'il valait mieux jouer par couples... C'est eux qui sont jaloux... Ils savaient qu'on les aurait battus à plate couture!

Ils rient et plaisantent ainsi, légers et amusés par le défi et l'amour.

Guido regarde Niki en écartant les bras.

— Ça n'aurait pas été mal de faire équipe avec toi... Tu es très forte!

— Oui... J'aimerais bien pouvoir dire la même chose de toi. Mais... tu m'aurais fait perdre.

— Je l'ai fait exprès, répond-il en souriant, avant de s'approcher pour lui dire à voix basse : J'ai raté tous mes coups pour te faire gagner... Il y a un dîner en jeu, celui qui perd paye... Et moi je ne pourrai jamais te laisser payer!

— Tu n'en auras pas l'occasion.

— Pourquoi, tu ne viendrais pas dîner avec moi?

— Ça aussi... mais surtout, vous perdez!

Guido s'approche encore.

— Je te l'ai dit, nous perdons parce que je veux te faire gagner.

— Je ne te crois pas.

— Bon, alors on va faire comme ça. Si, à partir de maintenant, je fais strike à chaque fois... tu viens dîner avec moi. D'accord?

— D'accord.

— Promis?

— Promis.

337

— J'ai ta parole ?

— Ça suffit, je t'ai déjà dit oui ! De toute façon, tu n'y arriveras pas…

Guido la regarde encore un moment dans les yeux. Il penche la tête sur le côté.

— Tu m'as convaincu. Les gars… je vais faire un tir parfait… Vous êtes prêts ? Vous voulez voir un tir parfait ?

— Oui, on aimerait bien !

— Eh bien, c'est maintenant !

Guido fait quelques pas en arrière, glisse ses doigts dans la boule de bowling, la soulève de la main gauche, la caresse un peu puis part, déterminé, fait deux pas, s'arrête et se penche pour lancer la boule, qu'il fait glisser au centre de la piste. Elle roule tout droit vers les quilles. Guido se tourne vers Niki et lui sourit. Il lève un sourcil. Elle le regarde un instant, puis revient à la boule qui continue tranquillement sa course, ni trop vite ni trop lentement, jusqu'à la première quille, qu'elle fait tomber, puis les deux de la seconde rangée, les quatre suivantes et enfin les dernières, celles des coins, qui après avoir oscillé un peu finissent par rebondir l'une sur l'autre avant de disparaître dans l'obscurité.

Guido attend. Il n'a même pas regardé la boule, il était sûr du résultat.

— Strike…

Ses amis lui sautent au cou.

— Bravo ! Trop fort !

— Superbe lancé !

— Il était temps, hein ! Mais qu'est-ce qui s'est passé ? Tu t'es réveillé ?

— Oui, il a pris du Viagra pour bowling…

— Disons que je suis plus motivé…

— C'est-à-dire ? demande Luca avec curiosité.

— J'ai réfléchi sur la condition masculine en général… Femmes militaires, femmes policières, femmes gendarmes, femmes jeunes et superbes, ministres… Notre pays nous oublie, nous les hommes en difficulté. Alors je me suis dit qu'il fallait au moins que je gagne au bowling… Et puis, il y a une récompense très agréable à la clé, non ? susurre-t-il ensuite à Niki.

— Tu n'as fait qu'un strike… grimace-t-elle. Il t'en faut encore cinq, autant que de coups à jouer… Il est un peu tôt pour crier victoire.

338

— Oui, mais tu sais, moi je suis optimiste de nature. Imagine, ils avaient dit que tu ne viendrais pas, mais en fait...

— En fait?

— En fait, tu es là, tu t'amuses, tu joues très bien et tu me rends un énorme service...

— Lequel?

— Ils ont voulu parier cent euros que tu ne viendrais pas, donc quand je t'inviterai à dîner... Ça sera à leurs frais! Que rêver de mieux?

Niki sourit et secoue la tête.

— Bravo... Je t'ai fait gagner cent euros... sans le vouloir! Donc, en réalité, cinquante devraient me revenir...

— Si tu avais été d'accord! Mais tu ne l'étais pas...

— Non, en effet. Et puis, tu dis que tu vas m'inviter à dîner... Il te reste encore à faire cinq strikes d'affilée, hein, ne l'oublie pas...

— Tu as raison. Alors, pourquoi tu t'inquiètes déjà? De toute façon, tu as dit que je n'y arriverais pas...

Niki a une drôle de boule dans l'estomac. Luca et Marco s'approchent.

— Guido, c'est encore à toi!

— Allez, si tu fais un autre bon tir, on remonte...

Guido choisit sa boule puis se met en position. Il s'apprête à tirer mais s'arrête et regarde Niki.

— Au fait... tu préfères le poisson ou la viande?

— Qu'est-ce que tu racontes! Tire, va... Et puis, de toute façon, j'aurais plutôt envie d'une pizza! ajoute-t-elle en lui rendant son sourire.

100

— Ce que je voudrais, c'est un succès mondial! dit Leonardo en souriant, avant de s'essuyer la bouche. Un film surprenant, étonnant, émouvant et drôle... Bref, vous avez compris?

— Oui, acquiesce Alex, tu parles d'un sacerdoce...

— Non, je parle d'une chose que quelqu'un comme Alessandro Belli est tout à fait capable de faire. Tu sais ce que j'aime, chez toi? C'est que tu vois des choses là où les autres ne voient rien. Tu crées de l'émotion à partir d'une feuille blanche, tu regardes par la fenêtre et tu imagines la mer ou les montagnes...

— À dire vrai, en face de la mienne, il y a une pub pour des collants qui est un vrai bonheur à regarder... rit Alex en prenant une bouchée de viande. Regarder mais pas toucher, ajoute-t-il en se tournant vers Raffaella. Ça aussi, c'est une source d'inspiration...

— Bien sûr. Tu sais qu'avant de faire ce métier j'ai fait une pub ?

— C'est-à-dire ?

— J'ai été mannequin pour une campagne très importante... ça m'a beaucoup plu...

— C'était laquelle ?

Raffaella prend un morceau d'écrevisse avec ses doigts et le mange.

— Je ne te le dis pas... Ou plutôt, je serais curieuse de savoir si tu me reconnaîtrais... Je t'en montrerai plusieurs, et tu me diras quand c'est moi.

— D'accord, dit Alex en avalant encore un peu de viande.

— Oui, ça me plaît, ce jeu... Quoi qu'il en soit, c'est une très belle publicité. On ne voit pas mon visage, sinon ça serait trop facile.

— Ah...

— Je peux goûter ton plat ? demande-t-elle en se penchant vers l'assiette d'Alex avec sa fourchette, sans attendre la réponse. Ça a l'air bon...

— Bien sûr...

— C'est bien ce que je pensais, elles sont délicieuses ! dit-elle en goûtant une frite. La nourriture est excellente, ici, monsieur le directeur... Félicitations pour votre choix !

Leonardo sert du champagne à tous.

— Je suis content que cela vous plaise... De temps en temps, une vie de qualité fait faire des choses de qualité !

— C'est de toi, pas vrai ? demande Alex, étonné.

— Oui... Euh, disons que je l'ai lu quelque part et que je l'ai un peu modifié...

— Alors, dit Raffaella en levant sa coupe... Comme dit Alex, à notre sacerdoce !

Alex sourit, s'essuie la bouche et lève son verre à son tour. Le directeur se joint à eux pour trinquer.

— Tchin tchin !

Raffaella regarde Alex dans les yeux.

— Tu ne sais pas? Il faut toujours se regarder en trinquant, sinon ça veut dire qu'on n'est pas sincère...

Puis, comme pour alléger un peu le moment, elle goûte la chicorée cuite qui accompagne ses crustacés.

— Mmh, ça aussi c'est délicieux. Et ce n'est pas facile à faire! Il faut faire macérer la chicorée juste ce qu'il faut, en mettant la bonne dose de sauce, sinon ça ne se mélange pas bien... Monsieur le directeur, cet endroit est vraiment unique! Quand nous ferons la projection pour les Américains, on pourrait mettre un écran suspendu dehors... dit-elle en indiquant le panorama sur la ville.

Leonardo acquiesce.

— Ça serait du plus bel effet... continue Raffaella, en supposant que le film soit bon. Les Américains sont fous de ces trucs-là, pour eux le packaging est fondamental dans toutes ses expressions, la table, la boîte, la présentation de l'idée...

— C'est un peu dommage, regrette Alex, parce qu'on est dans le règne de l'apparence et non pas dans celui de l'être... Règne du paraître que combat Barack Obama.

— Oui... sourit Raffaella. J'ai travaillé avec les Américains, ils font toujours croire qu'ils acceptent le changement, mais en fait ça dépend du changement. Pour le paraître et l'être, malgré toutes les qualités d'Obama, il faudra du temps... Même s'il a dit : « Amérique, c'est notre moment. C'est notre temps. Le temps de tourner la page de la politique du passé. Le temps d'apporter une nouvelle énergie et de nouvelles idées aux défis qui se présentent à nous. Le temps d'offrir une nouvelle direction au pays que nous aimons. » Ça les a beaucoup impressionnés, mais il faudra du temps... Oh, mais il y a plein d'ail, dans cette chicorée... Heureusement que je ne dois embrasser personne, ajoute-t-elle en faisant un clin d'œil à Alex... Entre un marié et un presque marié, je ne risque rien...

— On ne peut jamais être sûrs... Ne jamais dire jamais! intervient Leonardo.

— Ne comptez pas sur moi, répond Alex. Si je tombe avant le départ... il sera difficile d'atteindre la ligne d'arrivée.

— Pourquoi, tu vois ça comme un marathon? C'est fatigant? demande Raffaella.

— Non. Je vois ça comme un tour du monde... mille jours toi et moi... sans jamais se quitter.

— C'est beau...

— Oui... très beau.

— Ça pourrait faire un slogan pour… réfléchit Leonardo.

Alex le foudroie du regard.

— D'accord, d'accord, fais comme si je n'avais rien dit.

— Bon, alors je suis tranquille, plaisante Raffaella. Je peux finir mon assiette !

Alex sourit, puis contrôle discrètement son portable qui est sur silencieux. *Niki ne m'a pas rappelé. Elle doit être occupée.*

101

Cristina referme la porte du lave-vaisselle, termine de ranger la cuisine et va s'asseoir sur le canapé. La maison est silencieuse. Elle met un vieux disque d'Elisa. *En fait, c'était déjà comme ça avant. Flavio n'était pas là de la journée. Nous ne nous voyions que le soir, jamais à la même heure, et le week-end, il y avait toujours mille choses à faire. Maintenant, c'est justement le soir que je me sens seule. J'ai ce grand appartement pour moi, je peux faire ce que je veux, entrer, sortir, dîner quand j'en ai envie, manger ce que je veux, dormir sur le canapé, ranger ou non, bref, je n'ai de comptes à rendre à personne. Je n'ai même pas à me justifier quand j'ai envie de pleurer. Je le fais, un point c'est tout, personne ne s'en aperçoit. J'ai passé des années à agir en fonction d'une autre personne, à comprimer mon espace pour lui en faire, à lui. On se met ensemble pour ne pas se sentir seuls, pour partager joies et peines, et à la fin qu'est-ce qu'il en reste ? Rien. Et le « pour toujours », écrit tout accroché, dont parlait Richard Bach dans son livre,* Ailleurs *n'est jamais loin quand on aime, va à vau-l'eau. Aujourd'hui, liberté. Liberté. Je me sens si confuse.*

Son portable sonne.

— Allô ?

— Salut, Cris, qu'est-ce que tu fais de beau ?

— Rien, j'ai fini de ranger, je me reposais un peu…

— Ne deviens pas une *desperate housewife*, hein ?

— C'est un peu comme ça que je me sens…

— Non, non… Je vais te sauver, dit Susanna en riant. On s'est bien amusées, l'autre soir, hein ? Donc, on va recommencer ! On va sortir ! Je t'appelle pour ça…

— On ne va pas à nouveau faire les idiotes, hein…

— Bien sûr que non. Je te fais une surprise... Tu te souviens de Davide, mon entraîneur de kickboxing?

— Celui qui est beau?

— Celui qui est beau. Il a un ami, un autre entraîneur de la salle de sport qui enseigne le vélo, et d'autres choses. Il est sympa. Et en ce moment, il est libre! Il s'appelle Mattia.

— Pourquoi tu me parles de lui?

— Parce que ce soir on va dîner avec eux! J'ai déjà tout arrangé!

— Mais si je n'ai pas envie... et puis, je ne les connais pas.

— Bien sûr que tu as envie... et puis, justement, on va dîner avec eux pour que tu fasses leur connaissance! Ou plutôt celle de Mattia, parce que Davide... c'est mon territoire!

— Mais, Susanna!

— Quoi, Susanna? Tu voudrais que je me sente coupable d'avoir envie de profiter un peu de la vie? Je ne comprends pas... et puis, tu veux vraiment jouer à la femme au foyer ce soir aussi? Donc, attention, je veux que tu sois prête à 20 heures. Bisous!

Elle raccroche sans lui laisser le temps de répondre. *Quelle force de la nature, cette Susanna! Dans le fond, elle me fait du bien. Si elle ne me forçait pas à sortir, je me connais, je resterais à la maison en survêtement à manger du chocolat en déprimant. Mais oui, elle a raison. Ça va peut-être me distraire. Et puis, je n'ai pas de meilleure alternative...*

102

— Les filles, c'est quand vous voulez, pour la revanche! dit Luca en se moquant de Barbara, Sara et Niki.

— Bien sûr! ajoute Marco. Dans le fond, nous nous sommes bien amusés... Vous voulez connaître la meilleure? C'est que vous y avez cru, pendant un moment! Ha ha!

— Oui, trop fort!

Barbara lui donne un coup de coude.

— Remerciez Guido! Sans lui, on vous aurait écrasés, détruits, anéantis...

— C'est ça, même à la Wii, vous ne nous auriez pas battus!

— Mais vous lui avez donné quoi? Vous l'avez drogué, ou quoi? On aurait dit le Jésus des frères Coen! se moque Sara.

— Ah oui, vraiment bien ce film... Il s'appelait comment, déjà ?

— *The Big Lebowski*, sourit Guido. Je l'ai vu plusieurs fois... Je l'adore. Il est plein de citations intéressantes... « On n'est pas au Vietnam, on est au bowling, et on joue selon les règles... » Bon, les filles, à bientôt.

— Oui, salut, demain à 10 heures à la fac ?

— Oui, si je me réveille...

Niki et Guido se retrouvent seuls.

— Alors, voyons voir... Pizza, pizza... On peut aller au Cassamortaro Caffè, sur le corso Francia, elle est très bonne, ou bien chez Baffetto ou à la Montecarlo, derrière le corso Vittorio, ou encore chez Berninetta, près de la piazza Cavour, ils ont aussi des beignets à se damner...

— En tout cas, tu as été sacrément fourbe.

— C'est-à-dire ?

— Tu m'as fait croire que tu ne savais pas jouer...

— Moi ? demande Guido en mettant la main gauche sur sa poitrine ? Tu crois vraiment que je t'aurais fait un coup pareil ?

— Oui, dit Niki avec un sourire forcé, je le pense vraiment.

— Mais non, tu te trompes... C'est que j'ai eu de la chance... J'ai pris un risque, et ça a marché... Tu sais ce qu'on dit : j'ai été audacieux et la chance m'a souri. Exactement comme je voudrais que tu sois toi, maintenant.

— Tu n'es qu'un escroc, déclare Niki avec un sourire encore plus forcé.

— Ça y est...

— Quoi ?

— Je sais où on va aller ! Ce soir, on va manger à la Soffitta, via dei Villini, ils font une délicieuse pizza qu'ils apportent sur une planche en bois, la même qu'ils utilisent pour la mettre dans le four.

— Pas question.

— Quoi ? Tu as perdu un pari et tu refuses de payer ? Alors c'est toi l'escroc, et de la pire espèce. Tu es carrément malhonnête, tu avais promis... Je n'y crois pas ! Je n'y crois pas !

— Du calme, Guido... Tu exagères !

— Tu refuses de payer pour le pari... que tu as perdu !

Niki est très énervée mais elle réalise qu'elle ne peut pas faire grand-chose. Elle n'aurait pas dû accepter. Mais qui aurait pu imaginer qu'il allait faire cinq strikes de suite ? C'était un pari impossible...

— Tu ne pensais pas que je pouvais le faire, hein… Il ne faut jamais défier l'impossible… Comme dans cette pub pour Adidas, que j'adore, « *Impossible is Nothing* ». Tu as perdu… et je crois qu'il ne serait pas très élégant de ne pas payer ta « dette »…

— D'accord, ça me paraît juste.

— Bon. Alors à quelle heure je passe te prendre ?

— Pas ce soir.

— Quoi ? Tu recommences ?

— Non… je paierai mon pari, nous dînerons ensemble, mais pas ce soir.

— Je savais bien qu'il y avait une arnaque.

— Ce n'est pas vrai, parce que nous avions dit que si je perdais je dînais avec toi… mais nous n'avions pas dit quand. Je ne suis pas un escroc.

— En effet, c'est pire… Tu es très maligne !

— Pas tant que ça…

— Parce que tu te maries ?

— Crétin ! Parce que je n'aurais pas dû tomber dans ton piège. Allez, ramène-moi à mon scooter.

— Juste une chose, Niki…

— Quoi ?

— Sur le chemin…

— Eh bien ?

— Ne me serre pas trop fort !

Niki lui donne un coup de poing sur l'épaule.

— Aïe ! Mais tu n'as pas non plus le droit de me frapper…

— Oui, oui… conduis, Guido… Fais ton devoir, sinon j'annule le dîner hypothétique !

— Je sais déjà quelle pizza tu vas prendre…

— Laquelle ?

— La *capricciosa*[1]… Ça te va très bien.

Jeunes, insouciants, ils roulent en bavardant de tout et de rien, font connaissance avec cette légèreté si rare qui appartient à un moment unique, cet âge-là, ces jours étranges avant que tout arrive. Dans tous les sens du terme.

— Tu aimes vraiment Vinicio Capossela ? Je n'aurais pas cru.

— Pourquoi ? demande Guido en souriant. Tu te bases sur quoi, pour dire si un type comme lui me plaît ou pas ?

1. Littéralement, la « capricieuse ».

— Il faut avoir une vision particulière de la vie...

— C'est mon cas! Je n'ai peut-être pas eu l'occasion de te la montrer... « Bouche baiser de pêche qui mange le silence de mon cœur[1]... » Ce sont les paroles d'une de ses chansons.

— Mmh... Et Paolo Nutini?

— Je ne le connais pas.

— Alors tu ne vas pas plus loin que cette vision particulière...

— Mais j'ai bien aimé le dernier Marco Carta.

— Justement! Il s'agit juste de manger une pizza, n'est-ce pas?

— Ça dépend...

— Crétin! D'accord, deux pizzas! Et je disais ça dans le sens où aucun concert n'est prévu après...

— Ah non... Mais si tu veux perdre un autre pari pour justifier une seconde sortie... Je pourrais t'emmener au concert des Negramaro.

— Ça pourrait me plaire. Il y a juste un petit problème.

— Lequel?

— Je ne parierai plus jamais rien avec toi.

Guido lui sourit dans le rétroviseur.

— Tant mieux.

— C'est-à-dire?

— Comme ça, si on va à un concert, si tu acceptes mon invitation pour Capossela ou les Negramaro, ça ne sera pas parce que tu auras perdu un pari, mais simplement parce que tu auras envie d'y aller avec moi.

— Ou de voir Capossela! Dépose-moi, mon scooter est juste là.

Guido fait un petit virage et s'arrête tout près du SH de Niki.

— Et voilà. Tu veux que je passe te prendre, demain? On va au même cours...

— Non, merci, dit Niki en lui rendant son casque. Demain, je ne viens pas à la fac.

— Alors, je pourrais ne pas y aller non plus, et on pourrait retourner au bowling. Je te donnerais volontiers quelques cours! Parfois, il s'agit juste de bien comprendre le mouvement, et ça devient un jeu d'enfant.

— Je te remercie mais j'ai autre chose à faire.

— Tu veux que je t'accompagne?

1. Extrait de Vinicio CAPOSSELA, *Camera a sud*, « Camera a sud », CGD East West, 1994.

– Non, merci. Allez, je file, à bientôt!

Elle l'embrasse sur la joue et se dirige vers son scooter. Elle se retourne une dernière fois. Guido est déjà loin, elle lui fait un signe de la main. Il lui répond avant de disparaître au bout de l'avenue. *Trop fort! Tu veux que je t'accompagne? Oui, bien sûr! Demain je vais essayer des robes de mariée... J'imagine la scène. Lui, assis dans un fauteuil, une coupe de champagne à la main, et moi en sortant de la cabine avec chaque fois une robe différente. On n'est pas dans* Pretty Woman, *et encore moins dans* La Boum. *C'est de mon mariage dont il s'agit! Mon mariage!* Soudain, elle est prise de panique, elle s'aperçoit que les jours passent à une vitesse incroyable, qu'elle a mille choses à faire, et surtout... ce choix! Elle a du mal à respirer.

Elle regarde autour d'elle et voit des jeunes gens qui sortent en bavardant de l'université. Un peu plus loin, deux jeunes adossés à un scooter s'embrassent comme s'ils étaient seuls au monde. Ils s'embrassent avec passion, sans jamais s'arrêter, se fichant du monde, les mains perdues dans les cheveux de l'autre, assoiffés d'amour et de passion. La peur et la panique étreignent Niki. Elle a le souffle court. *Il faut que j'en parle à quelqu'un. J'ai peur. Au secours.*

– Salut... Excuse-moi...

Niki arrête une fille au hasard.

– Oui?

Soudain honteuse, elle rougit, puis retrouve son équilibre.

– Ma montre s'est arrêtée. Tu peux me dire quelle heure il est?

– 15 h 15.

– Merci.

– Je t'en prie, répond la fille avant de la regarder plus attentivement. Excuse-moi, mais... Tu n'es pas la fille de la pub pour les bonbons... Le soleil... comment ils s'appelaient?

– LaLune...

– Ah, oui.

– Oui, c'est moi.

– Il me semblait bien... Parfois, le hasard...

Elles se taisent pendant quelques instants, puis la fille reprend.

– Tu sais, j'ai beaucoup essayé, j'aimerais bien travailler un peu pour pouvoir gagner de quoi vivre ici, à Rome. Je suis de Macerata. J'étudie le droit, je veux devenir avocate, mais si j'avais l'occasion j'aimerais bien tourner dans une pub, ou pourquoi pas au cinéma. Je pourrais, non?

347

Niki lui sourit. Elle a retrouvé son calme, et la situation est plutôt drôle, bien qu'un peu absurde. Être reconnue grâce à ces photos, devenir célèbre en dormant. Pas mal.

– Je m'appelle Paola.

– Niki… Enchantée. Écoute, si tu veux je te donne le numéro du bureau… Leur responsable du casting s'appelle Michela, elle sélectionne les filles pour les spots… Tu peux noter.

Elle lui donne le numéro du bureau d'Alex, qu'elle connaît par cœur, et Paola le note dans son portable. *C'est une belle fille, peut-être un peu brute de décoffrage, mais si elle ne parle pas… Elle est très mignonne, elle a de longues jambes minces.*

– Merci… Mais, tu n'as pas de portable ?

– Si…

– Alors tu aurais pu savoir l'heure…

– C'est vrai… Quelle idiote, je n'y ai même pas pensé.

– En tout cas, ça m'a fait très plaisir de te rencontrer… Drôle de situation… mais ça veut peut-être dire quelque chose, à mon avis les rencontres n'ont pas lieu par hasard.

– C'est vrai, dit Niki en repensant à sa crise de panique. Bon, je te laisse, au revoir, Paola.

– Oui… Au revoir… Niki, c'est ça ?

– Oui.

– En tout cas, je te le dis : tu étais géniale sur ces photos. Je les ai vues sur les trams, et partout dans Rome…

– Merci.

– Salut.

Paola s'éloigne, se retourne une dernière fois et la suit un moment du regard. Niki enlève la chaîne et la met dans le top-case. *Géniale sur ces photos ? Mais je dormais !? À mon avis, elle me confond avec une autre. Le plus beau, dans cette pub pour LaLune, c'est mon naturel. Et pourquoi ? Parce que Alex m'a prise quand je dormais… Alex. Mais il ne m'a pas appelée, aujourd'hui, comment c'est possible ?* Niki prend son casque, puis sort son portable de son sac et l'ouvre. *Nooon ! Six appels en absence. Comment ça se fait ? Zut, il était sur vibreur. Voilà pourquoi personne ne m'appelait… Ni Alex ni les autres, la maison, maman, papa, les Ondes ! Elle fait défiler la liste des appels. Olly. Je me demande ce qu'elle voulait… et Alex, quatre appels ! À 12 h 15, 12 h 16, puis 14 h 30, deux autres coups de fil. Je me demande bien ce qu'il s'est passé, je vais l'appeler tout de suite.* Elle compose nerveusement le numéro et appuie sur le bouton vert. Bip bip.

348

– Allô, mon amour, mais où étais-tu passée ? Ton cours n'en finissait plus !

Niki se mord la lèvre.

– Non... J'ai tout fait pour entrer, je suis arrivée au premier rang, on m'avait gardé une place, mais ensuite ça s'est compliqué...

– C'est-à-dire ?

– Deux types se sont battus, et puis la salle a été occupée...

Alex sourit.

– J'ai cru que tu avais fait comme Julia Roberts...

– C'est-à-dire ? demande Niki, qui se sent de plus en plus coupable.

– *Just married (ou presque).* Que tu t'étais enfuie.

– Non...

Elle a envie d'ajouter « pas encore », elle repense à ce moment de panique et à ces jeunes gens qui sortaient de l'université, insouciants... Alex trouve son silence étrange.

– Niki...

– Oui ?

– Qu'y a-t-il ? Tout va bien ?

– Oui, oui, pardon... Tout va bien.

– Je me souviens que quand j'allais à la fac les cours étaient souvent annulés...

– Oui, je sais, mais en ce moment c'est la majorité.

– Tu vas voir, tout va bientôt rentrer dans l'ordre. C'est normal, quand le gouvernement change. C'est toujours comme ça... Quelqu'un agite les étudiants, ou du moins les groupes importants de notre société, pour faire croire que tout le système est fragile... Le problème, c'est que ceux qui s'impliquent ne savent pas toujours ce qu'ils contestent. Prends par exemple les étudiants du mouvement de l'*Onda.* Si tu leur demandes le pourquoi de leurs manifestations, combien sont capables de fournir une réponse sensée ?

– Oui, c'est vrai... Certains le font parce que c'est la mode...

– Et d'autres parce que c'est un bon moyen pour draguer.

Niki pense à Guido. Mais Alex continue.

– C'était pareil, à l'époque... Je crois que ça reste valable de génération en génération...

– Oui, effectivement.

– Au fait, si ton cours a sauté, pourquoi tu ne répondais pas ?

Niki rougit, elle devient écarlate, sent son cœur battre la chamade. *Et maintenant ? Je fais quoi, maintenant ? Je dis quoi ? Bah, je n'ai rien fait de mal, pas vrai ?*

— Je suis allée jouer au bowling avec des amis.

— Avec les Ondes ?

— Non… Des copains de la fac… dit-elle en fermant les yeux. Barbara, Sara, Marco, Luca… ceux avec qui je prépare les examens.

— Ah.

Guido. Je n'ai pas dit Guido. Je l'ai volontairement exclu. Pourquoi l'as-tu omis, Niki ? Tu ne peux quand même pas te rattraper en disant « Ah, il y avait aussi un certain Guido… ». Ça sonnerait faux, très faux, et même pire, ça te désignerait comme coupable. Mais coupable de quoi ? Oh ! Niki, le temps passe… Trop vite. Dis quelque chose.

— Et toi, tu as fait quoi, Alex ? Ça a été, au travail ?

Bizarrement, sa curiosité semble feinte. Comme si en réalité cela ne l'intéressait pas tellement de savoir, comme si elle voulait juste prendre de la distance par rapport à son mensonge. Mensonge… par omission. Elle n'a pas mentionné la présence de Guido, rien de plus. *Ou alors beaucoup plus ? Que se passe-t-il, Niki ? Que veulent dire toutes ces questions ? Que t'arrive-t-il ? Tu es folle, ou quoi ? Ce n'est pas possible, Niki. Tu le sais, pas vrai ?* Heureusement, Alex lui répond. Mais pour Niki, c'est comme si un siècle s'était écoulé. *Comment disait Battisti dans sa chanson ? C'est Alex qui me l'a fait découvrir quand on s'est rencontrés. « Confusion… je suis désolé que tu sois fille de l'illusion habituelle et si tu te confonds[1]… » Et aussi une autre : « Mais moi je lui ai dit non et maintenant je reviens à toi avec mes misères, mes espérances mort-nées que je n'ai plus le courage de peindre de vie[2]… ». Mais qu'est-ce que je dis ? C'est quoi, ces pensées ? Quel rapport ?* À ce moment-là, Niki s'aperçoit qu'Alex est en train de lui parler.

— Donc on est allés manger au Zodiaque, un endroit magnifique, mon amour, il faut que je t'y emmène…

— Ah… et il y avait qui ?

— Mais, Niki, je viens de te le dire : moi, Leonardo et Raffaella, la nouvelle assistante qui m'aide pour ce projet…

— Ah…

Alex comprend que quelque chose ne tourne pas rond. Elle est peut-être fatiguée. Elle a trop de choses en tête, l'université et la préparation du mariage.

---

1. Extrait de Lucio BATTISTI, *Il mio canto libero*, « Confusione », Numero Uno, 1972.

2. Extrait de Lucio BATTISTI, *Il nostro caro angelo*, « Io gli ho detto no », Numero Uno, 1973.

– Mon amour, tu veux qu'on se voie tout à l'heure ? Je vais essayer de finir le plus tôt possible, et on pourrait sortir. Un ciné, un petit dîner au resto. Ce que tu voudras.

Niki y réfléchit un instant.

– Je te remercie, mais je ne crois pas. Je veux en profiter pour travailler un peu, ce soir. Si j'y arrive. Je veux m'avancer, parce que ensuite j'ai peur que ça soit plus difficile…

– Avec les deux monstres ?

– Oui, rit Niki. Elles vont peut-être me faire passer une autre semaine aussi stressante que celle-ci… Quand le jour du mariage arrivera, tu ne me reconnaîtras pas, mon amour. Demain aussi, nous avons un rendez-vous…

– Important ?

– Le plus important : la robe… Je suis très inquiète.

– Mon amour, quoi que tu portes, même la robe la plus simple, tu seras superbe…

– Alex, qu'est-ce que tu as fait ? C'est typiquement une phrase pour te faire pardonner, ça…

Alex pense à Raffaella, mais il se sent complètement innocent.

– Tu as raison. Pardonne-moi. J'ai perdu trop de temps. J'aurais dû te demander de m'épouser quand tu es montée dans ma voiture, la première fois qu'on s'est vus…

– Ton seul souci était que je ne mette pas mes pieds sur le tableau de bord !

– Bien sûr, je ne pouvais pas m'empêcher de regarder tes jambes, j'avais peur d'avoir un accident…

– Menteur !

– C'est vrai ! Bon, on s'appelle plus tard ? J'ai une réunion.

– D'accord. À tout à l'heure, mon amour.

Alex raccroche. *C'est bizarre, elle ne m'a pas demandé comment est Raffaella. D'habitude, une nouvelle assistante, ça inquiète toujours une femme.* Au même moment, l'assistante en question se matérialise sur le seuil de sa porte.

– Alex, je peux te montrer quelque chose ?

– Bien sûr, Raffaella, viens…

Alex la regarde avancer jusqu'à son bureau. On voit très bien qu'elle a été mannequin. D'ailleurs, elle l'est encore. Et quand Raffaella pose ses dessins devant lui et se penche un peu trop en avant, Alex n'a plus aucun doute. Cette nouvelle assistante l'inquiète. Raffaella s'en rend compte mais fait comme si de rien n'était, elle sourit.

— Ils te plaisent?

— Hein?

— Mes dessins, ils te plaisent?

— Oui, oui, tu es très douée.

Sans le vouloir, il rougit un peu.

103

Susanna, Cristina, Davide et Mattia sont assis à une table du Sawasdee, un restaurant thaïlandais près de la piazza Bologna. L'atmosphère est raffinée.

— Alors, ça vous plaît? J'espère que la cuisine thaïe vous inspirera... on dit qu'elle est aphrodisiaque! sourit Susanna. C'est bon, ici, même les gens de l'ambassade viennent y manger. Ils font un excellent poulet au bambou et curry rouge, ça s'appelle le Kaang Nar Mai. Je vous conseille aussi le porc sauté à la sauce aigre-douce et le bœuf au curry. Je suis déjà venue...

Cristina regarde autour d'elle. Le cadre est vraiment joli.

— En tout cas, Davide, tu avais raison...

— À propos de quoi? demande Davide à Mattia.

— Ça valait le coup de venir... Nos deux cavalières sont vraiment fascinantes! dit-il en souriant à Cristina, qui s'empourpre immédiatement.

Mattia est très beau. Musclé, bronzé, les yeux clairs. À la fois gentil et sûr de lui. Il lui a plu dès qu'elle l'a vu.

— Je te l'avais dit, je suis exigeant, et j'étais sûr que Susanna avait des copines aussi belles et sympathiques qu'elle!

Ils trinquent de bon cœur.

La soirée se poursuit dans une ambiance sereine, amusante et pleine de nouveautés. Cristina se sent à nouveau femme, admirée et vivante. Elle a un peu peur. Juste un peu.

104

Il n'est que 9 heures mais Olly travaille à une énième liste d'adresses. Soudain, le téléphone sur son bureau sonne. *Bizarre. Personne ne m'appelle jamais ici. Ça doit être une erreur.* Elle prend le combiné et répond.

— Alors?

Le ton est péremptoire.

— Allô? Alors?

— Oui? répond Olly.

— Jardin d'enfants, tu es là?

Olly blêmit. Eddy.

— Oui, je suis là. Je vous écoute.

— Je n'ai rien à dire... Je veux voir. Tes dessins. Juste après le déjeuner.

Olly devient livide. *Mes dessins. Alors il était sérieux, l'autre jour. Et maintenant, je fais quoi? Je n'ai rien dessiné du tout!*

— Hum... Oui, bien sûr. Je vous les apporte tout à l'heure.

Elle raccroche. *Et maintenant, je fais quoi?* Elle ouvre le tiroir de son bureau, prend son carton, à la recherche de quelque chose qui puisse convenir. Non. *Non. Non. Rien ne va, et puis il en a déjà vu la moitié!* Zut. Simon entre dans la pièce et remarque l'agitation d'Olly. Il a envie de s'en aller. Il est encore déçu de son comportement. Il ne lui a jamais dit qu'il savait pourquoi elle était en bas de chez lui, ce matin-là. Il ne voulait pas trop la gêner. Il la regarde à nouveau. *Elle est vraiment nerveuse. Que se passe-t-il?*

— Salut, Olly...

— Ah... Salut, Simon...

— Que se passe-t-il?

— Je suis finie! Eddy m'a demandé des dessins, l'autre jour. En fait, il ne me l'a pas demandé directement, je pensais qu'il me provoquait, et moi je ne les ai pas faits. Je pensais qu'il plaisantait. Mais il vient de m'appeler et il veut les voir après le déjeuner. Je suis morte.

— Alors, tu vois qu'il voulait te donner une chance?

— Oui... Il semblerait. Et moi j'ai tout gâché.

— Mais alors tu n'es pas une battante, si tu te rends aussi vite... dans la mode, l'impossible doit toujours devenir possible.

– Mais je fais comment ? Je dois même y ajouter des tissus… J'ai tout raté.

Elle est au bord des larmes.

– Prends ton album.

– C'est-à-dire ?

– Tu dors debout, ou quoi ? Prends ton album et tes crayons.

Elle s'exécute.

– Nous allons partir de ces trois-là… dit-il, et les modifier. Puis je descendrai et je choisirai des tissus à combiner. Allez, si on s'y met tout de suite, on peut avoir fini à 13 h 30.

Olly l'embrasse sur la joue.

– Tu es un trésor…

– Je sais. C'est juste que tu ne t'en étais pas aperçue… Qu'est-ce que tu crois ?

Au bout de quatre heures de travail ininterrompu, après s'être échangé des conseils, avoir effacé, refait, puis évalué les tissus choisis par Simon à l'atelier, Olly va frapper à la porte d'Eddy. Pas de réponse. Elle essaie à nouveau. Rien. *Ce n'est pas possible. Il n'est pas là. Je dois le trouver. Je ne veux pas qu'il pense que je suis en retard. Ou qu'il s'en aille.* Elle demande aux filles de la réception, sans succès. Elle le cherche au bar, en salle de réunion. Rien. Elle remonte et frappe à nouveau à sa porte.

– Qui est-ce ?

Ouf, il est revenu.

– Olimpia Crocetti.

– Oui… Entre. Voyons si tu passes en CM2…

Olly appuie sur la poignée, inspire profondément et entre. Eddy est assis dans son fauteuil en cuir, les pieds posés sur son bureau.

– Tant mieux… Je pensais que vous n'étiez plus là… que vous étiez parti… c'est-à-dire… que vous pensiez que j'étais en retard… que… bref…

– J'étais tout simplement aux toilettes.

– Ah, bien sûr, dit Olly, déconfite.

– Alors, tu me les montres, ou il faut que je me lève ?

– Non… c'est-à-dire oui… Bref, les voici.

Elle tend à Eddy le carton avec les trois dessins. Il l'ouvre et les étudie, impassible. Comme toujours. Au bout de quelques interminables minutes de silence où Olly a les mains moites et les oreilles écarlates :

– C'est toi qui les as faits ?

354

– Oui…

Elle a envie de lui dire qu'en réalité elle les a faits grâce à Simon, c'est-à-dire que les idées sont d'elle, oui, mais que si Simon ne l'avait pas aidée un peu et n'avait pas choisi les tissus…

– Je n'y crois pas. Si on était à l'école, je dirais que tu as copié.

– Je me suis copiée moi-même…

– Tu fais la spirituelle, en plus. Bon, ajoute-t-il en regardant les dessins, disons que tu es promue.

Olly ne sait pas quoi dire. Elle a les yeux écarquillés et la bouche sèche.

– Tu peux respirer, hein…

– Hein ? Ah… oui… c'est que…

– Mais tu bégaies, ou quoi ? Une styliste dont trois dessins vont être envoyés en production… ne peut pas se permettre de bégayer, ajoute-t-il après avoir marqué une pause. C'est du plus mauvais effet…

Elle se lève, elle voudrait l'embrasser. Eddy s'en aperçoit.

– S'il te plaît, même pas en rêve. Va-t'en. Reprends tes dessins et apporte-les à la production. Je les appelle. Allez, ouste, file.

Olly attrape les feuilles, le salue, se prend les pieds dans le tapis, sort et referme la porte. Elle s'y adosse et ferme les yeux. *Je n'y crois pas*. Puis elle se reprend et descend en courant. Elle s'arrête au milieu de l'escalier, refait tout le couloir et entre au service marketing. Simon regarde quelque chose sur l'écran d'un ordinateur portable. Elle l'embrasse, surexcitée, écarlate, au comble du bonheur.

– Il les met en production, il les met en production !

Elle saute, l'entraînant avec elle. Cette danse suscite l'étonnement général. Puis Olly s'écarte, embrasse Simon sur la joue et court à l'étage du dessous. *Oui*, pense-t-elle, *Simon est vraiment un ange. Moi qui le prenais pour un empoté !* Et si Olly savait combien cela lui a coûté, elle l'apprécierait encore plus.

105

Les jours suivants, Margherita et Claudia ne quittent pas Niki d'une semelle.

– Tout doit être parfait. Maman se moque de nous.

— Mais de quoi vous parlez? demande Niki, curieuse. Je ne comprends pas.

— Tu connais ma mère, non?

En fait non, pense Niki. *Je ne l'ai vue qu'une fois.*

— Bref, continue Margherita, c'est une femme très exigeante et ça l'amuse de nous mettre en difficulté, elle transforme tout en défis.

— Ce n'est pas exactement ce que l'on pourrait appeler une belle-mère facile!

Belle-mère. Belle-mère!? Mon Dieu, c'est vrai! Et Niki panique de nouveau. Mais Margherita et Claudia ne remarquent rien et continuent sur le même ton.

— Par exemple, elle croit que nous avons réussi à te faire changer d'avis...

Claudia prend Niki par le bras.

— Mais nous sommes d'accord sur tout, pas vrai?

Niki se laisse guider, elle a la respiration coupée, puis elle acquiesce, écarquille les yeux. Sa tête tourne.

— Oui, oui... bien sûr, murmure-t-elle.

— Alors, voici Alberto Tonini, un photographe exceptionnel.

— Bonjour, monsieur.

— À notre avis, il est parfait. Il a fait des photos splendides à nos mariages. Regarde...

Elles ouvrent un grand album en cuir avec une série de photos de toutes les cérémonies importantes de Rome, ou presque toutes.

— Ça, c'est la famille Vassilli... Ça, c'est la fille du docteur Brianzi, ça madame Flamini, celle-là...

Une série de mariages tous différents défile sous ses yeux : robes et mariées en tout genre, blondes, brunes, les cheveux attachés, plus ou moins jeunes ou jolies, aux bijoux plus ou moins coûteux, aux coiffures plus ou moins sophistiquées, des rires sous des pluies de riz, des bouquets de fleurs qui volent des mains d'époux aux alliances brillantes, juste le reflet d'un amour heureux, des sourires voilés qui cachent des larmes de joie, et des baisers, des baisers à la sortie de l'église, des baisers pleins de sourires, de promesses d'éternité. *Pour toujours.* Niki entend ces mots résonner dans son esprit, tandis que le photographe poursuit tranquillement.

— Et voici la promenade romantique des mariés, des photos prises à la roseraie de l'Aventino, d'autres sur les berges du Tibre, et encore sur l'île Tiberina...

Pour toujours. Niki regarde ces photos renfermant des histoires, des amours soudaines, des grandes passions, des folies de jeunesse, des rencontres fortuites destinées ensuite à durer dans le temps. *Pour toujours. Pour toujours.*

— Là, le lac de Bracciano. Ici, au crépuscule, avec le soleil qui se reflète sur le lac, au milieu des fleurs blanches d'une roseraie.

Niki l'arrête d'un geste.

— Attendez, dit-elle en observant plus attentivement l'un des clichés. Il est connu, lui, c'est un chanteur, je l'ai vu dans le journal, il y a quelques jours. Il est avec une autre, maintenant.

— Oui, les couples de célébrités tiennent moins longtemps que les autres. Sinon, vous avez aussi des ambiances plus urbaines, devant les monuments...

Il poursuit sa présentation sans se soucier de ce mariage terminé ni de ces autres histoires d'amour, plus légères que le papier de soie qui protège ses photos.

— Combien?

— Pardon?

— Combien de ces mariages que vous avez photographiés durent encore?

Alberto Tonini marque une pause.

— Je dirais la moitié, plus ou moins. La possibilité qu'une union dure dépend de la capacité de tolérance et de résistance des deux. C'est juste une question d'intelligence. Bien sûr, au début, c'est l'amour qui compte, mais il faut l'alimenter avec de la confiance et de la patience. Vous savez qu'il y a des gens qui se séparent juste après leur mariage? Parfois à peine quelques mois après. Et disons que la durée est inversement proportionnelle à la richesse...

— C'est-à-dire?

— Plus ils ont d'argent, plus ils se séparent facilement, ils n'y réfléchissent pas vraiment. Ça ne va pas? Tant pis, fini... Bien... ou plutôt mal!

— Vous savez, il y a des gens comme ça, ils n'accordent d'importance à rien, ils n'envisagent peut-être pas la fin d'un mariage comme un échec...

Niki est déconcertée. Pour toujours, ou alors un échec. Il n'y a pas de juste milieu. Soit ça marche et on est heureux d'être avec quelqu'un pour toujours, de l'aimer et d'être aimé... soit c'est un échec. En un instant, elle repense à toutes les histoires de sa vie... Elle en a eu si peu! Quelques aventures d'été. Elle se souvient de deux.

357

Fabrizio et John, l'Américain. Elle les avait rencontrés à la plage. Avec Fabrizio, son premier baiser, et un peu plus l'année d'après. Puis ça s'est fini quand elle a rencontré John. Un beau garçon, mais Niki ne parlait pas bien anglais. Ils ne se comprenaient pas mais ils riaient beaucoup. Ça aurait pu être une belle histoire, en un sens ça l'a été, mais se dire au revoir chaque année à la fin de l'été compliquait inévitablement leur relation. On ne peut pas mettre l'amour sur pause, comme quand on écoute une chanson qu'on adore : on ne s'aperçoit même pas que quelqu'un appelle. *Ensuite, il y a eu Fabio. La première fois que je suis tombée amoureuse, et la première fois pour tout, mais ensuite ça s'est fini, nous ne nous comprenions plus, nous étions nerveux, je n'aimais plus ce qu'il disait, comment il se comportait, comment il traitait les serveurs quand nous dînions dehors. C'est bizarre. J'ai l'impression que c'était il y a des siècles. J'ai déjà tellement grandi. Quand on vit un amour, on pense qu'il durera pour toujours, et ensuite… Ensuite, on se retrouve mûrie, changée, par certains aspects une autre femme. Rien qu'en repensant à certaines sorties avec Fabio, ou à certaines disputes, j'ai honte. Et pourtant, il y a eu cette soirée chez lui, quand ses parents étaient déjà partis, où nous nous sommes dit des choses magnifiques, nus, troublés par la passion, engagés, bouleversés, sans arrière-pensées ni problèmes, parce que je savais ce que je ressentais pour lui et ce qu'il ressentait pour moi, et nous nous sommes juré de nous aimer… Pour toujours. Là aussi, j'ai dit pour toujours. Pour la première fois, pour toujours. Mais ça s'est terminé. Il ne reste rien de ces jours, aucune trace de lui dans ma vie, sinon dans mon cœur, dans mon esprit, quelques photos … Et maintenant, je suis amoureuse d'Alex, bien sûr, je vais me marier, et ça sera pour toujours… Comme je l'avais déjà dit à l'époque… Aujourd'hui ça l'est, oui, bien sûr… Mais demain et après-demain, sera-ce encore le cas ? Il est riche… il peut se permettre d'échouer. Mais moi ? Moi, même si j'étais la personne la plus riche du monde, je ne voudrais jamais promettre quelque chose que je sais ne pas pouvoir tenir. Parce que les choses changent, et moi je ne peux pas répondre pour cette autre femme, ni lui pour cet autre homme, bref, pour ceux que nous pourrions être un jour.* Alberto Tonini la sort de ses pensées.

— Et puis, on peut faire un film que l'on monte à partir de morceaux choisis de l'église et de la réception, sur lesquels nous mettons de la musique que l'épouse peut choisir personnellement, ou alors nous en laisser le soin.

Le photographe actionne un lecteur vidéo et lance les images d'un mariage au son de la chanson « Ti sposerò perché ». Un jeune homme et une jeune femme marchent main dans la main entre les arbres. Octobre, un tapis de feuilles rouges. Premier plan sur eux, ralenti de leur baiser, et à ce moment-là le volume de la musique monte. « Je t'épouserai parce que tu aimes rire et que tu es aussi folle que moi... » La fille s'écarte de lui et, toujours au ralenti, elle fait un sourire magnifique. Ensuite, ils se mettent à courir en se perdant dans le bois. « Je t'épouserai parce que tu aimes voyager, et tu peux être entourée de gens quand tu veux... » Après un fondu avec de légers nuages qui passent dans le ciel au soleil couchant, nous retrouvons les mariés à la fête, qui se promènent entre les invités, bavardent, rient, toujours main dans la main. Autres baisers, autres sourires, une bouteille, un bouchon qui saute, et la chanson finit sur « Je t'épouserai donc tu peux parier qu'un jour, quand je te trouverai... »[1].

En contemplant ce couple si amoureux, Niki médite. *C'est ça, la force de cette chanson. Elle parle d'une femme qu'il n'a pas encore rencontrée. Parce que la force de l'amour, c'est l'imagination, l'envie d'aimer, mais que la réalité transforme parfois en une amère désillusion. Pourquoi le simple fait qu'un rêve devienne réel est-il déjà une désillusion? Parce que rêver... c'est la véritable force de l'amour? Parce que cette chanson est celle d'un homme amoureux. Et tant qu'il la cherche, tout va bien, il parle d'amour, il rêve d'amour. Mais ensuite, quand il la trouve, c'est juste une question de temps, et tout se termine. Eros Ramazzoti a épousé Michelle Hunziker. Moi j'étais amoureuse de cette chanson et de ce couple, de leur conte de fées, de ce beau mariage à Bracciano et de cette chanson pour elle, écrite et chantée pour elle. « Il n'y a pas plus beau, plus beau que toi, unique comme tu es, immense quand tu le veux, merci d'exister[2]... » Merci d'exister. Quelle plus belle phrase peut-on dire à une femme? C'est comme admettre que parce qu'elle existe... rien que ça, c'est déjà un cadeau pour le monde. Et pourtant, ils se sont séparés. Ces mots n'ont pas suffi. Ces splendides paroles, une fille, leur poésie, leurs sourires et leurs baisers pendant ce mariage, n'ont pas duré... pour toujours. Et s'ils n'ont pas réussi, eux, pourquoi j'y arriverais, moi? Alex chante faux, en plus! Et je ne sais pas pourquoi je pense à ça, c'est tellement stupide, peut-être par désespoir, peut-être parce que je comprends que le mariage, c'est la roulette russe... Une chance sur mille de réussir.*

Le photographe interrompt à nouveau ses pensées.

1. Extraits de Eros RAMAZOTTI, *Musica è*, « Ti sposero perché », BMG, 1988.
2. Extraits de Eros RAMAZOTTI, *Dove c'è musica*, « Più bella cosa », Sony Music International, 1996.

– Ce couple voulait même qu'on les suive pendant leur voyage de noces, tellement notre travail leur avait plu...

– Carrément !

– Oui, mais mes assistants et moi ne pouvions pas, nous nous étions déjà engagés pour un autre mariage...

– Ah.

– En tout cas, dit le photographe en indiquant les deux époux du film, pour vos statistiques, ils sont toujours ensemble. Et je vais vous dire la vérité... Quand je commence à shooter, à la dixième photo je sais déjà si le couple durera ou pas...

Niki reste sceptique.

– Je vous assure, c'est vrai... La photographie ne montre pas la réalité, elle montre l'idée qu'on en a, selon Neil Leifer. Et puis, de toute façon, c'est facile... À la dixième photo, si l'un des deux soupire, arrête de sourire ou a l'air agacé, d'une manière ou d'une autre, ça veut dire que le mariage ne passera pas l'année. Si ce n'est toujours pas le cas au-delà de la dixième, ça pourrait durer pour toujours. C'est la magie de l'amour !

Niki sourit. Au fond, il est sympathique, ce photographe. Il tente de la rassurer, de lui donner un peu de courage. Lui seul s'est aperçu qu'elle a peur. Il pose une main sur la sienne.

– La magie de l'amour peut tout faire. Ne vous inquiétez pas. C'est l'amour qui décidera...

Elle est étonnée, un peu étourdie, mais finalement soulagée que quelqu'un d'autre, l'amour, puisse tout régler, décider à sa place.

Si seulement c'était vrai... Pour l'instant, j'ai l'impression que ce sont ces deux-là, qui décident !

– Nous voici ! Vous avez fini ? demandent Margherita et Claudia en débarquant. Si ça ne te plaît pas, Niki, nous pouvons t'en présenter d'autres, tout aussi bons !

Alberto Tonini sourit, serein, il sait parfaitement qu'il est le meilleur.

– Je vous laisse ma carte, et la brochure avec tous les choix possibles...

– Et aussi les coûts, intervient Margherita. Mais vous nous ferez un bon prix, pas vrai ? Sinon, nous ne vous enverrons plus personne !

– Bien sûr... Je ferai un effort, comme toujours. Prenez votre temps pour décider, dit-il à Niki en lui serrant la main. Vous vous mariez quand ?

– Le 27 juin.

— Je vous réserve la date pendant un mois, non, deux. Ça va ? Ça vous laisse le temps de réfléchir…

— Merci beaucoup.

Margherita et Claudia s'intéressent à autre chose.

— Regarde… Ce n'est pas Giorgio Ballantini, ce type ?

— Si.

— Il s'est marié ? Mais il était avec une autre…

— Il l'est toujours.

— Je l'ai vu dans la rue avec elle… C'est une collègue à lui.

— Ils sont tous fous.

Alberto Tonini en profite pour s'approcher de Niki.

— Elles sont un peu survoltées et très bruyantes, mais aucune des deux n'a soupiré à la dixième photo. Elles y tenaient, à leur mariage… Je m'en souviens bien.

Niki s'éloigne, la carte et la brochure à la main. *Le problème n'est pas de savoir si elles ont soupiré à la dixième photo ! Le problème, c'est moi ! Quand ça arrivera, soupir ou non, il sera trop tard.*

106

Alex monte en courant les marches de l'église, son sac en cuir marron The Bridge sur l'épaule.

— Me voici, me voici !

— Enfin ! Les autres sont déjà tous entrés.

— Excuse-moi, Niki, dit-il en l'embrassant furtivement sur les lèvres. Je m'avance le plus possible au travail pour être plus libre sur la fin, comme ça on pourra faire un long voyage de noces. Digne des mille et une nuits !

— Oui, oui, mais en attendant c'est moi qui fais tout. En tout cas, si quelque chose ne te plaît pas, n'essaie même pas de critiquer !

— Je suis sûr que tout sera parfait et me plaira beaucoup.

Il essaie de l'enlacer.

— Crétin, pas ici, réplique Niki en avançant dans les couloirs de l'église, le long de la sacristie.

— Mais qu'y a-t-il de mal ? C'est le contraire, ici tout n'est qu'amour…

— Oui, c'est ça... et ensuite tu te confesses? En tout cas, ne t'attends pas à ce que je choisisse tout ce que proposent tes sœurs, hein? Tout ne me plaît pas, et je pense aussi qu'il faut faire des choix un peu différents.

— Oui, je sais, elles me l'ont dit.

— Tu leur as parlé?

— Bien sûr, dit Alex en écartant les bras, comme pour s'excuser... elles m'ont appelé. J'aurais dû faire quoi, ne pas répondre?

— Bien sûr...

— Ce sont mes sœurs, Niki!

— Et que t'ont-elles dit?

— Que tout va très bien, que ça va être merveilleux, que maman sera surprise... et que tu as très bon goût! ajoute-t-il de sa propre initiative.

— C'est ça... dit Niki en plissant les yeux. Cette histoire de goût, elles ne l'ont pas dit.

Alex sait que Niki flaire tous les mensonges.

— Bon, pas comme ça, mais elles l'ont dit. Elles me l'ont fait comprendre.

— Elles ont dit quoi, exactement?

— Que tu t'es bien entendue avec le photographe...

— Oui, c'est vrai.

Niki repense à l'anecdote de la dixième photo, et elle sourit. Puis elle se rappelle la brochure qu'elle a montrée à ses parents, avec les coûts. Six mille euros. Ça ne les a pas fait beaucoup rire.

— Voilà, nous y sommes, c'est là, dit-elle en frappant à une porte.

— Entrez... les invite une voix profonde.

Niki ouvre et se retrouve face au visage sympathique d'un homme d'une cinquantaine d'années, un peu dégarni, aux cheveux poivre et sel.

— Je vous en prie, entrez. Nous vous avons gardé des places, là-bas.

— Excusez-nous.

Niki et Alex tentent de se faire le plus discrets possible devant ce groupe de gens, douze couples qui sont là pour la même raison.

— Donc, j'étais en train d'expliquer l'importance de ce cours pré-nuptial, dit don Mario en souriant aux derniers arrivés. Ce mariage est un fantasme, un rêve, mais il peut virer au cauchemar. Le Seigneur n'aime pas que l'on se moque de Lui, prévient-il, la mine grave.

Donc, si vous êtes ici pour satisfaire vos parents, les règles apparentes de cette société stupide, les conventions liées à l'âge...

Ce disant, il regarde un homme d'une quarantaine d'années, puis Alex. Niki s'en aperçoit et retient un éclat de rire. C'est la première fois que ça lui arrive depuis au moins une semaine.

– Le mariage est un sacrement important qu'il faut vivre avec sérénité et sincérité, vous ne pouvez pas vous mentir à vous-mêmes. Tôt ou tard, il faudra vous regarder dans le miroir de votre âme... Alors vous pleurerez, victimes de votre choix, un choix que personne, ni aujourd'hui ni jamais, ne vous oblige à faire. Le Seigneur vous aime même célibataires, ou en union libre.

Sergio, un type à l'air bourru, sourcils fournis, chemise à col ample, gros collier en acier bien en évidence sur son torse velu, cheveux hirsutes pleins de gel, mâche un chewing-gum la bouche ouverte tout en regardant autour de lui, visiblement énervé.

– Vous ne devez pas avoir peur, dit le prêtre en s'animant. Si vous n'êtes pas convaincus, heureux de votre décision et surtout amoureux non seulement de votre femme mais aussi de l'idée du mariage, alors laissez tomber... Laissez tomber, je vous en prie. Même si vous avez déjà organisé certaines choses, que vous vous êtes exposés... Laissez tomber.

Le prêtre se tait et fixe les couples devant lui. Sergio et sa femme Fabiola, mèches colorées et grosses boucles d'oreilles, Alex et Niki avec leur différence d'âge, et un couple particulièrement drôle, lui grand et maigre, le nez crochu, et elle petite et grassouillette, les joues pleines, la bouche en cul-de-poule et de grands yeux bleus. Quatre autres personnes : un homme sérieux, lunettes, cheveux courts et blancs, avec une femme à l'air gai, yeux marron pleins de vie ; et un type bien en chair, souriant, avec une femme maigre, sévère et sèche, les cheveux attachés et une bouche proéminente avec de grandes dents de cheval. Il serait presque naturel de procéder à un échange entre les partenaires pour les rendre compatibles, du moins aux yeux de qui les regardent.

– Bien, continue l'homme d'Église avec un sourire. Qu'y a-t-il de plus beau qu'un choix... d'amour. Je vous le demanderai au début de chaque réunion, et si vous ne le sentez pas vous pouvez partir...

Sergio regarde une dernière fois autour de lui puis, mastiquant toujours la bouche ouverte, se lève, jette un dernier coup d'œil à Fabiola, et sans rien dire, avec l'air de s'en ficher complètement, il met ses mains dans ses poches et se dirige vers la sortie.

Quand il a refermé la porte, le prêtre se tourne vers Fabiola.

— Mieux vaut aujourd'hui qu'un autre jour... Au moins il a eu du courage, en ce moment de sincérité.

Fabiola acquiesce, mais une larme silencieuse coule sur sa joue.

— Tes parents comprendront... Rentre chez toi et repose-toi.

Fabiola sort de la pièce en reniflant.

Niki se tourne vers Alex.

— Ne me fais jamais une chose pareille. J'en mourrais.

— Mon amour, je ne ferais jamais ça. Prendre une telle décision devant tout le monde sans t'en parler avant, sans rien te dire... Je ne pourrais pas. Et puis, je n'ai pas besoin des paroles d'un prêtre pour décider, dans la vie. Je suis ici parce que je le veux... Tout simplement.

Le prêtre remarque qu'Alex et Niki parlent à voix basse.

— Ça va? Vous avez quelque chose à dire, vous aussi?

— Non, non, tout va bien, répond Alex. Nous discutions d'autre chose.

Tous les autres couples s'évaluent du regard en essayant de savoir qui parmi eux ira jusqu'à la fin des cours. Et chacun, en silence, fait des paris sur l'un ou l'autre couple.

— Bien. Sergio et Fabiola nous ont quittés, peut-être se retrouveront-ils, ou peut-être pas. Cela veut dire que ce n'était pas le moment pour eux, pour leur vie de couple, pour leur chemin. Ils pourraient se rencontrer à nouveau dans quelque temps, plus sereins et plus déterminés à aller jusqu'au bout... dit le curé en fixant tour à tour chaque membre de l'assistance. Et avant que ces cours ne finissent, d'autres nous quitteront...

Certaines femmes sourient, gênées, lorgnant leur conjoint, l'air de dire « ce n'est pas de nous dont il parle, n'est-ce pas, chéri? ».

— La beauté du couple, continue don Mario, c'est l'individualité, la pensée personnelle... L'autre, à votre insu, est peut-être déjà en train d'envisager cette éventualité... Et peut-être que vous ne le saurez jamais, que ce moment passera, que tout continuera jusqu'au mariage et au-delà... Avec sérénité. Ce sont les mystères du couple. Et vous devez respecter l'espace et le silence de l'autre, ajoute-t-il en s'asseyant et en se détendant. Imaginez qu'une fois, sur trente couples qui devaient se marier, seuls deux sont restés.

— Don Mario, intervient Pier, un futur marié aux cheveux longs et au visage jovial, ne nous mettez-vous pas un peu trop à l'épreuve? Vous êtes un saboteur de mariages...

Tout le monde rit.

— Nous venons ici sûrs et déterminés... Mais il faudrait être fou pour n'avoir pas peur de l'échec ! Pardon, hein, mais si vous ne nous aidez pas, vous... Vous savez ce que me disent mes parents tous les soirs ? « Tu es sûr ? Tu n'es pas en train de faire une bêtise ? Tu y as bien réfléchi ? » Moi, je me sens sûr de moi, dit Pier en serrant la main de sa fiancée, mais avec toute cette pression, je vais finir par craquer ! Vous allez m'achever !

Cette intervention amusante a détendu un peu l'atmosphère.

Alex se tourne vers Niki, soulagé.

— Ne craque pas, hein...

— Oui, oui, bien sûr, acquiesce Niki avec un tout petit sourire.

— Ne me fais pas de blague, hein...

— Oui, mais toi, soutiens-moi.

— Je n'ai pas l'intention de te lâcher, répond Alex en lui serrant la main.

Don Mario reprend :

— Gibran écrivait : « Ensemble êtes-vous nés et ensemble resterez-vous pour toujours. Quand les blanches ailes de la mort éparpilleront vos jours, vous serez ensemble. Oui, vous serez ensemble dans la mémoire silencieuse de Dieu. Mais qu'il y ait des espaces dans votre entente. Que les vents des cieux puissent danser entre vous. Aimez-vous, l'un l'autre, mais ne faites pas de l'amour un carcan. Qu'il soit plutôt mer mouvante entre les rives de vos âmes. Remplissez, chacun, la coupe de l'autre, mais ne buvez pas à la même. Donnez-vous l'un à l'autre de votre pain, mais ne partagez pas le même morceau. Chantez et dansez ensemble, et soyez joyeux, mais que chacun demeure isolé...[1] » Même si parfois « l'amour plaît plus que le mariage, par la raison que les romans sont plus amusants que l'histoire », comme écrivait Nicolas de Chamfort. Mais vous devez aimer l'histoire. L'histoire est durable. Nombreuses seront les occasions de changer d'avis avant cette grande décision. Ne cédez pas. Pensez, choisissez, résistez. Quand vous aurez avancé, cela vous semblera presque une blague du destin, mais plus vous approcherez du jour du mariage, plus les tentations se présenteront...

Niki lève brusquement la tête. Cette phrase semble l'avoir particulièrement marquée. Elle l'écoute avec attention, l'enregistre,

---

1. Extrait de Khalil GIBRAN, *Le Prophète*, traduction de Janine Lévy, Livre de Poche, Paris, 1993.

en cherche la signification. Comme si elle savait bien que bientôt quelque chose de ce genre lui arrivera. Et naturellement, son instinct ne se trompe pas.

107

On sonne à la porte. Cristina va ouvrir et se retrouve face à un magnifique bouquet. Énorme. De splendides roses rouges mélangées à des petites fleurs vertes et blanches et des branchages. Le tout emballé dans un papier délicat avec un grand ruban en soie. Elle en reste bouche bée. Derrière le bouquet, un livreur la salue d'un air ennuyé.

— Bonjour, madame. Vous êtes Cristina Bertelli ?

Se faire appeler par son nom de jeune fille lui fait un drôle d'effet.

— Oui...

— Ce bouquet est pour vous.

— Attendez...

Elle rentre un instant dans la maison, prend quelques pièces dans un vide-poche sur une étagère et les donne au jeune garçon, qui la remercie et s'en va.

Cristina regarde le bouquet, ouvre le petit mot qui l'accompagne.

Merci pour les émotions que tu m'as offertes hier soir... Accepterais-tu de sortir à nouveau avec moi ? Un oui ferait mon bonheur...

Cristina écarquille les yeux et court prendre son portable.

— Allô ?

— Salut, Susanna... Mais qu'est-ce que tu as fait ? lui demande-t-elle sur un ton énervé.

— Qu'est-ce que j'ai fait ? répète Susanna, interdite.

— Tu as donné mon adresse à Mattia ?!

— Oui ! Et alors ?

— Et alors ? Mais comment t'es-tu permis ? Maintenant, il sait où j'habite ! Et tu lui as même donné mon nom de famille ! Que va-t-il penser...

— Oh, du calme, du calme... qu'est-ce qu'il va penser, ce n'est pas un maniaque ! Tu as passé une très bonne soirée, hier, tu me l'as dit toi-même, vous avez parlé tout le temps, et aujourd'hui à la salle

366

de sport Davide m'a dit que Mattia aimerait te revoir mais que tu ne lui avais pas laissé tes coordonnées... Alors je l'ai fait!

— Bravo! Et si je n'avais pas été d'accord?

— Pourquoi, tu veux me faire croire que ça ne te fait pas plaisir?

— Si, mais quel rapport?

— Le rapport, c'est que ça t'a fait plaisir. Donc, arrête de te torturer et profite du moment! On se rappelle.

Susanna raccroche. Cristina regarde son téléphone d'un air stupéfait.

Et puis quoi encore! Elle donne mon adresse comme ça, au premier venu. Elle prend un vase en verre, le remplit d'eau et y dispose le bouquet avec soin. *C'est sûr, il est vraiment beau... Quelle gentille attention. Ça faisait longtemps qu'on ne m'avait pas offert de fleurs. Et moi, je vois tout de suite le mal. Sans profiter simplement du moment, comme dit Susanna. C'est vrai. Je suis devenue amère et méfiante. Il y a quelques années, un tel geste m'aurait fait sauter de joie.* Elle relit le mot. Bip bip. Son portable. Un texto. Cristina l'ouvre. Susanna. *Vu comment tu étais énervée, tu vas mal le prendre, mais je lui ai aussi donné ton numéro de portable!*

Elle est vraiment folle! Mais elle a à peine le temps d'y songer que son portable sonne. Un numéro inconnu.

— Allô... dit une voix masculine chaleureuse qu'elle reconnaît immédiatement.

— Ah... Salut... Oui...

— Salut, Cristina... Tu as reçu mon cadeau?

— Bien sûr... Magnifique... Merci...

— Tu sais, je ne savais pas quelles fleurs choisir... J'ai demandé à la fleuriste, je lui ai décrit ta beauté, je lui ai dit que tu étais sympathique... Et elle m'a dit que les roses étaient parfaites... Toutes les fleurs me parlaient de toi, plaisante-t-il ensuite.

Cristina rit, ils bavardent un petit moment.

— Vu qu'on a passé une aussi bonne soirée... Je passe te prendre tout à l'heure... On sort ensemble. Mais juste tous les deux, cette fois. Ça te dit?

Cristina repense aux paroles de Susanna. *Profite de ce moment.*

— D'accord, alors je t'attends. Dans une heure, ça va? C'est toi qui choisis l'endroit.

— Très bien. À tout à l'heure!

Elle court à la salle de bains, prend une douche et se prépare avec soin. Elle se met du vernis à ongles, enfile ses plus beaux bas, de la jolie lingerie et une robe noire. Elle se coiffe. À ce moment-là, on sonne à la porte. Cristina court ouvrir.

— Tu es arrivé en av...

Elle n'en croit pas ses yeux. Devant elle, Flavio. Il la voit, si belle, bien habillée, prête à sortir. Puis il aperçoit le bouquet. Il comprend. Il voudrait dire quelque chose. Qu'elle est belle. Que c'est dommage de se séparer comme ça. Qu'il voudrait qu'elle ne sorte pas. Que peut-être... Mille pensées se bousculent dans son esprit. La peur de la perdre une nouvelle fois. Sans savoir qui lui a envoyé ces fleurs. S'il lui plaît. Et puis, cette question. *Mais à quel titre je la lui pose ? De quel droit ? Au fond, qu'est-ce qui nous lie ? Nous n'avons même pas d'enfants. Ce n'est pas comme Pietro.* Alors, sans rien dire, il la regarde une dernière fois dans les yeux, secoue la tête et s'en va.

108

— Alors, tu es prête ?

Elle a envie de pleurer. Cette robe de mariée ne lui plaît pas du tout, et c'est la dixième qu'elle essaie.

— Allez, Niki... Sors de cette cabine, qu'on te voie...

Voilà que sa mère s'y met à son tour. Comme si ces deux-là ne suffisaient pas ! Elle est venue aussi, aujourd'hui, et elle lui met une pression incroyable.

— J'arrive !

Niki pose dans ses cheveux le serre-tête avec le voile et le laisse tomber en avant. Quitte à faire des essais, autant faire ça bien. Elle prend aussi le bouquet de roses blanches et lilas clair, puis ouvre la porte de la cabine. Simona est assise entre Margherita et Claudia, elle l'attend avec impatience, et en la voyant elle ne peut que porter les mains à sa bouche.

— Oh... Ma fille, ma fille qui se marie.

C'est comme si elle le réalisait pour la première fois, peut-être parce que cette robe est d'une beauté unique. Soudain, Simona éclate en sanglots.

— Ma chérie, tu es magnifique !

— Qu'est-ce que tu racontes, maman! Cette robe fait xixe siècle! Regarde les manches, et les épaulettes, et ce décolleté en dentelle! Je pensais trouver quelque chose de plus moderne!

— Tu es magnifique... répète Simona entre ses larmes.

— Mais tu ne sais rien dire d'autre, maman? Regarde comment elle tombe sur ma taille! Elle ne me va pas du tout. Ce n'est pas ce que je veux!

Margherita et Claudia sont étonnées.

— Nous sommes désolées, mais nous sommes d'accord avec ta mère...

— Oui, oui, ajoute Claudia.

— Absolument! Peut-être parce que tu ne peux pas te voir de l'extérieur, mais c'est exactement comme elle dit. Tu es magnifique... ajoute Margherita en riant. Si Alex te voyait, il t'épouserait deux fois!

— Voilà... Mais le problème, c'est que je ne dois me marier qu'une fois, j'espère! Et cette robe ne me plaît pas du tout, elle est pire que les autres, au moins les autres étaient moins...

— Moins? demande Margherita.

— Moins...

Niki ne trouve pas le mot, mais la propriétaire du magasin, Gisella Bruni, vole à son secours.

— Encombrantes.

— Voilà! s'exclame Niki, soulagée. Oui, moins encombrantes.

— Venez avec moi, nous allons trouver autre chose.

Elle arrache Niki à ses compagnes, mais avant de partir elle leur fait un clin d'œil, qui semble dire « ne vous inquiétez pas, elle est nerveuse, c'est le stress ».

— Venez avec moi, je vais vous trouver la robe qu'il vous faut.

Simona essuie ses larmes avec le mouchoir que lui passe Margherita.

— Elle était si belle, avec cette robe!

— Ne vous inquiétez pas. Gisella est pleine de ressources. Elle finira par lui trouver la bonne.

— Niki est tellement mignonne, intervient Margherita, que tout lui va.

— Oui... Merci, dit Simona, flattée.

Claudia se verse du thé.

— C'est la vérité. Vous en voulez, madame?

— Oui, merci… Le problème, c'est qu'elle doit se plaire à elle-même, et parfois si on n'est pas bien avec soi, avec un choix, une soirée ou une fête, si on sent trop de pression, trop d'attentes… Alors on pense que rien ne peut aller et aucune robe ne nous plaît !

— Je me rappelle, quand je me préparais pour mon mariage… rit Margherita. J'étais tellement hystérique que je pleurais toutes les deux minutes.

— Moi, ajoute Claudia, tous les soirs je disais à mes parents que j'avais changé d'avis ! Je les ai bien stressés… Ils sont devenus fous ! À tel point que quand je me suis enfin mariée, ce sont eux qui sont partis en voyage… pas de noces, mais antistress !

— Moi aussi, les surprend Simona, pour mon mariage j'étais très agitée. Je devenais folle ! La nuit, je sortais sur la terrasse, je ne trouvais pas le sommeil, et puis tous ceux que je rencontrais, entre le jour où mon mari m'avait demandé de l'épouser et celui du mariage, pour moi tous les types étaient des fiancés potentiels, hommes, amants, maris, complices… Bref, ils constituaient tous une occasion de s'échapper. Je me faisais de ces films… Dont je n'ai rien dit à mon mari, naturellement !

Niki revient juste à ce moment-là.

— Maman, tu pourrais venir un instant ?

— Ta mère est très sympathique, Niki !

— Oui, je sais !

— Tu veux un peu de thé ?

— Non, merci…

Simona s'approche de Niki qui lui dit tout bas :

— Mais maman, enfin !

— Qu'y a-t-il ?

— Tu devrais me soutenir, et au contraire tu es de leur côté !

— Mais non, quel rapport… Je trouvais que cette robe t'allait bien. Elle était très belle, mais si elle ne te plaît pas…

— Non, elle ne me plaît pas.

— Alors elle ne me plaît pas non plus ! Et même… Tu sais quoi ? Maintenant que j'y repense, elle était vraiment moche !

Niki rit et pleure à la fois.

— Maman, je suis tellement fatiguée…

— Ma chérie, viens ici, dit Simona en la prenant dans ses bras.

Elle l'entraîne plus loin, derrière un paravent, et sèche ses larmes.

— C'est juste de la fatigue nerveuse, Niki, laisse-toi aller, tu vas voir, tout va très bien se passer… Ce sera une fête magnifique, comme toutes les fêtes que tu as organisées... ou plutôt, aussi belle que celle de tes dix-huit ans... Mais vous serez deux au centre de la fête! Tu prends tout trop à cœur, mets-y plus de légèreté... Tu peux tout faire, choisir la robe, le lieu, les bonbonnières, mais en t'amusant, sans y penser!

C'est vrai. Niki se mord la lèvre. Avec plus de légèreté. Et pourtant, tout me semble si lourd.

— D'accord, maman, je vais essayer.

— Bien, dit Simona en la prenant par le bras pour la ramener vers le groupe. Pour aujourd'hui, je dirais que ça suffit...

Margherita et Claudia se regardent avec inquiétude.

— Mais...

— Il ne reste plus que les essais pour le maquillage...

— Oui, je sais, mais elle est un peu fatiguée.

— Non, maman, ne t'inquiète pas. Si ce n'est que ça... dit Niki en souriant. Je peux le faire.

— Tu es sûre? Tu sais, nous pouvons tout aussi bien remettre ça à plus tard.

— Non, non, je vais le faire comme tu m'as dit...

— C'est-à-dire?

— Avec légèreté.

Ainsi, pendant que Samanta Plessi, la maquilleuse, essaie les différentes nuances, Mirta, son assistante photographe, réalise une série de portraits. Juste après, c'est au tour de Chiara, la coiffeuse, d'étudier différentes coiffures. Caterina, son assistante, prend également des photos. Cheveux attachés, lâchés, avec boucles, sans boucles, boucles juste sur le devant, petite frange, fleurs dans les cheveux, tresses qui tournent autour du front, mille combinaisons étranges. Sur ses yeux, la couleur passe du bleu ciel au bleu foncé, du vert au marron, empruntant tous les tons et toutes les nuances possibles, un peu de purpurine et de brillants, le fond noir ou blanc.

Et encore d'autres coiffures, d'autres photos, des essais de robes, de chaussures, de bouquets, et cette église, oui, celle-là, non, et ces plantes-là, non, mais celles-là, oui, et le serveur, les bonbonnières, les dragées, la liste de mariage, la liste des invités, le choix des cartons d'invitation, le voyage de noces, les fleurs sur l'autel, les fleurs à la sortie, le photographe, le petit film... Au bout d'une semaine à ce rythme, Niki s'écroule sur son lit.

— Allô, Alex, mais où étais-tu ?

— Quand ?

— Ces derniers jours ! J'ai passé tout mon temps avec tes sœurs, parfois avec ma mère, une fois même avec la tienne… Et si je n'avais pas ta photo dans mon portable, je ne me rappellerais même pas à quoi tu ressembles !

— Merci…

— Je t'en prie. Peut-être que tu ne le sais pas, mais il y a quelque temps quelqu'un qui te ressemblait a pris un hélicoptère, a inventé des trucs absurdes et pour finir quand un gratte-ciel s'est éclairé il m'a demandé de l'épouser !

— Oui, c'est, c'était… c'est moi ! Merde alors…

— Quoi ?

— Tu sais que j'avais oublié ? Et toi, qu'est-ce que tu m'as répondu ?

— Oui ! Crétin !

— Mon amour, il est 19 heures, je passe te prendre dans une heure, d'accord ? D'abord, un tour au hammam Acquamadre, via Sant'Ambrogio, et puis un bon dîner léger, je commande du japonais et je l'emporte à la maison avec un fantastique vin frais, musique de Nick the Nightfly sur Radio Montecarlo, et petit massage spécial. Qu'en dis-tu ? Tu me donnes une chance de remédier au stress que tu as subi ces derniers jours et à mon absence totale ?

— Heureusement que tu le reconnais, au moins…

Niki repense à ce qu'elle a ressenti pendant les instants les plus difficiles de la semaine et qu'elle voudrait lui raconter. Mais ce n'est pas du tout le moment, et puis pas au téléphone. Ils en parleront plus tard.

— D'accord, Alex. Je t'attends. Dans une heure, mais ne sois pas en retard… J'en ai sérieusement besoin.

— Je termine un truc au bureau et j'arrive. D'accord ? À 20 heures précises je suis chez toi. J'ai mon maillot dans la voiture.

— D'accord, à plus tard…

Niki regarde le plafond en pensant à tout ce qui s'est passé en à peine deux mois, à la façon dont leur vie a changé. Elle allume la radio, choisit une station sans publicité, sans émissions, elle veut juste écouter de la musique et se détendre.

Elle ferme les yeux et revit l'accident de scooter. Elle sourit en se souvenant de cette journée… Ils s'étaient disputés dans la rue, au milieu des gens, après qu'elle, en se remettant du choc, avait pensé :

« Un ange… », en le voyant depuis le sol, après l'accident, comme enveloppé par le soleil, par le ciel, par les nuages légers qui en quelque sorte le « sanctifiaient ». Et puis, lui qui l'avait accompagnée au lycée, les premiers coups de fil, cette soirée chez lui, sur la terrasse aux jasmins. La première fois qu'ils avaient fait l'amour, sans hâte, dans l'air de cette nuit magique. Et tout doucement, reparcourir chaque moment passé avec Alex, les fous rires, l'escapade à Fregene chez Mastino, le week-end à la montagne, la fois où ils avaient suivi cette chanson de Battisti… « Perchè no ». Ils avaient essayé de faire tout ce que disaient les paroles et ils avaient réussi, aller à la montagne et rentrer le lendemain, sans rien dire à ses parents. « Excusez-moi, vous m'aimez ou pas ? Je ne sais pas, mais je suis là. » Et puis, les quelques jours à Paris, cette magnifique surprise… Cette nuit-là, elle avait compris qu'Alex était l'homme de sa vie… Et puis, la douleur du retour d'Elena. Cette solitude, cette rage, cette impuissance face à la fin de leur histoire, et soudain la renaissance, ce magnifique séjour à l'île Bleue, l'île des amoureux, la lettre qu'elle avait trouvée en rentrant de vacances, et dès qu'elle avait eu son permis elle l'avait rejoint. Ces jours passés sur l'île avaient été une histoire encore différente, comme si elle avait découvert un autre Alex, plus serein, plus tranquille, sans âge, sans rendez-vous, sans hâte, un homme tout à elle. Dans ses bras à l'aube, au crépuscule, hors du temps, perdus dans l'amour. Mais c'était un rêve. *Ensuite nous nous sommes réveillés. Nous sommes revenus à la réalité du quotidien. Deux maisons, l'université, des amis d'âge différent, des disputes et des réconciliations. Même s'il a continué de me faire rêver.* Niki se rappelle leur dernière escapade, New York, la limousine, lui qui l'attend à l'aéroport, les journées passées à faire du shopping dans la Grosse Pomme. Puis ce tour en hélicoptère et la surprise de ce building illuminé. *Excuse-moi mais je veux t'épouser.* Le bonheur de ce moment, la confusion de cette joie bouleversante, la panique de cette nuit-là, cette peur soudaine qui te serre la gorge, perdre le contrôle de sa propre vie, se retrouver dans une dimension inattendue, trop tôt. Trop tôt. Et en un éclair, elle revoit tout ce qui s'est passé depuis leur retour, les rencontres, les familles, les décisions à prendre, le douloureux éloignement de ses amies, de la vie, de l'université, du fait de pouvoir perdre du temps… Sans hâte, comme disait toujours Battisti. « Tous ces jours en poche, tous là à dépenser ! » Et pour ne pas retomber dans la panique, Niki se met à plat ventre, prend son oreiller dans ses bras et s'endort. Un sommeil sans rêve. Une respiration courte, comme oppressée, de qui voudrait, au moins pour un moment, tout laisser tomber, se reposer, sans sentiments de culpabilité ni devoirs, sans les attentes des autres. Petit à petit sa respiration se fait plus sereine, comme si elle était revenue sur cette île. L'île Bleue des amoureux, le Giglio, où il y a ce phare... Mais là, Niki est seule sur cette île. Elle marche tranquillement sur la plage et soudain voit quelqu'un arriver. *Non. C'est impossible !* Elle se réveille en sursaut. *Quelle heure est-il ? Non ! 20 h 15... et le hammam ?* Elle regarde son téléphone. Elle a reçu un texto d'Alex. *Mon amour, excuse-moi, je vais être en retard. Le bain turc, ça sera pour la prochaine fois, mais le dîner tient toujours, et je me ferai pardonner avec un après-dîner... ce que tu voudras.*

Furieuse, elle entreprend de se maquiller et retrouve doucement son calme. Ce petit somme lui a fait du bien, et puis quel drôle de rêve... Elle sourit et se demande ce que ça peut vouloir dire. *C'est l'inconscient qui parle dans les rêves. Bah. Ce soir, j'ai envie de mettre la robe bleue que j'ai achetée. Elle fait un peu femme, mais elle me plaît.* Elle s'approche du miroir pour vérifier son maquillage, puis se met à rire. Une robe de femme. *Mais je suis une femme !*

Un peu après, elle va se désaltérer à la cuisine. Elle entend Roberto et Simona dans le salon.

— On est obligés de les inviter, Robi ? On ne les voit jamais...

— Quel rapport, ce sont mes cousins, ils habitent à l'étranger mais ce sont toujours mes cousins ! Nous sommes très liés. Nous avons passé toutes nos vacances ensemble à San Benedetto del Tronto...

— Mais on va arriver à plus de deux cents, comme ça. À cent euros par personne, je te laisse faire le calcul...

Mariage. Eux aussi parlent de mariage. Désormais, on ne parle plus que de ça, dans cette maison. Son portable sonne.

— Alex ! Que se passe-t-il ?

Il est chez lui et range des affaires dans un sac, une chemise, un pull, des chaussettes, un slip, sa trousse de toilette déjà fermée, avec brosse à dents et dentifrice.

— Mon amour... Excuse-moi. Il se passe qu'il y a une urgence à Milan.

— À Milan ? Et le dîner antistress, et l'après-dîner ?

— Tu as raison, mais j'abats tout le travail que je peux maintenant pour être plus libre après. Les Américains veulent nous voir. Nous partons à 21 heures, Leonardo et moi... et c'est tout, ajoute-t-il comme si ça pouvait la rassurer. Je reviens demain soir. On remet tout à demain soir, d'accord?

— Non. Ça ne va pas, Alex. Notre vie sera-t-elle toujours comme ça? Je passe après les Américains, les Japonais, les Chinois, les Russes, et combien d'autres? Tu me relègues dans un coin, ou quoi?

— Mon amour, qu'est-ce que tu racontes?

— Je dis que je reste en marge. Je passe après ton travail et qui sait quoi d'autre. Aujourd'hui j'avais besoin de me détendre. Aujourd'hui plus que jamais...

— Mon amour, ils ont envoyé un avion privé sans nous prévenir...

— Qu'est-ce que ça peut me faire? Tu penses que ça m'impressionne? Tu ne me comprends pas du tout...

— Mais non, je ne disais pas ça pour ça. Dans le sens où moi non plus, je ne savais pas qu'on partait ce soir...

Trop tard. Niki a raccroché. Alex la rappelle. Elle regarde son téléphone sonner mais refuse l'appel. Alex secoue la tête et retente. Rien à faire. Il sort de chez lui et monte dans la voiture de Leonardo.

— Alors? Tout va bien?

— Pas vraiment, Niki s'est fâchée.

— C'est toujours comme ça les premières fois, ensuite elles s'habituent. Tu devrais lui rapporter un beau cadeau de Milan!

— Oui, je vais faire ça.

Alex est agité. Il pense à ce DVD qui arrivera demain matin chez Niki, et se sent un peu plus tranquille. Il l'a fait avec amour, il y a beaucoup travaillé, il est sûr que cela lui plaira. C'est une très belle surprise, de celles qui lui plaisent, faite avec le cœur et non pas avec l'argent. Ainsi, il se laisse conduire à l'aéroport. Il est fatigué, très fatigué, mais bientôt tout ira mieux. Cette rencontre, décisive, sera aussi la dernière. Tout sera plus facile, après. Oui. Mais il y a une chose qu'Alex ne sait pas : après ce soir, tout sera différent.

109

Cristina et Mattia lèvent leurs coupes de *prosecco* pour trinquer. Il n'y a pas foule dans le petit restaurant du centre, on est en milieu de semaine. Ils mangent de bon cœur, parlent de tout et de rien. Mattia est amusant, sûr de lui. Cristina se sent bien. Elle le regarde. L'écoute. Le trouve sympathique. Les heures passent sans qu'elle s'en rende compte. Elle s'étonne de se sentir aussi à son aise et d'avoir envie de flirter.

— Tu sais que tu es magnifique? dit-il avec un sourire qui en dit long.

— Tu dis ça à tout le monde...

— Tout le monde qui? demande Mattia en regardant autour de lui avec curiosité. Je ne vois aucune autre femme qui le mérite, ici. Ni ailleurs. Je ne suis pas un dragueur, tu sais...

— Ah non?

— Non! Ce n'est pas parce qu'on est prof de fitness que l'on doit forcément être un crétin. Moi aussi, j'ai mes goûts! Et tu les reflètes parfaitement...

Il lui effleure la main. Cristina recule la sienne, mais finit par se laisser aller et accepter son geste.

— Tu veux autre chose? Un dessert?

— S'ils ont de la crème brûlée, oui... et toi?

— Non, merci... Tu as noté, je n'ai pris qu'un steak et une salade. Je suis un régime pour rester en forme. Dissocié. Jamais de féculents le soir. Toi, en revanche, tu as un bon coup de fourchette, à ce que j'ai vu!

— Oui, j'aime manger.

— Tu peux te le permettre. Et puis, les femmes qui aiment manger aiment aussi jouir... dit-il en la regardant d'un air malicieux.

Cristina est gênée. Pour faire diversion, elle appelle le serveur.

— Excusez-moi...

— Oui...

— Vous avez de la crème brûlée?

— Malheureusement non, mais nous avons du sorbet, un gâteau aux amandes, une mousse glacée au chocolat blanc, du tiramisu et des profiteroles...

— Mmh... Alors non, pas de dessert, deux cafés, s'il vous plaît.

— Très bien, dit le serveur en s'éloignant derrière le comptoir du bar.

— Tu es déçue pour la crème?

— Un peu, oui. J'adore la crème brûlée.

— Je vais essayer d'arranger ça... dit-il en lui serrant la main plus fort.

Cristina fait une drôle de grimace. *Je n'y crois pas. Je suis vraiment en train de faire ça ? Je suis ici avec un très beau garçon, sympathique, en plus, qui dit que je suis belle et que je lui plais. Nous allons sortir de ce restaurant et peut-être...*

Après les cafés, Mattia règle, et quelques minutes plus tard, ils se retrouvent dans la voiture.

— Avant de te ramener chez toi, ça te dit de voir mon appartement ? Ce n'est pas très loin d'ici, dans le quartier Campitelli. C'est l'appartement que m'a laissé ma grand-mère, ça fait deux ans que j'y habite. Ça me ferait plaisir de t'offrir un dessert...

Cristina est un peu perplexe.

— Je dis ça sérieusement, sans arrière-pensée ! J'ai un gâteau à la crème au frigo, je n'en ai mangé qu'une part...

— D'accord, dit Cristina en souriant... Tant que tu ne me ramènes pas trop tard.

— Promis. Regarde, c'est juste là.

110

Niki est encore très énervée. *Je n'y crois pas ! Je n'y crois pas !* Elle prend son portable et le lance contre l'armoire. Puis elle fond en larmes. À ce moment-là, la chanson « She's the one » passe à la radio. Leur chanson. Celle du jour où ils se sont vus pour la première fois. De l'accident. À nouveau tout lui semble absurde. *J'ai vingt ans et je suis désespérée à cause de la personne que je suis sur le point d'épouser, qui préfère aller à Milan à une réunion avec des Américains plutôt que de passer la soirée avec moi, moi qui en ai besoin, qui le lui ai demandé, qui voudrais plus que jamais qu'il soit à mes côtés. Et lui, qu'est-ce qu'il fait ? Il s'en fiche, il s'en va comme si ça ne posait aucun problème, comme si ça n'avait aucune importance.*

Niki change de station juste au moment où Robbie Williams chante « *When you said what you wanna say, and you know the way you wanna play, you'll be so high you'll be flying...* ». Elle s'arrête sur une autre chanson. « ... et toi qui rêves de t'enfuir... d'aller loin, loin, aller loin, loin... » : « Poster », de Baglioni. *Voilà. C'est vraiment de ça dont j'ai besoin : m'enfuir, partir loin, un an en Angleterre pour apprendre l'anglais, sans téléphone portable, sans laisser d'adresse à per-*

sonne, pouf, disparaître, ça serait parfait, j'en aurais vraiment besoin. La tête dans les mains, elle respire longuement en essayant de se détendre. À la radio, c'est Jovanotti qui chante, maintenant. « ... il est doux de ne rien faire, il est doux de reporter, de rester là, les pieds ballants, à regarder le monde tourner, attendre doucement l'heure de manger, regarder l'herbe pousser et l'eau s'évaporer, tranquillement, à l'ombre d'une brise fraîche se faire caresser, donner une forme ronde à des bulles de pensées qui éclatent dans l'air dès qu'elles deviennent trop sérieuses ou trop lourdes, rester légers, transformer les heures en mois comme une feuille portée par le courant du fleuve, rester comme ça[1]... » Niki sourit. Cette chanson lui a toujours plu, peut-être parce qu'elle parle de rébellion et d'indépendance, de grands espaces lointains. Son téléphone émet un bip. *Évidemment. Il se sent coupable, et comme j'ai refusé ses appels il m'écrit un texto. Mais s'il pense régler les choses comme ça, il se trompe.* En lisant le message, elle rougit d'un coup. Elle ne s'attendait pas à ça.

111

Olly danse au milieu du couloir. Elle se sent bien. Les Ondes sont dispersées çà et là. La fête de la fac est très réussie, le DJ est talentueux. Il est très tard. La salle est noire de monde, il y a même des gens sur la terrasse. Olly se laisse aller, tient le rythme, sourit. Elle essaie de ne pas penser à Eddy, à son caractère impossible. Et pourtant, il lui apprend la patience, et aussi à y croire vraiment. Elle songe également à Simon. À comment il l'a sauvée, ce jour-là, comme ça, spontanément, en se mettant à travailler avec elle quatre heures d'affilée. Et à la fois où elle l'a croisé en sortant de chez Chris. Elle se demande s'il a compris. Et encore à Giampi. Elle ne l'a pas rappelé, bien qu'elle soit consciente de s'être trompée, d'avoir été trop jalouse. La musique continue. Olly bouge, une danse tribale qui lui libère l'esprit, la relaxe, elle n'a pas besoin de pilule ni d'aide extérieure, rien qu'elle et la musique. « Miles Away », de Madonna. Sa joie d'avoir obtenu un résultat important, qui lui a donné une leçon et fait rencontrer un ami. Un véritable ami.

1. Extrait de JOVANOTTI, *Pasaporte*, « Dolce fare niente », Mercury, 1999.

Les étudiants se déhanchent sur les tubes pop et disco du moment. Erica se cache derrière une colonne.

— Qu'est-ce que tu fais ? lui demande Olly.

— Chut... Je n'y crois pas. Il est venu !

— Mais qui ?

— Lui !

Elle lui indique quelqu'un du doigt. Olly se penche, mais ne reconnaît personne parmi la foule.

— Je ne vois personne. Tu m'expliques ? On dirait *New York District*. C'est un secret d'État, ou quoi ?

— Tu vois le grand brun, super beau et super bien habillé ?

Olly se met sur la pointe des pieds.

— Non, ne fais pas ça, il va te voir !

— Je dois regarder, oui ou non ? Je vois bien un grand... mais il est vieux !

— Vieux ? Il n'a même pas quarante ans. Comme Alex !

— Non, ce n'est pas... Ne me dis pas...

— Je ne te le dirai pas...

— C'est ton prof ?

— Oui ! acquiesce Erica, heureuse. Il est venu, tu entends, il est venu ! Au cours, il nous avait dit qu'il n'était pas sûr, mais il est venu !

— Je ne le trouve pas si terrible que ça, moi !

— Parce que depuis que tu es célibataire, tu es devenue amère !

— Peut-être. Mais tu vas faire quoi, passer la soirée derrière cette colonne ?

— Non... Je vais aller lui parler ! Ce soir, je me sens en forme !

— Mais pourquoi, tu veux faire quoi ?

— Je vais aller le remercier pour la bonne note qu'il m'a donnée à l'examen !

Sans ajouter un mot, elle s'élance au milieu de la salle. Elle se fraye un chemin parmi la foule jusqu'au professeur Giannotti qui danse, un peu rigide, en essayant de suivre le rythme, se balançant d'un pied sur l'autre.

— Bonsoir !

— Ah ! C'est vous, mademoiselle. Comment ça va ? Vous vous amusez ?

Erica danse du mieux qu'elle peut, en essayant d'avoir l'air sensuelle et fluide.

— Monsieur, vous pouvez me tutoyer! Nous sommes à une fête! En liberté! Je m'appelle Erica, vous vous rappelez?

— Oui, je me rappelle, tu as passé l'examen avec moi il y a quelque temps, et maintenant tu suis mon autre cours. Tu es toujours au premier rang, tu prends des notes assidûment.

— Le mérite vous revient! Vos cours sont passionants! dit-elle, toujours en dansant devant lui.

Au bout de quelques minutes, elle s'approche de son oreille.

— Vous voulez quelque chose à boire? Je m'en charge!

— D'accord, mais pas d'alcool, précise Marco Giannotti.

— Un gin tonic, ce n'est pas un drame, si?

Erica sourit avec malice avant de s'éloigner, sans lui laisser le temps de répondre.

Olly observe la scène de loin.

— Vous savez qu'Erica est en train de draguer son prof? dit-elle à Diletta et Niki.

— Où ça?

— Là-bas, elle danse avec lui, dit Olly en indiquant un coin de la salle.

— Mais elle veut faire quoi?

— Je ne sais pas... Elle a dit qu'elle voulait le remercier pour la bonne note qu'il lui a donnée à l'examen, mais vu comment elle bouge devant lui j'ai l'impression que ça pourrait aller plus loin...

Erica a commandé deux gin tonics au bar. Elle tend un verre au prof et l'invite à trinquer. Il lève son verre. Au bout de quelques minutes, ils s'éloignent de la piste pour discuter. Le prof est vraiment marrant. Il fait plein de blagues, Erica rit et l'écoute, admirative.

— En tout cas, mademoiselle Erica, tu es très forte... je ne m'en étais pas aperçu... lui dit-il à l'oreille.

Erica frissonne. Elle s'écarte pour le regarder. Ils se sourient, et la situation bascule. Le regard se prolonge. Ils restent ainsi quelques instants, les yeux dans les yeux. Il lui dit quelques mots, se lève, et elle le suit. Olly les regarde s'éloigner. Erica part avec lui... Elle a un drôle de pressentiment.

112

Niki relit le message : *Tu ne crois pas qu'il est tant d'honorer ton pari ?*
Son cœur se met à battre la chamade. Guido. Juste maintenant,
juste ce soir. C'est un signe du destin.
Oui. Tu as raison. Rendez-vous à l'université dans une demi-heure.
Elle ôte sa robe bleue de femme et redevient jeune fille, plus libre
que jamais. Elle enfile un jean brut et des baskets montantes, un pull
bleu avec des poches et une fermeture Éclair sur le devant, un bonnet, une écharpe et un blouson.

— Salut... Je sors ! dit-elle à ses parents avant de refermer la porte
derrière elle. Je rentrerai tard...

Elle descend les escaliers en courant pour échapper au poids des
derniers jours, de ces mille décisions, de ces invités à la fête, de la
robe, de ses sœurs, de lui... Et de toutes ces responsabilités. Plus
légère que jamais.

Elle monte dans sa voiture, allume la radio et démarre en trombe.
Elle danse sur Rihanna, « Don't Stop the Music », libre, joyeuse, parfaitement en rythme, se penche pour suivre un virage. Puis, quand
elle se redresse, elle a comme un étourdissement, elle a du mal à
respirer, elle panique. Elle repense à son dernier rêve. Elle marchait
tranquillement sur l'île Bleue lorsque quelqu'un venait vers elle en
souriant. Oui, elle s'en souvient bien, maintenant. Ce quelqu'un
était Guido. Niki gare sa Micra devant l'université. *Il devrait être déjà
arrivé. Peut-être que ça aussi, c'est un signe du destin. Je m'en vais.* Mais
au moment où elle va remettre le contact, une moto s'arrête à sa
hauteur. Sa moto. Guido arbore un sourire magnifique. Niki baisse
sa vitre.

— Salut.

— Salut, Niki... Tu préfères quoi, moto ou voiture ?

— Moto, c'est parfait.

Elle descend de sa Micra, ferme la portière. Il règne un drôle de
silence sur la place, personne ne passe, pas un bus, pas une voiture,
pas un étudiant. L'espace d'un instant, elle se ravise. *Que fais-tu ?
N'y va pas, rentre chez toi, ce n'est pas la solution.* Elle se répond à elle-
même : *Je sais, mais j'en ai envie. Envie de quoi ? De tout. De liberté.*
Ses pensées l'effrayent, mais elle s'interdit d'avoir peur. Elle regarde

Guido et tout lui semble plus facile. *Ce n'est pas la solution, mais cette sortie va me faire beaucoup de bien. Oui, mais que va-t-il se passer ? Je ne sais pas ! Je n'ai pas envie de le savoir maintenant. S'il vous plaît… ça suffit, avec les questions.*

Justement, Guido lui en pose une très simple :

— Où veux-tu aller ?

Niki monte derrière lui.

— N'importe où. Je ne veux pas le savoir…

Guido est un peu étonné. Dans son regard, il lit la femme, la petite fille, l'envie de liberté, la rebelle, la fragile, la forte, l'aventurière. Et aussi la passion et un regard fixe, inquiétant. Puis Niki lui demande gentiment :

— On y va ?

En une seconde, ils disparaissent dans la nuit, on ne sait où, comme elle le voulait. La moto file le long du Tibre, rapide, elle glisse dans la circulation, entre les lourds autobus pleins de monde, aussi libre que son désir. Niki se tient à Guido qui accélère, s'appuie contre son dos et reste immobile, elle regarde défiler devant elle les reflets de lumière, les bars qui ferment, les passants aux arrêts de bus. Puis elle repense à quelque chose, se redresse… Elle fouille dans son sac, regarde son téléphone. Aucun appel. Alors elle l'éteint. Pouf. Comme si elle avait coupé ce dernier fil, qui la rattachait à ses angoisses. Maintenant, définitivement libre, elle se serre plus fort contre Guido, se laissant porter par cette moto qui l'éloigne de tout et de tous, toujours plus vite.

113

Un peu plus tard, au 43 viale Ippocrate. Le Sahara.

— Regarde, on fait comme ça… dit Guido en prenant la nourriture avec ses mains tout juste lavées. C'est comme ça qu'on mange, en Afrique, c'est ça la vraie liberté… Manger avec les mains !

Il ramasse du riz avec la pointe de ses doigts et le mélange à la délicieuse viande rouge, cuite avec du poivre, des épices et des haricots.

— Essaie… essaie toi aussi !

Niki ne se le fait pas répéter deux fois, elle dépasse sa stupide gêne bourgeoise, met les doigts et ramasse le riz chaud, le trempe dans la sauce puis le porte à sa bouche, et c'est encore meilleur que ce qu'elle imaginait. Peut-être est-ce ce goût de liberté, peut-être cette nouvelle extravagance, ce changement par rapport aux habitudes, le fait d'enfreindre les coutumes. Elle se lèche les doigts, mange un grain de riz collé à son index puis sourit, petite fille ingénue surprise par son attitude affamée et sensuelle, sauvage. Elle rougit, baisse les yeux, et quand elle les relève il est en train de l'observer, curieux, attentif à tous les mouvements de cette nouvelle Niki si différente de d'habitude, tellement plus grande, tellement libertine, gaie et joyeuse.

– C'est trop bon !

Elle se verse un peu de bière, sert Guido et ils boivent en riant. Il lui prépare une *injera*, le pain typique d'Éthiopie, avec un peu de viande au *berbéré*, un mélange d'épices. Niki goûte.

– Au secours, ça pique !

– Mais non, tu exagères !

Il prend un morceau.

– Ah, c'est vrai, ça brûle !

Après avoir bu beaucoup d'eau et passé quelques instants la langue pendante, ils s'essaient au poulet *saka-saka*, au poulet à l'arachide, et enfin au *dongo-dongo*.

– Mmh, c'est bon, ça, dit Niki. Très délicat... et puis, pas trop piquant !

De temps à autre, Sahmed, le cuisinier, vient pour leur expliquer les plats, les saveurs, d'où ils viennent et comment on les prépare.

– Et puis, vous ne pouvez pas ne pas goûter à celui-ci... C'est notre plat le plus célèbre !

Des bananes frites avec des patates douces et un peu de manioc bouilli, le tout accompagné de crème sucrée d'origine française, tout comme Camille, la femme que Sahmed a rencontrée en voyage et qui leur sourit de la fenêtre de la cuisine. Enfin, un bon verre de chablis et un petit gâteau cuit dans l'huile de palme achève leur voyage à travers l'Éthiopie, la Somalie et l'Érythrée. Ils repartent parcourir les rues de Rome.

Corso Trieste, via Nomentata et encore plus loin, viale XXI Aprile, puis XXIV Maggio, jusqu'au Forum, et tout droit vers le Capitole et le théâtre Marcello, jusqu'à la via Locri.

– Chut...

– Qu'y a-t-il?

– Doucement, ne fais pas de bruit...

Guido ouvre lentement la grande porte en fer forgé. Niki lui serre le bras.

– J'ai peur...

– Tu ne crains rien, mais je veux absolument te montrer quelque chose...

Ils font quelques pas en silence dans l'herbe haute, entre les plantes luxuriantes, les hauts troncs et les dalles glaciales.

– Mais, Guido... Nous sommes dans un cimetière...

– Oui, non catholique.

Il la prend par la main et ils avancent dans l'obscurité entre croix antiques, photos jaunies, inscriptions en anglais et brèves épitaphes.

– Voilà... dit Guido en s'arrêtant, tout ému. Quand j'étais au lycée, que je m'étais disputé pour la énième fois avec mon père, je prenais mon scooter et je venais ici avec un livre et une bière... au soleil... sur la tombe de Keats.

Niki regarde plus attentivement la pierre tombale.

– Tu vois ce qu'il a voulu qu'on écrive? « Ici gît un homme dont le nom fut écrit sur l'eau. » Imagine... Il était triste pour ses ennemis... Et regarde, ici, ce que quelqu'un a répondu... ajoute-t-il en allant vers une autre plaque en marbre. « Keats! Si ton cher nom fut écrit sur l'eau, chaque goutte est tombée du visage qui te pleure. » C'est beau, n'est-ce pas? Quelqu'un a voulu le faire sentir aimé. Peut-être un inconnu... Qui sait. Le plus étrange, c'est que parfois on ne se rend pas compte de combien on est aimé par les gens qui nous entourent, et l'auteur de cette inscription ne lui avait peut-être rien dit, peut-être qu'ils s'étaient rencontrés par hasard, ou brièvement, ou alors qu'ils ne se disaient même pas bonjour...

Ils marchent entre les cyprès centenaires, sur l'herbe fraîche, tandis que la pyramide égyptienne Cestius se dresse derrière les murs de Rome. Les chats se faufilent entre les pierres tombales pleines d'inscriptions dans toutes les langues du monde. Niki et Guido passent devant la tombe de Shelley, le poète anglais qui coula avec son vaisseau au large des côtes de la mer Tyrrhénienne et dont le corps, poussé par les vagues, alla s'échouer sur une plage près de Viareggio. Et puis, celle de l'écrivain Carlo Emilio Gadda, et encore William Story, enterré sous l'une de ses sculptures, *L'Ange de douleur*, qu'il acheva peu avant de mourir.

– Cet endroit est magique… Protestants, juifs, orthodoxes, suicidés et acteurs n'avaient pas le droit d'être enterrés en Terre sainte, alors on les mettait hors les murs. Toujours la nuit. On dit que le premier à être enterré ici fut un étudiant d'Oxford, en 1738. Beaucoup de non-catholiques mouraient en ville. J'ai lu que cet endroit a été ajouté à la World Monument Fund Watch List, qui comprend les sites les plus menacés. Aujourd'hui, il est géré par une commission volontaire d'ambassadeurs étrangers à Rome. Mais l'argent manque. Et il risque de fermer… Absurde, non? Regarde cette belle statue…

– Oui, c'est vrai.

– Imagine, Niki, qu'un groupe finlandais, les Nightwish, l'a mise sur la pochette d'un de leurs disques…

– Ah bon! C'est bizarre, je me demande comment ils ont eu l'idée. Et surtout, je me demande comment tu sais tout ça…

– Parfois, dit Guido en souriant, nous sommes captivés par des choses très différentes, qui attisent notre curiosité, et je trouve que le plus beau, c'est quand on le fait sans arrière-pensée…

Niki est très frappée par cette phrase, par la sérénité avec laquelle Guido l'a dite, sans emphase, sans importance excessive, avec naturel, sans arrière-pensée, justement. Pour la première fois, elle le regarde avec des yeux différents. Il marche devant elle mais elle voit son sourire éclairé par la lune de côté, ses boucles un peu rebelles et ses lèvres charnues qui s'apprêtent à ajouter quelque chose.

– Ici, il y a aussi un acteur célèbre, Renato Salvatori, celui de *Pauvres mais beaux*, un film très sympa. Il est très bon. Je me rappelle une scène où ils se baignent dans le Tibre… c'était une autre époque, il devait être propre.

– Eh oui, il n'y avait que le noir et blanc…

– C'est vrai, dit Guido en souriant.

Ils se retrouvent devant cette tombe. Celle d'Antonio Gramsci. Celle qui a inspiré de très beaux vers à Pasolini. *Les cendres de Gramsci.*

– Tu sais que Gramsci a été enterré dans ce cimetière non catholique parce qu'à l'époque sa culture était considérée comme « étrangère » par rapport à la culture dominante? C'est absurde… dit Guido en la regardant avec une intensité particulière. C'est la chose à laquelle je ne pourrais jamais renoncer. Ma liberté…

Ils restent un moment sans rien dire, dans le silence de la nuit. La lune n'est plus entravée par les nuages, et elle domine la ville de son œil vigilant, bien qu'à moitié fermé. Une entente nouvelle s'installe entre eux, comme s'ils avaient enfin décidé de mettre fin à leur stupide conflit, de baisser les armes, pacte silencieux scellé d'un simple regard. Soudain, au fond du cimetière, dans les herbes hautes agitées par le léger vent nocturne, une lumière pointe. Une femme sort lentement de derrière un grand cyprès, en robe longue, ses cheveux blancs lâchés lui couvrant le visage. Elle protège d'une main la faible flamme d'une bougie, tandis qu'une foule de chats affamés la suit, pleine d'espoir. Guido arrête Niki qui, effrayée, lui serre le bras.

— Que se passe-t-il?

— Chut… Là-bas.

— Où ça? demande Niki à voix basse.

— Entre les arbres. Tu vois cette femme?

— Oui. C'est une clocharde?

— Non, c'est une femme amoureuse. La première fois que je l'ai vue, j'avais seize ans, elle a décidé de venir vivre ici, bien qu'étant riche et possédant plusieurs propriétés. Trompée par son mari, elle a perdu la raison, elle est devenue folle, elle aime l'amour plus que tout, alors elle s'occupe maintenant de Keats, le seul qui ne l'a jamais déçue.

— Je ne te crois pas, tu inventes, c'est une légende…

— Je te le jure! « Je ne peux pas exister sans toi. J'oublie tout, sauf de te revoir : ma vie semble s'arrêter là, je ne vois pas plus loin. Tu m'as absorbé. » Et encore : « Épouse encore inviolée du silence, fille du temps lent et de la quiétude, narratrice des bois qui sait raconter des fables plus douces que des rimes… » C'est Keats. Tu ne crois pas qu'une femme devenue folle par amour puisse choisir de consacrer sa vie à un poète comme lui? Qu'y a-t-il de plus beau? Elle a renoncé aux choses pratiques, à la mode, à ses propriétés inutiles, pour retrouver ici le sentiment, se dévouer à la poésie et à l'amour… Regarde…

La femme remplit des assiettes pour les chats, puis s'approche de la tombe de Keats, y dépose une petite fleur encore fraîche et une bougie. Puis, rêveuse, elle se remémore quelques vers, fidèle au souvenir de cet homme qui a su aimer l'amour. Lentement, les chats approchent, se frottent à ses jambes, ronronnent, lèvent la queue. Plus que l'amour, c'est la nourriture, qui les rend fidèles. La vieille femme installe une chaise pliante et s'assied devant la bougie, enveloppée dans un châle. Elle a tout son temps.

Niki serre le bras de Guido.

— On s'en va, s'il te plaît.

— Pourquoi?

— On dirait un moment tellement particulier, quelque chose à elle, quelque chose de personnel où nous ne sommes pas invités.

Guido acquiesce et ils sortent sans dire un mot, comme ils sont entrés et ont foulé l'herbe verte, ce manteau qui accueille des défunts célèbres ou non.

Ils reprennent la moto et traversent la ville sans aucun programme, par cette nuit aussi mystérieuse qu'une élégante femme qui, à un bal, admirée et désirée par tous, disparaît soudain. Un peu plus tard, entre les branches vertes, dans la pénombre, devant le fleuve, légèrement éclairées par les reflets de la lune, deux bières se heurtent. Tchin. Guido lui sourit.

— À ce que tu voudras… À ton bonheur.

Niki lui rend son sourire.

— À toi aussi.

Elle boit une longue gorgée de Corona. *Bonheur. Mon bonheur. Quel est mon bonheur?* Perdue dans cette réflexion, elle boit une gorgée après l'autre. Elle ne dit rien, écoute le bruit du Tibre. Un morceau de bois, peut-être une petite branche d'arbre, affleure dans la mousse de l'eau, dans le courant rapide, il danse dans les vagues, s'immerge, remonte et continue ses pirouettes soudaines, avec agilité, se perdant dans la musique du fleuve. Voilà. C'est comme ça que je me sens. Comme ce morceau de bois, à la merci des vagues. Le regard de Niki se noie dans cette eau sombre, la force de la nature lui fait peur, encore plus que le moment qu'elle est en train de vivre. *Qu'est-ce que je fais de ma vie? Pourquoi je suis ici?* Elle le regarde. Guido boit sa bière en silence. Puis, se sentant observé, il lui sourit.

— Alors, tu as fait un vœu?

Niki acquiesce, puis baisse les yeux. Alors il s'approche, s'assied à côté d'elle. Il enlève son blouson et le lui met sur les épaules.

— Tiens. Tu trembles un peu. Il fait froid. C'est l'humidité du fleuve.

— Merci.

— J'ai une idée, dit Guido en souriant dans la pénombre.

— Je t'écoute…

— On va faire quelque chose de joli. On va mettre une phrase dans la bouteille et la laisser se faire porter par le fleuve, destinée à qui la trouvera, d'accord? Comme dans ce film... *Une bouteille à la mer*, avec Kevin Costner et Robin Wright Penn...

Cette fois, c'est elle qui le surprend. Elle qui a aimé cette longue lettre, qui l'a apprise par cœur pour ne plus la perdre. Elle qui se laisse aller, ferme les yeux et déclame : « À tous les navires au large, à tous les ports d'attache, à ma famille, à tous mes amis et à tous les inconnus. Ceci est un message et une prière. Le message est que mes souffrances, mes errances m'ont enseigné une grande vérité... »

— Tu te souviens! dit Guido qui n'en revient pas. Oui, c'est bien de ce film dont je parlais.

C'est son film préféré, elle l'a vu et revu. L'amour qui ne finit pas, l'amour qui survit même quand elle disparaît... L'amour au-delà de la mort. Éros et Thanatos. Le fait qu'il ait parlé de ce film lui fait un drôle d'effet. Guido a arraché une feuille de son carnet en moleskine et il écrit. Son profil, ses lèvres, ses traits décidés se découpent dans les reflets du fleuve. *Est-ce un jeune homme? Un homme? Son physique fort, tranquille, son pull léger pour tout vêtement dans le vent de la nuit. Sa taille étroite. Ses longues jambes. Et puis ce sourire.*

— Ça y est. Je lis : Toi qui m'as trouvée... Je te crie amour, que tu puisses aimer de folie rebelle, de passion malsaine, que ses mots soient pour toi le début d'un bonheur téméraire...

Niki se tait, frappée par la beauté de ces mots, par leur force, par leur incroyable adéquation avec tout ce qu'elle vit. Elle sent quelque chose de nouveau. Comme un obstacle franchi, un voile tombé. Il est là. Guido. Le Guido du premier jour, du défi continu, des répliques faciles, des réponses toujours prêtes. Un peu agaçant, mais pas tant que ça. Soudain si proche, en parfaite harmonie. Comme s'ils jouaient ensemble une mélodie que les autres n'entendent pas. Personne ne l'aurait parié. Surtout pas Niki.

— C'est magnifique.

— Je suis content que ça te plaise. Tiens, prends un papier, le crayon et écris, toi aussi.

— Non... Je n'ai pas envie.

— Allez. C'est un jeu, ça pourrait être utile à celui ou celle qui trouvera cette bouteille, ça le fera peut-être réfléchir sur le moment qu'il vit...

Niki hésite. Guido ne la quitte pas des yeux.

— Alors ?

Pour finir elle accepte, conquise par ce jeu étrange.

— Donne-moi ce papier.

— Bien, dit-il en souriant. Je suis content…

Il l'observe tandis qu'elle cherche l'inspiration dans le ciel.

— Si tu me regardes comme ça, je ne vais pas y arriver.

— D'accord. Alors, en attendant, je lance ma bouteille.

Il improvise un bouchon avec une branche et pose doucement la bouteille dans le fleuve. L'eau l'enlève, la lui arrache des mains et l'emporte vers une destination inconnue. Pendant ce temps, Niki a fini d'écrire.

— Ça y est, c'est fait…

Elle roule la feuille et la glisse dans sa bouteille.

— Tu ne me lis pas ce que tu as écrit ?

— Non, j'ai honte.

— Allez… tente Guido en lui souriant. Je suis sûr que c'est très beau.

— Je ne sais pas. J'ai écrit la première chose qui me passait par la tête. Seule la personne qui trouvera la bouteille la lira.

Guido comprend qu'il est inutile d'insister, qu'elle a besoin de son indépendance, de sa liberté de choix, et que déjà le fait qu'elle ait décidé de jouer avec lui est un très beau résultat. Alors il l'aide à faire un bouchon avec une autre branche et descend avec elle au bord du fleuve. Ils regardent disparaître le message dans la nuit.

— Heureux celui qui lira tes mots. Qui sait s'il sera capable d'imaginer la beauté de celle qui les a écrits…

Niki se tourne, il est près d'elle. Tout près. Trop près. Ils sont enveloppés dans la pénombre, sous la chevelure verte d'un grand arbre dont les longues branches forment au-dessus d'eux un parapluie naturel. Elles les protègent même des rayons de lune. Ils sont loin de tout. Un vent léger, un peu plus chaud maintenant, bouge quelques feuilles, puis les cheveux de Niki. Sa mèche rebelle vole sur son visage, lui dessinant comme une dentelle indécise, un point d'interrogation, qui finit sa course au bord de la joue. Un silence fait de mille mots. Ils sont conscients de la beauté du moment. Cet instant semble durer une éternité.

Guido lève délicatement la main vers le visage de Niki, déplace cette mèche et lui caresse les cheveux. Lentement, les yeux dans les yeux, leurs lèvres s'approchent doucement, dans un mouvement magique, et s'ouvrent comme des fleurs écloses sur le lit du Tibre. Ces lèvres rouges, doux pétales de deux jeunes sourires, sont de plus en plus proches. *Niki ? Niki ? Mais que fais-tu ? Tu vas l'embrasser ?* Alors, comme réveillée d'un doux rêve, comme rappelée d'une hypnose soudaine, Niki revient à elle et a honte de céder, de la faiblesse de ce moment, de cette folle, simple et stupide, humaine attraction. Mortifiée, elle s'écarte et baisse les yeux.

— Excuse-moi, mais je ne peux pas.

Pas je ne veux pas, pense Guido. *Pas tu ne me plais pas. Pas je ne te désire pas. Juste je ne peux pas. Comme si en réalité elle voulait, comme si le désir était là, comme si cela pouvait arriver, mais pas maintenant. Un jour.* Alors, sans hâte, sans agacement, avec un sourire plein de simplicité et de légèreté, il dit :

— Ne t'inquiète pas. Je te ramène chez toi.

Niki, à l'arrière de sa moto, se sent perdue, confuse, désorientée, et le vent frais des quais ne suffit pas à éclaircir son esprit, ni son cœur. La moto avance lentement, et à un moment Niki sent la main gauche de Guido qui a abandonné le guidon pour se poser sur la sienne, la serrer, comme pour lui donner confiance.

— Tout va bien ?

Guido croise son regard dans le rétroviseur, il sourit, il voudrait la rassurer, la calmer.

— Tout va bien ? insiste-t-il.

— Oui, tout va bien.

Calme et tranquillité. Ils font encore un bout de chemin main dans la main, tout conflit définitivement écarté, toute blague stupide, toute moquerie. Comme s'ils étaient entrés dans une nouvelle dimension. Complices. Niki baisse les yeux. Sa main serrée dans celle de Guido, si longtemps, immobile, comme abandonnée. Elle ne se sent pas coupable. Dans le fond, qu'a-t-elle fait ? Elle se le demande, mais elle sait parfaitement qu'elle respire un air nouveau. Elle n'aurait jamais pensé pouvoir se sentir comme ça avec un autre. Un autre. Un autre. Elle a presque envie de crier ce mot, tellement il lui semble bruyant, strident, étrange, absurde, étranger, impossible. Un autre. Un autre. Elle ne l'aurait jamais imaginé. Elle regarde à nouveau sa main, elle est bien là, dans la sienne. Alors elle ferme les yeux et s'appuie contre son dos, se laisse porter, abandonnée, dans les rues, en cette nuit étrange. Silence. Même la circulation ne fait plus de bruit. Comme si toute la ville était suspendue.

Une larme rebelle coule sur son visage. *Oui, c'est comme ça. Je suis complice.* Et presque sans s'en rendre compte, elle se retrouve devant l'université.

– Voilà, nous y sommes...

Niki descend promptement de la moto et le salue, cachée par ses cheveux, fuyant jusqu'à elle-même.

– Ciao...

Elle part sans même l'embrasser. Elle court vers sa voiture, l'ouvre sans se retourner. Elle se retrouve en bas de chez elle, rentre dans l'immeuble en refermant la porte derrière elle, puis appelle l'ascenseur. Elle reste là, le souffle court, elle cherche désespérément son équilibre. Dans la cabine, elle observe son reflet dans le miroir et essaie de se reconnaître. Ses cheveux emmêlés par le trajet en moto, sauvages, rebelles, malgré le casque, et puis son visage, si différent, ses yeux amusés, fourbes, fous, mus par une saine et excessive passion. Cette envie de liberté, d'incroyable rébellion contre tout et tous, de n'avoir plus de frontières, de limites ni de devoirs, d'appartenir au monde et à elle-même. Oui, rien qu'à elle-même. Elle rentre chez elle. Heureusement, tout le monde dort. Elle rejoint sa chambre sur la pointe des pieds et ferme la porte. Elle sort son portable, le pose sur le bureau et le regarde. Il est éteint. *A-t-il essayé de me joindre ? Je ne sais pas. Mais je n'ai pas envie de l'allumer maintenant. Je ne veux pas savoir. Je ne veux dépendre de rien ni de personne. Où étais-tu ? Que faisais-tu ? Je ne sais pas. Mais si, j'étais avec mes copines.* Soudain elle se rebelle contre ça aussi. *Devoir dire un mensonge. Mentir. Comment ça ? Et ma vie ? Pourquoi dois-je mentir ? Parce que je n'ai plus la liberté d'être moi-même ? À quel titre dois-je me contrôler, faire semblant de ne pas ressentir quelque chose juste parce que « ça ne cadre pas » quand on va se marier ? Mais que suis-je devenue ?* Niki déambule nerveusement dans sa chambre. Elle sent comme un cri étouffé qui la remplit, demande de l'espace, de l'attention. *Mais qu'est-ce que je dis ? J'aime Alex, je suis avec lui, je me suis battue pour lui. Moi qui ai toujours critiqué tout ça quand je le voyais chez les autres, maintenant, qu'est-ce que je fais ? Je suis pire qu'eux. Erica, Olly, mes autres copines de classe, mes amis du lycée. Chaque fois que j'ai entendu une histoire dans le genre, j'ai toujours mitraillé tout le monde sans leur laisser aucune échappatoire. Et maintenant ? Maintenant, je suis comme eux, rien de plus. Et même pire, parce que j'ai eu l'audace de parler, de critiquer, de juger, d'en rire, en pensant que ça ne pourrait jamais m'arriver. Quelle horreur, disais-je alors, je ne pourrais jamais. Mais là, c'est moi qui suis dans cette situation. Indécise, incertaine, pas heureuse, me dirigeant rayonnante vers un lui unique, mais, situation terrible, ménageant la chèvre et le chou.* Alors, en entendant cette dernière phrase résonner dans son esprit comme un grondement soudain, comme une possible attaque contre tout ce qu'elle avait construit de beau jusqu'ici, Niki n'a plus aucun doute. Elle n'a pas le choix. Plus maintenant. Alors elle s'approche du bureau où elle a révisé son bac, où elle a souffert, pleuré et regardé mille fois son portable en espérant en vain un message de lui. Combien de fois a-t-elle frappé du poing sur cette table quand elle était séparée d'Alex, désirant qu'il revienne, qu'il lui dise « je me suis trompé, pardonne-moi, remettons-nous ensemble ». Que de jours, que de larmes. Que de désespoir. Et maintenant ? Elle s'assied en silence. Maintenant, tout a changé à nouveau. Elle se passe la main dans les cheveux, dégage son visage et se retrouve à faire ce qu'elle n'aurait jamais imaginé.

114

L'appartement de Mattia est grand mais pas particulièrement soigné. Le mobilier est un mélange de styles entre les années soixante-dix et Ikea. On dirait que sa grand-mère y vivait encore tout récemment. Il y a même quelques napperons au crochet posés sur des meubles et, dans le couloir, une commode avec un miroir occupe tout l'espace. Le salon est transformé en une sorte de salle de gym, avec plusieurs appareils et un tapis roulant.

— C'est ici que je me détends… L'activité physique est le meilleur remède contre le stress et le mal de tête. Viens…

Dans la petite cuisine, Mattia allume un néon et sort du réfrigérateur un gâteau à la crème posé sur une assiette en verre. Puis il prend un couteau dans un tiroir, une petite assiette et un verre dans un placard. Enfin, il pose une bouteille d'eau gazeuse entamée et des serviettes en papier sur la table.

— Je t'en prie, installe-toi. Nous ne pouvons pas laisser une princesse sans dessert.

Cristina sourit. Il lui coupe une belle part qu'elle mange de bon cœur.

— Tu as vraiment un bon coup de fourchette… Insatiable…

Mattia prend un peu de crème avec son doigt et, pendant qu'elle regarde ailleurs, lui en met sur le nez. Cristina rit. Puis un petit morceau de gâteau finit dans la bouche de Mattia. Il s'approche.

— Laisse-moi te goûter…

Il l'embrasse doucement, comme une petite morsure. D'abord un peu tendue, Cristina se laisse aller. Suit un baiser doux, long et intense. Puis un frôlement sensuel. Deux. Un T-shirt qui vole, une robe qui glisse. Le couloir, une porte sombre, une chambre à coucher, une lampe de chevet qui s'allume. Encore des baisers, des caresses, de la passion. Cristina sent sous ses doigts ce corps parfait, ces muscles dessinés, cette peau lisse et chaude. Elle remarque que cette pièce est la seule à être meublée de façon moderne, avec beaucoup de miroirs aux murs et peu de meubles, tous blancs. Elle s'aperçoit aussi que Mattia de temps à autre jette un coup d'œil à son reflet d'un air satisfait. Peut-être de ses muscles, ou bien de lui, protagoniste de cette scène. Cristina ne l'a jamais fait, entourée d'autant de miroirs et elle est un peu gênée. Mattia est doux et elle finit par ne plus y penser. Encore des baisers, et lui au-dessus d'elle. Puis Cristina remarque autre chose. Sur une étagère près de la fenêtre, une petite boule en verre, de celles avec de la neige dedans. À l'intérieur, un personnage porte un carton où il est écrit « Je t'aime ». Cristina s'assombrit. Elle ressemble à celle qu'elle avait offerte à Flavio pour lui faire une petite surprise… *Il avait ri et m'avait embrassée. Puis il avait retourné la boule en verre et regardé la neige tomber. La même que celle qui est devant mes yeux. Qui lui a toujours plu. Peut-être que lui aussi, c'est quelqu'un de spécial qui la lui a offerte. Et qu'il y tient.* Mattia lui paraît alors encore plus sympathique. Elle se laisse toucher. Mais elle est envahie par mille pensées, tandis que Mattia continue de l'embrasser sans savoir à quoi elle songe.

Plus tard. Il est environ 1 heure, la ville est silencieuse. Cristina se rhabille. Elle regarde une dernière fois la boule en verre. Mattia est allongé sur lit et la lune qui entre par la fenêtre l'éclaire en créant un drôle de jeu entre les miroirs. Il ouvre les yeux.

— Tu t'en vas, mon trésor?

— Oui, il est tard.

— Alors je te raccompagne…

— Non, ne t'en fais pas, je viens d'appeler un taxi.

— Quand ça ? Je ne m'en suis pas aperçu.

— Tout à l'heure. Tu dormais... et puis, je n'ai pas envie de te faire ressortir.

— Tu me plais, tu es une femme indépendante.

En entendant ces mots, Cristina a une drôle de sensation. Elle attrape son sac et le petit manteau qu'elle a laissés à la cuisine. Mattia l'accompagne à la porte.

— Qui t'a offert ce personnage qui est dans ta chambre, celui qui est dans la boule avec la neige ?

Mattia fait une grimace, réfléchit.

— Bah... Une fille... Je ne me souviens pas de son nom... Pourquoi ?

Curieux à quel point un petit objet, un souvenir aussi insignifiant, peut avoir une valeur si différente pour deux personnes. Trop différente. Il ne se rappelle même pas qui était la fille. Une fille qui le lui a peut-être offert avec amour, comme j'avais fait avec Flavio. Une fille amoureuse, peut-être mignonne, peut-être patiente, peut-être convaincue que lui aussi la considérait comme spéciale. Et maintenant, il ne se souvient même pas de son nom.

— Alors, splendide femme, je peux t'appeler demain ?

— Non...

Mattia n'en revient pas.

— Tu es peut-être occupée... Alors après-demain.

— Non...

— Dans quelques jours ?

— Non plus.

Cristina lui dit au revoir et disparaît dans le couloir. Mattia la regarde s'éloigner. Il ne comprend pas ce changement d'humeur. *Bah ! Les femmes ! Et puis, il ne faut jamais dire jamais.*

115

Erica se réveille en sursaut. Le matelas est trop dur. Que se passe-t-il ? Elle ouvre les yeux mais ne reconnaît ni les objets ni la pièce. Elle l'aperçoit, à côté d'elle, profondément endormi. Le drap a glissé par terre, découvrant son corps un peu flasque. Bizarre. On ne dirait pas, quand il est habillé. Sur la table de nuit, un réveil indique qu'il est 3 heures du matin. Elle se rend compte qu'elle est nue elle aussi. Ses habits sont éparpillés sur le sol. Elle se rappelle. Ils ont quitté l'université, il l'a emmenée faire un tour, ils ont beaucoup ri dans la voiture. Il lui a fait comprendre qu'elle lui plaisait. Elle était heureuse. En bas de chez lui, il lui a proposé de monter prendre un café, en lui promettant de la raccompagner ensuite. Ils ont bavardé un peu et il l'a embrassée. De plus en plus intensément. Erica s'est laissé aller. Et maintenant, en le regardant, elle est gênée. Elle ne le trouve pas aussi beau qu'avant. *Je le trouvais canon. Je voulais à tout prix qu'il me remarque, et maintenant que j'ai couché avec lui je me sens bizarre.* Elle déambule dans la chambre, éclairée par la lumière d'un lampadaire qui filtre à travers les stores. Des livres. Un semainier. Un miroir. Et un cadre posé sur un meuble. La photo d'une belle femme brune aux cheveux longs, et de deux enfants d'environ huit et dix ans. À côté d'eux, accroupi, lui. Marco Giannotti. Une autre photo plus grande, dans un cadre argenté, de Marco et cette femme le jour de leurs noces. *Alors il est marié.* Erica se tourne pour le regarder. Il dort encore plus profondément. Il ronfle. Elle secoue la tête. *Quelle tristesse !* Elle se demande ce qu'il fait ici tout seul. *Peut-être que sa femme et son fils sont partis en vacances. Ou alors c'est l'un des nombreux appartements où il emmène les filles comme moi.* Ces mots la pétrifient. *Les filles comme moi ? Les types comme lui. Moi je n'ai rien fait de mal. J'ai suivi mon instinct. Il me plaisait. Rien de plus. C'est lui le menteur. Qui trompe sa femme et profite de ses étudiantes.* Mais cette phrase sonne comme un mensonge à elle-même.

116

La voiture avec chauffeur s'arrête en bas de chez Alex, qui descend et récupère sa valise dans le coffre. Leonardo baisse la vitre.

— Tu peux prendre un jour de congé, si tu veux.

— D'accord, merci, dit Alex en souriant. En tout cas, tout a marché comme sur des roulettes, non ?

— Oui, tout à fait, répond Leonardo avec enthousiasme. Les Américains ont déjà avancé une grande partie du budget de l'an prochain à leur société, et ils ont été impressionnés par la beauté des films. Je dois dire que Raffaella et toi, vous êtes vraiment des machines de guerre. Je regrette qu'elle ne soit pas venue.

— Oui, admet Alex. Son travail a été très apprécié. Si tu passes au bureau, dis-le-lui. Nous, on se voit après-demain…

Alex entre dans son immeuble et appelle l'ascenseur. Il regarde son téléphone. *C'est bizarre, Niki ne m'a pas appelé. Même pas un message. Hier j'ai essayé de la joindre mais son téléphone était éteint, et ensuite je n'ai plus pu, j'ai dû dîner avec les Américains. Bah, c'est normal. Quoi qu'il en soit, à partir de maintenant les choses seront plus simples. Beaucoup plus simples, et je vais enfin pouvoir m'occuper un peu de ce mariage.* Arrivé chez lui, il pose les clés sur la console de l'entrée. *En effet, je n'ai pas fait grand-chose, jusqu'ici.*

— Niki… Tu es là ? Niki ?

Elle est peut-être déjà partie. Ou peut-être qu'elle n'est pas venue. Elle a préféré rester chez elle, d'ailleurs je crois qu'aujourd'hui elle devait aller avec sa mère demander pour l'église… Mais soudain il aperçoit l'armoire ouverte. Et aussi plusieurs tiroirs du bureau. La porte de la chambre identique à celle de Niki est ouverte, et l'armoire est vide.

— Que s'est-il passé ? J'ai été cambriolé ?

Alex prononce ces mots d'une voix hésitante, et aussi pleine d'espoir, craignant que cet inexplicable désordre ne soit dû à autre chose. *Non. Dites-moi que ce n'est pas ça.* Alex pose sa valise à terre et court dans la maison, de plus en plus agité, jusqu'à la chambre à coucher. Il la trouve. *Alex. Une lettre. Une autre. Oh non…* Il ouvre frénétiquement l'enveloppe et en sort une feuille qu'il secoue avec rage, avide d'en connaître le contenu.

> *Cher Alex, ce n'est peut-être pas la bonne façon de te le dire, mais à l'heure qu'il est, je me sens très lâche.*

Alex a l'impression qu'il va s'évanouir, il a envie de vomir, mais dévore frénétiquement chaque mot. Il lit la lettre à toute allure en sautant des concepts, des phrases, des lignes, en cherchant, fouillant, avec la crainte de trouver cette phrase : *Je suis tombée amoureuse d'un autre.* À la fin il ralentit, un peu plus tranquille.

> *Je suis désolée, c'est un pas trop grand pour moi. J'ai compris que j'ai peur, que je ne suis pas prête.*

Il respire plus lentement. C'est juste ça, rien de plus. Bon, c'est quand même beaucoup, c'est important, mais ce n'est pas définitif. Il lit jusqu'à la dernière ligne.

Donc je préfère qu'on ne se voie pas pendant quelque temps, j'ai besoin de réfléchir à tout ça.

Comment ça ? Moi j'ai quitté mon travail pour toi, je suis allé sur une île, dans un phare, pour t'attendre, et nous nous sommes remis ensemble parce que nous l'avions décidé. J'ai déménagé pour que tu n'aies pas de souvenirs de ma vie avec Elena, j'ai recréé une chambre identique à la tienne pour que tu puisses venir y travailler tout en te sentant chez toi, libre et indépendante, je suis allé jusqu'à New York, je me suis inventé tout ça pour pouvoir te demander en mariage de la façon dont tu le rêvais, comme dans les contes de fées que tu aimes tant, parce que la vie peut être un conte de fées, si tu le veux, si tu décides de vivre en rêvant... Et maintenant tu renonces au rêve ? Tu n'es pas prête ? Tu as peur ? Tu renonces à tout ça ? Pourquoi, Niki ? Par ma faute ? Parce que j'ai été trop occupé ? Parce que tu as dû supporter mes sœurs ? La préparation d'un mariage ? Le poids d'un choix ? Je t'en prie, Niki, dis-le-moi.

Il reste là, dans le silence de son appartement vide, entre ces murs qui raisonnent encore des rires de leur amour, des courses-poursuites et des chutes douces dans les draps, des baisers dans toutes les pièces, des soupirs, et des sourires légers qui s'estompent progressivement. Soudain, la maison semble triste à Alex, comme si elle avait perdu son vernis, comme si les couleurs des canapés, des tapis, des chaises, des tableaux, de toutes ces choses choisies ensemble, s'étaient soudain ternies, brouillées, embuées, comme dissoutes dans l'eau. Ou du moins, c'est exactement comme ça qu'il les voit en ce moment précis, à travers ses larmes.

117

Olly cache quelques affaires dans l'armoire, enlève distraitement un peu de poussière çà et là. Elle fait bouillir de l'eau et met un peu d'hibiscus dans un filtre. Elle pose quatre grandes tasses sur la table où elle a déjà disposé des biscuits, du citron et du sucre de canne.

Trois coups brefs à l'Interphone.

— Erica ! Salut, entre.

Olly retourne à la cuisine et baisse le feu.

— Viens par ici, je surveille l'eau.

On sonne à nouveau, Olly court vers la porte.

— Ah, te voilà, dit-elle en embrassant Diletta. Tu as un air sérieux !
Qu'est-ce qui nous arrive ?

— Tu as raison, excuse-moi... C'est une période un peu bizarre.
Et puis, quand Niki nous convoque de cette façon, ça me fait toujours un drôle d'effet... C'est sa faute, si je suis nerveuse !

Elles s'installent au salon.

— Salut, Erica ! dit Diletta en allant l'embrasser. Alors ?

— À nouveau réunies ici.

Diletta s'assied sur un tabouret haut près du bar.

— En tout cas, il est vraiment beau, cet appartement, tu l'as meublé avec beaucoup de goût.

— Merci, répond Olly en souriant. Oui, je l'aime beaucoup, et
puis on y dort très bien, il est silencieux. Je crois que les maisons
ont toutes une atmosphère, une énergie particulière, vous ne pensez
pas ?

— Oui, et ici c'est comment ?

— Très positif. Mais à votre avis, que veut nous dire Niki ?

— Moi, je pense qu'elle veut demander à deux d'entre nous d'être
les témoins.

Erica écarquille les yeux.

— Deux ? Seulement deux ? Et pourquoi pas toutes les trois ? Parce
que, dans ce cas, je suis sûre que c'est moi, l'exclue !

— Pourquoi ? demande Olly, surprise. Ça serait plutôt moi. Je l'ai
appelée plein de fois, mais elle ne m'a jamais répondu.

— Moi non plus. Hier soir encore j'ai essayé mais son portable
était éteint.

— Je peux ? demande Diletta en prenant un biscuit. J'ai une de
ces faims.

— Oui, oui. D'ailleurs, excusez-moi, vous voulez quelque chose ?

— Non, non, pas moi, je suis au régime, répond Erica. J'ai vraiment grossi.

— Qu'est-ce que tu racontes, tu es très bien ! dit Olly en regardant
Diletta. Ça serait plutôt elle, qui a pris quelques kilos.

Diletta se cache derrière son biscuit.

— Moi ? Peut-être. J'ai toujours faim, en ce moment. Il faut que je me bouge un peu pour essayer de récupérer ! ajoute-t-elle en riant.

— Oui, acquiesce Erica, avec Filippo !

— Jalouse. Qu'est-ce qui se passe, tu n'as pas de flirt, en ce moment ?

— Moi ? Je ne sais plus où donner de la tête !

— Bon, en tout cas, nous sommes d'accord, n'est-ce pas ? demande-t-elle en posant sur la table des sablés aux amandes.

— Bah… répond Olly. Moi, je suis encore un peu en colère.

— Oui, moi aussi, dit Erica en allant éteindre l'eau.

— Je sais, les filles, mais nous sommes toujours ses amies. Nous en avons déjà parlé au téléphone : l'autre jour à l'atelier, Niki était fatiguée et stressée, tout comme les jours d'avant, quand elle ne nous répondait pas… Ce n'est pas qu'elle nous en veut ou qu'elle ne nous aime plus… C'est juste qu'elle a mis le pied dans quelque chose qu'elle n'arrive pas à gérer.

— Oui, mais ce n'est pas notre faute ! Nous voulions juste l'aider… dit Olly en plaçant le filtre dans la bouilloire.

— Elle le sait, elle aussi… mais elle a perdu sa lucidité. Vous avez vu comme elle était bizarre, ce jour-là. Les filles, nous sommes les Ondes. Pour le meilleur et pour le pire. Nous ne sommes pas parfaites. Nous ne pouvons pas toujours être au top. Et quelque chose d'inattendu peut arriver à chacune d'entre nous… quelque chose qui nous fait peur et qui bouleverse nos plans, ajoute-t-elle en se touchant légèrement le ventre, geste qu'elle seule peut comprendre. Mais nous sommes les Ondes. Vous vous rappelez ? Toujours et quoi qu'il arrive. Nous sommes quatre. Et nous devons rester unies, même quand l'une de nous s'éloigne un peu, ou est en difficulté, et nous repousse, même si nous ne le comprenons pas. On peut se disputer, entre amis, on n'est pas toujours d'accord. Sinon, ce n'est pas de l'amitié, c'est du théâtre ! L'important est de s'expliquer, de trouver le courage de rompre le mur du silence qui se crée parfois. Il fallait que quelqu'un fasse le premier pas. Bien. Nous l'avons fait. Vous allez voir, tout va s'arranger. Mais il faut retrouver l'harmonie… Vous me le promettez ? De toute façon, si on laisse les choses comme ça, on ne pourra pas se sentir bien…

— Diletta, nous aimons Niki, assure Olly. Nous l'adorons, tu le sais. Tout comme nous t'adorons. Mais ce qui me fait enrager, c'est justement que Niki, se sentant en difficulté, ait rompu les liens… C'est elle qui se met en retrait. Elle va à New York, revient, décide de se marier, s'isole, se fait aider par les sœurs d'Alex, ne nous écoute même pas… C'est elle, qui n'arrive pas à être avec nous…

– Olly, ne fais pas la dure… De toute façon, tu ne l'es pas… Toi aussi, ça te fait de la peine qu'elle se soit isolée. Et c'est justement ça qui doit nous faire comprendre qu'elle va peut-être mal. Ça ne sert à rien de l'attaquer, tu ne crois pas ? Et puis, je le répète, nous sommes ses amies. Un point c'est tout. Bon, elle va arriver, non ? Il est presque 16 heures. Nous verrons bien.

Au bout de quelques minutes, l'Interphone retentit à nouveau.

– C'est elle.

On sent planer de la tension, de l'émotion et de la peur. Le cœur d'Olly bat fort, comme avant un défi ou une épreuve difficile. Diletta fait nerveusement les cent pas dans la pièce. Erica tourne et retourne une petite cuillère entre ses mains. Se parler. S'expliquer. Recommencer. Comme cela ne leur est jamais arrivé auparavant. Une petite fracture qui risque de s'aggraver, si on ne la soigne pas à temps. Une amie à protéger, aider, au-delà de ce qu'elle-même peut comprendre. Et puis, les phrases, toutes ces phrases qu'elles ont écrites dans leurs agendas au fil des ans, qu'elles se sont dédicacées mutuellement, pour resserrer chaque fois leur lien. Ce proverbe arabe… « Un ami est quelqu'un à qui on peut révéler le contenu de son cœur, tous les grains et plus petits grains, en sachant que ses mains gentilles les passeront au crible pour n'en conserver que les choses de valeur, tout le reste sera écarté… » Cette phrase de Gibran… « Mon ami toi et moi demeurerons des étrangers à la vie, l'un à l'autre, et chacun envers soi-même, jusqu'au jour où tu parleras et que j'écouterai en considérant ta voix comme la mienne ; et que je me tiendrai devant toi en pensant me trouver devant un miroir.[1] » Et encore, Antoine de Saint-Exupéry… « Auprès de toi, je n'ai pas à me disculper, je n'ai pas à plaider, je n'ai pas à prouver, je trouve la paix. Au-dessus de mes mots maladroits, au-dessus des raisonnements qui me peuvent tromper, tu considères en moi simplement l'Homme[2]. » Voilà, c'est le moment de voir Niki, tout simplement. Au-delà de l'agacement.

Olly va lui ouvrir.

– Salut…

Niki l'étreint. Olly est étonnée. Diletta et Erica se regardent, pas très convaincues, mais elles vont quand même la serrer dans leurs bras. Diletta lui sourit.

---

1. Extrait de Khalil GIBRAN, *Le Sable et l'Écume*, traduction de Jean-Pierre Dahdah, Paris, Albin Michel, 2000.
2. Extrait de Antoine de SAINT-EXUPÉRY, *Lettre à un otage*, Paris, Gallimard, 1944.

— Ce mariage t'a éloignée de tout et de tout le monde.

— Oui, c'est vrai, tu as raison.

Mais ses mots sont tristes et les Ondes, naturellement, s'en aperçoivent. Niki ferme les yeux un instant, juste un instant, puis les rouvre. Diletta, tout en mâchant un biscuit, sourit en essayant de détendre l'atmosphère.

— Alors... Tu sais ce qu'on a parié ? Qu'aujourd'hui tu vas choisir deux témoins... Nous en avons discuté, et l'une d'entre nous va forcément se retrouver sur le carreau... Donc, tu n'as qu'à m'exclure moi, je suis la plus forte, ou bien... nous prendre toutes les trois comme témoins... Je te le dis, Niki... Le groupe des Ondes court un gros risque, avec cette décision.

Niki s'appuie contre le bar, comme pour se soutenir, se sentir plus solide pour leur annoncer la nouvelle. Puis elle sourit, hésitante et gênée.

— Vous ne courez aucun risque...

Elle marque une pause et les regarde dans les yeux, décidée et déterminée dans son choix. Mais en cherchant leur amour et leur soutien, dont elle a bien besoin.

— Je ne me marie plus.

— Quoi ?

Diletta manque de s'étrangler avec un morceau de biscuit. Erica, malgré son envie permanente d'être transgressive, est sincèrement stupéfaite.

— Tu plaisantes, pas vrai ?

Olly se tait, elle est déconcertée, elle ne sait pas quoi dire, quoi penser, quoi ressentir, si elle doit être heureuse ou déçue, femme ou petite fille. Elle choisit d'être amie, tout simplement.

— Raconte-nous.

118

— Ce n'est pas possible.

Flavio, Enrico et Pietro n'en croient pas leurs oreilles. Ou plutôt leurs yeux, vu qu'ils se passent la lettre de Niki, qu'ils ont déjà lue au moins deux ou trois fois.

— Ce n'est pas possible, répète Pietro en secouant la tête.

— Ça fait trois fois que tu le dis, observe Flavio.

— Je le répète, ce n'est pas possible.

Alex est affalé dans le canapé.

— Et pourtant, les gars, c'est possible. C'est comme ça. C'est écrit là. Je ne l'ai pas inventé.

Enrico essaie de dédramatiser.

— On dirait une lettre écrite à la va-vite, il y a même une faute…

Flavio écarte les bras.

— Qu'est-ce que ça peut faire, une faute ! Et puis, quelle faute, je n'ai rien remarqué…

— Mais si, je l'ai vue, moi aussi, dit Pietro en reprenant la lettre. Voilà : « Il est impossible de tenir leur rythme, à tes sœurs… » C'est ça que tu voulais dire, non ?

— Mais qu'est-ce que vous racontez ? demande Flavio en écartant les bras. Ça se dit, aujourd'hui, un peu que ça se dit.

— Non, elle aurait dû dire « Il est impossible de tenir le rythme de tes sœurs ».

— Mais non ! Ça, ce sont tes lettres, quand tu écris à des sociétés ! Là, il s'agit de la lettre d'une jeune fille… Excuse-moi si je le dis, Alex, qui quitte son copain.

— Merci, les gars…

— C'est écrit là !

Pietro acquiesce.

— Et donc, emportée dans son élan, elle n'a pas peaufiné.

— Justement !

Alex les regarde d'un air triste.

— À part la faute, qu'est-ce que vous en pensez ?

— Je trouve que c'est un mauvais choix, répond Enrico.

— Lequel ?

— Celui de nous faire lire cette lettre à tous !

— Ce n'est pas de ça dont je parlais ! Qu'est-ce que ça peut me faire, vous êtes mes amis depuis toujours, si je n'en parle pas avec vous, je ne vois pas avec qui je le ferais ! Avec mes collègues, avec Andrea Soldini, avec Leonardo ?

Pietro intervient.

— Je suis passé l'autre jour à ton bureau, je te cherchais, et à dire vrai, j'affronterais volontiers n'importe quel type de problème avec Raffaella…

— Oui, mais en ce moment, pour moi, Raffaella est un homme.

— Alors tu es vraiment mal en point.

— Très mal. C'est la seconde fois que je demande une femme en mariage…

— Et que tu te retrouves les armoires vides avec une lettre qui t'attend.

Pietro s'assied en face d'Alex.

— Force est donc d'admettre que quelque chose ne va pas…

— Du genre ? lui demande Alex d'un air inquiet.

— Quand tu les demandes en mariage, avec les préparatifs pour la noce et tout le reste, tu crées un tel stress et une telle peur chez elles, une véritable terreur, même, qu'elles finissent inévitablement par s'enfuir…

— Avec Elena, on n'en est même pas arrivés aux préparatifs…

— Donc ta théorie ne vaut pas ! dit Flavio à Pietro.

— Oui, mais je pense qu'avec la prochaine…

— Avec la prochaine ? Quelle prochaine ? Noooon… Pas question. Je veux Niki.

— Et tu vas sans doute la récupérer, temporise Pietro. En tout cas, pour l'instant, avec elle cette histoire de mariage a mal tourné. Si jamais ça ne devait pas fonctionner entre vous…

À cette seule pensée, Alex sent le sol se dérober sous ses pieds, mais Pietro continue comme si de rien n'était.

— Je crois que le mieux serait que la prochaine, tu fasses semblant de l'inviter à une fête importante, très élégante, comme ça elle se met sur son trente et un, et… Tac ! Tu as déjà tout préparé, la réception, les témoins, les bonbonnières, les fleurs, les alliances… et tu l'épouses ! Sans lui laisser la possibilité de vider les armoires… ni la lettre habituelle et tout ce drame que tu as déjà vécu et revécu, n'est-ce pas ? Je ne crois pas que tu aurais la force de supporter une troisième lettre.

Alex les regarde tour à tour.

— Vous ne vous en rendez peut-être pas compte, c'est-à-dire, je comprends votre situation personnelle, le fait que tous les trois, d'une façon ou d'une autre, vous ayez vu votre mariage en difficulté et que tout ce qui vous est arrivé fait que vous ne croyez plus en l'amour… Mais ce n'est pas mon cas. Ce n'est pas mon histoire. Ce n'est pas mon conte de fées.

— Conte de fées ? Quel conte de fées ? demande Pietro.

— Le conte de fées entre Niki et moi. J'aime Niki.

Flavio, Enrico et Pietro poussent un soupir et se laissent tomber sur le canapé en face d'Alex. Pietro est le premier à reprendre la parole.

— Si à quarante ans tu crois encore aux contes de fées, le problème est plus grave que prévu.

— Peut-être que ne plus y croire est un problème encore plus grave, rétorque Alex.

— Bon, tu es têtu et tu veux avoir raison, reprend Pietro. Alors nous allons analyser cette lettre plus en détail. Un certain passage. Niki dit qu'elle aurait voulu que tu l'emmènes loin de tout et de tous, que tu l'enlèves sur une moto… Réécriture moderne typique du prince charmant du troisième millénaire, avec une moto au lieu du cheval.

— Oui, intervient Enrico, mais elle oublie qu'après l'accident que tu as eu à quatorze ans avec ton père, tu es terrifié à l'idée…

— Il ne lui a peut-être pas dit, tente Pietro.

— Si, je lui ai dit, je lui ai dit…

— Alors ce n'est pas justifié.

— Non, alors c'est pire. Elle a voulu souligner cette terreur, et donc…

— Donc? demande Alex, curieux.

— Donc, elle te trouve vieux.

— Vieux? Moi? Pourquoi?

— Parce que tu ne fais pas ces trucs de jeune! Combien de fois tu l'as emmenée en boîte?

— Une fois.

— Bien.

— C'était la présentation d'une marque de la société, nous avions choisi une boîte de nuit parce que le produit était une bière.

— Mal.

— Pourquoi?

— Tu as dit boîte. C'était une boîte, mais c'était pour le travail. Combien de tours en moto?

— Zéro! Je n'en ai pas, et comme dit Enrico, elles me terrorisent!

— Très mal.

— Combien de bières bues ensemble?

— Aucune : elle boit du Coca et moi parfois du rhum.

— Mal! Une bière ensemble, c'est synonyme de légèreté et de liberté, et puis ça fait très pub. Tatouages? Piercings? Hypothèses de choses bizarres? Et le sexe, comment ça se passait?

— Écoute, Pietro, l'arrête Alex. Elle a juste peur à l'idée de se marier.

— Ah oui? Moi, dans cette lettre, je vois aussi la possibilité d'un autre.

— Quoi? Où ça? Comment ça? Pourquoi?

— Je ne sais pas. Je le sens. Je ne crois pas à cette peur soudaine, malheureusement la vie est comme ça, et derrière une lettre comme celle-ci, dit Pietro en l'agitant en l'air, il y a presque toujours... l'incapacité de raconter ce qui en est vraiment.

Alex va chercher à boire. Enrico et Flavio jettent un regard noir à Pietro, et il leur fait un geste qui veut dire « qu'est-ce qu'il y a? ». Alex revient avec un verre de Red Bull.

— Bravo, voilà qui va te remonter! Tu ne risques pas de te déprimer, avec ça.

— Tu sais, Pietro, répond tranquillement Alex, tu parles comme ça parce que dans la vie tu n'as jamais été fidèle.

— J'ai trompé pour ne pas être trompé. Ça m'était déjà arrivé quand j'étais jeune. À dix-huit ans, j'étais très amoureux d'une fille... qui était une salope et couchait avec d'autres. Quand je l'ai découvert, je me suis dit que ça ne m'arriverait plus jamais, que j'agirais toujours le premier. Que je les tromperais avant qu'elles ne me trompent.

— Mal, parce que cela veut dire que comme ça elle a gagné deux fois. La première parce que tu as trompé, la seconde parce que tu ne crois plus en l'amour. Moi, en revanche, je veux y croire.

— Et s'il y avait un autre homme, comment tu réagirais?

Alex réfléchit. Les autres se lancent des regards inquiets.

— Elle pourrait avoir quelqu'un et ne pas avoir le courage de me le dire... mais pourquoi? Qu'y aurait-il de mal? L'amour, c'est beau parce qu'on tombe amoureux et que ça arrive sans raison précise, sans qu'on en ait la volonté, sans qu'on le planifie. Tu savais quand tu allais tomber amoureux de Susanna?

— Non!

— Et toi de Camilla?

— Non plus.

— Et toi de Cristina?

— J'ai toujours été amoureux de Cristina, d'ailleurs ne prononce pas son nom, ça me rend trop triste.

— Bon, alors ton cas est trop particulier. Pour revenir à Niki, elle est peut-être amoureuse d'un autre, mais elle a peut-être aussi tout simplement peur du mariage. C'est cinquante cinquante, et moi, parce que je veux croire à mon conte de fées, je choisis la seconde option.

Il s'assied sur le canapé, un peu rassuré, sans lâcher sa Red Bull. Soudain, son expression change radicalement.

— D'ailleurs, si elle est avec un autre, je le tue.

— Ah, voilà! Cette attitude me semblait absurde! dit Pietro en souriant. Le conte de fées, le conte de fées... Quand on te l'enlève, c'est un vrai désastre!

Alex s'approche de lui.

— Dis-moi, mon appartement, sans Niki, est terriblement vide... Je peux rester ici avec vous?

Flavio le serre dans ses bras.

— Mais bien sûr! Quelle question! Tu es ici chez toi.

Pietro lui donne une tape sur l'épaule.

— Alors, d'abord, ici c'est chez moi... Donc c'est moi qui décide qui y habite ou pas.

Il marque une longue pause. Alex et Flavio sont suspendus à ses lèvres, et même Enrico suit avec grand intérêt. Puis Pietro sourit et embrasse Alex.

— Mais bien sûr! Quelle question! Tu es ici chez toi! Ne serait-ce que parce que, avec toutes les fois où tu m'as hébergé, avec les Russes et toutes ces histoires, je suis heureux de pouvoir me rattraper un peu. Viens, je te montre ta chambre... dit-il en le prenant par le bras et en l'entraînant au bout du couloir. La meilleure! Je donne la meilleure chambre à Alex... parce qu'il la mérite!

Ils sortent du salon. Flavio est visiblement déçu.

— C'est vraiment trop bête. Alex était si heureux, tout allait pour le mieux... Du moins pour lui.

Enrico acquiesce.

— Oui, au moins l'un d'entre nous était en plein conte de fées, comme il dit, ça faisait du bien au groupe! Maintenant, nous sommes comme tant d'autres...

— C'est-à-dire?

— On se quitte, on se sépare, ou bien on reste ensemble par habitude, par commodité, par intérêt, jamais vraiment par amour. Merde! Je comptais sur Alex et Niki, ils étaient mon pari vainqueur, dans le loto de l'amour, le numéro gagnant.

— Mais rien n'est encore joué, ils pourraient se remettre ensemble, se marier et vivre leur conte de fées... Après le phare, le gratte-ciel...

— Oui, la lune! dit Pietro en revenant dans la pièce. Vous vivez tous sur la lune, vous êtes des extraterrestres!

— C'est-à-dire?

— Elle a vingt ans, ses hormones sont déchaînées, c'est normal ! Après avoir essayé avec un type plus âgé qu'elle, elle revient, à juste titre, à une belle histoire de sexe avec un type de son âge... Les gars, ne nous voilons pas la face, ça se voit à des années-lumière, qu'elle a quelqu'un d'autre !

Flavio et Enrico lui font signe de se retourner. Alex est derrière lui, la bouche grande ouverte, les bras ballants.

— J'étais venu chercher un peu d'eau, mais là je crois que je vais prendre un whisky.

— Oui, acquiesce Pietro, moi aussi. Excuse-moi, Alex, mais mieux vaut être un peu pessimiste que naïf. J'en suis convaincu, et je pense que cette situation, il faut soit que tu l'affrontes, soit que tu l'oublies à jamais.

Alex cogne son verre de whisky contre celui de Pietro.

— Je préfère la première solution. Quant à la seconde, toute une vie ne suffirait pas. Je n'oublierai jamais Niki.

119

C'est Olly qui prend la situation en main.

— Je le savais, je le savais, Alex était trop parfait. Sympa, marrant, beau, toujours prévenant, adorable même avec nous, le phare, la surprise à New York... Je savais que ça cachait quelque chose... Quelque chose contre quoi tu ne peux rien... Il est gay !

— Non...

— J'ai compris ! Il est déjà marié et il ne te l'a pas dit !

— Non...

— C'est-à-dire... il n'a jamais divorcé...

— Olly... Si tu me laisses parler, je t'explique.

— Oui, tu as raison, excuse-moi.

Ses amies les Ondes sont plus curieuses que jamais. Niki sourit.

— C'est ma décision. J'ai peur, je ne sais pas ce qui m'est arrivé, à un moment c'est comme si j'étais devenue folle, je n'en pouvais plus, c'était une sensation incroyable... comme se trouver devant un sablier cassé... Je le tournais mais il était troué, le sable s'écoulait entièrement, sortait par le trou...

Olly, Diletta et Erica l'écoutent en silence.

— Je n'y comprenais plus rien, j'avais des attaques de panique, le temps qui s'envole, se consume, mon temps... dit-elle en fondant en larmes. Je ne sais pas ce qui m'a pris. Pourtant, je tenais vraiment à Alex. Je n'y comprends plus rien. Je suis désespérée. Je pleure à cause du magnifique amour que j'ai vécu... Et que je ne ressens plus.

Olly la prend dans ses bras.

— Allez, Niki, ne fais pas ça, tu vas me faire pleurer aussi.

— Oui, disent Diletta et Erica en venant s'asseoir à côté d'elle, nous aussi. Tu vas vraiment nous faire pleurer.

— Regarde... ajoute Diletta en montrant ses yeux. Je n'arrive pas à arrêter les larmes! Je voudrais être forte, te soutenir, te consoler, être un roc pour toi... Mais je pleure plus fort que toi!

Elles éclatent de rire, Niki renifle, Diletta aussi. Elles se serrent fort. Soudain, Niki se retrouve avec ses amies, comme si tous les jours passés sans elles avaient disparu. Et cette étreinte efface les fautes, réduit les distances, leur donne envie de reprendre le fil et de recommencer comme avant, encore plus unies. Il sera bien temps de parler, de demander pardon, de s'expliquer devant une bonne tisane à l'hibiscus. Mais cette étreinte compte plus que tous les mots.

Erica pose sur la table sa tasse vide. Ses lèvres sont un peu rouges, Olly le lui fait remarquer en lui tendant un mouchoir en papier.

— Tiens, l'hibiscus t'a tachée.

— Je me salis toujours!

— Tu es un vrai désastre, lui dit Niki. Et tu me manquais...

— Et moi donc... Tu avais disparu... Toujours fourrée avec Javotte et Anastasie!

— Elles ne s'appellent pas comme ça! s'exclame Niki en riant.

— C'est la même chose!

— Alors, d'après toi, moi je serais Cendrillon... En effet, tu as un peu raison... Au détail près que le Prince charmant, je l'ai perdu, au lieu de le trouver... ajoute-t-elle tristement.

Diletta tend la main, cherche la sienne, la serre. Olly aussi. Erica se lève et fait le tour de la table. Elle vient l'enlacer par-derrière.

— Écoute-moi bien et rappelle-toi le conte... Cendrillon n'avait pas d'amies comme nous!

— C'est vrai, dit Niki, émue... Elle n'avait pas les Ondes. J'ai de la chance. Je vous aime tellement... Vous m'avez supportée quand je m'énervais moi-même...

Olly tente de redevenir pratique et rationnelle.

– Bon! Allez, les filles… On n'est plus au collège. Nous devons être tranquilles, fortes, femmes, nous pourrions déjà être mères…

Diletta se dit qu'elle ne croit pas si bien dire. Olly continue.

– Niki, je sais que ce n'est pas facile… mais ça veut simplement dire que ce n'était pas le moment, ce qui n'est pas un problème! Ça veut dire que c'était trop tôt… ce n'est peut-être qu'une question de temps… non? Tu n'as rien fait de mal… Tu n'es coupable de rien.

Mais le silence de Niki est plus éloquent que tous les mots. Olly, Diletta et Erica la regardent.

– Niki?

Elle baisse les yeux.

– Je suis sortie avec un autre.

– Quoi? demande Olly qui n'en croit pas ses oreilles. Mais on n'arrête pas les surprises, avec toi!

Diletta en reste sans voix. Erica attaque immédiatement.

– Et c'était comment? Ça t'a plu?

– Erica!

– Pourquoi, tu veux me faire croire que tu n'as pas couché avec lui?

– Non. J'ai résisté.

Prononcer ces mots lui provoque une douleur énorme. Pour la première fois, elle l'admet à voix haute. *J'ai résisté.* Mais elle a quand même honte. Elle se sent sale. Olly, Diletta, et même Erica, s'en rendent immédiatement compte. Olly lui sourit avec amour.

– Allez! N'exagérons rien, c'est la vie. On tombe, on se relève, on continue. L'erreur est humaine, et si en plus tu le prends comme ça alors que tu n'as rien fait du tout, c'est doublement humain!

Mais Erica ne la lâche pas.

– Qu'est-ce qui t'a fait résister?

Niki relève brusquement les yeux et la regarde avec étonnement. Erica continue.

– Oui, dis-le-moi, s'il te plaît. Ce qui t'a poussée à t'arrêter. Il y a eu un moment où tu aurais voulu, mais quelque chose t'a bloquée. Quoi?

– Je ne sais pas. Un ensemble de choses, mais en réalité très simples. J'ai imaginé Alex. Où il était à ce moment-là, ce qu'il faisait, à quel point il devait être serein et confiant, peut-être pensait-il à moi, souriait, peut-être croyait-il que je dormais déjà… J'avais éteint mon portable… Alors en pensant à son visage, son sourire, j'ai pensé à comment tout aurait pu changer s'il m'avait vue... Voilà, c'est ça qui m'a arrêtée. Qui m'a permis de résister. Aujourd'hui, quelle que soit l'évolution de la situation, je me rappellerai toujours mon histoire avec Alex avec amour, avec l'importance qu'elle mérite. Je n'ai honte de rien.

Les yeux dans le vague, elle est songeuse, soucieuse, comme si elle avait été chercher loin ces mots, comme s'ils appartenaient à une Niki plus âgée.

— Oui, peut-être que je l'ai fait pour moi... Égoïstement, j'ai voulu résister pour continuer à me sentir bien avec moi-même.

— J'étais curieuse, dit Erica en haussant les épaules. Mais peut-être qu'à ce moment-là il ne pensait pas du tout à toi, peut-être qu'il parlait avec ses collègues, ou pire, peut-être qu'il faisait le beau auprès d'une fille... Oui, il disait ces trucs stupides que certains hommes disent parfois pour impressionner, au lieu d'être sincères, de dire simplement tu me plais, ils font plein de détours. Peut-être que c'était ça, qu'il faisait... Et toi, tu as renoncé à ce que tu aurais pu vivre... Parce qu'il y a des choses qui ne reviennent pas, qui sont et qui n'existent que sur le moment... Voilà, tu as peut-être résisté inutilement...

Niki sourit.

— Oui, tu as peut-être raison, il était peut-être occupé à un de ces détours que font parfois les hommes... Mais je n'ai pas résisté inutilement. Je suis heureuse de mon choix, tout comme jusqu'à hier j'étais heureuse de ma situation. Depuis, quelque chose a changé.

— Tu as parlé avec Alex ? demande Olly.

— Non, pas encore. Je lui ai écrit une lettre.

— Mais tu lui as parlé de l'autre ?

— Non. Tu es folle, ou quoi ?

Olly pousse un soupir. Diletta secoue la tête.

— Si juste avant de me marier je trouvais une lettre de rupture, je ne sais pas ce que je ferais ! Je crois que je me tuerais. Non, en fait... ajoute-t-elle en se rendant compte de ce qu'elle vient de dire. Je le prendrais mal mais j'essaierais de comprendre... Une chose est certaine, je l'appellerais, je l'attendrais en bas de chez lui, je le bombarderais de questions...

— Mais tu n'es pas Alex, intervient Niki. Et puis, je lui ai écrit dans la lettre que j'avais besoin d'un peu de temps pour moi, pour réfléchir, pour comprendre... Alex est adulte, il va respecter cette exigence, j'en suis sûre.

— Et avec l'autre, intervient Erica, qu'as-tu décidé de faire ?

— Je ne sais pas encore.

— C'est celui de l'université que tu voulais nous présenter, n'est-ce pas ?

Niki acquiesce. Elle a un peu honte de sa propre confiance en elle. En amour, il ne faut jamais être trop confiant.

120

À l'autre bout de la ville. Dans un loft pas encore totalement aménagé, Pietro, Enrico et Flavio sont rassemblés devant une porte close.

— Mais que fait-il ? demande Enrico à voix basse.

— À ton avis ? rétorque Pietro en secouant la tête. Il pleure !

— Non, je n'y crois pas !

— Alors n'y crois pas…

Pietro s'éloigne, les autres le suivent.

— Tu es sérieux ?

— Oui, ça s'entendait très bien. Il reniflait, même ! Pleurer à quarante ans pour une fille… Je trouve ça vraiment absurde, ajoute-t-il en haussant les épaules.

Flavio se sert à boire.

— Je ne vois pas le rapport avec l'âge. Vingt ans ou quarante, c'est la même chose ! Ça dépend de ce que tu ressens pour la personne, quel type d'émotion ou de sentiment, à quel point tu es amoureux, mais pas de ton âge !

— Pour moi, c'est très clair. Pleurer pour une femme à quarante ans, je trouve ça ridicule. Tu comprends ?

— Mais ce n'est pas n'importe quelle femme ! s'énerve Flavio. C'est sa femme, la femme de sa vie, son épouse, la mère de ses enfants…

— Tu devrais utiliser le conditionnel, précise Pietro. Ça aurait pu être la femme de sa vie, son épouse, la mère de ses enfants. Pour le moment, elle n'est rien de tout cela, et la probabilité pour qu'Alex l'épouse un jour est objectivement très faible…

Flavio secoue la tête.

— Tu me dégoûtes, et en plus tu prétends être son ami…

411

— C'est justement parce que je suis son ami que je dis la vérité ! Je ne me paie pas sa tête, je ne lui fais pas croire, comme tu voudrais le faire, que les contes de fées existent... C'est la réalité, qui existe... Et tu sais ce que c'est, la réalité ? Qu'il a quarante ans, qu'il est enfermé dans une chambre pour pleurer, et qu'elle, qui a vingt ans, est enfermée dans une autre chambre, mais pour baiser... Ce n'est ni un conte de fées ni un cauchemar, c'est la simple réalité. Parfois elle peut être belle, parfois très belle, parfois mitigée, et parfois horrible. Mais on ne peut rien y faire, c'est comme ça, c'est la réalité.

121

Olly, Diletta, Erica et Niki, apaisées, sont assises devant leurs tasses vides.

— Vous savez, dit Olly, c'est vraiment dans des moments comme ça qu'il faut se détendre...

— Oui, objecte Erica, la tisane a précisément été inventée pour les moments où on ne se marie plus.

Diletta lui jette un regard noir.

— De toute façon, tôt ou tard tu éprouveras toi aussi des sentiments, tu ne pourras pas rester cynique et désenchantée toute ta vie, tôt ou tard l'amour t'emportera et te transportera...

— J'espère bien... dit Erica, et peut-être que ça sera à grâce à un canon au sourire éclatant et au corps sculptural, bref une sorte de mélange entre Clive Owen, Brad Pitt, Matthew McConaughey, Ashton Kutcher et Woody Allen...

— Woody Allen ? Quel rapport ?

— Disons qu'après une bonne partie de jambes en l'air, si en plus un homme te fait rire, alors tu as trouvé le paradis !

— Erica !

— Non, non... la défend Niki. Elle était bonne, celle-là. À mon avis, même là-haut ça les a fait rire...

Diletta finit un fond de tisane froid.

— Oui, oui, ils rient... mais je doute qu'ils la laissent passer...

Erica hausse les épaules.

— Je ne suis pas pressée ! Nous en reparlerons, j'ai tout mon temps pour changer d'avis ou demander pardon. Regarde Claudia Koll...

Elle a commencé par jouer dans les films de Tinto Brass, et a quasiment fini bonne sœur. Laisse-moi faire tout ce qu'elle a fait, ensuite
je peux devenir une sainte !

— À propos de saints, tes parents ont été merveilleux... ajoute
Olly. Après tous les préparatifs, la rencontre avec les parents, l'argent
déjà déboursé pour ce mariage de rêve... Ne pas se fâcher, ne pas se
mettre en colère, ne pas te faire ressentir lourdement les conséquences
de ton choix... ce n'est pas donné à tout le monde, hein !

Diletta est très curieuse sur ce point.

— C'est vrai, ça, comment ils l'ont pris ?

— Oh, pour l'instant ils sont très calmes...

Olly acquiesce.

— Vous voyez, c'est magnifique. C'est comme ça que ça devrait
se passer, dans les familles.

Niki lève un sourcil.

— Parce que je ne le leur ai pas encore dit.

— Ah.

122

Elle ferme doucement la porte puis avance sur la pointe des pieds
en espérant qu'ils dorment, ou du moins qu'ils soient déjà au lit. Mais
non. Des voix arrivent du salon.

— À mon avis, ils ne seront pas au courant.

— Oui, mais s'ils l'apprennent ?

Niki regarde dans le salon, où Roberto et Simona sont assis à la
table, des papiers devant eux. Simona insiste.

— Tu ne peux pas faire ça ! Tu sais à quel point ils y tiennent. Ce
sont des paysans, le mariage est tout pour eux et tu ne les invites pas
à celui de ta fille, leur nièce adorée ! Tu ne pourras plus retourner au
village, tu le sais, ça ? Et même dans toute la région...

— D'accord, acquiesce Roberto, alors on les invite. Ils sont
combien, les Pratesi ? Trois, c'est ça ?

— Six ! Le double ! On arrive à deux cent quarante invités... C'est
énorme !

Simona regarde vers la porte, se lève et court à la rencontre de
sa fille.

— Niki ! Comment ça va, ma chérie ? Tu es partie ce matin sans prendre de petit déjeuner.

— Oui, j'avais cours tôt...

Simona l'embrasse.

— Tu dois être crevée...

— Oui.

Naturellement, comme toutes les mamans, elle s'aperçoit tout de suite que quelque chose cloche, mais elle fait comme si de rien n'était. Elle sait parfaitement qu'il y a des moments où il faut parfois savoir attendre qu'une fille ait envie de s'ouvrir et de parler.

— Assieds-toi, si tu veux... Nous étions en train de faire des essais pour la disposition des tables et d'évaluer le nombre d'invités.

Roberto se gratte le front.

— Oui, les Belli ont dit que de leur côté ils en auront au moins deux cent cinquante, nous on en a presque autant... Donc ça fait cinq cents en tout, et comme le traiteur que tu as choisi...

— Roberto, le reprend Simona.

— ... d'accord, que vous avez choisi, toi, les sœurs et ta mère, bref, vous les femmes, est sans aucun doute excellent mais coûte les yeux de la tête...

— Allez, Robi, intervient à nouveau Simona.

— Mais je ne dis rien de mal, dit Roberto en écartant les bras. C'est mathématique. Ce délicieux traiteur coûte cent euros par personne, multiplié par cinq cents...

Il tapote sur la calculatrice posée sur la table à côté des papiers.

— Le résultat ne s'affiche pas, il dépasse de l'écran, même la calculatrice a peur ! Bref, ajoute-t-il en se tournant vers Niki, nous pensions, ta mère et moi... Vous n'auriez pas pu faire un mariage éclair à New York ? Ça serait beaucoup plus beau, non ?! Nous, nous faisons semblant de n'être au courant de rien, nous t'offrons le plus beau voyage de noces du monde, et même un tour du monde tout compris, si tu veux, ultra-luxueux !

— Roberto ! crie Simona, cette fois vraiment énervée. Tu es vraiment un mufle ! Comment tu peux penser à l'argent quand ta fille se marie ? Tu préférerais faire des économies plutôt que d'assister à la cérémonie ? Tu devrais être prêt à payer le double, pour ne pas rater ça.

Roberto tente de minimiser.

— Mais bien sûr, je plaisantais...

Niki les regarde, l'un après l'autre. Elle se mord la lèvre et ne sait pas par où commencer. Peut-être le mieux est-il de faire une blague, dans ces cas-là. En réalité, elle ne sait pas trop. Elle ne s'est jamais trouvée dans une pareille situation. Elle finit par trouver ce qu'elle pense être la meilleure solution, alors elle sourit et se lance.

— Je crois que nous allons faire des économies sur tout.

— Bien! s'écrie Roberto, qui n'a évidemment pas compris.

Simona, elle, prend un air sérieux, même si elle sait que dans ce genre de cas il ne faut pas perdre le sourire.

— Que veux-tu dire, Niki, ma chérie?

Niki regarde bien sa mère, pour tenter de comprendre si elle est fâchée.

— Je veux dire que pour l'instant nous n'aurons pas à dépenser tout cet argent, parce que... Eh bien, parce que nous avons décidé que pour l'instant nous préférons ne pas nous marier.

Roberto sent sa mâchoire se décrocher littéralement.

— Bien sûr... articule-t-il comme s'il était habitué à ce type de nouvelle. Pour le moment, vous avez décidé qu'il en était mieux ainsi...

— Oui, acquiesce Niki.

Simona l'observe attentivement. Roberto, lui, a le nez dans ses papiers. D'un côté, il pense à tous les invités et à l'argent économisé. De l'autre, aux acomptes déjà versés, et donc à l'argent perdu. Mais il fait semblant de rien, il essaie de ne pas faire peser ces considérations sur une situation déjà tendue.

— Si c'est ce que vous avez décidé...

Simona pousse un long soupir et décide de donner libre cours à sa curiosité. De toute façon, elle sait bien qu'il est impossible que deux personnes changent d'avis exactement au même moment, surtout quand il s'agit de choses aussi importantes et aussi difficiles à décider.

— Excuse-moi si je te demande ça, Niki... Mais ça a vraiment été une décision commune... c'est-à-dire, prise ensemble... ou alors l'un de vous a le premier envisagé cette possibilité?

— Pourquoi tu me demandes ça?

— Disons que c'est juste de l'intérêt.

— Qu'est-ce qui serait mieux, maman?

Simona sourit.

— J'ai compris, Niki. Tu viens de me donner la réponse. Si tu es heureuse de cette décision, alors nous aussi nous en sommes heureux.

Niki se lève, court vers elle et lui saute dans les bras. Elle la serre fort.

— Merci, maman. Je t'aime.

Puis elle embrasse rapidement Roberto et court dans sa chambre.

— Je n'ai pas compris... dit Roberto. C'est Niki qui a décidé de ne plus se marier?

— Oui, dit Simona en faisant tourner ses bagues autour de ses doigts.

— Mais comment tu as fait pour le comprendre?

— Parce qu'elle m'a posé une question. Si c'était lui qui avait pris cette décision, elle ne se serait pas sentie coupable... donc elle ne m'aurait pas demandé ce que je préférais, elle aurait répondu : « C'est lui qui a décidé. »

— Ah...

En réalité, Roberto n'est pas sûr d'avoir tout compris. Mais une question beaucoup plus simple lui traverse l'esprit.

— D'après toi, mon amour, c'est une décision mûrement réfléchie, ou bien il y a autre chose derrière?

Simona le regarde plus attentivement.

— C'est-à-dire? À quoi penses-tu?

— Je ne sais pas... Peut-être qu'ils se sont disputés, ou alors qu'il y a quelqu'un d'autre...

— Non. Niki n'a personne d'autre.

— Je ne parlais pas de Niki.

Cette fois, Simona ne sait pas quoi répondre.

— Quoi qu'il en soit, là n'est pas le problème.

Une chose est certaine : elle n'aime pas mentir. Puis elle prend un paquet et va frapper à la porte de la chambre de sa fille.

— Niki? Je peux?

— Oui, maman.

Simona entre. Niki est allongée sur son lit, les jambes sur le mur.

— Je t'écoute.

— Rien... Ce paquet est arrivé pour toi, je le pose sur ton bureau.

— Merci...

Simona reste un instant à la porte avant de sortir.

— Tu sais que je suis là si tu as besoin de quoi que ce soit, n'est-ce pas? Je suis toujours là, quoi qu'il arrive.

Niki sourit. Elle a un peu honte. Sa mère a déjà tout compris. Et sans même la regarder ni chercher son approbation, elle quitte la

pièce. Niki reste un moment immobile sur son lit. Puis, d'un mouvement agile et rapide, elle enroule ses jambes, fait une sorte de saut en
arrière et descend de son lit. Elle va à la table, regarde le paquet. Elle
reconnaît l'écriture d'Alex. Niki le soupèse, le tient entre ses mains.
Il est léger. Elle ne sait pas ce que ça peut être, mais à cet instant précis elle n'a aucune curiosité, juste une forte envie de pleurer. Et ça,
personne ne peut l'en empêcher.

123

Les jours suivants sont difficiles pour Alex. Très difficiles.
Comme si d'un coup, plus que jamais, plus rien n'avait de raison
d'exister. Le succès, le travail, les amis. Soudain perdu dans cette
ville, dans sa ville, Rome. Il n'a même plus l'impression de la
connaître, les rues lui semblent nouvelles, comme inconnues, pri-
vées de couleur, et les bars, les magasins, les restaurants, perdent
soudain tout leur intérêt, leur raison d'être, leur pourquoi. Errer
sans but, des journées entières sans regarder sa montre, sans savoir
où aller, sans objectif, sans pourquoi, sans devoir. Dans sa tête, il
chante Battisti. « Innocente evasioni ». Sans elle, il est perdu, sans
racines. Comme le dit la chanson, une sensation de légère folie
colore son âme. Confus. Meurtri, il a envie de hurler sa douleur,
sa rage, son amour explosé, brisé, détruit. Bouleversé, chiffonné,
tranché. C'est comme ça qu'il se sent. Avec une musique continue dans la tête et une fragilité interne, un déplaisir subtil, une
larme soudaine et l'envie de ne plus parler. La nuit passe et cette
lune immobile semble tout savoir, même si elle ne dit rien. Jour
après jour. Nuit après nuit. Tout est ennuyeux. Alex erre dans sa
voiture.
— Allô ? Non, Andrea, je ne passerai pas au bureau aujourd'hui.
— Allô, maman ? J'ai quelque chose à te dire.
Silence et peur des questions d'autrui, du pourquoi et comment
quelque chose se termine.
— Non, non, c'est reporté. Arrêtez tout.
Reporté à un demain, peut-être. Mais ils insistent, ils veulent
savoir.

— Mais pourquoi, il y a quelqu'un d'autre ? C'est toi ? Elle ? Vous vous êtes disputés ? Je peux faire quelque chose, ça me semble moche de ne pas l'appeler, et ses parents, alors ? Ce n'est pas joli, de disparaître comme ça... Alex, dis-nous la vérité ? Nous pouvons faire quelque chose pour toi ? Notre maison est toujours ouverte... Passe, raconte-nous, je t'en prie...

Sentir une curiosité avide, comme si les histoires humaines étaient toujours des prétextes pour fouiner, ouvrir des tiroirs, lire des lettres, apprendre des nouvelles, des vérités surprenantes, faire des découvertes dramatiques ! Affamés de la vie d'autrui. Mais que voulez-vous savoir ? Qu'y a-t-il à savoir de plus que le fait qu'un amour se termine ? C'est fini. Fini ? Ce mot est comme un cri strident, comme si le cœur, en l'entendant prononcer par l'esprit, s'enroulait puis s'étendait comme un élastique, tendu comme un arc violent prêt à envoyer la flèche douloureuse, encore plus, toujours plus tendu, jusqu'à l'invraisemblable, jusqu'à se briser. Épuisé, vaincu, blessé, face à la beauté et à la grandeur de son amour pour Niki, Alex est à genoux. Il comprend à quel point il l'a aimée, il a honte de l'avoir fait souffrir, d'avoir fait disparaître ne serait-ce qu'un instant ce sourire sur son visage, et il voudrait se punir d'avoir fait couler ses larmes, il voudrait se dédoubler, se cloner, créer un autre Alex, innocent, auquel donner un fouet pour se faire punir, sentir sur son dos ces coups tranchants et leur trace se teindre immédiatement du magnifique rouge des lèvres de Niki, et encore d'autres marques, nouvelles, fines mais féroces et profondes, mordantes, avec des crocs qui arrachent sa peau, aussi parfaites que son sourire, à elle... Ce sourire lui manque terriblement. Il voudrait ressentir tout ceci, et plus encore. Et même la douleur physique ne peut pas être comparée à ce qu'endure son cœur. Respirer dans un monde sans air, boire dans un verre vide, plonger dans une piscine sans eau, l'absence de sons, de mots, de couleurs, de joie, de bonheur, de sentiments, un monde coupé en deux, et soudain ce sourire volé, imprimé, crucifié, empaillé, privé d'âme. C'est cela que sent Alex : un vide lancinant.

Qui m'a volé mes émotions, mes sentiments, mon bonheur ? Voleur, maudit voleur d'amour, tu l'as pris et tu l'as caché, mis en bouteille et envoyé dans les profondeurs glaciales de cette terre qui m'héberge. J'avance jour après jour sans plus sentir la chaleur du soleil, tout m'ennuie douloureusement et me torture, je suis destiné à souffrir éternellement, comme un condamné à perpétuité qui n'a jamais vu de tribunal, ni de juges, ni personne qui puisse lui dire le pourquoi de ses fautes, quelles qu'elles soient. Non. Il restera pour toujours dans cette pièce, seul avec ses pensées et ses souvenirs, en essayant d'imaginer qui l'a enfermé et quelles sont ses fautes... Si faute il y a. Comme ce film violent et dramatique qui l'avait troublé, déchirant dans son absurdité. *Old Boy.* Un film coréen. Une histoire incroyable qui creusait au plus profond de l'esprit, là où il est le plus noir. Comme si une énorme pieuvre, un poulpe géant, arrivait des abysses, capturait le radeau d'un pauvre naufragé endormi dans ses tentacules et l'entraînait vers le fond, dans l'obscurité de la mer, sans qu'il s'en aperçoive, le faisant disparaître, plouf, comme par enchantement. Quand on souffre de cette manière, on tend à croire que Dieu existe, qu'il y a vraiment quelqu'un là-haut parmi les étoiles, et qu'il n'a pas pitié de notre désespoir. L'espace d'un instant on se souvient du bonheur de l'amour, et le simple fait d'entrevoir la beauté de ce paradis nous fait comprendre encore mieux l'atrocité de l'enfer que nous vivons.

Alex regarde la télé. Un présentateur extraordinaire, qui a conquis tout son public, s'agite dans tous les sens sur le plateau, puis s'arrête net et parle de quelque chose. Mais Alex a coupé le son. Il voit ses lèvres, ses yeux. Il est fatigué, ce regard est triste, ces yeux se teignent de souffrance, alors Alex comprend que les mots ne servent à rien, ni l'argent, ni le succès ou le pouvoir, pour racheter cette lumière, cette petite flamme énorme dont le nom est bonheur.

Ivre de douleur, il essaie de donner un sens à son existence, mais parfois c'est exactement comme le dit Vasco Rossi, quand on souffre la vie n'a pas de sens. Elle n'a pas de sens sans amour. Sans elle, sans Niki. « Tous ces jours en poche, tous là à dépenser. Mais pourquoi maintenant sans toi je me sens comme un sac vide, un truc abandonné[1] ? » Il se passe et se repasse les chansons de Battisti, comme si seuls lui et Mogol savaient vraiment ce que ressent Alex, comme si eux seuls connaissaient vraiment la douleur infinie que procure la perte d'un amour. Il résiste et souffre en silence. Il avance, de grosses cordes sciant ses épaules, attelé comme un bœuf, il traîne en souffrant le poids de sa vie, jour après jour, au travail, au bureau, en plaisantant et riant avec tout le monde comme si rien ne s'était passé, avec les gens, dans la rue, dans les magasins, au supermarché, et encore avec ses amis, le soir, dans le silence qui parfois lui est concédé. Et pourtant il continue. Cela lui semble impossible. Chaque jour, c'est encore

1. Extrait de Lucio BATTISTI, « Elena no », Ricordi, 1972.

plus douloureux, comme s'il mettait de l'espace, en plus du temps, entre tout ce qu'il avait et ce départ soudain pour un voyage imprévu, peut-être sans retour. *Tout est fini ? Vraiment, tout est fini ? Non. Ce n'est pas possible.* Vivre dans cette incertitude lui fait encore plus mal. C'est comme si Alex voulait rester dans le doute, ne pas savoir vraiment ce qu'il adviendra d'eux, cette même phrase qu'ils s'étaient toujours dite en riant, presque en se moquant l'un de l'autre... *C'est en vivant que nous le découvrirons.* Et maintenant ? Que reste-t-il à découvrir, maintenant ? Peut-être le néant de leur silence. Froid, cynique, perfide, méchant, moqueur. Alors, cette chanson. « Orgueil et dignité ». À l'infini. Résister. « Loin du téléphone. Sinon... »

124

Le parc de la villa Pamphili est éclairé par un beau soleil. De nombreux promeneurs en profitent avant le déjeuner du dimanche. Dans sa poussette, Ingrid rit en indiquant des enfants.

— Que fais-tu ? demande Enrico en se retournant.

Anna s'est arrêtée pour observer un très grand chêne.

— Tu as vu comme il est beau, cet arbre ? Il est très sain. Il me plaît.

— Tu es une vraie écologiste, hein ?

— Oui, et les arbres sont très importants... Tu sais, ils fixent le carbone...

— Je sais qu'ils apportent de la fraîcheur pendant l'été... Ingrid, qu'y a-t-il ? Ne te penche pas comme ça.

La fillette essaie de ramasser un hochet qui est tombé à terre. Anna fait quelques pas en courant et s'agenouille pour le récupérer. Elle le tend à Ingrid, qui retrouve le sourire.

— D'où te vient cette passion pour la nature ?

— C'est mon père... Il m'a beaucoup appris en me faisant comprendre l'importance d'aimer, de comprendre et de protéger l'environnement. Il m'emmenait faire de longues promenades dans la campagne, sur les collines, nous allions à la mer à vélo, bref, toujours en vadrouille, et sans voiture. Je m'amusais beaucoup. Il m'expliquait tout, le nom de chaque animal, le pourquoi de son comportement, pourquoi un arbre avait les feuilles de cette forme, et plein d'autres choses… Mon père était très cultivé. Il s'est installé à Rome quand il n'avait que vingt ans pour devenir graphiste et il a réussi.

– Il habitait où, avant? demande Enrico en fermant mieux le blouson d'Ingrid.

– En Hollande. Mon père était hollandais. Voilà pourquoi je suis aussi belle et blonde!

Anna secoue les cheveux d'un air provocant, mais elle ne résiste pas longtemps et éclate tout de suite de rire. Enrico la contemple. En effet, elle est vraiment belle. Mais Anna est déjà passée à autre chose. Elle parle vite en fixant l'horizon.

– Je plaisantais! Belle, on ne peut pas dire… mais blonde, oui! En tout cas, c'était un grand homme… Il est mort il y a trois ans… et il me manque beaucoup.

Les yeux d'Anna se voilent soudain de tristesse. Elle s'approche de la poussette d'Ingrid pour jouer un peu avec elle, une façon d'éloigner cette soudaine nostalgie. Enrico se sent envahi par une douceur inattendue. Il a envie de la serrer dans ses bras pour la consoler.

– La plus belle chose qu'il m'ait enseignée, c'est l'amour. Il a beaucoup aimé ma mère, qui est romaine. Leur couple était fantastique, uni et complice. C'est pour ça que j'ai des idées arrêtées sur le mariage. Je ne veux pas me contenter d'une histoire juste pour dire… Pour moi, ça doit être quelque chose d'unique, d'intense, un vrai projet pour deux personnes qui s'adorent et s'aident mutuellement, qui se plaisent beaucoup et ont encore envie de s'embrasser au bout de plusieurs années… comme cela arrivait à mes parents, qui se désiraient toujours… continue Anna.

Un vent léger agite ses cheveux, lui envoyant une mèche sur les yeux. Elle l'écarte délicatement, toujours en marchant.

– Et donc ton rêve est de te marier? demande Enrico.

– Mon rêve est de fonder une famille, quelle qu'en soit la forme. Mais une famille solide, vraie, qui ne se brise pas à la première difficulté… Une famille composée d'un homme et d'une femme qui se respectent vraiment, qui veulent le bien de l'autre et ne renoncent pas… Mais malheureusement, à ce que je constate, c'est rarement le cas. Aujourd'hui, les couples se séparent au premier problème, on dirait qu'ils sont ensemble parce que c'est à la mode d'être en couple, pas parce qu'ils y croient vraiment… Tu as vu le nombre de mariages qui finissent au bout de très peu de temps? dit Anna avant de s'arrêter, prenant conscience que c'est exactement ce qui est arrivé à Enrico. Excuse-moi… je ne voulais pas dire…

— Ne t'inquiète pas, dit Enrico en souriant avec amertume. Tu as raison… Je suis d'accord avec toi. Mais après, je regarde autour de moi et je vois mes amis, Flavio, Pietro, et même Alex, et leurs histoires ne vont pas bien non plus… Notre société change, et au final il faut se contenter non pas de réaliser son rêve mais le rêve commun… qui est moins beau et romantique… « Les châteaux en Espagne qui ne coûtent rien construire sont ruineux à démolir… »

— Elle est belle, cette phrase.

L'espace d'un instant, Enrico se sent comme Pietro, le « citeur », qu'il a si souvent critiqué parce qu'il utilise les phrases des autres pour plaire.

— Oui, merci… Elle n'est pas de moi, elle est de François Mauriac.

Il a un peu honte.

Ils se dirigent vers le parking. L'heure du déjeuner approche et Ingrid commence à avoir faim.

— Tu restes manger avec nous, aujourd'hui ? On peut faire des pâtes, et puis il y a du fromage, de la charcuterie et un peu de salade, de la chicorée, avec du vinaigre balsamique, si tu veux…

— Oui, je veux bien, mon frigo est vide… Tu me sauves !

Un peu plus tard, à la cuisine. Anna met les assiettes et les couverts dans le lave-vaisselle. Enrico termine de débarrasser tandis qu'Ingrid s'endort sur le canapé. Le téléphone sonne.

— Allô ?

— Allô…

Enrico s'arrête net. Il a immédiatement reconnu la voix. Derrière, il entend des gens qui parlent. On dirait un restaurant.

— Camilla…

— Oui. Comment ça va ? Et la petite ?

— Bien… Elle est avec sa baby-sitter. Quand viens-tu la voir ?

— La semaine prochaine… Écoute… Tu n'aurais pas oublié quelque chose ?

Enrico fronce les sourcils. Il ne comprend pas. Il passe en revue divers engagements, mais n'a aucune idée.

— Non… Il ne me semble pas… Au sujet d'Ingrid ?

— Non… à mon sujet. C'était mon anniversaire, hier.

— Et alors ?

— Et alors tu ne m'as rien dit… tu ne me l'as même pas souhaité…

Enrico n'en croit pas ses oreilles. C'est impossible. Elle appelle quand ça lui chante et ensuite elle vient me dire que j'ai oublié son anniversaire ? Certaines personnes n'ont vraiment aucun respect pour les autres, ils ne tiennent pas compte de ce qu'ils font, ni de ce qu'ils ont fait, à ceux qu'ils prétendaient aimer.

— Je ne crois pas qu'il y avait quoi que ce soit à fêter, sincèrement, Camilla... Et puis, j'ai oublié. Je vais te dire une chose : le fait d'avoir oublié me procure une certaine joie.

Il raccroche, sans lui laisser le temps de répondre. Quand il retourne à la cuisine, il est encore sous le choc.

— Qu'y a-t-il, Enrico ? Que s'est-il passé ? demande Anna en voyant sa tête.

— Rien... Un problème inutile... Impossible à résoudre.

Anna décide de ne pas approfondir, elle n'a pas l'impression qu'il en ait envie. Enrico met une bouteille d'eau au réfrigérateur et regarde Anna.

— Anna... c'est quand ton anniversaire ?

Elle se tourne, un peu étonnée.

— C'était pile le jour où nous nous sommes rencontrés sur le palier pour la première fois... Ça fait un moment.

Enrico fait un rapide calcul. *Elle n'est pas du même signe que Camilla, tant mieux.*

— Je ne t'ai jamais raconté mon plus beau cadeau ce jour-là... C'est Ingrid qui me l'a fait... Juste après l'entretien, tu m'as laissée la prendre dans mes bras.

— Et que t'a-t-elle offert ?

— Un magnifique sourire... comme si elle savait que c'était mon anniversaire.

Enrico sourit. *L'an prochain, je m'en souviendrai. Et surtout, j'espère que j'aurai la possibilité de le lui souhaiter.*

125

La fête bat son plein. Des jeunes dansent en petits groupes. La musique du DJ est un mélange de tubes allant des années soixante-dix aux succès les plus récents. Niki a invité les Ondes. Olly se déchaîne comme une folle, elle saute sur toutes les chansons. Erica se trémousse en rythme. Filippo s'approche de Diletta avec un verre de jus d'ananas.

— Tiens, mon amour, il est frais!

— Mmh, c'est bon!

— Écoute, elle est géniale, cette chanson!

Il rejoint Niki et Olly au milieu du couloir qui tient lieu de piste de danse.

— Salut!

— Salut, comment ça va?

Ils hurlent pour se faire entendre malgré la musique.

— Super! Vous avez vu comme elle est belle, ma Diletta, là-bas?

Il se tourne vers elle, lui fait un signe de la main. Diletta lui répond en levant son verre de jus de fruits.

— Bien sûr, Diletta est toujours belle! dit Olly. Elle a juste un peu grossi, non?

— Oui, légèrement, répond Niki, mais ça lui va très bien! Ça la vieillit un peu!

Ces mots frappent Filippo comme un éclair qui fend la nuit.

— Moi aussi je trouve! Elle me plaît beaucoup plus comme ça... Plus douce... dans tous les sens du terme!

Il la regarde encore, et pour la première fois il perçoit quelque chose de différent, une nouvelle sensation à l'intérieur de lui. Il danse sans arrêter de penser à cette Diletta si différente. Il se rappelle son courage les premiers jours, chez le docteur Rossi, combien elle l'a soutenu, en essayant toujours de tout simplifier malgré sa peur. Il se revoit confus, énervé, perdu, à la maison, à l'université, avec ses amis, avec elle. Comme en attente, comme si quelqu'un d'autre pouvait choisir pour lui. Il se souvient de cette nuit-là, quand ils ont parlé jusque tard de la possibilité d'avorter, ce que cela aurait signifié pour elle, pour tous les deux, en essayant de tout imaginer, après être allés ensemble au planning familial. Il essayait alors par tous les moyens de nier l'évidence et de ne pas accepter cette nouvelle réalité. Mais Diletta a toujours été là, belle et forte, plus courageuse que lui, capable de lui transmettre tant d'énergie. Il lui sourit. Diletta le lui rend et s'aperçoit que quelque chose a changé dans ses yeux.

126

La pluie tombe à verse depuis une heure. En sortant, Susanna l'aperçoit.

— Hé, que fais-tu ici?

Davide indique sa voiture.

— Ma Smart ne démarre pas. Il doit y avoir un problème à l'allumage... Je ne sais pas comment rentrer chez moi. Et évidemment, il pleut! Mais bon, ça va s'arrêter, non? Il ne peut pas...

— ... pleuvoir toute la vie. En tout cas, je te dois un service. Allez...

Davide la regarde, l'air interrogateur.

— L'autre fois, c'est toi qui m'as raccompagnée, aujourd'hui je te rends la pareille!

— Ah, d'accord, merci, j'accepte volontiers.

Sur la route, ils rient et plaisantent. Susanna met un CD, de Paolo Conte.

— Quels goûts raffinés... dit Davide en la regardant. Mais bon, au fond, je m'en doutais...

— Pourquoi?

— Parce que tu es une femme fascinante, déclare-t-il avec joie, presque distrait.

Pourquoi dit-il ça? On ne comprend jamais ce qu'il pense... Est-ce que je lui plais? Ou alors il se moque de moi? Mais au fond, pourquoi je m'inquiète?

— Tu habites où?

— Continue tout droit, nous y sommes presque.

Au bout de quelques minutes, il la fait tourner à droite, sur une petite place.

— Voilà, cherche une place... À cette heure, on a une chance d'en trouver une.

Susanna fait comme si de rien n'était. Mais tout en faisant deux ou trois fois le tour du pâté de maisons, elle se demande ce qu'il se passe. *Il m'a dit de me trouver une place. Et moi je le fais. Est-ce que ça veut dire que j'accepte de venir avec lui? Et qu'il considère que c'est évident? Mais pour qui me prend-il? Je n'ai rien dit du tout.*

— Voilà, là il y a une place... assez grande, indique Davide.

Susanna obéit, se gare. Il sort de la voiture et prend leurs deux sacs de sport. Susanna descend à son tour.

— J'habite là, au troisième étage de cet immeuble jaune. Et je vis seul.

Cette phrase est également prononcée avec nonchalance.

— Ah, bien.

Bien ? Mais qu'est-ce que je dis ?

— Je peux t'offrir un thé pour te remercier ?

Davide ne lui laisse pas le temps de réfléchir ni de répondre, et se met en route. Cette fois encore, Susanna n'objecte rien, elle le suit.

— Non. Il est trop tard pour un thé, après je ne dors pas. Mais je monte volontiers.

Elle sourit, sereine, à nouveau maîtresse de ses choix.

127

La musique est de plus en plus folle. Diletta, Erica, Olly et Niki dansent toutes ensemble, chacune à sa façon, avec son envie et son besoin de se défouler. Les mains au ciel, les cheveux au vent. « Danse pour moi, danse, danse, toute la nuit tu es belle... » Aucune chanson ne conviendrait mieux à ce moment d'euphorie, d'envie de hurler, de chanter à tue-tête. « Ne t'arrête pas, mais danse, jusqu'à ce que finissent les étoiles, que l'aube dissolve le crépuscule, moi, je ne complète pas ma chanson et je te chante ! » Elles rient, blaguent, se bousculent, pleines de sympathie, d'amour pour la vie, de force et de fragilité, d'enthousiasme et de désir, d'envies cachées, de sentiments, d'amitié profonde, de courage prétendu, de peur démesurée. Elles s'agitent, au vu de tous, à nouveau jeunes et joyeuses, éperdument amies. Derrière, quelques professeurs en quête de leur jeunesse. Des jeunes boivent des cocktails colorés, un DJ écoute le prochain disque dans son casque pour trouver le parfait mix improvisé.

— Moi je vais boire un verre. Je n'en peux plus... Je vous rapporte quelque chose ?

Niki est la première à craquer, elle sourit à ses amies, en nage, attend leur réponse, confiante.

— Alors ? Moi j'y vais, hein !

— Vas-y, vas-y…

— Allez ! À tout à l'heure !

— Tu es vraiment vieille, de nous lâcher maintenant ! Danse avec nous !

Niki s'éloigne en baissant la main, juste au moment où démarre « Alala », des CSS, parfaitement mixée. Diletta devient folle.

— Elle est géniale, celle-là, j'adore ! J'adore ! « Ah la la, ah la la… Would you be kind ? Gimme one little more, and I'll be super-fine[1]… » Elle saute sur un pied, fait un petit tour, ferme les yeux en invoquant le ciel, et les autres la suivent.

— Un Coca light, s'il vous plaît…

Niki bat le rythme, contemple ses amies qui dansent, euphoriques. Elle secoue la tête en savourant de loin leur splendide bonheur qui se sent dans leurs mouvements, leurs sourires, leur rire absurde quand elles s'enlacent, se serrent, s'agitent ensemble, font les mêmes pas.

— Elles sont belles. Et tu les regardes avec un incroyable amour…

Quand elle entend cette voix, son cœur se serre. Elle la reconnaît tout de suite, bien qu'elle n'ait eu aucune nouvelle après cette soirée. Guido. Elle n'aurait jamais pensé le rencontrer ici. Ou peut-être que si. Quoi qu'il en soit, elle est heureuse de le voir. Elle sourit en buvant une autre gorgée avec sa paille. Guido la regarde d'un air amusé.

— Comment vas-tu ?

— Bien…

— Bien bien, ou très bien ?

— À peu près bien.

— Ça, je n'y avais pas pensé…

— Tu vois, dit Niki en vidant son verre, parfois quelque chose t'échappe…

— Ou alors je fais semblant.

Niki pose son verre. Guido reprend :

— Tout choix est inévitablement un moment de douleur et de bonheur.

— Mais…

Guido lui met une main sur la bouche.

1. Extrait de CSS, *Alala*, « Alala », Warner, 2003.

— Chut… N'en parlons pas. Je n'ai rien à voir là-dedans. C'est ton choix, et tu n'as à répondre qu'à toi et à ton cœur, là où les autres ne sont pas invités à entrer. Toi seule sais… non?

— Merci, répond Niki en souriant.

— Viens avec moi.

Il la prend par la main et l'entraîne loin de la foule, de ces bras levés qui s'agitent en rythme, des garçons et des filles qui bavardent, des amours qui naissent, des simples sympathies qui décident de se donner une chance supplémentaire. Peut-être comme eux deux. *Est-ce ça?* pense Niki. *Est-ce pour lui?* Elle le regarde tandis qu'ils se retrouvent soudain loin de cette grande salle de l'université, loin des autres, et elle s'aperçoit qu'elle en rit, qu'elle est joyeuse, agréablement distraite, enlevée à la normalité, à l'habitude. *Est-ce pour lui que tout ceci arrive? Est-ce lui, la raison de ma confusion, de ma rébellion soudaine?* Elle ferme les yeux, effrayée, et les rouvre juste à temps pour voir Guido lui sourire.

— Tout va à peu près bien?

Cette fois, Niki le lui rend.

— Tout va bien.

Elle se laisse guider vers la sortie.

— Voilà. Arrête-toi.

Ils s'immobilisent sur l'escalier en marbre, Guido est tout près d'elle, il lui tient la main.

— Ferme les yeux.

Elle suit ses indications sans aucune crainte. Guido se met derrière elle.

— « Je marche éternellement sur ces rivages, entre le sable et l'écume. Le flux de la marée effacera l'empreinte de mes pas, et le vent emportera l'écume. Mais la mer et le rivage demeureront éternellement.[1] » C'est de Gibran… Tu entends le bruit au loin, tu entends ce que te susurre le vent?

Il s'appuie sur son épaule, la frôle puis, craintif et poli, s'approche de sa joue.

— Les vagues lointaines nous appellent, nous défient, effrontées, intrépides, fortes de leur propre force, elles rient de nous… Le souffle de la nature pense que nous avons peur… mais ce n'est pas vrai, n'est-ce pas, Niki? Nous acceptons le défi, pas vrai?

---

1. Extrait de Khalil GIBRAN, *Le Sable et L'Écume*, traduction de Jean-Pierre Dahdah, Paris, Albin Michel, 2000.

Il l'implore, prie en demandant que ce moment si beau, si parfait, ne soit pas balayé par un simple non. Alors Niki ouvre les yeux, le regarde, et soudain elle n'a plus aucun doute. Elle sourit.

— Nous ne pouvons pas avoir peur.

Guido est fou de joie.

— Ouaouh! Je le savais, je le savais! Allons-y.

Il court dans les escaliers en traînant Niki derrière lui.

— Doucement! Va doucement! Tu es fou!

Mais Guido ne s'arrête pas, il saute les dernières marches, court jusqu'à en perdre le souffle jusqu'à sa voiture.

— Voilà. Telles seront nos armes, dit-il en indiquant deux planches de surf déjà prêtes dans la voiture.

— Mais je n'ai rien sur moi.

Il ouvre le coffre.

— J'ai une combinaison femme en 30, taille américaine…

Niki est un peu gênée. C'est exactement sa taille.

— J'ai demandé à Luca et Barbara, avoue Guido. Vous avez fait du surf ensemble, une fois, elle m'a dit que sa combinaison t'allait très bien. Et elle met du 30.

Niki est rassurée, et surtout elle est heureuse que Guido lui ait dit la vérité. Cela achève de la conquérir.

— Je l'ai achetée hier… Elle est neuve.

— Et si je t'avais dit non?

— Au pire, je te l'aurais offerte pour ton anniversaire. On ne risque jamais grand-chose à être gentil…

Niki se laisse conquérir par ce dernier sourire, monte dans la voiture en silence, ferme les yeux et se sent partir, confiante et détendue.

128

L'appartement est petit mais bien aménagé. Parquet au sol. Spots aux murs. Mobilier moderne minimaliste. Un ordinateur portable est ouvert sur une table basse en bois blanc. Sur des étagères en métal léger, des livres sur le sport et le fitness, une lampe style années soixante-dix et un iPod.

— Voici mon royaume… Je vais mettre de l'eau à chauffer pour une bonne chicorée. Ça te dit?

— Oui, répond Susanna en souriant, c'est parfait.

Davide disparaît derrière le petit mur qui sépare le coin cuisine de la zone salle à manger.

Aux murs, de grandes photos où Davide prend des poses sexy, genre calendrier, et d'autres où il fait du kickboxing. *Il est vraiment beau.* Elle rougit. *Je me sens comme une petite fille. Je me demande ce que penseraient mes amies. Et mes enfants ? Ils sont au sport, à l'heure qu'il est, ma mère va aller les chercher. Je ne peux pas rester longtemps.* Susanna regarde sa montre. Davide revient.

— Tu ne veux quand même pas partir ? Tu ne peux pas rater mon célèbre café à la kick !

Il arbore ce sourire magnifique qui l'a frappée dès le premier jour.

— D'accord, je ne vais pas rater ça...

— C'est presque prêt... Installe-toi. J'apporte tout ici.

Il disparaît à nouveau, pour revenir avec un petit plateau, deux tasses colorées, deux petits pots avec du sucre, blanc et roux. Il pose le tout sur la table devant le canapé où Susanna vient de s'asseoir, et prend place à côté d'elle.

— Je t'en prie...

Susanna se sert.

— Mmh... c'est très fort !

— C'est de la chicorée arrangée avec une goutte de Baileys, le café à la kick ! Aussi fort qu'un coup de poing... dans l'œil d'un mari ! dit-il en buvant lui aussi. Tu sais, Susanna, je n'ai jamais eu l'occasion de t'en parler, mais ça fait longtemps que je t'observe et que j'y pense. Tu es une femme superbe, joyeuse et déterminée. Une mère qui ne renonce jamais, une femme qui peut donner et donne beaucoup. Fais-moi confiance... et lance-toi dans la vie... Tu as tant de choses à découvrir et apprécier... Tu le mérites. Je sais que tu le mérites.

Davide pose les tasses vides dans le plateau, puis lui attrape doucement le menton et l'attire vers lui. Un baiser lent, chaud, tendre, puis plus intense, capture Susanna. Elle se laisse aller à cette étreinte qui l'enveloppe. Le canapé est confortable, ils sont de plus en plus proches. Le temps passe. Elle ne saurait dire combien. Elle sait seulement qu'elle est heureuse.

Davide la serre fort, elle se couvre avec la couverture polaire jaune soigneusement pliée sur l'accoudoir du canapé.

— Tu sais... L'autre fois, quand tu m'as raccompagnée chez moi...

— Oui ?

— Je pensais que tu me draguais, mais ensuite... Je me suis demandé si tu étais gay!

— Alors si on n'agit pas, on est gay, si on agit, on est un cochon... ça ne va jamais!

— Non, non, avec toi ça va très bien...

Susanna se love contre lui, sereine, sans penser à rien.

129

Une chanson envahit tout doucement l'habitacle. « Lovelight ». C'est la musique parfaite. Niki sourit, toujours sans ouvrir les yeux. Que dit cette chanson? Ah oui... « What am I supposed to do to keep from going under? Now you're making holes in my heart and yes it's starting to show... » C'est drôle. Elle n'y avait jamais pensé. Et puis, elle sent une accélération, et un peu après ils se retrouvent dans la campagne, sur la via Aurelia, en direction de Civitavecchia. Vers la mer. Le vert des arbres cède la place aux champs de blé, à des couleurs plus claires, aux genêts encore en bouton. Les plantes changent, de jeunes oliviers se penchent le long de la route dans un salut nocturne, pliés par le vent marin, leurs mille feuilles argentées brillent, embrassées par les reflets de la lune. Le break bleu avec les planches sur le toit ralentit et sort de la via Aurelia. Il prend un chemin de terre, rebondit sur des cailloux ronds, au milieu des branches poussiéreuses qui le caressent sur son passage, et un doux raclement accompagne la voiture jusqu'à la plage, puis l'abandonne. Le silence retombe. Le voici, le grand défi. La mer et sa force. La mer et sa respiration puissante. La mer et son sable moqueur. De grosses vagues s'échouent sur la plage. Plus loin du bord, d'autres écument, emballées, courent jusqu'à la ligne de brisement et explosent sur les petits rochers qui délimitent la plage. Les phares des voitures tournés vers le large dépeignent ces vagues de lumière. Des surfeurs téméraires apparaissent et disparaissent en glissant sur les crêtes, pour redescendre ensuite comme d'intrépides skieurs marins. « Youuuh! » On entend les cris de la terre, tandis que sur la plage des feux allumés avec des branches de pin et quelques planches de bateaux crépitent pour réchauffer les courageux déjà sortis de l'eau, qui racontent sur un ton exalté leurs exploits perdus dans l'obscurité de la nuit.

431

— Tu es prête ? demande Guido en lui souriant et en descendant de voiture.

— Toujours prête pour ça, répond-elle en l'aidant à décharger les planches.

Elle les pose à terre, remonte dans la voiture et commence à se déshabiller, mais s'arrête quand elle s'aperçoit qu'il est tout près.

— Eh... Tu pourrais me laisser un moment seule ?

— Bien sûr, dit-il en se tournant.

Niki éteint le plafonnier puis regarde autour d'elle. C'est bon. Il n'y a personne, il fait noir. Elle enlève ses vêtements et enfile la combinaison, qui lui va comme un gant. Elle pose ses vêtements sur la banquette arrière.

— Guido ? J'ai fini. Tout va bien ?

— Oui.

Il s'est changé, lui aussi. Il met ses vêtements à côté des siens, ferme la voiture et cache les clés sur la roue avant.

— Elles sont là, hein, si tu as besoin...

— Chut ! Et si on nous entend ?

— Il n'y a rien à voler, répond-il en haussant les épaules. On y va ?

— Oui.

Ils prennent chacun une planche et se dirigent vers l'eau. Puis une pensée soudaine. *Je n'ai rien dit à Olly, Erica et Diletta. Peut-être qu'elles me cherchent, qu'elles sont inquiètes... Mes parents... Il faut que je prévienne mes parents.* Mais, tout de suite, une autre réflexion. *Ça fait combien de temps que je m'inquiète pour tout ? Trop. C'est la nuit et tout est magnifique.* Tout doucement, Niki laisse ses pensées s'envoler, et chaque pas lui apporte un peu plus de tranquillité. Le sable est froid. Ils passent près d'un feu. Autour, des jeunes, sont en train de faire cuire quelque chose.

— Salut, Guido, je vous en garde deux... pour vous réchauffer un peu, après ! D'accord ?

— Super, merci, Cla' ! Comme ça, explique-t-il à Niki, en sortant, on aura deux saucisses et un peu de bière, ça te dit ?

— Oui, bien sûr...

Elle finit par oublier ses amies, ses parents, le reste du monde.

— Elle est froide !

Elle entre dans l'eau et s'allonge sur sa planche. Elle fait deux brasses et très vite le premier courant l'emporte au large. Perdue dans le noir, entre les rayons de lumière des phares sur la plage et la lune lointaine. Niki regarde vers le large en attendant la vague.

Quelque chose la frôle mais elle n'a pas peur. Ça doit être un poisson, un gros. Silence. Elle ne pense plus à rien. Ni à ses copines, ni à ses parents. Elle est seule, de nuit, au milieu de la mer. Le plus bizarre, c'est qu'elle n'a pas eu une seule pensée pour Alex, pas un instant. Elle se sent légère. Légère. Ça fait combien de temps qu'elle n'a pas vécu un moment comme celui-ci ? Longtemps. Comme par magie, elle sent la mer se retirer sous elle, se gonfler, prendre une respiration profonde. Ça veut dire qu'une grosse vague arrive, et Niki le sait. Elle n'a pas besoin de la voir pour comprendre. Elle nage rapidement vers le large puis s'arrête, tourne sur elle-même, juste à temps, la planche est soulevée par l'eau et file sur le puissant sillage. Niki se plie sur ses jambes et saute en l'air, debout, sûre d'elle, elle suit la vague, joue avec la planche, se promène dessus, va à droite, à gauche, en faisant de petits virages, en montant et descendant rapidement sur le ventre raide de la vague. De temps à autre, elle croise un autre surfeur, le dépasse, l'évite et continue son jeu. Elle descend et monte, apparaît et disparaît, merveilleuse écuyère sur ces chevaux sauvages qui hennissent en écumant, se cabrent sous elle. Après en avoir dompté plusieurs, elle réussit même à se glisser dans un rouleau. Elle caresse de la main les parois qui filent à ses côtés puis se laisse porter par cette dernière vague, lentement, jusqu'au rivage. Au moment où elle enlève l'attache de sa cheville, Guido arrive.

— Ouf... Me voici ! Quelle expérience fantastique.

— Oui, superbe, dit Niki rayonnante. C'est une émotion unique, vraiment.

— Tu n'avais jamais surfé de nuit ?

— Jamais, dit-elle émue, presque les larmes aux yeux. C'est idiot, n'est-ce pas ? J'adore ces trucs, je te jure, ça m'émeut tellement, je ne sais pas...

Guido a un peu honte de ne pas ressentir d'émotions aussi fortes.

— C'est la beauté de la nature qui nous enveloppe, on est en parfaite harmonie. Sur ces vagues, on sent qu'on fait partie de ce monde. En plus, la nuit on n'a aucun point de repères, alors... alors on le ressent d'autant plus. Mais c'est un privilège rare, dit-il souriant. Réservé à certains, comme toi...

— Tu es bête...

— C'est vrai !

— En tout cas, c'était magnifique, et c'est grâce à toi. Donc merci. Au début, j'avais un peu peur, tu sais... dit Niki pour dissiper la gêne.

Mais je ne voulais pas te le montrer, je ne voulais pas te donner cette satisfaction.

— Oh, je l'avais compris...

— C'est ça! Bien sûr... et puis, après la première vague, ça a été. J'en ai pris au moins cinq.

— Six...

— Qu'est-ce que tu en sais?

— Je suis resté tout le temps derrière toi. J'étais sur la vague suivante, qu'est-ce que tu crois? Je ne t'ai pas lâchée une seconde, je me sentais un peu responsable...

Niki ne sait pas si elle doit le croire. Mais bon, c'est normal, ça aurait pu être dangereux.

— Viens, Niki, on va aller près du feu, manger quelque chose...

— Oui, ça me semble sage...

— Mais tu étais vraiment derrière moi?

— Bien sûr. J'étais ton ange gardien marin...

— Je ne sais pas si je dois te croire.

— Fais comme tu veux. En tout cas, bravo pour le rouleau. Moi je n'ai pas réussi... Nous voici! Nos deux saucisses sont toujours là, ou vous les avez mangées?

Mais alors c'est vrai, il est resté derrière moi. Comment il aurait su pour le rouleau, sinon?

— Alors, tu fais quoi? Viens, Niki, ça va refroidir! l'appelle Guido.

Elle s'assied à côté de lui et salue les autres surfeurs, qui lui passent une bière et une saucisse encore chaude.

— Mmh! J'ai une de ces faims! Ça tombe à pic... et c'est délicieux.

Une blonde lui passe un peu de pain.

— Tiens, il est encore chaud.

Une autre fille lui tend une barquette en plastique.

— Tu veux des tomates cerises? Je les ai lavées.

— Merci...

Elles se sourient. Elles ne se connaissent pas mais n'ont pas besoin de se présenter. L'amour des vagues est la meilleure carte de visite. Les jeunes gens mangent, parlent de tout et de rien, se passent des bières, racontent quelques anecdotes de surfeurs. La nuit passe et les feux s'éteignent petit à petit.

— Brrr... Il commence à faire froid.

Niki se passe les mains sur les épaules, sa combinaison a séché.

— Il faut que je l'enlève. J'ai froid jusqu'aux os... On y va?

— J'ai la solution pour que tu ne tombes pas malade ! Tu sais que quand tu prends beaucoup d'eau froide, soit en surf soit en scooter sous la pluie, le mieux est de prendre une douche chaude ?

— Bien sûr, mais il n'y a pas de douche, ici !

— Pas ici, non. Tu me fais confiance ?

Niki penche la tête sur le côté et le regarde, indécise.

— Tu m'as fait confiance jusqu'ici… Et tout ce que tu as fait t'a plu, non ? Pourquoi je te ferais un sale coup maintenant ?

— D'accord, allons-y. Mais on ne rentre pas trop tard, d'accord ?

— Promis.

Ils sautent dans la voiture, le chauffage à fond, la musique en sourdine. Guido change de CD. L'air chaud qui leur arrive est agréable. Très vite, ils se sentent comme dans un désert où le vent chaud sèche tout. En même temps, les notes de Vinicio Capossela emplissent l'air. *On dirait qu'il le fait exprès.* « Una giornata perfetta » (une journée parfaite).

« La vie est une boucle légère dans la vapeur, un fil, ciel couleur du matin, couleur de la boîte à goûter bleu ciel de mon enfance. Siffler quand passent les filles comme des printemps, siffler et rester assis à sa table, ne rien suivre ni pièges ni trappes parce que… C'est une journée parfaite, je me promène dans l'attente sans hâte[1]… »

Oui. C'est une soirée parfaite. Niki ferme les yeux. Je ne veux pas penser, ce soir. Capossela continue, et elle est d'accord. « On n'est pas fait pour souffrir, partir s'il est temps de finir, faire confiance à la vie sans crainte, aimer qui est avec toi ou donner à qui te donne et ne pas désirer seulement et toujours ce qui s'en va… »

130

Le break bleu file sur les routes de campagne. Niki baisse sa vitre pour avoir un peu d'air.

— Regarde, je vais te montrer quelque chose…

Guido éteint les phares et ils avancent dans le noir, à la seule lumière de la lune, qui semble plus intense maintenant.

1. Extrait de Vinicio CAPOSSELA, *Da Solo*, « Una Giornata perfetta », Warner, 2008.

– C'est beau, non ? Nous sommes seuls, nous glissons dans cette descente...

Guido passe au point mort. La voiture vole, silencieuse sous le ciel obscur, dans les bois verts, comme sur un surf le vent entre, la chaleur sous les jambes et un peu plus loin, entre les arbres, ils distinguent quelque chose d'étrange.

– Regarde, Guido...

Il sourit, puis repasse une vitesse et rallume toutes les lumières.

– Tu sais ce que c'est, toutes ces petites flammettes ?

– Non, c'est quoi ?

– Des lucioles.

Il accélère un peu et le véhicule disparaît derrière la colline. Il prend les virages lentement, en coupant entre les grands prés verts et les étendues de blé, désormais définitivement seuls dans la campagne toscane.

– Voilà... Nous y sommes.

Niki se dresse sur son siège, curieuse, amusée, comme une enfant. Le break prend une petite route pleine de bosses et s'arrête dans une petite clairière. Devant eux une fumée claire, légère, monte paisiblement pour se perdre dans le ciel. Les thermes de Saturne, un vrai petit enfer naturel. Hommes et femmes dans la pénombre sont immergés dans des puits d'eau sulfureuse, comme un cercle dantesque joyeux, naturel et agréable, sans peines à purger mais avec peut-être quelques coupables... Dans l'obscurité du bois, une grande cascade chaude saute d'un rocher à l'autre pour atterrir au centre du grand puits, où se baignent quelques personnes. Elles bougent lentement dans cet étrange bouillonnement, apparaissent et disparaissent dans les exhalations de soufre.

Guido observe Niki. Elle est fascinée.

– Alors ? Tu es prête à t'immerger ? Ça va être magnifique.

– Oui, je pense que ça va être fantastique, dit-elle en souriant.

Elle descend de la voiture, fait quelques pas, pieds nus, sur la roche froide et poreuse qui entoure le puits, puis entre lentement dans l'eau avec sa combinaison. Elle s'immerge.

– C'est génial... Viens.

Guido court sur la pointe des pieds et se laisse glisser à côté d'elle.

– Alors ? Je ne t'ai pas déçue, n'est-ce pas ? Cet endroit est merveilleux... Tu n'étais jamais venue ?

– Non, répond Niki plongée jusqu'au menton dans l'eau brûlante. C'est magnifique, ça détend, c'est incroyable...

— Et c'est excellent pour la peau, ajoute Guido en souriant, avant de se corriger. Même si la tienne est déjà superbe.

Niki fuit son regard, elle s'immerge un peu plus, l'eau lui arrive maintenant jusqu'à la bouche. Elle se sent comme dans une baignoire, comme à la maison, quand elle prenait son bain, petite.

— Ce qui est bizarre, dans ces puits, c'est que quand on s'éloigne du centre l'eau devient un peu plus froide.

Guido a une idée.

— Suis-moi! dit-il en la prenant par la main pour l'entraîner hors de l'eau.

— Mais j'ai froid!

— Tu vas voir, ça va être encore mieux.

Ils grimpent sur les bords de la cascade jusqu'au puits supérieur. Une autre cascade s'y déverse, et il est désert.

— Viens!

Guido entre le premier.

— Elle est brûlante, c'est incroyable...

— Oui, mettons-nous dessous.

— Comment?

— Comme ça.

Guido nage vers le centre et se met sous l'eau chaude qui tombe d'au moins deux mètres sur ses épaules, sur sa tête, sur son dos, offrant un massage vigoureux.

— Viens, Niki! C'est fabuleux! Tu as peur, ou quoi?

— Je n'ai peur de rien!

Elle le rejoint sous cette eau qui manque de l'emporter, mais elle résiste et bouge les épaules sous le jet puissant, elle sent ses muscles se détendre, elle se relaxe de plus en plus. Cela faisait des mois qu'elle ne s'était pas sentie aussi bien. Les paupières closes, Niki se laisse transporter par cette pensée, puis elle s'abandonne complètement. Soudain, elle sent qu'on lui attrape le bras. Elle ouvre les yeux et s'écarte de la cascade. C'est Guido. Il l'attire à lui, entre la cascade et les rochers, à l'abri de tout et de tous, dans une petite grotte où l'eau tombe devant eux comme un rideau. À travers ces jets, ils aperçoivent la lune, tandis qu'au bord de la cascade il n'y a que le bois sombre.

— Alors, Niki... Ça te plaît?

— Beaucoup... Cet endroit te remet à l'endroit, vraiment. Je me sens complètement ragaillardie, je pourrais surfer pendant des heures.

Guido plonge ses yeux dans les siens.

— Où vont ces mots, où fuient-ils… Peut-être ont-ils peur de dire je t'aime ?

Niki en reste bouche bée, elle n'arrive pas à y croire.

— Mais c'est ma phrase, la phrase que j'avais mise dans la bouteille !

— Après t'avoir raccompagnée, j'ai couru toute la nuit le long du fleuve. Je n'aurais jamais permis que quelqu'un d'autre la trouve à ma place…

Un sourire, encore, et lentement il s'approche. Ses lèvres, tout doucement. Et ce sourire si proche, si beau. Ces mots. *J'ai couru toute la nuit le long du fleuve.* Encore plus près… *Je n'aurais jamais permis…* Encore plus… *Que quelqu'un d'autre trouve tes mots à ma place.* Alors Niki ferme les yeux et elle ne voit plus rien, ni avec l'esprit, ni avec le cœur, ni ce phare lointain, d'autres jours, d'autres temps, l'île Bleue, la mer, les souvenirs. Plus rien. Elle se lance enfin, elle saute et tombe dans ses bras, perdue dans ce baiser doux, ses lèvres chaudes qui ont le goût de confusion humaine, de faute et de pardon. Elle, jeune fille emportée par un désir stupide, être libre encore une fois. Ils se retrouvent à nouveau sous la cascade libératoire. Ils s'écartent, se cherchent, rient, gênés, amusés, de cet étrange pas, si beau. Niki se laisse flotter, la tête en arrière. Ses oreilles se bouchent, elle entend des bruits lointains, de drôles d'échos marins dans ce puits sulfureux. Ses cheveux sont épars autour d'elle, ses bras abandonnés le long de son corps, ses doigts effleurent sous l'eau quelques petits cailloux polis. Elle se sent soudain perdue, entre la vapeur du puits et tout ce qui s'est passé. *Qui suis-je ? Où suis-je ? Que va-t-il m'arriver ? Et mon amour ? Mon amour fort, solide, convaincu, presque rageur, déterminé, décidé malgré le monde entier opposé à notre différence d'âge ? Alex… Pourquoi m'as-tu abandonnée ? Ou plutôt, non. Pourquoi t'ai-je abandonné, moi ? Et si c'était notre faute à tous les deux ?* Elle reste allongée dans l'eau, épuisée par mille questions sans réponse. *Silence. J'ai besoin de silence. Cœur, ne me demande rien, esprit, laisse-moi partir.* Alors une larme, une seule, quitte ses yeux, glisse sur sa joue, à l'abri de tout, furtive, cachée, comme une voleuse qui s'enfuit, pour rejoindre l'eau, avec tous les pourquoi qui l'avaient générée. Guido la regarde, curieux, un peu inquiet. Peut-être a-t-il des remords. Peut-être.

— Je n'aurais pas dû ?

Niki éclate de rire.

— Si quelqu'un a fait une erreur, c'est moi… Mais je le savais… Et puis…

— Et puis ?

— Laisse tomber...

— Non, non, s'il te plaît, dis-moi...

Il lui prend à nouveau la main, et même les deux mains, un peu apeuré, prudent, hésitant à franchir à nouveau la limite.

— Et puis?

— Et puis... J'avais envie de me baigner.

Elle sort du puits. Guido la regarde. Pour la première fois, dans cette combinaison peinte par la lune, encadrée par le vert du bois sombre, il voit une femme. Il en voit le corps dessiné, féminin, doux, arrondi. Pour la première fois, ce n'est plus un simple jeu, c'est du vrai désir. Il sent un frisson fort, intense, lui parcourir le dos, lui serrer le ventre, sans trêve. Ce moment semble ne jamais finir. Niki se retourne. Elle distingue ses yeux, ses lèvres charnues, son désir très clair dans la lueur nocturne.

— Alors, tu fais quoi? Tu viens?

Guido sort en silence. Ils ne se disent plus rien, montent dans la voiture. Puis les collines, la via Aurelia, et enfin la ville. Ils s'arrêtent en bas de chez Niki. Le voyage a été silencieux. Guido la regarde. Elle n'a aucune envie d'affronter la réalité.

— Merci. J'ai passé une soirée merveilleuse.

Elle lui donne un baiser léger sur les lèvres et s'enfuit. Si léger qu'il laisse mille questions derrière lui. Que sommes-nous? Amis? Amants? Amoureux? Ensemble? Rien?

Niki n'appelle pas l'ascenseur, elle monte à pied pour faire le moins de bruit possible. Elle regarde sa montre : 4 h 30. Depuis combien de temps je n'étais pas rentrée aussi tard? Des siècles... Elle ouvre tout doucement la porte. Tac. Heureusement, personne n'a mis la chaîne. Elle enlève ses chaussures et se dirige sur la pointe des pieds vers sa chambre. En passant devant celle de ses parents, elle jette un coup d'œil sous la porte. Leur lumière n'est pas allumée.

Tant mieux. Mais Niki ne sait pas que dans cette chambre, Simona est réveillée. Le très léger bruit de la porte a suffi, ou peut-être est-ce autre chose, qui sait. En tout cas, elle suit les pas de sa fille comme si elle la voyait, et comme toutes les mamans, elle a compris... Quand la porte de la chambre de Niki se referme, elle pousse un long soupir. *Dois-je faire quelque chose? Intervenir dans la vie de ma fille? Qui suis-je pour lui dire quoi que ce soit? Sa mère. Oui, c'est vrai. Mais que puis-je savoir de son amour? Comment puis-je interpréter ses sentiments, ce qu'elle ressent,* ce qu'elle éprouve, à quoi elle rêve... Si elle est heureuse, triste ou effrayée... Y repense-t-elle ? Niki est une jeune fille, même si elle est mûre, parfois trop pour son âge. Elle doit vivre sa vie, qu'elle soit conte de fées ou cruelle réalité, qu'elle tombe ou se relève, qu'elle avance à bonne allure ou se traîne, qu'elle vive trois mètres au-dessus du ciel ou sous la terre. C'est ça, le rôle de mère, rester à ses côtés sans rien dire, être prête à l'accueillir et lui remonter le moral quand il faut, lui laisser la plus grande liberté de choix et approuver ses décisions, en espérant qu'elles fassent son bonheur ! Quelle barbe ! Je suis barbante... Quelle maman barbante. Elle sourit. Mais oui, Niki, tu sais ce que je vais faire ? Je vais arrêter de te casser les pieds. Voilà... Puis elle observe Roberto qui ronfle à côté d'elle. Regardez-le ! Je devrais faire comme lui. Il dort, il s'en fiche de tout le monde, et surtout de ce qui se passe dans cette maison ! Et en plus il ronfle ! Alors, au moins pour cette raison, elle lui donne un petit coup de pied sec et décidé dans la jambe. Roberto sursaute, puis respire plus profondément. Il claque un peu des lèvres, comme s'il avait faim, comme s'il cherchait quelque chose dans l'air, puis il se tourne de l'autre côté. C'est incroyable ! Il dort comme un ange, tandis que je me ronge les sangs avec mon dilemme... qui devrait être le nôtre ! Roberto se tourne à nouveau. Oh, non... Il s'est remis à ronfler !

131

En se déshabillant, Niki porte son coude à son nez. Quelle drôle d'odeur ! Ça fait penser à ce savon qu'utilise papa de temps en temps. Mais c'est agréable. Et fort. En plus, c'est vrai, j'ai la peau toute douce ! C'est fou comment le soufre fait du bien ... Tout le monde devrait prendre un bain sulfureux au moins une fois par semaine... Oui. Et ensuite ? Elle sourit. Que se passerait-il, si un seul bain dans ce puits a suffi pour que je l'embrasse ? Je l'ai embrassé. Elle se détaille dans le miroir. Ses cheveux sont sauvages et ébouriffés, ils donnent un aspect différent à son visage, elle a du mal à se reconnaître dans cette nouvelle lumière. Je l'ai embrassé. Elle cherche dans ses yeux la trace d'un réel changement. Comme dans ce film, ce remake avec Nicole Kidman qui parle d'extraterrestres qui prennent un aspect humain et s'immiscent dans les gens, qui se mettent à se comporter différemment. Niki s'approche du miroir. Y aurait-il un alien à l'intérieur de moi ? Elle sourit à cette drôle de fille à l'aspect rebelle. Je n'ai pas aimé ce film. Et ce soir ? Tu as aimé cette soirée ?

J'avais envie de me baigner, d'accord ? On peut voir les choses comme ça ? Bon. Faisons comme ça, s'il vous plaît. Mais une autre question l'assaille : *et Alex ? Que dirait Alex ? Ça lui plairait, à lui ?* Elle se sent prise au piège. *Non. Je ne crois pas. C'est comme s'il y avait une autre à l'intérieur d'elle. Je ne crois pas ! Comment peux-tu dire une chose pareille ! Tu étais sur le point de l'épouser, tu as construit des choses importantes avec lui, jour après jour, semaine après semaine, mois après mois, pendant plus d'un an et demi, et tu dis que ça ne lui plairait pas ? Mais bien sûr que non ! Il en mourrait de chagrin. Ce que tu as fait est même impossible à penser, à imaginer, à envisager...* Soudain, dans un moment où, comme bien souvent, la vie est moqueuse, elle l'aperçoit. Il est là, dans un coin, exactement là où elle l'a laissé. Le paquet d'Alex. Alors, comme en transe, elle le déballe, avide, curieuse, elle arrache le papier, comme pour se punir plus vite, et expier totalement et tout de suite son envie de petite fille... de prendre un bain.

« Pour toi, pour Niki. »

Un DVD. *Que cela peut-il bien être ? Quand me l'a-t-il envoyé ? Avait-il déjà trouvé ma lettre ?* Elle regarde la date. *Non, c'est le jour où il est parti. Le soir où je suis sortie pour la première fois avec Guido.* Rien que le fait de penser à ce nom et à tout ce qu'il s'est passé depuis lui semble absurde, un autre âge, un autre monde. Avant que la panique s'empare d'elle, Niki s'agrippe à cet objet, elle le serre dans ses mains comme si c'était un document très important retrouvé après des années et des années de recherches. Il est délicat, fragile, fondamental, c'est la carte de la vérité, le témoignage de cette légende dont on parle depuis toujours mais qui n'a jamais été vraiment révélée. *Voilà. Je suis sûre qu'il y a tout ce dont j'ai besoin, là-ded*ans. Alors elle le glisse dans son ordinateur, et au bout de quelques secondes apparaît la fenêtre avec le bouton « play ». Niki clique dessus et c'est comme ouvrir la porte d'une dimension inconnue. « I was her, she was me, we were one, we were free[1]... » *La chanson de notre rencontre, quand nous avons eu l'accident, quand je suis tombée.* « She's the One »... Les notes continuent lentement. « We were Young, we were wrong, we were fine all along... » Alex apparaît à l'écran. Il sourit. Tout doucement, la musique baisse et il se met à parler.

« Mon amour... Je voudrais te dire à quel point je suis heureux mais je ne trouve pas les mots suffisants... Ce monde n'en a pas inventé assez pour pouvoir te dire l'amour que je ressens pour toi.

---

1. Extrait de Robbie WILLIAMS, *I've been expecting*, « She's the one », EMI, 1998.

Alors je voudrais que ces images parlent pour moi… » Le volume de la musique augmente à nouveau et elle voit défiler les photos. Alex et Niki à une fête, Alex et Niki en plein cours de conduite. Et puis, Niki qui dort et qui râle parce qu'elle s'aperçoit qu'il la filme pendant qu'elle se réveille, et de temps en temps on entend la voix d'Alex. « Tu étais si belle, ce jour-là, je t'ai aimée toute la nuit, là j'ai eu peur… parce que je tombais amoureux de toi… » Puis on voit Alex seul au phare, pendant toutes ces journées où il l'attendait. « Ici, quand ma vie n'avait plus de sens… » Niki sourit. « Ici, quand j'ai compris que ça recommençait. » Un petit passage où elle sort de la maison du vieux gardien du phare.

« À table ! » Sa voix à elle, Niki. *J'étais drôle, habillée comme ça…* « Et ici, quand j'ai compris que j'étais stupide, que j'avais seulement perdu du temps… » Une musique différente. Coldplay. New York. Niki sent son cœur se serrer. Elle les regarde courir dans les rues de Manhattan, elle qui entre chez Gap, puis chez Levi's, qui essaie des robes, des chemises, qui repousse la caméra avec sa main. Elle qui dit « Arrête de me filmer… Si tu continues, je ne t'épouse plus… » Ce jour-là, elle l'avait dit en plaisantant, phrase stupide qui jamais au grand jamais n'aurait pu être vraie. Alors Niki se met à pleurer en silence. Les larmes ruissellent sur ses joues, rapides, comme un fleuve déchaîné, comme une vague qui se gonfle, énorme, qu'on ne peut plus retenir, alors elle s'abandonne, emportée par une avalanche de sentiments confus. Le tour en hélicoptère, New York vue du ciel, puis cette inscription sur l'Empire State Building. « Excuse-moi mais je veux t'épouser. » Et un gros plan final sur Alex. « Excuse-moi mais je n'ai pas été assez précis. Excuse-moi mais je t'aimerai toujours. » Niki laisse libre cours à sa tristesse, elle se couvre le visage, honteuse de ce baiser, honteuse de son envie soudaine de rébellion, de s'éloigner de tout ce qu'elle avait, de son magnifique amour pour Alex. Petite naufragée, elle sèche ses pleurs, désolée, perdue, désorientée, et fâchée de ne pas pouvoir trouver le coupable de tout ceci, sinon elle-même, et son changement étrange et inattendu. *Que s'est-il vraiment passé ?* Elle se sent plus seule que jamais. Malgré la présence de ses parents dans la pièce d'à côté, eux qui l'aiment et soutiennent ses choix, malgré ses incroyables amies, depuis toujours en harmonie avec elle, présentes en toute occasion. Niki se sent comme un petit ballon dégonflé. Il y a quelque chose que personne ne peut éloigner. Quelque chose dont elle ne peut même pas parler parce que ça ne sert à rien, on ne peut pas l'expliquer, le comprendre. Le manque de l'amour. Perdre l'amour, la fin d'un amour, la fuite d'un amour. On se retrouve nue, vide, sans âme. Peut-être que tout sera différent demain. Épuisée, éreintée, elle se jette sur son coussin pour chercher un refuge, loin de toutes ces pensées. Mais qui est vraiment le coupable de tout ceci?

132

Une superbe boîte, emballée de papier jaune et orange, est posée sur la table basse du salon. À côté, deux verres de jus d'orange et deux parts de gâteau au chocolat et à la noix de coco.

— Mais pourquoi? demande Diletta à Filippo.

— Comment ça, pourquoi? Parce que tu le mérites!

— Mais ce n'est ni notre anniversaire, ni le mien!

— Non, mais c'est une fête! Fais-moi confiance… Ouvre…

Il n'y tient plus. Diletta déballe le paquet tout doucement. Le contenu se dévoile enfin. Elle est stupéfaite. Puis elle remarque un petit mot et le lit.

— Je n'y crois pas…

Elle lui saute au cou, le couvre de baisers, le serre contre elle et rit, émue. Filippo se laisse faire, il rit lui aussi, surpris et heureux de cet accès de joie. Parce que c'est plus qu'un cadeau. C'est une promesse, un choix, une prise de conscience, un voyage à faire ensemble. C'est un saut dans le vide, mais avec un beau parachute qui assure leur sécurité à tous les deux. Diletta se lève et prend Filippo par la main.

— Viens… viens là-bas avec moi…

Elle l'emmène dans sa chambre, ferme la porte et l'allonge sur le lit. Elle l'embrasse. Ils sont proches, plus unis que jamais, un peu plus adultes et conscients, encore effrayés mais prêts. Enfin prêts.

Sur le canapé, une boîte ouverte contenant une adorable grenouillère de nouveau-né, jaune clair avec des petits ours brodés. Et puis, la carte… *Jaune comme le soleil qui illumine ton monde, jaune comme une fleur qui brille à midi, jaune comme le blond de tes cheveux d'or, jaune comme un rêve qui deviendra réalité. Garçon ou fille, peu importe : il sera aussi merveilleux que toi…*

133

Quelques jours plus tard. Un ciel bleu sans nuages. Un peu de circulation, mais aucun Klaxon pour accélérer le rythme de la ville. Alex ferme sa voiture, entre dans l'immeuble.

— Bonjour, monsieur Belli, on vous attend en haut.

— D'accord, merci.

On m'attend ? Mais qui ? Pourquoi ? Que s'est-il passé ? Puis, en rentrant dans l'ascenseur, une pensée étrange, un souvenir du passé qui lui revient douloureusement à l'esprit :

— Salut... Ta secrétaire a refusé que je te parle.

— Je suis désolé. Où es-tu ?

— Devant ton bureau...

Alex se précipite et la trouve dans la salle d'attente, sur le canapé coloré. Elle porte une veste bleue et des Adidas montantes, et serre contre elle ce dossier avec les dessins pour la campagne de LaLune... Il revient en arrière dans le temps, et il lui semble impossible que Niki ne fasse plus partie de sa vie. Il réalise tout ceci pile au moment où il arrive devant ce même canapé. *Niki, où es-tu ? Qu'est devenue notre vie ? Pourquoi ?* Il a comme un vertige, tellement tout lui semble absurde. C'est alors que s'ouvre la porte de la salle de réunion.

— Alex, nous t'attendions, viens !

Leonardo court à sa rencontre.

— Voici mon numéro un : Alessandro Belli !

Alex est accueilli par un groupe joyeux de publicitaires, concepteurs, créatifs, producteurs, chefs de pub, le président et même l'administrateur de l'entreprise.

— Félicitations, bravo, excellent !

Ce sont les adjectifs qui soulignent son succès. Alex balaye l'assemblée du regard, étourdi, il les reconnaît tous après toutes ces années de travail, depuis ses débuts au bas de l'échelle, toutes les étapes de son évolution faite de progrès, de ténacité, d'entêtement, d'application, de talent, de petites victoires, de grosses fatigues, de courses infinies, d'heures lourdes, de grands succès. Et pourtant, il troquerait bien tout cela et tous ces gens contre une seule personne. *Où es-tu, Niki ? Et qu'est-ce qu'une victoire s'il manque la seule personne avec qui la partager, la seule que tu aimes ?*

444

— Et un incroyable triomphe en Amérique! dit Leonardo, le ramenant à la réalité. Vous avez vraiment eu bon sur toute la ligne... même le slogan leur a plu.

Alors il se tourne et aperçoit Raffaella, plus belle que jamais, élégante, chic, silencieuse, parfaite en tout, qui lui sourit de loin et lui fait un clin d'œil sympathique, sans malice, comme pour lui dire « c'est toi, tout ceci est grâce à toi, c'est à travers toi que nous vivons ce moment de gloire ». Alex esquisse un sourire, hébété par tous ces mots.

— Lancez le film!

Un silence religieux tombe sur la salle au moment où un écran descend du plafond, et Alex est inondé par les images de leur court-métrage. Des animaux qui courent, un lion, un guépard, une panthère, une antilope qui saute, une gazelle attrapée en pleine course par un jaguar, en bas de l'écran deux mains sombres tapent sur la peau d'un tambour. Toum toum tou. Toum toum tou. Un fondu, et les images s'enchaînent. Puis le mot « Instinct » apparaît sur une musique crescendo. Très gros plan sur la gueule d'une panthère rugissante. Puis « Amour » : un lion et une lionne s'accouplent sauvagement en se mordant le cou, se dévorant presque sous le coup de la passion. Et encore une série d'antilopes de plus en plus rapides, des centaines, qui s'échappent, courent et sautent presque sur la caméra. Vient alors « Moteur », et juste après arrive au premier plan une voiture noire qui fait un virage avant de freiner. Une panthère passe, l'observe, se frotte contre son flanc, puis s'éloigne tandis qu'apparaît le nom de la voiture et son slogan : *Instinct, Amour, Moteur.* Les lumières s'allument et tout le monde applaudit avec enthousiasme. Alex est étonné, un peu déconcerté.

— Bravo! Très bien!

— Bravo! Félicitations, c'est vraiment une très belle campagne, la plus belle que j'aie jamais vue pour une voiture.

Alex esquisse un sourire, mais cela ne lui semble pas possible. *Comment je peux avoir fait ça? J'ai utilisé le slogan de ma vie, de ma philosophie, mon courant de pensée, pour une voiture, pour un morceau de métal qui me survivra froidement, qui ne pense pas, ne réfléchit pas, ne souffre pas, ne se réjouit pas. Amour-moteur. J'en suis arrivé là? Ce n'est pas possible.* Il répond encore à quelques personnes, puis sort de la salle et court vers son bureau. Il ferme la porte et se met à fouiller dans ses papiers. « Amour moteur ». C'est son écriture. C'est moi qui l'ai faite! Oui.

Puis il trouve une autre feuille, pleine de points d'interrogation, et une autre avec un cœur et puis deux lettres écrites plusieurs fois, A et N. Voilà. *Je devais être saoul, j'avais bu, c'était quand ? Quand j'étais si mal. Ça fait des semaines que je suis mal. Je me suis jeté à corps perdu dans le travail et j'en ai fait de belles, ici aussi.* Il passe les mains dans ses cheveux... *Mais comment est-ce possible ?* À ce moment-là, on frappe à la porte. Alex relève la tête.

— Entrez !

C'est Raffaella.

— Salut ! Ça va ? Tu as vu ce succès ?

— Non... J'ai vu ce qui s'est passé ! dit Alex avec rage, en sortant l'inscription « Amour moteur ». C'est toi qui l'as choisie ?

— Non, Alex, je ne me serais jamais permis. Tu l'avais laissée sur la table. Puis tu es rentré chez toi, le soir où on devait boucler le film, parce que... tu ne te sentais pas bien.

Alex la regarde, se souvient. C'était le jour où il était saoul et où elle l'a raccompagné en taxi. Elle a été très gentille et les jours suivants elle a fait semblant de rien et n'a parlé à personne de cette histoire. Alex repose le papier. Raffaella sait qu'il se souvient.

— Puis Leonardo m'a dit qu'il t'avait appelé chez toi et que tu lui avais dit toi-même la phrase pour le slogan. Instinct... Amour, Moteur ! précise-t-elle en souriant. C'est magnifique. D'ailleurs, tu ne le sais pas mais tu ne fais que des choses magnifiques.

Elle sort de la pièce, la voix un peu tremblante.

Alex secoue la tête et frappe du poing sur la table, puis s'affale dans son fauteuil. *Il ne manquait plus que ça. Je l'ai humiliée. Elle a tout fait, le film, le choix des musiques... Le montage, le rythme, les scènes d'animaux du National Geographic, le gros plan sur la panthère puis sur la voiture. Instinct et moi... moi je n'ai trouvé que le slogan. D'ailleurs, je ne l'ai même pas trouvé ! J'en ai utilisé un qui existait déjà. J'ai copié ! Je me suis copié tout seul ! Et je me suis fâché, en plus. Je suis un vrai désastre... Bon, je me rattraperai, d'une manière ou d'une autre, dans le fond le succès lui appartient et tout le monde me félicite, moi...* À ce moment-là, son téléphone émet un bip. Un message. Sans y réfléchir, il le sort de sa poche. *Qui est-ce, encore ? Un autre remerciement ? Un collègue, un publicitaire, un concepteur, Leonardo qui veut m'inviter à déjeuner ? Espérons que non. Je n'ai vraiment pas faim, aujourd'hui.* Quand il ouvre le message, il a l'impression que la pièce se met à tourner, que le ciel tombe, que les murs tremblent, un tremblement de terre émotionnel. *Niki. Il regarde à nouveau. Oui. Niki.* Il s'arrête, comme en équilibre sur le bord d'un précipice, d'un gouffre, d'un volcan en éruption... ou peut-être, au contraire, est-il sur le seuil d'un paradis? Qu'y a-t-il dans ce message? Sera-t-il à nouveau heureux ou alors ne pourra-t-il même plus l'espérer? Un déluge d'hypothèses s'abat sur lui.

Excuse-moi mais je suis avec un autre. Non, je t'en prie, dis-moi que ce n'est pas ça. Une autre, en un sens encore plus douloureuse. *Excuse-moi mais je ne t'aime vraiment plus.* Puis, encore pire. *Excuse-moi mais je ne t'ai jamais aimé.* Puis une légère amélioration. *Excuse-moi mais je réfléchis. Excuse-moi mais je ne suis pas encore sûre. Excuse-moi mais j'ai changé d'avis.* Encore mieux. *Excuse-moi mais remettons-nous ensemble. Excuse-moi mais... je veux t'épouser.* Oui. Peut-être. Il regarde fixement l'enveloppe fermée. Elle seule sait ce qu'elle contient. Elle qui a écrit ce message. *Avant de l'ouvrir, je peux tout imaginer, ensuite seulement ce que j'y trouverai. Je pourrais l'effacer sans le lire, imaginer pour toujours ce que j'aurais voulu.* Mais il comprend que ce n'est pas possible, que la vie doit être vécue jusqu'au bout. Une fois, l'un de ses amis, lui avait dit : « Un calice amer doit être bu jusqu'au bout, ce n'est que comme ça qu'on peut remonter. » Alors il ferme les yeux un instant, inspire profondément, puis les rouvre et appuie sur le bouton pour le lire.

Il relit plusieurs fois les mots. Puis on frappe à la porte.

— Je peux? demande Leonardo sans attendre sa réponse, entrant dans la pièce. Je t'ai apporté un café et un croissant! Pour fêter avec un peu de douceur ton succès personnel...

Il n'a pas le temps de finir sa phrase qu'Alex se lève de son fauteuil, prend sa veste, son sac, et sort de la pièce en courant.

— Non... Excuse-moi.

— Alex... Mais ton succès, une journée pareille, tout le monde veut te parler...

Sans même lui répondre, Alex entre dans l'ascenseur, les portes se ferment devant lui. Leonardo ajoute quelque chose, mais Alex ne l'entend pas, ne le voit pas. Pour lui, seuls comptent les mots de ce message.

Alex je voudrais te parler. Je suis à la Villa Glory. Tu veux passer? Et sa réponse, toute simple. *Oui.*

134

Un vent léger fait bouger les feuilles des grands arbres. D'autres, au sol, transforment la grande pelouse en un tapis marbré. Certaines se hissent sur la pente qui mène au monument aux morts. D'autres, paresseuses, courent autour des manèges et des structures architectoniques placées là par un sculpteur fantaisiste.

Alex marche à grands pas. Depuis qu'il est sorti du bureau, il n'a cessé de penser à ce message. *Tu veux passer ?* Comme si c'était une chose normale, comme si rien n'avait changé, comme s'il ne s'était agi que d'un petit voyage de l'un des deux, d'une mission à l'étranger... Et pourtant, il l'a appelée plusieurs fois, il lui a envoyé des messages où il exprimait son envie de la voir, de comprendre, de parler, de s'expliquer, de bavarder, de revoir ses yeux. Pouvoir affronter ce regard. Alex était sûr qu'il aurait compris. Il lui aurait suffi d'un silence, d'un temps suffisamment long, pour découvrir la vérité dans ses yeux. S'ils s'étaient baissés, s'ils avaient regardé ailleurs, s'ils avaient été fuyants ou nerveux, alors il n'aurait plus eu de doutes. C'était fini. Il monte cette allée où ils se sont retrouvés mille fois, où ils ont ri et plaisanté, se sont promenés main dans la main, parfois fait du footing ensemble. Il avait ralenti, les fois où ils couraient ensemble, pour l'avoir toujours à ses côtés, pour ne pas la laisser en arrière. Il l'avait aidée, lui avait enseigné le stretching, comment courir sur les pointes, monter une pente raide en courant en arrière pour faire travailler les fessiers, si chers aux femmes et, en un sens, aux hommes aussi. Et maintenant ? Alex marche, le souffle court, un sourire nerveux sur le visage. Même cette villa a changé. On dirait qu'elle appartient à un autre temps. À un moment différent de sa vie. À quelque chose qui s'est passé il y a des années, qui n'est plus, qui s'est perdu, loin, dans un temps jalousement gardé par un souvenir étrange. Alex regarde à droite et à gauche, sur les pelouses qui bordent la route. Çà et là, des passants se promènent les mains dans les poches, une cigarette à la bouche, des chiens lâchés courent après d'hypothétiques animaux. Un jeune homme dépasse Alex, peut-être aux prises avec un record personnel. Deux jeunes filles passent en courant à côté de lui. Une blonde et une brune qui bavardent, elles ont du souffle et un bon rythme, et lancent un regard à Alex en arrivant à sa hauteur. Puis, quand elles sont un peu plus loin, la blonde dit quelque chose, la brune se tourne pour regarder Alex, puis acquiesce et répond. Elles éclatent de rire et continuent à courir, gaies et sportives, avant de disparaître dans le virage. Mais comme cela arrive souvent à ceux qui souffrent par amour, Alex ne remarque rien de tout ça. Il cherche au loin, entre les arbres, le long des petites prairies, les brefs espaces de vert entre deux structures, jusqu'à ce qu'il la voie. Elle marche. Elle porte un manteau bleu foncé, long, moderne, un peu vintage, un manteau militaire. *D'où vient-il ? Ah oui. Du Governo Vecchio, avant la piazza Navona, là où il y a le petit brocanteur.* Ils l'avaient acheté ensemble, un soir où ils étaient dans le coin. Niki avait rendu fou le propriétaire de la boutique. Elle avait tout essayé, et avec chaque vêtement elle improvisait une sorte de défilé pour lui. Il s'en souvient comme si c'était hier. Il était assis sur un vieux fauteuil en cuir, il admirait son mannequin préféré, celle de la publicité de sa vie. Amour moteur. Celle qui chaque jour lui donnait la force d'être heureux, de sourire à la pluie, de célébrer le soleil et tout ce qui se passait sur la terre. Amour moteur… Il se demande ce que dira Niki quand elle verra qu'il a utilisé le slogan fondateur de leur histoire… Alex se dirige vers elle. Niki marche, les mains dans les poches de son jean, donnant de temps à autre un coup de pied dans quelque chose. Elle a la tête baissée, elle regarde le sol et secoue parfois la tête comme si elle n'était pas d'accord avec quelqu'un, comme si elle parlait au téléphone… En effet, en s'approchant, Alex aperçoit un écouteur à son oreille. *Avec qui parle-t-elle ? Il est saisi d'une jalousie absurde. Que dit-elle ? Rit-elle ? Emploie-t-elle des mots d'amour tendres ? Fait-elle des boutades, dit-elle des phrases romantiques ?* Il se sent emporté par cette avalanche soudaine de pensées, à tel point qu'il voudrait fuir, s'en aller, partir au loin. En l'observant plus attentivement, il aperçoit un écouteur dans son autre oreille. Ouf. Il pousse un soupir de soulagement. *Elle ne parle avec personne. Elle écoute de la musique. Voilà pourquoi elle bougeait la tête.* Niki sent sa présence, elle lève les yeux. Son regard est si délicat. Ces yeux qu'Alex reconnaît tout de suite. Ils ont beaucoup pleuré. Ils ont souffert. Ils sont fatigués, épuisés, ils ont besoin de parler. Il sent son estomac se nouer. *Non, Niki… Je t'en prie, ne me dis rien…* Elle esquisse un faible sourire et enlève ses écouteurs.

— Salut… J'écoutais James Morrison. Comment tu vas ?

Comment je vais ? Comment devrais-je aller ? Comme un homme fini, détruit, sans raison de vivre, sans raison… Mais il décide de ne pas lui montrer tout ça, de lui faciliter la vie, de l'aider à faire un pas, si elle le veut, de la pousser à parler.

— Bien, sourit Alex. Maintenant, ça va. Mieux…

Il devait quand même dire quelque chose, sinon il n'aurait pas été crédible. Elle se serait méfiée, elle n'aurait pas osé dire sereinement ce qu'elle pense à un homme mûr, plutôt qu'à un garçon fragile, meurtri, broyé, affecté par l'amour, par la jalousie, par les doutes, par l'insécurité, quand on n'en peut plus, quand, détruit, abandonnant tout orgueil, on cache son numéro pour appeler l'aimée et on trouve son portable éteint, aux heures où il ne devrait pas l'être, et pour trop longtemps.

Mais Alex sourit, et en un instant c'est comme s'il effaçait toutes ces minutes, tous ces jours, toutes ces semaines dont il a désormais perdu le compte. *Allez, allez, il faut que je garde le moral*, se répète-t-il. *Serre les dents. Encore, allez, fais comme si de rien n'était, allez, rage, volonté, résistance.* Et alors, la phrase la plus douloureuse, stupide et inutile, mais si nécessaire pour lancer la conversation.

— Qu'est-ce que tu me racontes?

Niki baisse les yeux et cherche la force de tout lui dire, de bien raconter, sans rien oublier.

— Tu sais, je crois que nous avons fait un trop grand pas… Ce n'était peut-être pas encore le moment, j'avais peut-être besoin de vivre encore un peu ma liberté…

Tout en prononçant ces mots, elle se rend compte qu'elle ne lui dit pas tout. *Je lui mens en partie, je ne parle pas de lui.*

— Et tes sœurs, toutes ces choses à décider…

À ce moment-là leurs regards se croisent, un silence trop long suit. Ils regardent ailleurs, baissent les yeux. Alex sent son cœur se serrer, et en un instant il comprend. C'est ce qu'il avait imaginé. Et il voudrait s'enfuir au loin, seul, dans ce phare, au milieu de la mer, dans le silence. Seul. Seul. Mais, il reste là. Ils continuent à parler de tout, de rien, à imaginer plus de liberté.

— Mais oui, ne nous marions pas maintenant, peut-être… demain. Ou jamais.

— Quoi?

Niki est un peu surprise, déroutée de l'entendre parler ainsi. Soudain elle comprend. Alex est éprouvé, tendu, épuisé. C'est un de ses moments où on ferait tout par amour, et même plus, un de ces moments « paillasson », que l'on oublie plus une fois vécus et nous font toujours honte quand ils nous reviennent en mémoire. On n'avoue jamais ces moments à personne, on n'en parle même pas à son meilleur ami. Ces moments nous appartiennent, rien qu'à nous, et en se les rappelant on comprend combien on a pu aimer.

— Je sais juste que je ne suis pas prête.

Elle ne dit rien d'autre. Elle ne veut rien dire d'autre. D'ailleurs, Niki ne sait pas trop quoi dire. Après avoir écouté Alex parler, soudain plus rien n'est clair pour elle. Elle était venue lui avouer qu'elle sortait avec un garçon, mais elle ne lui a rien dit. Rien. Peut-être était-il important d'en parler parce que cela aurait aidé Alex à passer ce moment. Et cela l'aurait aidée, elle, à admettre l'existence d'un autre dans sa vie. Mais y a-t-il vraiment un autre dans sa vie ? En réalité, il ne s'est rien passé, parce qu'elle n'est pas encore sûre, parce qu'elle a peur, parce qu'elle se sent mal, parce qu'elle pleure souvent, parce qu'elle voudrait être heureuse mais qu'elle n'y arrive pas. *Ce n'est pas juste. Ce n'est pas possible. Pourquoi moi ?* Niki est désespérée. Elle se débat avec sa douleur, en silence. Alex s'en aperçoit.

— Niki, qu'y a-t-il ? Je peux faire quelque chose pour toi ? Je t'en prie, dis-le-moi, je voudrais tant t'aider, je me sens coupable de te voir comme ça, de ce que tu ressens… C'est comme si tout était ma faute… C'est comme si moi, avec mes vingt ans de plus, je t'avais forcée à brûler tes années…

Niki soupire. Elle voudrait tant dire à Alex tout ce qu'elle ressent, que ce n'est pas sa faute, ou du moins pas seulement, qu'elle est une idiote, une petite fille, une insensible, qu'elle n'a pas su rester dans son coin pour réfléchir, attendre et décider avant de faire quoi que ce soit. Et maintenant, elle se sent confuse et fatiguée. Alex remarque à nouveau son regard un peu triste, lointain. Tout ce que Niki n'était pas. Alors il souffre de ne plus trouver son sourire, il essaie de la distraire.

— Tu ne m'as rien dit… Je t'avais envoyé un DVD, une vidéo que j'avais faite pour toi… Et avec toi… Tu l'as regardé ?

Niki se rappelle ce superbe film, et surtout quand elle l'a vu. Le soir où elle a embrassé Guido. Alex continue à parler.

— Tu sais, j'ai voulu mettre « She's the One », parce que c'est un peu notre chanson… Quand nous nous sommes rentré dedans…

Mais quand il cherche ses yeux, il s'aperçoit qu'elle pleure. En silence, lentement, les larmes coulent, l'une après l'autre, sans s'arrêter. Alex ne comprend pas, il ne sait pas quoi dire, il est complètement perdu.

— Mon amour… Que se passe-t-il ? C'est à cause du film ? Je n'aurais pas dû te l'envoyer… Mais je l'avais déjà posté avant de recevoir ta lettre, je ne l'ai pas fait pour te reconquérir, jette-le s'il ne te plaît pas, ce n'est pas si important...

Alex s'approche d'elle, essaie de la prendre dans ses bras, il voudrait la serrer, l'aimer, la faire sourire, la faire se sentir heureuse, à nouveau, comme toujours, plus que toujours, elle, sa Niki.

Mais elle s'écarte, toujours en larmes. Et puis ces mots.

— Non, Alex... Pardonne-moi. Je n'aurais pas dû t'appeler.

Et elle s'en va en courant, elle s'enfuit dans l'herbe où ils se sont tant aimés, où ils se sont enlacés, roulés dans les fleurs par une journée ensoleillée, couverts de baisers, un après-midi de printemps. Comme ça, sans un véritable pourquoi, comme cela arrive souvent, Alex pense à une chanson de Battisti. Sans raison, sans queue ni tête, comme sa vie en ce moment. C'était comment, les paroles ? « Un sourire et j'ai vu ma fin sur ton visage, notre amour se dissoudre dans le vent... Je me rappelle. Je suis mort en un instant[1]. » *Niki n'est plus là. Plus rien. Ce n'est pas possible. On dirait un cauchemar, une dimension absurde, un monde parallèle.* Il voit des gens courir, des jeunes gens rire, des personnes parler, des amoureux s'embrasser, les deux filles qui repassent en courant, plus fatiguées, et qui le regardent comme la première fois, en souriant. Ce n'est pas possible. *Quand quelque chose finit pour nous, tout continue pour les autres. Ce n'est pas possible. Pourquoi ? Arrêtez-vous, vous aussi, je vous en prie...* Il se met à marcher. « Un ange tombé en vol, c'est ça que tu es maintenant dans mes rêves... » *Est-ce ça que tu es pour moi, maintenant, Niki ? Un ange tombé en vol ?* D'autres paroles. « Comme je te voudrais... comme je te voudrais... » Et encore : « Soudain tu m'as demandé qui il était... Un sourire et j'ai vu ma fin sur ton visage, notre amour se dissoudre dans le vent... » Voilà de quoi parlait cette chanson. Maintenant tout est plus clair. Elle parlait d'un autre.

135

Une semaine plus tard.

Fin d'après-midi. Olly ouvre la porte et lance sa sacoche de travail sur le canapé. Puis elle enlève ses chaussures, ouvre le réfrigérateur et boit un peu de Coca-Cola. Oui, aujourd'hui ça peut aller, la mai-

1. Extrait de Lucio BATTISTI, *Emozioni*, « Mi ritorni in mente », Ricordi, 1970.

son n'est pas en trop mauvaise condition. À part quelques blousons balancés ici et là, les chaussons sous la table et quelques boîtes de CD ouvertes. Elle regarde l'horloge murale. *Elles vont bientôt arriver. Qui sait ce qu'elle a à nous dire...*

Au bout de quelques minutes, on sonne à l'Interphone. Elles sont là. Olly va ouvrir. Elles arrivent toutes les trois ensemble.

– Salut! On s'est rencontrées en bas! Regarde, Diletta a apporté plein de bonnes choses à manger, dit Erica.

Diletta sourit en montrant un sac du supermarché.

– Oui, cette fois c'est moi qui invite, j'ai acheté plein de délicieuses cochonneries!

Elles entrent et s'installent sur le grand canapé. Diletta sort du sac des bouteilles de Coca-Cola et de jus de fruits, quelques snacks au riz et chocolat, des cacahuètes, des pistaches...

– Comment, même pas un peu de vin?

– Erica! Qu'est-ce que tu racontes? On est en plein après-midi! répond Niki.

– Oui, mais pour l'apéritif...

– L'apéritif, on le prendra au jus de fruits! dit Diletta en mettant tout sur la table. C'est plus sain!

– Bof, on ne peut pas dire que toute les choses que tu as achetées fassent du bien, hein... dit Niki en riant. Tu t'es mise aux snacks? C'est pour ça que tu as grossi?

– Je m'en concède de temps en temps, c'est vrai, et puis j'ai arrêté de courir, en ce moment...

– Alors, qu'est-ce que tu as à nous dire de si important? demande Olly. Il était bizarre, ton texto... « Je vous annonce une petite onde... » Ça veut dire quoi?

– Moi non plus, je n'ai pas compris, dit Erica en attaquant les cacahuètes.

Diletta sourit. Elle les regarde, l'une après l'autre. Ses amies. Ensemble depuis toujours. Drôles. Belles. Si différentes, si unies. Et ici pour elles, toujours prêtes à répondre, à être là. Elle regarde Niki, elle pense à combien elle s'était éloignée, quand elle était en difficulté. Mais aujourd'hui, elle est présente. Prête à entendre la nouvelle...

– Mes chères Ondes... que ferez-vous, dans environ six mois?

Les Ondes se regardent sans comprendre.

– Je ne sais pas, dit Erica, je serai peut-être avec un type super beau!

– Et moi, je travaillerai pour l'agence! dit Olly.

— Moi, je ne sais vraiment pas, dit Niki tristement.

Olly lui serre la main.

— Eh bien, moi je sais…

Elles se tournent toutes vers Diletta.

— Oui, je sais… je serai à l'hôpital !

Olly touche du bois avec sa main gauche, Erica écarquille les yeux et Niki fait une drôle de tête.

— Tu veux porter malheur, ou quoi ?

— Vous viendrez à l'hôpital et vous chercherez ma chambre…

Les filles se regardent, de plus en plus ébahies.

— Diletta, tu nous fais peur… Que se passe-t-il ? demande Niki, vraiment inquiète.

Diletta sourit en secouant la tête.

— Oui, vous chercherez ma chambre au service maternité…

Niki croise le regard d'Olly. Erica avale une pistache trop vite et se met à tousser. Niki met sa main sur sa bouche.

— Non… mais…

Olly saute d'un bond sur le canapé.

— Mais… mais… tu n'es pas en train de nous dire que…

Diletta touche son ventre.

— Je vous l'ai écrit, non ? Une petite Onde va arriver…

Olly, Erica et Niki se mettent à hurler, elles serrent Diletta dans leurs bras, l'embrassent et pleurent.

— Doucement, doucement ! Sinon, comment elle va faire, la petite Onde ?!

Et puis mille questions, encore des cris, des rires, des sourires. Diletta raconte ses doutes, qu'elle a pensé à avorter, les incertitudes de Filippo. Et puis le choix, le courage d'avancer, leur envie à tous les deux d'avoir cet enfant. Les Ondes posent d'autres questions, lui demandent comment elle se sent, si elle est heureuse.

— Il va falloir t'appeler maman ! Maman Dile ! dit Erica.

— Oui, comme ça je pourrais te demander conseil, quand ma mère me stresse ! plaisante Olly.

— Tu es courageuse… lui dit Niki.

— Tu sais, Niki… Il suffit de vouloir les choses…

Elle lui sourit. Niki est frappée par ces mots. Simples, vrais, capables de la faire réfléchir. Pendant un moment, elle se les répète en silence, une, deux, trois fois. *Il suffit de vouloir les choses. C'est très vrai. La vie dépend de nous. Comme le bonheur. Ce qui nous faisait peur peut devenir source de force et de beauté.* Elle réfléchit, pendant qu'Erica et Olly parlent avec Diletta et s'émeuvent de cette nouvelle incroyable qui va changer la vie de leur amie. Et aussi un peu la leur.

136

— Salut, où étais-tu passée ?

Niki est surprise. Elle ne s'attendait pas à le rencontrer. Du moins pas maintenant. Guido.

— Ça fait des jours que je ne t'ai pas vue à la fac... dit Guido en souriant et en essayant de ne pas avoir l'air trop envahissant. Tout va bien ?

Finalement, Niki se dit qu'il n'a rien à voir là-dedans, que ce n'est pas sa faute.

— Oui, oui, tout va bien. C'est que certaines choses ne sont jamais faciles.

— C'est vrai. Ce sont presque toujours les plus difficiles.

Cette phrase ambiguë laisse toute la place à l'imagination. Ils ne disent rien pendant un petit moment, chacun dans ses pensées. Niki se demande ce qu'il a compris. Il est si difficile d'interpréter son propre cœur, où il va, où il nous portera... Quand on aura mal. Guido la fixe. Il se demande quelle décision elle a prise. *Elle a l'air si perdue, en ce moment. Bon, c'est vrai, je ne l'ai croisée que deux fois, et toujours au milieu des autres... Nous n'avons même pas pu parler. Je vais tenter le coup.*

— Ça te dirait de venir travailler chez moi ?

Niki, perplexe, lève un sourcil.

— Mais vraiment travailler, alors ! Je suis terriblement en retard sur le programme.

Guido croise ses deux index sur sa bouche, heureux.

— Juré !

Un peu plus tard, chez lui.

— Viens... Mes parents sont déjà partis, les veinards... Ils se la coulent douce. Nous avons une maison au bord de la mer sur l'île de Pantelleria et ils y vont plusieurs mois avant l'été, avec le prétexte de devoir faire des travaux… Moi, ça m'arrange. Ils me laissent Giovanna, la jeune femme qui fait le ménage, les courses, et prépare à manger tous les jours. Que puis-je demander de plus? Liberté… et confort.

Ils se retrouvent seuls dans la grande maison, l'atmosphère est tranquille.

— Tu veux un thé?

— Je veux bien, sourit Niki.

Ils s'installent à la cuisine, parlent de tout et de rien, de copains de la fac qui ont rencontré quelqu'un, d'autres qui se sont séparés.

— Ils avaient l'air tellement bien ensemble!

— Oui, ils étaient vraiment bien.

L'espace d'un instant, Niki pense à sa situation et elle a un petit sursaut, un battement de cœur, une légère amertume. Guido s'en aperçoit, ou peut-être pas, en tout cas il change de sujet.

— Tu sais, on a réservé une maison à Fuerteventura, tout le monde vient!

— Tout le monde qui?! demande Niki, heureuse de cette distraction.

— Luca, Barbara, Marco, Sara, Erica a dit oui, Olly peut-être, et Diletta et Filippo…

— Vraiment? Ils m'en avaient parlé, mais ça restait encore vague…

— Non, non, tes copines sont en train de t'évincer, il me semble…

— Elles ne feraient jamais une chose pareille, ce sont mes Ondes. Avec elle, je surfe sur la vie, et si ça tourne mal… Elles te feront faire un de ces plongeons… en haute mer!

— D'accord, d'accord, je retire ce que j'ai dit… Je me rends. Tu veux du lait, du citron?

— Du citron, merci…

— Au fait, je n'ai jamais eu l'occasion de te le demander… comment tu as réussi à avoir mon numéro?

Guido prend une gorgée de thé.

— Aïe, il est encore brûlant!

— Bien fait pour toi! Alors? Qui te l'a donné?

Guido écarte les bras.

— On peut confesser le péché, pas le pécheur!

— Alors… de toute façon, on sait qui est le pécheur, c'est toi…

— Moi? Et pourquoi?

— Arrête de faire le faux moraliste, prends tes responsabilités… Tu sais combien de gens se comportent comme toi? Plein! Parce qu'ils n'ont pas de courage… Toi tu es courageux, pas vrai?

Guido est un peu déstabilisé, il ne s'attendait pas à ça.

— Bien sûr...

— Bon, alors tu es conscient du fait que d'une certaine façon tu as contribué au fait que je ne me marie plus, n'est-ce pas ?

— C'est-à-dire... dit Guido, perplexe. Tu veux me dire que si je n'avais pas été là tu te serais mariée ? Je suis très honoré... mais il y aurait peut-être eu quelqu'un d'autre à ma place...

— Oui, bon... Tu vois, tu te débines ! Tu écartes certaines responsabilités...

Niki le regarde et hausse les épaules, puis boit son thé qui a enfin refroidi. Guido l'arrête.

— D'accord, je prends mes responsabilités. Je suis heureux que tu ne te sois pas mariée à cause de moi. Bon... Maintenant tu peux boire ton thé... Mais après une dernière question. Es-tu heureuse ?

Niki soupire. La question la plus difficile au monde.

— Disons que je suis à la recherche de mon bonheur... Et que je suis en bonne voie. Tu sais ce que disait un Japonais ? Le bonheur n'est pas un point d'arrivée... c'est un style de vie.

— Ça me plaît...

— Je sais. Parce que c'est beau. C'est mon copain, Alex, qui me l'avait dit.

Et en parler ainsi, avec un autre, avec Guido, lui semble incroyable, inimaginable. Et pourtant, elle le fait.

— Quoi qu'il en soit, pour revenir à nous, tu ne m'as pas dit qui t'avais donné mon numéro.

Guido termine son thé.

— Alors, tu veux savoir ?

— Bien sûr !

— J'ai essayé toutes les combinaisons possibles !

— C'est ça... Tu vois, tu n'affrontes pas les choses.

— Bon, d'accord, c'est Giulia qui me l'a donné.

— Je le savais !

— Comment ça, tu le savais ?

— J'en étais sûre ! Quelle hypocrite, cette fille. Elle l'a fait exprès.

— Ne t'en prends pas à elle. J'ai insisté auprès de tout le monde, Luca, Marco, et puis Sara, Barbara, ils ne voulaient rien entendre ! Ils ne me donnaient pas ton numéro, j'ai tout essayé... À la fin j'ai tenté avec Giulia, et ça a marché...

— Comment ?

457

— Elle avait vu nos regards. Elle a compris qu'il se passait quelque chose. Je lui ai dit que si elle ne me donnait pas ton numéro, elle aurait sur la conscience le poids d'un mariage raté.

Niki se tait. Elle boit son thé en réfléchissant. *Donc, tout est grâce ou à cause de Giulia, simplement parce qu'elle nous a vus la fois où on s'est regardés. C'est bizarre, quelqu'un d'aussi étranger à ma vie, à tout ça… qui influence la décision la plus importante que j'aie jamais prise. Parfois les circonstances, la façon dont les choses avancent, se passent, comment elles commencent et finissent, sont déterminées par des raisons inexplicables ou insignifiantes.* Elle repense à ce film, *Magnolia*, les hasards, les particularités de plusieurs vies, les combinaisons, un peu comme dans *Collision*, de Paul Haggis. *Oui, la vie est un grand bordel, tenir les rênes de ce cheval fou est difficile, parfois impossible, et quoi qu'il arrive, on peut décider dans une certaine mesure, mais il faut aussi avoir beaucoup de chance.*

— Allez, on va travailler un peu… Giulia ne vient pas à Fuerteventura, n'est-ce pas ? Si elle vient, aucune chance que j'y sois aussi !

— Elle ne saura même pas quand on part ! D'accord ?

Ils vont dans sa chambre pour travailler. Au début tout se passe bien. Ils révisent l'examen d'histoire du théâtre et du spectacle, et se retrouvent à commenter une phrase de De Marinis. Elle parle du théâtre comme d'un art de l'éphémère, continuellement en mouvement. Il serait le symbole même de toutes les morts successives que jour après jour nous semons sur le chemin. Elle souligne enfin que notre être et nos pensées diffèrent toujours entre hier, aujourd'hui et demain. Ils se regardent. Niki poursuit.

— « S'il y a un lieu où on ne se mouille jamais de la même eau, c'est bien le théâtre. » C'est un peu ce que disait Héraclite, tu te rappelles ?

Guido acquiesce, mais il est absorbé par ces mots. Songeurs, ils pensent tous les deux au sens du changement, à la différence entre hier et aujourd'hui. Guido est près d'elle. Très près, trop près. Le parfum de ses cheveux, son sourire, ses lèvres qui lisent le livre, bougent presque au ralenti, et lui qui les contemple, les rêve, les désire. Et puis ces mains qui de temps à autre tournent une page, indécises, avancent puis reculent. Elles restent en équilibre sur une page, au milieu du livre, suspendues.

— Tu as compris ?

Encore sous le charme, Guido ne répond pas, il s'approche, ferme les yeux, respire les cheveux de Niki.

— Tu as compris ce qu'il veut dire ? Oh, tu m'écoutes ?

Guido ne résiste pas, il l'embrasse. Niki est surprise, ébahie, ses lèvres kidnappées par un jeune voyou hardi, le livre d'histoire du théâtre a servi d'entremetteur pour ce baiser volé. Il insiste, emporté par le désir, il la prend dans ses bras, lui caresse les cheveux, puis les épaules, et glisse vers le bas, peut-être trop vite, vers sa poitrine. Niki, douce mais rapide et décidée, n'hésite pas, et se soustrait à son étreinte.

— Tu avais dit qu'on travaillerait…

— Oui, bien sûr… J'essayais juste d'interpréter au mieux la passion que je sentais dans tes paroles…

Niki est visiblement agacée. *Que pensais-tu, c'est toi qui es venue chez lui ! Que croyais-tu ? Que de but en blanc il s'en fiche complètement ? Qu'il ne te désire pas, qu'il ne veuille pas aller plus loin ? Qu'attendais-tu ? C'est toi qui le lui as fait croire, qui le lui as mis en tête, toi qui as fait ce choix.* Elle repense soudain à cette phrase de Guido. « C'est à cause de moi que tu ne t'es pas mariée ? Il y aurait peut-être eu quelqu'un d'autre à ma place… » Elle écoute dans sa tête l'écho de ces mots, dans sa solitude soudaine, dans le silence où ils résonnent. Un autre à sa place… Oui, peut-être en aurait-il été ainsi. *Donc ce n'est pas lui la raison de l'annulation de mon mariage, c'est autre chose.*

Guido interrompt ses pensées.

— Excuse-moi, je l'avais dit mais je n'en ai pas été capable. Depuis le jour où nous sommes allés aux thermes, je rêve de t'embrasser à nouveau et de pouvoir passer encore du temps avec toi, de t'avoir… de t'avoir si près, de pouvoir te prendre dans mes bras, te sentir mienne.

Niki est bouleversée par la grandeur et par le poids de ces mots. Mais elle a compris quelque chose, et elle préfère ne pas empirer la situation.

— J'ai besoin d'un peu de temps… et de tranquillité. Je n'aurais pas dû venir chez toi…

— Non, je t'en prie, ne dis pas ça.

Guido se lève et la prend dans ses bras, doucement, tendrement, sincèrement, sans arrière-pensée.

— Je ne veux pas qu'on se dispute, je ne veux pas que tu t'éloignes, c'est toi qui as raison. C'est moi qui suis puérile, quand j'agis comme ça. Je te promets que j'essaierai de résister, dit-il en s'écartant pour la regarder dans les yeux.

— Tu es sûr ? Tu sais, il y a une très belle phrase d'Oscar Wilde, on ne peut plus sincère : « Je sais résister à tout, sauf à la tentation. »

– C'était un génie. Mais j'en connais une tout aussi belle, de Mario Soldati. « Nous sommes forts contre les tentations fortes, faibles contre les faibles[1]. » Allez, assez travaillé, déclare-t-il en la prenant par la main. Allons nous amuser.

Il l'entraîne en courant hors de chez lui.

137

Alex voulait être seul. Il est rentré chez lui et s'est servi un verre de vin Saint-Émilion Grand Cru 2002, bien qu'il n'ait rien à fêter. Son succès personnel au travail ne lui procure aucune joie. Il déguste son vin en mangeant un morceau de camembert sur un Tuc. *Quand on a quelque chose, on considère automatiquement que c'est acquis.* Soudain, il a une vision : *la vie est un grand filet de pêche aux trames multiples et moi, simple pêcheur, je n'ai que deux mains, alors je n'ai pas le temps d'en attraper une partie qu'une autre tombe, je la ramasse et une autre encore s'échappe. La vie est si complexe et articulée que mes mains ne peuvent pas tout tenir, parfois on perd quelque chose pour trouver autre chose. Il faut choisir, décider, renoncer. Et moi ? Je suis heureux, peut-être ? Qu'aurais-je pu faire pour ne pas la perdre...* Mais il s'arrête sur cette pensée. On sonne à son Interphone. *C'est Niki. Elle a changé d'avis. Elle veut me demander pardon, ou simplement venir me voir. Et moi je ne dirai rien. Je ne lui demanderai pas ce qu'il s'est passé, pourquoi elle est partie, si quelqu'un d'autre est entré dans sa vie, dans notre vie...*

– Oui, qui est-ce ?

Une voix inconnue.

– Monsieur Belli ?

– Oui.

– Un paquet pour vous.

– Dernier étage.

Un paquet. Quelqu'un a pensé à moi. Que cela peut-il être, et surtout de qui ? Peut-être elle ? Et pourquoi un paquet ? Le plus beau cadeau aurait été de l'avoir directement ici, ce soir... Alex ouvre la porte, attend que l'ascenseur arrive, et quand les portes s'ouvrent, une surprise incroyable...

1. Extrait de Mario SOLDATI, *Les Lettres de Capri*, traduction de Paul-Henri Michel, Paris, Plon, 1956.

Il ne s'y serait jamais attendu. Un paquet à la main, très élégamment vêtue. Encore plus belle que d'habitude. Il sourit.

— Raffaella...

— J'arrive au mauvais moment ? Je ne voudrais pas être un problème... Tu n'es peut-être pas seul.

Si. Malheureusement si, pense Alex.

— Non, non... Je suis seul. Mais je ne t'ai pas reconnue, à l'Interphone !

— Bien sûr, je l'ai fait exprès, j'ai modifié un peu ma voix.

Elle rentre dans le personnage et change de ton.

— Monsieur Belli, un paquet pour vous... Tu as marché, hein ? demande-t-elle en riant.

— Oui.

Ils sont toujours sur le palier. À force d'attendre, Alex frise l'impolitesse.

— Quel idiot je fais, ou plutôt quel mal élevé. Tu veux entrer ?

— Bien sûr...

— Tu veux boire quelque chose ? Je ne sais pas, un bitter, une eau-de-vie, un Coca...

Sans le vouloir, il repense à cette même phrase, la première fois qu'il l'a dite à Niki, quand elle est venue chez lui. Alex s'oblige à écarter cette pensée.

— Alors ? Qu'est-ce que je peux t'offrir ?

Il se rend compte qu'il dit ça un peu nerveusement. *Alex, elle n'a rien à voir là-dedans, elle est gentille.*

— La même chose que toi, merci...

— Tu veux aussi un morceau de fromage ? Un cracker... Autre chose...

— Non, non, un verre de vin, c'est parfait.

Ils s'installent au salon, le paquet posé sur la table basse devant eux. Raffaella porte une très jolie jupe fantaisie en soie pleine de papillons, de fleurs, de vagues, dans les tons lie-de-vin, rose et fuchsia, avec un tout petit peu de bleu ciel qui relie doucement les images, comme un pastel utilisé par un peintre délicat pour faire le fond. Au-dessus, elle porte un pull sans manches bleu, avec des bordures lie-de-vin et des petits boutons dans le même ton. Elle croise les jambes. Elle a un corps superbe. Et aussi un très beau sourire, dont elle use. Elle est belle. Vraiment belle. Ses boucles châtaines encadrent son visage, comme un parfum raffiné et discret. Ses yeux se cachent derrière le verre de vin.

— Alors, Alex...

— Quoi ? demande-t-il, gêné, comme s'il savait déjà de quoi ils allaient parler.

Mais non. Raffaella sourit.

— Je l'ai apporté pour toi... Ça me ferait plaisir que tu l'ouvres...

— Ah oui, bien sûr.

Alex déballe le paquet. Raffaella le suit des yeux. Elle sourit en pensant à ce qu'il contient. Il le soulève à la hauteur son visage.

— Mais... c'est magnifique.

— Vraiment ?

— Comment as-tu fait ?

C'est un modèle réduit de sa campagne, photos transparentes d'animaux qui s'attrapent, se mordent, en premier plan, et puis un modèle réduit de la voiture avec le slogan. « Instinct. Amour... Moteur. »

Alex le tourne et le retourne entre ses mains, sincèrement surpris. Raffaella termine son verre.

— Oh... C'est facile. J'ai mis les photos sur papier transparent avec l'ordinateur. Et puis, tu n'as pas vu le fond, dit-elle en venant s'asseoir à côté de lui.

Derrière la dernière photo de la panthère il y a le bureau d'Alex, avec lui, absorbé, qui réfléchit devant ses papiers, la main sous le menton. Alex est abasourdi.

— Mais comment as-tu fait ?

— Tu laissais toujours la porte ouverte, ces jours-là... Tu sais que j'aime la photographie. J'en ai pris plusieurs, pendant que tu réfléchissais...

Alex imagine qu'elle a sans doute capturé des moments d'amour, de doute, de douleur, de vaine recherche. *Qui sait combien de photos elle a prises pendant que mes pensées allaient à Niki.*

— Et celle-là, tu l'as vue ?

Raffaella le ramène à la réalité et indique un endroit de l'autre côté du modèle réduit.

— Mais... c'est toi.

Une image d'elle justement en train de le prendre en photo, elle derrière une colonne qui vise avec son appareil.

— Qui l'a prise ?

— Oh, je ne me souviens pas, dit Raffaella, gênée.

Bien sûr, tout le monde voudrait la prendre en photo, et même plus... pense Alex. Il voit alors la maquette d'un œil différent.

462

— Si tu veux, tu peux enlever la mienne, Alex. J'ai fait exprès de ne pas la coller. Si tu veux, j'y suis, sinon...

Il est près d'elle, très près, trop près. Il sent son parfum léger, élégant, sec, pas trop présent. Comme elle. *Si tu veux, j'y suis, sinon... non.* Alex lui sourit.

— Pourquoi devrais-je t'enlever? C'est une très belle attention de ta part. Ça me plaît. Ça me rappellera le travail fait ensemble.

Et aussi toute cette période, pense Alex. Ce cadeau sera douloureux.

— Et j'espère qu'il y a aussi une pensée pour tout ce que nous ferons...

Raffaella s'approche de lui. Douloureusement proche. Alex la regarde.

— Oui... pour tout ce que nous ferons...

Ils restent assis, en silence, sur le canapé. Alex examine le modèle réduit, les photos, les animaux, les pellicules transparentes, l'inscription. Le nom de la voiture. Instinct. Son slogan : Amour moteur. Et dans ce silence qui semble infini, il a une nouvelle idée, un nouveau slogan pour qui sait quelle terrible campagne. Silence, Amour, Douleur. Raffaella le sort de ses pensées de sa voix gaie.

— Au fait... mes surprises ne sont pas terminées... Ça te dirait de venir avec moi?

138

La moto file le long du Tibre, agile, souple, silencieuse. Niki se serre contre Guido, qui ralentit un peu.

— Tu as peur?

— Non, répond-elle en relâchant son étreinte.

— Bon, je vais ralentir un peu quand même.

Il avance en mettant un peu de gaz de la main droite, tandis que la gauche, libre, glisse sur la jambe de Niki, cherchant sa main. Niki le regarde dans le rétroviseur. *C'est bizarre, d'être derrière lui, ma main dans la sienne... C'est une sensation insolite. Je ne l'enlève pas, je ne sais pas pourquoi mais je ne l'enlève pas, et pourtant je ne suis pas totalement heureuse,*

*comme ça… Je me sens comme oppressée, oui, oppressée. C'est-à-dire… J'ai
besoin de ma liberté la plus totale et complète, sans aucune limite.*

— Mets-la sur le guidon, dit-elle en ramenant la main de Guido
vers l'avant.

— Je conduis très bien d'une seule main…

— Je sais, mais mets-la sur le guidon, ça me rassure.

Guido soupire mais décide de ne pas la contredire, de faire tout
ce qu'elle veut, pour qu'elle se sente sereine. Il faut du temps, il le
sait. Mais il ne sait pas combien. Ni si elle sera prête un jour. Niki
se tient aux poignées latérales, ils filent maintenant vers la piazza
Cavour, puis il tourne à gauche et s'arrête.

— Voilà, on y est. Ici, ils font des apéritifs extraordinaires… Ça
te dit?

— Oh oui!

— Bien, moi aussi j'ai faim…

Ils entrent dans le bar. La radio est allumée, des chansons qui
datent s'intercalent entre d'autres, plus récentes. Niki reconnaît la
station : Ram Power. Alex l'écoute toujours. Mais elle n'y prête pas
plus attention que ça.

— Tu prends quoi? demande Guido en lui indiquant la vitrine
où sont exposées toutes les choses à manger. Leurs cakes sont délicieux, leurs petites pizzas aussi, et puis ils ont plein de toasts, ils sont
légers…

À ce moment-là une nouvelle chanson démarre. « Prends-le
comme ça… Nous ne pouvons pas en faire un drame, tu as dit que tu
connaissais déjà mes problèmes de femme. » Niki écoute les paroles.
Elles sont tellement vraies. Il n'y a rien de pire qu'une chanson
vraie.

— Je vais prendre ces petites pizzas, et puis une part de cake…
mais sans anchois.

— On peut se mettre dehors? dit Guido en s'adressant au serveur.

— Oui, bien sûr, j'arrive tout de suite.

La chanson continue. « Ne t'inquiète pas, de toute façon j'ai du
travail… » Niki se demande ce qu'il fait, à l'heure qu'il est. Peut-être
qu'il travaille vraiment.

— À quoi tu penses?

— Moi? À rien… Je n'étais jamais venue ici.

— Tu vas voir, ça va te plaire.

Guido lui sourit en lui caressant la main. *Encore*, pense Niki. *Je veux être libre.* Et puis, une autre pensée. *Je n'aime pas mentir. Je veux pouvoir penser à ce que je veux.*

139

— Elle est superbe, cette Fiat 500, et puis j'adore ce bleu…
— Vraiment ? J'ai hésité avec une jaune…
Alex caresse le tableau de bord.
— Moi j'adore cette couleur, et puis elle est assortie avec toi…
— Tu sais que le bleu est synonyme de tristesse ?
— Tu es sûre ? Tu as l'air si joyeuse. En tout cas, je ne t'aurais pas imaginée avec la jaune.
Raffaella est heureuse de sa réponse.
— Oui, c'est vrai. Ce soir, je veux être gaie.
Et je voudrais tant que tu le sois aussi, pense-t-elle.
— Je mets un peu de musique, ça te dit ?
— Bien sûr…
Elle allume la radio et appuie sur le bouton 3, celui de Ram Power. « Je ne veux pas, je cours et je me dépêche… » Raffaella sourit.
— J'ai mis en mémoire les mêmes fréquences que celles de ta radio au bureau.
Alex est étonné. Raffaella le regarde, un peu inquiète.
— Ça ne t'embête pas, j'espère ?
— Non, pas du tout.
Elle s'est aperçue qu'Alex s'était assombri. Peut-être parce qu'il écoute ces paroles. « Tu ne seras pas moins belle, c'est sûr… » *C'est moi qui ai fait découvrir cette chanson à Niki. Elle ne connaissait pas Battisti. Elle l'avait toujours écouté d'une oreille. Je me demande où elle est, à l'heure qu'il est.* La chanson continue. « Et comme il est facile de se rencontrer, même dans une grande ville… » Au même moment, la Fiat 500 bleue passe sur le pont Cavour, tourne juste après, devant le bar Ruschena, et continue le long du Tibre. « Essaie d'éviter tous les endroits que je connais et où tu vas aussi… »

465

— Tu as vu comme ils sont bons, ces cakes de chez Ruschena ?

— Oui, ils sont délicieux.

Niki en mange un autre, puis boit une gorgée de Coca-Cola. Elle ne pense plus à tout ça, et elle ne sait pas qu'Alex vient de passer à quelques mètres d'eux. « Et tu sais que je pourrais malheureusement ne plus être seul… »

Alex sourit à Raffaella. *Je n'ai pas envie d'y penser. Pas maintenant.* « L'exigence de s'enfuir… Pour ne plus se blesser… » *Rome est grande, nous ne pouvons pas nous rencontrer.* Alex ne sait pas combien il est passé près d'elle.

— Où allons-nous ?

— Je te l'ai dit… C'est une surprise.

Elle accélère, double une voiture, file à toute allure vers son but.

Guido prend le ticket de caisse et laisse l'argent sur la table.

— Tout était à la convenance de mademoiselle ?

— Oui, c'était parfait, répond Niki en souriant.

— Ça te dit d'aller ailleurs ?

— Où ça ?

— Dans un restaurant tenu par des amis à moi.

— Mais pas trop tard, d'accord ?

— Promis…

Niki le regarde d'un air sceptique.

— Tu as bien vu que je tiens mes promesses !

— Oui et non. Parfois, tu oublies…

— Ce n'est pas vrai.

— On était censés réviser…

— C'est vrai.

— Alors jure que nous ne rentrerons pas tard, comme ça tu es obligé de t'y tenir.

— D'accord, tu m'as bien eu.

Il croise ses index devant sa bouche et les embrasse.

— Je le jure !

Niki met son casque et monte derrière lui.

— Il faut que tu m'expliques quelque chose : pourquoi tu fais ce geste, quand tu jures ?

— Parce que comme ça, ça ne compte pas ! dit Guido en riant.

— Quel salaud… Alors donne-moi ta parole que nous ne rentrerons pas tard ! Sinon, je descends en marche.

— Bon, d'accord…

Niki se met debout sur les cale-pieds.

— D'accord, d'accord ! dit Guido, inquiet, qui la force à se rasseoir. Je te donne ma parole que nous ne rentrerons pas tard.

Ils longent le Tibre.

— Pourquoi tu ris ? demande Niki à Guido.

— Parce que nous avons dit que nous ne rentrions pas tard, mais sans préciser ce que veut dire tard !

Niki lui donne un coup de poing.

— Aïe !

— Tard, c'est quand je le décide !

— D'accord… répond Guido en essayant de lui caresser les jambes.

— Et mets tes deux mains sur le guidon…

— Voici ma surprise. Ça te plaît ?

Alex et Raffaella descendent de voiture.

— Cette péniche vient d'ouvrir. On mange sur le fleuve. C'est très beau.

— Tu es déjà venue ?

— Non, j'en ai entendu parler, et je voulais y aller avec toi… Mais à une condition : c'est moi qui t'invite.

— Et pourquoi ?

— Parce que le mérite de notre succès te revient en grande partie.

— Non. J'accepte si c'est moi qui paye.

— Tu me fais sentir comme une femme qui ne décide pas, qui n'est pas indépendante, qui doit se soumettre aux décisions de son chef… qui n'est autre que toi.

— Bon, alors on fait à la romaine, moitié-moitié. Pas de chef ni de femme trop indépendante. Simplement deux amis qui partagent un dîner.

— D'accord, ça me va ! Bonsoir, dit-elle à un jeune homme à la caisse.

— Bonsoir.

— Nous avons réservé une table pour deux. J'ai demandé une place au fond. Le nom est Belli…

Le jeune homme vérifie sur la liste des réservations.

— Oui, tout à fait. C'est la dernière table à la proue du bateau. Bonne soirée.

Raffaella précède Alex jusqu'à leur table.

— Pardon mais... tu as donné mon nom de famille ?

— Oui.

— Et si je n'avais pas pu venir ce soir ? Si je n'avais pas été chez moi, si j'avais été avec un ami, ou avec une femme, ou si je n'avais pas voulu sortir avec toi ?

— Nous sommes ici, non ? J'ai pris le risque. Sans risque, la vie est ennuyeuse.

— C'est vrai, répond Alex en s'asseyant à son tour.

— Et puis, sois tranquille... On m'a dit qu'on mangeait très bien, ici.

— Parfait. Juste une chose... Il y a d'autres surprises ?

— Non... dit Raffaella en dépliant sa serviette et en la posant sur ses genoux. Pour l'instant.

Elle le laisse avec cette curiosité pour le reste de la soirée. En tout cas, aucun doute sur un point : sa beauté. La péniche s'écarte lentement du quai, ses moteurs Diesel un peu suffoqués, elle rejoint le centre du Tibre presque en grommelant. Puis, aidée par le courant, elle accélère et glisse en silence dans la nuit, vers Ostie.

140

— Oh non ! Je le savais ! On l'a ratée !

La moto de Guido s'arrête sur le pont Matteoti, juste à temps pour voir la péniche au centre du fleuve accélérer et se diriger vers le pont suivant.

— C'était cette péniche, le restaurant de mes amis ! Ça t'aurait plu...

— Quel dommage ! Ça sera pour une autre fois.

— Quelle barbe ! Tu ne m'as pas laissé aller assez vite. C'est ta faute.

— Et puis quoi encore ! On ira une autre fois, non ?

Niki ne sait pas à quel point si elle était arrivée à l'heure sa vie aurait à nouveau changé.

— Oui, tu as raison…

Guido, lui, pense à l'atmosphère qui se serait créée le long du fleuve, les lumières tamisées, la musique jazz de ses amis, tous ces éléments qui seraient venus à son secours.

— Je connais un autre endroit sympa… Allons-y.

La péniche navigue sur le Tibre. Une chanteuse française à la voix chaude et agréable suit le rythme de deux jeunes gens, un à la basse et l'autre au saxophone, qui arrondissent joliment les notes. Alex écoute avec amusement les histoires de Raffaella.

— Je suis allée à Berlin. Tout est moins cher, là-bas, même les appartements, et puis c'est une ville magnifique, pleine d'art et de culture, qui pourrait nous donner plein d'idées… Pourquoi on n'irait pas, un jour, Alex?

Il sirote un excellent vin blanc. *Aller à Berlin avec une autre femme. Avec Raffaella. Si belle.*

— Qu'en dis-tu? Un voyage professionnel…

Professionnel… C'est encore pire, de l'entendre prononcer ce mot avec ce sourire malicieux, tout en aspirant avec sa paille.

— Il est délicieux, ce daiquiri… Ils sont excellents, ici… Alors, qu'est-ce que tu en dis, on y va?

— Pourquoi pas, dit Alex en se resservant à boire.

Raffaella n'en croit pas ses oreilles.

— Vous pourriez m'en apporter un autre, s'il vous plaît? demande-t-elle au serveur, comme pour fêter sa victoire inattendue.

Alex lâche un peu de lest. Son second daiquiri arrive.

— Ils sont très rapides, en plus, dit-elle en buvant une gorgée.

Les notes s'enchaînent, les chansons jazz françaises sont magnifiques, la péniche avance en silence sur le fleuve, on distingue les lumières des maisons au loin, le reflet des lampadaires sur l'eau, la lune timide, et le dîner est délicieux. Raffaella, légèrement ivre, est encore plus charmante.

— Je suis heureux que nous soyons ici.

— Oui, dit Alex avant de marquer une pause, un sourire poli sur les lèvres. Moi aussi.

Mais rien de plus. Raffaella se remet à manger, une dernière bouchée, la route est longue avant d'arriver à Ostie. Dans tous les sens du terme. Elle le sait. Cette chanson… « Je lui souris, je baisse les yeux et je pense à toi. Je ne sais pas avec qui tu es, à l'heure qu'il est... »

— Alors ? Ça t'a plu ?
— Très sympa, et puis nous avons très bien mangé.
— Imagine que c'est un vrai appartement, Niki. Comme si quelqu'un t'invitait à dîner, et en effet ce resto s'appelle L'Appartement. La cuisine est délicieuse.
— Voilà pourquoi ça faisait cuisine familiale !
— Oui, c'est fait exprès. Si tu le cherches dans les Pages jaunes, ou sur Internet, tu ne le trouves pas.
— Il n'y a que toi pour connaître ces endroits...
— Oui. Écoute, je suis vraiment déçu pour la péniche, ça t'aurait plu encore plus !
— Mais là aussi, ça m'a plu.
— Et puis, imagine comme mes amis ont pensé à tout : à l'arrivée, un car ramène tout le monde à Rome, parce que ça serait trop long de remonter le fleuve en péniche.
— Ah oui, en effet... C'est une bonne idée.
Guido lui passe le casque.
— On pourrait y aller avec les autres, Luca, Barbara, Marco et Sara.
— Moi, tant que tu n'invites pas Giulia...
— D'accord.
Il démarre.

141

Le car sort d'Ostie et file vers le pont Matteotti. Il s'arrête sur la petite place.
— Mesdames, messieurs, nous sommes arrivés.
Les clients descendent en remerciant pour l'excellente soirée. En effet, pense Alex, le dîner, la musique, tout était parfait.
— Oups !
Raffaella trébuche sur un pavé, Alex la rattrape.
— Merci... dit-elle avec un sourire langoureux. J'ai failli tomber. Si tu n'avais pas été là...

Elle est pompette, quasi saoule.

— Oui… Il vaut peut-être mieux que je conduise…

— Bien sûr…

Raffaella prend les clés dans son sac. Alex coupe l'alarme, l'aide à monter et démarre.

— Tu habites où?

— Près du bureau, via San Saba.

— Ah, c'est pratique, le matin tu peux dormir plus longtemps, dit-il en se dirigeant tranquillement vers cette direction.

Guido s'arrête en bas de chez Niki.

— Tu as vu? J'ai tenu ma promesse, il n'est pas tard…

— C'est vrai, répond Niki en ôtant son casque. Mais dans le cas contraire, tu sais ce que tu aurais pris?

— Je croyais qu'on voulait avoir une bonne relation, sereine, tranquille… Pas basée sur la terreur!

— Quelle terreur?

— Celle que tu fais régner!

— C'est ça!

Un peu plus haut, dans l'obscurité de la nuit, sur la terrasse de leur appartement, Roberto fume une cigarette.

— Ne fume pas trop, hein! dit Simona en le rejoignant.

— C'est la première de la soirée!

— Tu es sûr? demande-t-elle en s'appuyant au rebord près de lui, une tasse à la main.

— Bien sûr! Je ne vais quand même pas te mentir. Tu bois quoi?

— Une tisane.

— Ça sent bon.

Roberto prend une autre bouffée puis, sans le vouloir, regarde distraitement vers le bas, le coin de la rue.

— Eh, mais c'est Niki, non?

— C'est Niki… mais ce n'est pas Alex!

— C'est ce qu'il semblerait.

Guido glisse son bras dans le casque puis sourit.

— Je plaisante… J'ai passé une excellente soirée.

471

— Oui, c'est vrai, moi aussi. Merci.

— Je t'en prie... dit Guido en l'attirant à lui. Tu veux que je passe te prendre, demain ?

— Non, merci. J'ai des choses à faire dans la journée, je viendrai en scooter.

En réalité, elle ne sait pas bien ce qu'elle a à faire, en tout cas plus rien pour le mariage, mais elle a envie d'être indépendante.

— D'accord, sourit Guido. Comme tu voudras...

Roberto et Simona se regardent. Roberto est visiblement inquiet.

— Ce n'est pas ce que je crois, pas vrai ?

Simona secoue la tête.

— Je ne sais pas quoi te dire.

Au même moment, Guido embrasse Niki. Un baiser léger, rapide, pas trop passionné, mais un baiser quand même. Niki s'écarte.

— Salut. On se voit à la fac.

Elle s'enfuit, et Guido secoue la tête. *Rien à faire. Elle est têtue. Ça ira mieux à Fuerteventura. J'en suis sûr.*

Niki entre dans l'immeuble, mais avant d'arriver à la porte de son bâtiment elle lève la tête. Elle ne sait pas pourquoi elle le fait, une drôle de sensation. Très juste, d'ailleurs. Elle aperçoit Roberto et Simona. *Oh non, ils ont tout vu !*

Roberto regarde Simona d'un air stupéfait.

— Je t'en prie, dis-moi que ce n'est pas vrai, dis-moi que j'ai rêvé, ou plutôt que c'est un cauchemar, que j'ai tout imaginé. Je t'en prie, dis-le-moi !

— Je te mentirais, répond Simona en secouant la tête...

Ils laissent en plan cigarette et tisane et courent vers la porte du salon pour l'attendre.

142

— Voilà, c'est là...

Raffaella indique une porte. Alex gare la Fiat 500 juste devant et coupe le moteur. Il a moins bu qu'elle. Beaucoup moins. Raffaella s'appuie contre le dossier, sort de son sac les clés de chez elle.

— Je peux t'inviter à monter ?

Alex se tait, mille pensées lui traversent l'esprit. Positives, négatives, contradictoires, je-m'en-foutistes, luxurieuses, désireuses, correctes. *Elle travaille avec toi. Tu t'en fiches. C'est elle qui te cherche, Alex. Regarde ses jambes, regarde son corps, elle est sublime, Alex ! Qui dirait non, dis-moi qui dirait non ?* Il sent son parfum léger, regarde ses yeux profonds, et sa jupe, légèrement sur le côté, fait ressortir une partie de sa jambe nue. Encore plus désirable. Raffaella aussi a l'air dans ses pensées.

— Je n'ai pas bu, Alex... dit-elle comme si c'était le problème. Du moins pas assez...

Alex réfléchit à ces mots. *Ou du moins pas assez... Ça veut dire quoi ? Pas assez pour le faire ? Ou bien pas assez pour le faire sans en être consciente ? Et donc, sache que si je décide de le faire, c'est parce que je l'ai décidé, pas parce que je suis ivre. Bref, que veut dire cette phrase ?* Il est comme enivré lui-même par ces mots, à tel point que c'est elle, une fois encore, qui le sauve.

— Allez, monte... J'ai une surprise pour toi.

Encore un silence. Et ce sourire.

— Ensuite, tu t'en vas.

Aucun engagement, donc. Alex sort de la voiture sans rien dire.

143

Dès que Niki franchit la porte, Roberto lui saute dessus.

— Tu aurais pu nous le dire ! Tu aurais pu nous expliquer que c'était ça, la raison pour laquelle tu as tout envoyé balader !

— Papa, qu'est-ce que tu racontes ?

— Tu es avec un autre !

— Moi avec un autre ? Tu n'y es pas du tout.

— Ah non ? Alors c'est pire. Tu n'es pas avec un autre, mais tu l'embrasses ! Alex le sait ? Dis-moi au moins ça, Alex le sait ?

— Écoute, papa, je n'ai pas du tout l'intention de passer un interrogatoire à cette heure-ci, et encore moins de cette façon.

— Ah oui, parce que tu crois que moi je suis un bouffon qui va chez les gens pour leur faire des promesses... Pour dire que ma fille se marie, et au bout de quelques mois à peine je la vois embrasser un autre en bas de chez moi !

— Papaaaa !

Niki hurle comme une folle, comme si elle ne voulait pas entendre, comme si elle ne voulait pas accepter la vérité que son père lui envoie à la figure. Sa vérité. Elle s'enferme dans la salle de bains, mais Roberto tambourine à la porte.

— Je veux savoir, tu as compris ? Ouvre ! Ouvre !

— Non ! Je n'ouvrirai pas !

— J'ai dit ouvre !

— Non !

Simona arrête Roberto et doucement, tout doucement, le ramène vers la terrasse.

— Voilà, assieds-toi ici, sois gentil, calme-toi, comme ça...

— Je ne vais pas me laisser avoir comme ça par cette fillette...

— Roberto, cette fillette est ta fille, et dans un moment comme celui-ci elle a besoin de nous... Tiens, ajoute-t-elle en lui passant une cigarette. Ce soir tu as le droit d'en fumer une autre ! Mais tiens-toi tranquille... Je vais aller lui parler.

— Oui, mais dis-lui...

— Chut... Sois gentil... Je lui dirai ce que j'ai à lui dire. D'accord ? Sois tranquille.

Roberto pousse un long soupir, prend une autre bouffée, il se calme un peu.

Simona frappe à la porte de la salle de bains.

— Niki, ouvre, c'est moi.

Silence.

— Allez, ma chérie, ouvre. Je veux te parler, je suis seule.

Autre silence, puis le bruit de la serrure.

Simona se glisse dans la salle de bains.

144

— Il est très beau, cet appartement.

Raffaella pose sa veste sur le canapé.

— Il te plaît ? Je me suis bien amusée à le décorer. J'ai acheté la plupart des objets à Londres, à Amsterdam... Tous les endroits où j'ai travaillé. Tu veux boire quelque chose ? J'ai un excellent rhum, un John Bally Agricole millésimé. Il est très fort et délicat...

Elle s'y connaît même en alcools forts. Incroyable. C'est vraiment une femme spéciale.

— Je veux bien, merci.

— Avec ou sans glace ? demande Raffaella de la cuisine. Moi je mets deux glaçons, en général.

— Pour moi, un seul...

Resté au salon, Alex regarde la bibliothèque. Quelques livres intéressants. *Voyage au bout de la solitude*, dont a été tiré le film *Into the Wild*, tous les livres de Sophie Kinsella, *Le Mas des alouettes*, *Le Chasseur de cerf-volant*, des monographies de réalisateurs et acteurs, des livres de photos de Walker Evans, Stephen Shore, William Eggleston, Robert Frank. Quelques souvenirs de voyages, et puis des photos, dans des cadres très modernes. Alex en prend une. Raffaella a les cheveux tirés sur le crâne mais lâchés sur les épaules, elle porte une robe longue avec une fente vertigineuse. Sur une autre, elle est assise à un piano blanc, vêtue d'une robe noire, des perles très claires autour du cou. Sur une autre, enfin, elle est en maillot de bain. Elle a un corps incroyable. Et un très joli maillot, ne serait-ce que parce qu'il est minuscule.

— Là j'étais à Saint-Barth, dans les Caraïbes, un endroit magnifique où ils font un rhum délicieux...

Elle lui tend un verre, puis se dirige vers la chaîne et met un CD. Une musique lounge, chaude et sensuelle.

— Ça te plaît ?

— Le rhum ou la musique ?

— Les deux...

— Oui... Le rhum est très bon. Et la musique parfaitement adaptée.

Raffaella s'assied à côté de lui.

— C'est Nick the Nightfly. Je trouve cette musique d'une sensualité incroyable... Il ne faut pas gâcher une musique pareille.

— Que veux-tu dire ? demande Alex en buvant une autre gorgée.

— Tu as vu *Vicky Cristina Barcelona* ?

— Oui.

— Tu te rappelles quand Javier Bardem va à la table des deux filles ?

— De Scarlett Johansson et Rebecca Hall, précise Alex.

— Oui… Et il leur dit : « La vie est belle, il ne faut pas la gâcher, bon vin, musique et faire l'amour… » Voilà, je crois que c'est une grande vérité, Alex… Il ne faut pas la gâcher.

Un silence. Encore plus long, cette fois, du moins c'est ce qu'il semble à Alex.

— J'ai une surprise pour toi… Je peux ?

Alex acquiesce. Raffaella sourit.

— J'arrive tout de suite.

Elle disparaît dans la chambre à coucher.

145

Simona s'assied par terre à côté de Niki, les bras enroulés autour de ses jambes. Elle se met dans la même position de sa fille pour être proche d'elle. Elle pose la tête contre le mur et pousse un long soupir, puis se met à parler.

— Au moment de me marier avec ton père, j'ai eu une soudaine attaque de panique, je me suis enfuie de chez moi deux jours avant, mes parents étaient terrorisés, et lui aussi, évidemment. C'était la peur du mariage, mais moi en réalité je croyais être amoureuse de quelqu'un d'autre…

Niki lève la tête.

— Vraiment, maman ?

— Bien sûr… Tu crois que je suis venue ici, que je me suis assise par terre à côté de toi pour te raconter des bobards ? Je suis allée avec cet homme, il s'appelait Sandro, et juste après j'ai eu comme une impression de dégoût ! Il me plaisait… mais en réalité c'était la peur, l'envie de rester jeune fille, qui m'avaient poussée à faire ce pas… Je n'étais pas vraiment amoureuse de lui, j'avais juste très peur de tout le reste…

Niki soupire et s'essuie le nez avec la manche de son pull.

— Niki !

— Pardon, maman ! dit-elle avant d'éclater de rire. Mais ça correspond trop bien à la situation…

— Oui, répond Simona en souriant. Tu as raison… Maintenant, je ne sais pas ce que tu fabriques, mais rappelle-toi que nous sommes toujours là, et quoi que tu décides, nous te soutiendrons et nous partagerons tes choix…

— Papa aussi?

— Bien sûr, papa aussi. Lui le premier, d'ailleurs… Au début il réagit comme ça, mais ensuite tu le connais. Il t'adore, il veut ton bonheur. Donc, sois tranquille, et va te coucher. Avec le temps, tu comprendras. Bon, c'est sûr, ajoute-t-elle avant de se diriger vers la porte, plus tôt tu comprends, mieux c'est…

— Oui, je sais, maman, sourit Niki.

— D'accord… Bonne nuit.

— Bonne nuit… Ah, maman…

— Oui?

— Ne t'inquiète pas, je ne parlerai jamais de Sandro à papa.

— Va te coucher.

Simona lui sourit. Elle sort de la salle de bains et va retrouver Roberto sur la terrasse.

— Alors? Comment ça s'est passé?

Simona regarde le cendrier.

— Mais tu en as fumé quatre!

— J'étais très tendu.

— Tu vas te faire du mal!

— D'accord, je n'en fumerai plus. Alors, tu me racontes?

— Je crois qu'elle a juste peur. L'autre ne l'intéresse pas…

— Vraiment?

— Oui.

— Comment tu peux en être sûre?

— Je lui ai raconté mon escapade avec Sandro.

— Sérieusement? Mais qu'est-ce qu'elle va penser…

— Cela a permis de la faire parler, elle pouvait tout me raconter, en sachant que moi aussi je m'étais comportée comme ça. Imagine, je lui ai même dit que j'avais couché avec Sandro!

— Carrément!

— Bien sûr… Si moi, sa mère, je me suis comportée comme ça, elle n'aura pas honte de tout me raconter…

— C'est vrai…

— Mais ce n'était qu'un baiser, pas vrai?

— Oui, mon amour, juste un baiser… Il y a vingt-deux ans.

Alex boit une dernière gorgée de rhum. La chanson qui passe est magnifique. « The Look of Love », de Nina Simone. Il l'écoute pendant un moment, puis regarde son verre vide, puis les photos de cette fille splendide, si désirable, si sensuelle, si drôle, si osée, si fascinante. Alors tout lui semble facile et clair, il n'a plus l'ombre d'un doute. Il se lève. Raffaella a terminé de préparer sa surprise.

– Me voici, Alex.

Mais elle a juste le temps d'entendre la porte d'entrée se refermer. Elle se retrouve seule. Dommage. Elle aurait voulu lui montrer ce superbe ensemble bleu de lingerie La Perla qu'elle a acheté exprès pour lui, juste pour lui, pour qu'il lui enlève et qu'il l'aime ; sans questions, sans hypothèques sur le futur, sans se poser de questions. Dommage.

Alex n'a plus de doute parce qu'il a compris quelque chose de très simple. Il appelle un taxi, l'attend dans la rue, le regarde arriver, y monte.

– Faites-moi faire un tour… pour cinquante euros, puis emmenez-moi via Ripetta.

Le taxi démarre.

– Je l'ai déjà entendue, celle-là… C'était dans *Michael Clayton*, pas vrai, monsieur ? J'ai adoré ce film, vraiment génial.

Alex se laisse aller dans le siège. Il n'a envie de parler à personne. Tout est plus clair pour lui, maintenant. Il aime, totalement et sans l'ombre d'un doute, Niki. Et sa vie ne pourra jamais être pleine sans elle. Aucun succès, aucune richesse, propriété ou autre, ne l'empêchera de ressentir un manque sans elle. Il lui manquera toujours quelque chose, parce qu'elle constitue la dernière pièce de tous les puzzles de la vie. Alex regarde par la fenêtre. La nuit. La ville. Les voitures. Les feux. Les magasins fermés. Les gens qui sortent des restaurants. Et le plus beau. *Je n'allais pas l'épouser parce que je suis âgé, pas parce que c'est une fille jolie, qui se comporte bien, honnête, sincère, fidèle, qui ne déçoit pas. J'allais l'épouser parce que, quoi qu'elle fasse, elle est Niki, un point c'est tout. Ceci est la plus grande preuve d'amour, je n'avais pas réussi à comprendre que je pouvais éprouver ça. Oui. Sans l'ombre d'un doute. Niki, un point c'est tout.*

147

Des jours plus tard.

Olly déambule dans son appartement, pieds nus, en parlant au téléphone. Elle est très excitée.

— Oui, c'est une idée fantastique! Fuerteventura, génial! On part quand?

Erica, à l'autre bout du fil, lui donne toutes les indications. Organisatrice hors pair, comme toujours.

— Nous partons le 15 pour deux semaines. J'ai trouvé un *resort* spectaculaire où nous sommes tous hébergés pour pas trop cher. Il faut réserver le vol à la dernière minute, il y a plein d'offres. Nous serons une dizaine! Tout le monde vient...

— Tout le monde, tout le monde?

— Bien sûr, nous les Ondes, Filippo, Guido, deux copines de fac de Niki, et tu peux inviter quelqu'un aussi, si tu veux, il suffit que tu me le dises à temps pour la réservation.

— Très bien. J'y réfléchis et je te tiens au courant!

C'est parfait. Des vacances sur une île comme Fuerteventura, c'est juste ce qu'il me fallait. Oui, je le mérite. Il faut bien se faire un cadeau de temps en temps, non? Puis elle repense à la phrase d'Erica. *Si tu veux, tu peux inviter quelqu'un. Oui. Ça serait bien. J'aurais bien aimé y aller avec Giampi. Mais je l'ai perdu.* Elle s'assied sur le canapé. *Mais non, je vais y aller seule. Comme Niki et Erica. On va bien s'amuser quand même.* Et puis elle sourit. *Je pourrais toujours en parler à Simon. Ça me ferait plaisir qu'il vienne.* Et puis, elle pense à Diletta, qui sera là aussi. *Elle est forte, cette fille. Elle a fait un choix important. Je suis très fière d'elle. Elle fera une maman formidable.* Olly s'allonge et s'étire un peu. *Oui, c'est une bonne période, je dois l'admettre. J'espère juste que Niki va trouver son bonheur, elle aussi.*

Rome. Dans le loft, d'importants préparatifs.

— Mettez ça là, au-dessus… Voilà, comme ça.

Pietro regarde avec satisfaction le technicien qui pose l'enceinte de la chaîne dans la bibliothèque.

— Comme ça, monsieur?

— Oui… Oui, comme ça, c'est bien.

Flavio verse de la vodka dans une carafe.

— J'en ai déjà bu trois, les gars, hein…

Puis il y mélange de l'orange, du pamplemousse, de l'ananas, un peu de citron vert… Et la « bombe » est prête! Pietro la goûte avec une cuillère.

— Mmh… C'est bon! Elles n'auront pas le temps de la boire qu'elles se retrouveront couchées… dans mon lit!

Flavio le regarde méchamment.

— Essaie d'être généreux… Rappelle-toi que la roue tourne.

— Vous avez fini, oui? demande Enrico, assis par terre avec Ingrid. Je me demande quelle idée elle va avoir de vous, ajoute-t-il en regardant sa fille.

— Mais elle ne comprend pas un mot de ce qu'on dit! s'exclame Pietro, stupéfait.

— Tu te trompes! Ils entendent tout, ils sont très sensibles… Pas comme toi!

Pietro continue à donner des indications sur les enceintes de la chaîne.

— Comme d'habitude, c'est ma faute! Mais avec l'âge…

— Qui ça, Enrico? demande Flavio.

Pietro rit, conscient de les provoquer.

— Non, sa fille! Dès qu'elle aura l'âge, je passerai chez elle au volant de la Spider cabriolet que je me serai fait prêter pour l'occasion, et je lui demanderai de sortir avec moi! Je veux voir la tête de son père.

Enrico ne se retourne même pas.

— Une tête très sérieuse… Parce que je ne la laisserai pas sortir!

— Ah, alors tu seras l'un de ces terribles pères autoritaires?

— Non, je serai un père qui sauve sa fille des catastrophes humaines comme toi.

— De toute façon je viendrai quand elle aura dix-huit ans, elle sera peut-être canon, et elle décidera toute seule du programme de sa soirée !

Le technicien se relève de sous un meuble.

— Monsieur, j'ai branché les consoles. Vous voulez essayer ?

— Oui, essayons avec celui-ci, dit-il en lui passant un disque. J'ai acheté une compilation que m'a faite mon libraire préféré.

— Un libraire qui fait des CD ? demande Flavio, étonné.

— Il vend les deux. Et puis, il met des morceaux que tu choisis toi-même, et il te vend la compilation pas cher.

— Ah, il te la vend ! Il ne sait pas qu'il risque la prison ?

— En effet, et moi je suis son avocat, je l'ai sorti d'une grosse galère, alors pour moi c'est gratuit ! Tu lui donnes un titre, et il met les bons morceaux pour la soirée.

— Et toi tu lui as donné quoi, comme titre ?

— *Nuit brûlante.*

— Pas mal ! approuve Flavio, tout ragaillardi.

Au même moment, le technicien appuie sur un bouton et Beyoncé démarre avec « Single Ladies ».

— Plus fort ! Plus fort !

Tout le monde se met à bouger sur ces notes.

— Hey ! Même le bébé danse !

Ingrid bat le rythme avec sa tête. Enrico met les mains à sa bouche, ému.

— Qu'est-ce qui se passe ? demande Alex qui arrive à ce moment-là. Qu'est-ce que vous faites ?

Le technicien baisse le volume. Pietro lui fait signe que c'est parfait.

— Éteignez, éteignez, c'est très bien.

— Alors, vous faites quoi ?

Pietro ouvre un dossier posé sur la table et en sort des photos de superbes filles.

— On fait quoi ? Pour l'instant, rien... mais je ne te dis pas ce qu'on va faire ce soir ! Regarde, elles te plaisent ? Les Espagnoles de ta nouvelle campagne...

— C'est-à-dire ? demande Alex, surpris.

— J'ai parlé avec ton bureau, dont je suis l'avocat, je te rappelle, et avec lequel je traite d'affaires très importantes tous les jours...

— Bien sûr, sourit Alex. Je te rappelle que c'est grâce à moi...

— Bien sûr, répond Pietro en avalant sa salive… Et justement pour ça, pour avancer, pour faciliter ton prochain projet, c'est-à-dire la campagne espagnole… Ta ta ta! Nous allons pouvoir dès ce soir choisir les mannequins, qui sont invitées à une fête, musique, divertissement, champagne…

— En fait, il n'y a que de la vodka, précise Flavio.

— C'est la même chose, ou plutôt c'est encore mieux, elles seront saoules plus vite…

Alex regarde Pietro, puis Flavio, et enfin Enrico.

— Vous allez mener cette vie-là pour toujours, pas vrai? Ça vous plaît, les fêtes, la vodka, la musique, les belles filles…

Les autres se regardent. Pietro, qui est convaincu qu'il n'y a rien de mal à tout ça, acquiesce d'un air satisfait. Alex continue.

— Vous vous en fichez, vous, de construire une vraie relation… Toi, dit-il en indiquant Pietro, tu as rompu avec Susanna, tu as continué à faire comme si de rien n'était, après quelques jours de pseudo-tristesse, tu es reparti à la charge et tu organises des fêtes qui ne veulent rien dire… qui ne servent qu'à remplir le vide que tu as à l'intérieur… Tout n'est que fiction, un jour ça te semblera encore plus énorme… Ou peut-être que je me trompe. Peut-être que tu es vraiment comme ça. Peut-être que tu te sens très bien, dans ce vide… Alors tu t'es bien foutu de nous… Peut-être que même notre amitié ne t'intéresse pas…

— Non, tu ne peux pas dire ça, réagit Pietro. Tu te trompes, je vous l'ai toujours prouvé!

— Oui, bien sûr… ce qui t'intéresse, c'est la relation, du moins celle que tu as avec moi, sinon tu ne pourrais pas inviter les Espagnoles…

— Tu es vraiment perfide…

— Réaliste, plutôt! Et toi, continue Alex en s'adressant à Flavio, tu ne vaux pas mieux, ta femme a décidé que c'était fini et tu ne réagis pas, non, tu t'en contentes… Tu es heureux de la vie que tu mènes? Mais alors, il fallait qu'elle te quitte pour que tu vives comme ça? Tu n'aurais pas pu le faire depuis longtemps? Pourquoi tu t'es marié? C'est ça, la vie qui te plaît? Peut-être que ta femme a déjà rencontré quelqu'un d'autre… Mais ça ne t'intéresse pas. Et toi, ajoute-t-il en indiquant Enrico, tu continues à jouer avec cette petite fille parce que tu n'as pas le courage de sortir d'ici et de recommencer ta vie, ta propre vie!

— Mais je tiens vraiment à Ingrid!

— Bien sûr! Ce n'est pas une réponse, ça! Elle aussi, elle tient à toi, et si elle pouvait c'est elle qui te ferait grandir, elle te ferait comprendre qu'on ne peut pas se cacher, qu'il faut avoir le courage de croire encore à l'amour... Au-delà de celui pour ta fille. L'amour qui existe dans un couple. Construire, ensemble, jour après jour, tomber, se relever, se tromper, pardonner, aimer. Aimer, vous comprenez?

Il sort en claquant la porte.

Tout le monde se regarde, mais le technicien est le seul qui a le courage de parler.

– À mon avis... il a raison. Moi, je suis avec ma femme depuis trente ans... Parfois j'ai envie de la tuer, mais souvent je comprends que je serais très malheureux sans elle... Et c'est plus fréquent que le reste...

Pietro, Flavio et Enrico se regardent. Puis, sans dire un mot, Enrico prend Ingrid dans ses bras, Flavio s'essuie les mains, et ils sortent de l'appartement. Pietro attrape les clés de sa voiture et les suit. Ils courent, chacun dans une direction différente. Chacun avec ses pensées, ses peurs, ses contradictions.

149

La valise est presque prête. Diletta a tout pris. Et même plus.

– Mon amour, tu sais qu'on ne part que dix jours?

– Oui, mais on ne sait jamais. Mieux vaut avoir plusieurs affaires de rechange! Et puis, j'ai acheté de nouveaux vêtements de grossesse, regarde comme ils sont jolis... dit-elle en les posant sur le lit.

– Oui, ça va très bien t'aller... Dis-moi, tu crois qu'on fait bien de partir?

Diletta le regarde avec étonnement.

– Bien sûr, pourquoi?

– Je ne sais pas, tu es enceinte, tu vas te fatiguer...

– Justement, je suis enceinte, pas malade! Et puis, pardon mais... l'air de la mer fera du bien au bébé! De vraies ondes pour une petite Onde en chemin! Ce qu'il y a de mieux. Nous nous baignerons, nous nous promènerons sur la plage, nous danserons. Le bonheur! Et puis, toi aussi, ça va te faire du bien...

Elle glisse encore quelques habits dans la valise. Un T-shirt. Une autre paire de tongs. Un pantalon. Des débardeurs. Un top. Puis elle court à la salle de bains prendre sa trousse de toilette.

– D'ailleurs, les femmes enceintes sont encore plus belles, je l'ai lu dans une revue… Donc je veux me montrer le plus possible !

– Oui, mais n'exagère pas ! dit Filippo en riant. Tu es ma Diletta, avec ta petite Onde dans le ventre.

Il l'embrasse tendrement.

– Allez, on y va, les autres vont nous attendre. Ma valise est déjà dans le coffre. Direction l'aéroport !

Il écarte les bras, mimant un avion, et s'éloigne. Diletta sourit en secouant la tête. *Un enfant. Mais au fond, c'est bien ainsi.* Elle glisse encore quelques affaires dans la valise. *Oui, dans quelques heures, nous serons en vol avec les Ondes et les amis de Niki, en route pour Fuerteventura. Niki. Comme je voudrais que tu sois aussi heureuse que moi en ce moment. Petite Niki perdue. Que vas-tu faire ? Espérons que ces vacances t'aideront.*

150

La circulation est particulièrement dense. Erica tape nerveusement avec son doigt sur la vitre. Puis elle regarde sa mère, au volant.

– Allez, maman, dépêche-toi… On m'attend, à l'aéroport ! Tu sais que je déteste arriver en retard quand j'organise un voyage !

– Je n'ai pas de baguette magique pour faire disparaître les voitures ! Et puis, la prochaine fois, au lieu de perdre trois heures à faire tes bagages, tu iras plus vite et on partira plus tôt, d'accord ?

Erica tourne son visage vers l'extérieur. *De toute façon, elle a toujours raison. Mais je m'en fiche. Cette fois, je ne veux pas me fâcher. Je veux en profiter. Fuerteventura. Un nouveau départ. La mer. La plage. Les boîtes de nuit. Enfin sans pensées. Sans garçon en tête. Rien. Juste moi et mes amies. Et quelques copains de fac de Niki. Oui. Simplicité. Sans problème. Moi et la mer.* Elle observe à nouveau sa mère, et l'embrasse sur la joue. Surprise, la conductrice fait un écart.

– Qu'est-ce que tu fais, Erica ! On va se tuer ! Tu aurais pu prévenir, non ?

– Bien sûr, rit Erica… J'aurais dû te dire Excuse-moi, maman, mais je vais te faire un bisou » ! Prépare-toi, hein ! Tu vois, c'est ça, le problème, aujourd'hui. Personne n'est plus habitué aux gestes d'affection. Toi non plus. Mais nous nous trompons. Un peu comme cette histoire des *free hugs*, tu sais, ceux qui font des câlins aux inconnus dans la rue ? Ils ont même créé une journée mondiale, tous les ans. Je trouve ça magnifique. Les gens se font des câlins, souvent sans se connaître, pour une seule raison… échanger de l'affection. Et comme je ne peux pas te serrer dans mes bras pendant que tu conduis, prends ce baiser et tais-toi !

— Je crois que tu as vraiment besoin de vacances, ma chérie… Tu es un peu stressée !

151

L'aéroport est plein de gens qui marchent dans tous les sens en portant des bagages en tout genre. Des groupes organisés écoutent les instructions de leurs guides. Des gens se disent au revoir avec une embrassade et mille recommandations. D'autres, partant seuls, regardent le tableau des horaires avec angoisse ou ennui, selon les cas. Des annonces en plusieurs langues retentissent régulièrement. Niki, Diletta, Filippo et plusieurs copains de la fac, dont Guido, sont debout près d'un kiosque à journaux. Ils bavardent gaiement, parlent du voyage, plaisantent. Filippo enlace Diletta par-derrière et lui mord une oreille, Erica montre aux autres filles des listes de bars et des itinéraires qu'elle a imprimés sur Internet. Niki fait quelques pas, en silence. Guido la regarde de loin. Elle a été un peu froide, ces derniers temps. Mais c'est normal, après tout ce qu'il s'est passé elle a peut-être besoin de tranquillité. Et puis, une fois sur place, ils auront tout le temps et le loisir d'arranger les choses.

— Elle arrive quand, Olly ? Le check-in ferme bientôt !

— Je ne sais pas, elle est toujours en retard, quand on part.

Soudain, Olly apparaît au milieu de la foule, un sac en bandoulière, elle court en tirant derrière elle une grosse valise à roulettes. Erica l'aperçoit.

— Ah, tant mieux, la voilà !

De loin, Olly sourit en leur faisant signe de la main. Elle les rejoint.

— Salut, les filles ! Me voici !

Tout le monde l'accueille.

— Bon, alors on peut aller au comptoir d'embarquement, dit Erica.

– Non, attends un moment, dit Olly.

– Encore… et pourquoi ?

– Je suis avec quelqu'un, il arrive, il est juste passé aux toilettes…

Erica, Diletta et Niki se regardent.

– Et qui est-ce ? Tu ne nous avais pas dit que tu ne venais pas seule…

– Je sais, mais entre-temps j'ai trouvé de la place dans l'avion, et puis, au *resort*, un de plus ou de moins, ça ne sera pas un drame.

– Non, dit Erica. Mais je t'avais demandé de me prévenir…

– Tu as raison, mais je ne le savais pas encore…

Simon arrive, tirant derrière lui deux valises. Il regarde timidement le groupe.

– Bonjour… Enchanté… Je suis Simon, je travaille avec Olly.

Tout le monde l'observe. Niki, Erica et Diletta sourient. Elles savent très bien qui il est, Olly leur a raconté l'histoire des dessins. Mais elles ne s'attendaient pas à le voir là.

– Oui, voici Simon…

Erica court vers Olly et lui donne un coup de coude.

– Mais alors tu es avec lui ?

Entre-temps, Simon s'est mis à parler avec Filippo, ils font connaissance.

Diletta et Niki s'approchent, elles aussi.

– Mais oui, si, c'est évident ! Si tu emmènes un garçon à Fuerteventura, c'est forcément que tu es avec lui !

– Non, répond Olly à ses trois amies… Nous ne sommes pas ensemble. Je l'ai invité pour le remercier. Vous savez le service qu'il m'a rendu, non… il m'a sauvée, avec Eddy.

Personne ne la croit.

– C'est ça… bien sûr !

– Il te plaît ! C'est tout !

Diletta est encore plus sûre d'elle.

– Il lui plaît, et pas qu'un peu, sinon elle ne l'aurait jamais emmené !

Elles éclatent de rire. Olly essaie de se défendre.

– Vous n'êtes que des vipères !

– Et toi, tu es amoureuse !

Elles se bousculent, plaisantent, et se dirigent vers le check-in.

152

Dans sa voiture, Pietro regarde l'heure et accélère, sûr de lui et de là où il va. Flavio aussi roule à bonne allure, il klaxonne, il rit, il a l'air heureux. Bip bip bip.

— Bougez de là! Allez! Tu attends quoi, pousse-toi, voilà, c'est bien, comme ça. Tu as compris, hein…

Il double l'homme, qui le regarde comme s'il était fou. Enrico aussi conduit, mais pas trop vite, il vérifie que la ceinture du siège bébé est bien mise, et tient quand même Ingrid d'une main. Elle joue à serrer les doigts de son papa. Pietro arrive le premier. Il entre dans la salle de sport, sa salle de sport.

— Susanna?

Elle se tourne vers lui, gênée mais aussi un peu inquiète.

— Que se passe-t-il? Que s'est-il passé? Que… Les enfants?

— Non… Nous.

— Nous? Nous quoi?

— Nous, on ne pourrait pas… Voilà, réessayer. Il me semble absurde que les choses se soient passées de cette manière…

— Ça te semble absurde, hein? Moi, il me semble absurde de ne m'en être rendu compte que maintenant, lui répond Susanna agacée. Tu as toujours eu une vie à toi, où je n'avais rien à faire, une vie à toi faite d'autres, à qui tu racontais je ne sais quelles histoires. Tu sais ce qui m'a le plus blessée? Penser qu'elles avaient des morceaux de ta vie que je n'avais pas, quelque chose que tu disais, que tu faisais, tu pouvais voir un endroit, lire une nouvelle, manger un certain plat, bref, quelque chose que je n'avais pas fait avec toi.

Pietro sourit et la prend par les épaules. Il la maintient fermement devant lui.

— Mais ça, c'est de l'amour!

— C'était. Enlève tes mains, tu vas finir par te prendre un coup…

— Quoi? Qu'est-ce que tu veux dire?

— Je veux dire que je ne ressens plus rien pour toi… Partage ta vie, tes mots, tes moments avec qui tu veux, mais pas avec moi. Pour moi, il n'y avait que toi qui comptais. Maintenant, il y a quelqu'un d'autre. Et je suis optimiste, j'espère que les choses se passeront mieux…

Elle se dirige vers la sortie. Pietro lui court après.

— Non, je n'y crois pas, tu te moques de moi, tu veux me faire souffrir… Je sais que tu n'as personne d'autre…

Au même moment s'arrête devant l'entrée une BMW foncée qui fait des appels de phares.

— C'est lui, il m'attend… Les enfants sont chez ma mère, nous sortons dîner…

— Ah… dit Pietro en regardant dans la voiture, mais sans comprendre de qui il s'agit.

— C'est mon prof de kickboxing.

— Ah…

Pietro comprend que ce n'est pas le moment de faire un esclandre.

— Et puis, je voulais te dire, j'y ai réfléchi, à l'histoire du tableau de Schifano. Tu ne le voulais pas, j'ai insisté. Donc même si on l'a acheté ensemble, c'est moi qui le voulais… Donc… Je le garde.

— Bien sûr. Aucun problème. Si tu y tiens…

Il la regarde s'éloigner, de dos, les épaules hautes, comme pour se donner de l'importance, sûre d'elle. Pietro jette un dernier regard à la BMW, puis s'en va. Susanna le regarde jusqu'à ce qu'il tourne le coin de la rue, puis elle secoue la tête et sourit. Elle baisse les yeux et se dirige vers la voiture de Davide. *Voilà*, pense-t-elle, *une de ces fois où on est sûr et heureux de ses choix. Il est si rare de ne pas avoir de doutes.*

— Salut, excuse-moi.

— Je t'en prie, lui répond Davide en souriant lui aussi.

Il prend son sac de sport et le met sur le siège arrière.

— Tout va bien?

— Oui, tout va bien.

— Où veux-tu aller?

Ça fait longtemps qu'elle ne s'est pas sentie aussi sereine. Elle s'appuie contre le dossier du siège et ferme les yeux.

— Où tu voudras.

153

On sonne à la porte. Deux fois.

— J'arrive! crie Anna.

Enrico fait sautiller Ingrid dans ses bras. Anna ouvre la porte après avoir jeté un œil dans le judas.

— Salut! Quelle bonne surprise, dit-elle en souriant à Enrico, heureuse de le voir. Tu veux que je la prenne ?

— Oui, volontiers.

Anna lui enlève Ingrid des bras et la prend dans les siens.

— Tu dois aller quelque part ?

— Non, j'avais envie de te voir... De vous voir ensemble, même... Vous êtes magnifiques.

Puis Enrico s'approche d'Anna et l'embrasse doucement sur les lèvres.

— Elle nous regarde... Qu'est-ce qu'elle va penser ?

— Elle pensera que son papa est heureux, alors elle aussi.

— Elle a déjà des pensées comme ça ? s'étonne Anna.

— Elle, je ne sais pas. Mais moi je les ai depuis le premier jour...

— Moi aussi.

Enrico l'embrasse à nouveau, puis il lui caresse les cheveux et la regarde tendrement. Ingrid, amusée et curieuse, prend les cheveux d'Anna et se met à jouer avec, elle aussi. Anna et Enrico suivent les gestes de la fillette et se regardent, émus. Puis Ingrid touche aussi les cheveux d'Enrico, alors il secoue la tête.

— Je sais... Quand elle sera grande, elle sera coiffeuse !

Ils éclatent de rire.

154

Cristina ouvre la porte et se retrouve nez à nez avec lui.

— Flavio, que fais-tu ici ?

Elle arrange sa tenue. Flavio s'en aperçoit. Pour la première fois depuis longtemps, il s'en aperçoit. Il décide de le lui dire, parce que parfois il ne suffit pas de penser les choses, il faut aussi les dire.

— Ne t'inquiète pas. Tu es superbe...

Cristina est étonnée, peut-être parce que ça fait longtemps qu'elle n'a pas entendu cette phrase. Dans sa bouche à lui.

Flavio sourit, l'observe, et remarque ce à quoi il ne faisait plus attention depuis longtemps, ses cheveux, leur couleur, leur implantation, les petits plis de ses lèvres, ses yeux et la profondeur de son regard. Soudain, il repense à ce qu'a dit Alex. « Peut-être que ta femme a déjà rencontré quelqu'un d'autre... Mais ça ne t'intéresse pas. »

Flavio baisse les yeux. Cristina est curieuse, elle fronce les sourcils, se demandant ce qui lui a traversé l'esprit. Flavio lève les yeux.

— Cristina, j'ai une question à te poser...

Elle attend sans rien dire. Flavio soupire et se lance.

— Tu ne penses pas qu'on pourrait se retrouver? Cet éloignement m'a fait comprendre beaucoup de choses, et peut-être que nous nous aimerons à nouveau et aurons la possibilité de réussir, ou alors d'échouer une nouvelle fois. Tout fonctionne, les premiers mois... Les difficultés arrivent au bout d'un an ou deux, nous, nous en avons déjà passé tellement ensemble. Je ne te dis pas ça par amour de l'habitude, je ne te le dis pas parce que c'est plus simple pour deux personnes qui se connaissent déjà et qui ont déjà passé certaines choses... Je te le dis parce que c'est toi que je veux, parce que tu es nouvelle chaque jour, même si je ne m'en apercevais plus. Tu l'es depuis des années, ajoute-t-il en souriant. Et cela allait très bien, puis nous nous sommes assis, perdus, endormis... Est-ce que tu veux te réveiller chaque jour avec moi, dans tous les sens du terme?

Cristina ne répond pas. Elle s'approche et l'embrasse.

— J'espérais tellement que tu viennes me dire tout ça.

Flavio l'embrasse, il se met à pleurer, ses larmes salées glissent sur leurs joues, entre leurs lèvres, elles se mélangent à leurs sourires, puis à leurs rires.

— On dirait deux gamins...

— Tout le monde reste toujours gamin.

— Je t'aime, dit Flavio en la serrant dans ses bras. Pardonne-moi...

Cristina se cache dans son baiser puis ferme les yeux, appuyée contre sa joue.

— Pardonne-moi, mon amour...

Elle repense à tout ce qui s'est passé depuis que Flavio est parti de la maison. Flavio, lui, ferme les yeux et se remémore les paroles d'Alex, mais cette fois il sait qu'il n'a plus le droit de poser cette question qu'il a tellement envie de poser, il sait que grandir c'est aussi ne pas avoir besoin de certaines réponses, ne pas chercher la sécurité mais savoir la donner.

— Mon amour... Nous sommes ici. C'est tout ce qui compte.

Cristina le serre encore plus fort, elle sent à nouveau tout leur amour.

155

On sonne à la porte, Simona va ouvrir.

— Alex… dit-elle, surprise.

— Bonjour, dit-il, un peu gêné mais souriant. Je suis content de te voir.

Roberto arrive, le journal à la main.

— Qui est-ce ? C'est pour moi ? J'attends un paquet… Alex, dit-il, bouche bée. Quel plaisir…

Il le dit sérieusement, sincèrement déçu de ce qu'il s'est passé, et aussi un peu gêné par la situation.

— Je t'en prie… Entre ! Tu veux boire quelque chose ?

— Non, non, merci.

— Mais entre, ne reste pas à la porte.

Simona referme derrière lui. Elle croise le regard de son mari et lève les sourcils, l'air de dire « et maintenant que fait-on ? ».

— Eh, salut Alex ! l'accueille Matteo.

— Salut, comment ça va ?

Ils se serrent la main de façon un peu ridicule. Simona et Roberto sourient.

— Tu sais, je suis vraiment désolé pour une chose, reprend Matteo. Je sais, ça vous regarde… Bien sûr… Et je ne voudrais pas me mêler… Mais tu m'avais promis qu'on ferait un tour à cheval, et on ne l'a pas fait…

Alex sourit, amusé par sa naïveté.

— Tu as raison. Je te le promets, quoi qu'il se passe, je t'emmènerai faire un tour à cheval…

Il lui ébouriffe tendrement les cheveux. Matteo le regarde, illuminé par une intuition soudaine.

— Tu as apporté une autre lettre ?

— Non…

Mais Alex n'a pas le temps de répondre.

— Va dans ta chambre, Matteo, dit Simona à son fils.

— Mais ce n'est pas juste, je suis grand maintenant, je peux suivre toute cette histoire !

— Va dans ta chambre, je t'ai dit…

Elle le pousse dans le couloir, jusqu'à ce que Matteo accepte enfin, accélère le pas et claque la porte de sa chambre. Simona secoue la tête et retourne au salon, curieuse, émue, le cœur battant la chamade. *Et maintenant*, se demande-t-elle, *que va-t-il se passer ?* Elle s'assied en face d'Alex et inspire profondément.

– Tu es sûr que tu ne veux rien ? insiste Roberto. Un Coca, un bitter, nous avons peut-être du jus de fruits, aussi.

– Non, non, vraiment rien, dit-il avant de marquer une petite pause, pour reprendre tranquillement. Je suis désolé que les choses se soient passées ainsi, tout a été si… si… chaotique, bref, j'aurais voulu qu'il en soit autrement !

– Et nous, alors ! acquiesce Roberto.

Simona lui donne un coup sur la jambe.

– Ne l'interromps pas !

– Je voulais lui montrer ma solidarité, lui faire comprendre que nous sommes désolés, nous aussi.

– Voilà… dit Alex en souriant. Plus que tout, je souhaite le bonheur de votre fille.

– Nous aussi, intervient à nouveau Roberto.

Simona lui lance un regard noir. Alex n'y prête pas attention, il continue.

– Je suis venu pour lui parler… Je voudrais tirer certaines choses au clair, et je suis sûr que…

Cette fois, c'est Simona qui l'interrompt.

– Alex… J'aimerais beaucoup que tu parles à Niki, mais elle est partie…

156

De grosses vagues s'échouent sur la Playa Blanca, pas loin du Puerto del Rosario. Un vent fort a soufflé toute la journée, balayant le sable avec force. Des mouettes ouvrent leurs ailes et se laissent porter par lui. Elles jouent, téméraires, fuient le groupe pour y revenir ensuite et plonger dans les vagues. Rebelles, parfois affamées, rapaces avec leurs prises, elles arrachent à la mer de petits poissons argentés qu'elles mangent en vol un peu plus loin.

Niki marche seule le long de la plage. Ses cheveux lui tombent sur le visage, lui couvrent les yeux, et elle les enlève avec ses mains comme une petite fille. Imprécise, confuse, elle tente de se dégager les yeux. Elle les remet en arrière avec sa paume en se frottant la peau avec force, avec rage, mais cela ne dure que quelques secondes. Tout ceci ne sert à rien. Le vent les emmêle à nouveau, la rendant encore plus sauvage dans son inutile tentative.

Niki s'arrête sur un rocher. Elle s'assied, regarde la mer au loin, pose ses genoux sur ses coudes. Elle cherche là où finit l'horizon, comme si quelque chose ou quelqu'un, un bateau de pirates, un voilier ou n'importe quoi d'autre pourrait l'aider. Mais ce n'est pas possible. Et il n'y a rien de plus terrible que de sentir, de s'apercevoir qu'une inquiétude de fond nous assaille, nous jette à terre sur le sable, nous bloque les poignets et monte sur notre ventre pour nous maintenir au sol. C'est comme ça que se sent Niki, bloquée dans cette sensation. Soudain, tout lui semble clair, aussi net que la journée qui se termine, que le soleil qui chauffe la plage depuis le matin. Oui. Maintenant, Niki le sait. Elle est malheureuse. Elle sait aussi autre chose. Elle s'est trompée. Il n'y a rien de plus terrible que de s'apercevoir d'avoir fait le mauvais choix, un choix qui ne permet pas de changer d'avis, ou plutôt de revenir en arrière, un choix définitif. Il n'y a rien de pire. *Non*, pense Niki, *le pire, c'est quand cette erreur, ce mauvais choix concerne l'amour*. Soudain elle se sent petite, seule, elle sent son cœur se serrer, elle a envie de crier, de pleurer… Mais elle n'a plus de larmes. Personne ne s'en est rendu compte, mais depuis qu'ils sont arrivés pour les vacances elle n'a cessé de pleurer en cachette, à la maison, dans la salle de bains, pendant ses promenades solitaires, dans son lit. Elle n'a ri qu'une fois. Quand elle s'est souvenue de la première fois où Erica avait quitté Giò, son premier petit ami, et s'était mise avec un autre. C'était au lycée, Erica avait pleuré pendant tout le cours de maths et elle s'était moquée d'elle, elle s'en souvient comme si c'était hier.

« Tu vois, vous voulez toutes un autre, vous sortez avec, et dès que c'est fait vous voulez à nouveau celui avec qui vous étiez avant… Vous êtes toutes les mêmes. Tu sais combien j'en ai entendues, d'histoires comme la tienne ? »

En repensant à ce jour-là, Niki s'est mise à rire. Puis elle a pensé à sa situation, et elle s'est sentie ridicule. Maintenant, elle est comme toutes les autres. Rien qu'à l'idée de dire ça à ses copines, elle est morte de honte, alors à Alex… *Que pourrais-je lui dire, maintenant ? Comment pourrais-je me justifier ?* Elle se sent plus sale que jamais, même si elle n'est pas allée jusqu'au bout. Et tout ceci lui semble absurde. *Que veut dire « jusqu'au bout » ? Que quelque chose entame ou non l'amour ?*

Que quelque chose, si on le fait ou non, signifie qu'on trompe ou non ? Elle sait bien que chaque lien plus fort que la normale, chaque syntonie va au-delà de l'amitié, chaque pensée en plus pour une personne, tout ceci signifie qu'elle s'est éloignée de l'histoire qu'elle vivait. Inutile de le nier. Niki se sent mourir. Grandie, différente, femme, lointaine. Le simple fait d'avoir pensé à un autre, d'avoir imaginé une nouvelle histoire avec lui, une nouvelle possibilité, un nouveau futur, c'est déjà la pire des trahisons. Elle regarde la mer, elle écoute le chant des oiseaux, les paroles du vent. Et soudain, un sentiment désagréable. « Un amour ne durera pour toujours que s'il n'a pas été entièrement consommé. » Elle a entendu quelqu'un dire ça un jour, ou alors c'était dans un film... En tout cas, elle se sent mal. *Où est Alex, à l'heure qu'il est ? Moi je ne veux pas que notre amour dure pour toujours sans l'avoir ici près de moi. Maintenant, ici. Je pense à lui chaque minute et mon obsession ne fait qu'augmenter, au lieu de diminuer. Tu me manques, Alex...*

— Eh, Niki, tu fais quoi ? demande Olly en arrivant derrière elle. On t'a cherchée partout... Tout va bien ?

— Oui, répond Niki en souriant. Tout va bien...

Olly sait pertinemment que ce n'est pas vrai.

— Si tu as envie de parler... Je suis là. Tu le sais.

Pendant un court instant, Niki hésite. Elle sait que ça lui ferait du bien. Mais elle repense à tout ce qu'elle s'était imaginé avant, à ce qu'elle avait dit à Erica... et elle n'a pas envie de se retrouver à sa place, de raconter à Olly son incertitude, son indécision, son changement d'avis, et d'être jugée. Que dirait Olly, si elle lui racontait tout ce qui lui passe par la tête ? Peut-être lui donnerait-elle un conseil, sans la juger, peut-être plaisanterait-elle. Peut-être. Mais à quoi cela servirait-il ? Se sentirait-elle mieux ? Non. Le fait d'en parler avec une seule personne pourrait servir à quelque chose. Avec Alex. Mais il n'est pas là.

— Non, je te remercie... Juste quelques souvenirs un peu stupides. Tout va bien.

— Bien ! Alors allons-y, répond Olly qui n'en croit pas un mot. Il y a le concert du DJ Lovat. Il vient d'arriver et il a déjà commencé à passer des disques, des trucs de folie, fantastiques !

Elles courent sur le sable, main dans la main, à en perdre haleine, jusqu'à la dernière dune.

Sur la grande plage de la baie, plus de deux mille personnes dansent sur cette musique. T.I. featuring Rihanna, « Live Your Life ». Ils bougent en rythme avec leurs paréos colorés, leurs chemises blanches, bleu ciel et bleu foncé, leurs jeans déchirés, leurs bandeaux sur la tête, leurs joints à la bouche, leurs lunettes sur le front ou sur les yeux, ils agitent les mains en dansant dans la lumière orange et bleu du coucher de soleil sur la mer. Les jeunes dansent, dansent, les yeux fermés ils dansent en rêvant, en chantant, en imaginant, en se laissant bercer par ces notes magiques. Certains enlacent leurs petites amies, un costaud aux cheveux bouclés a la sienne sur ses épaules, elle enlève son T-shirt et le fait tourner au-dessus de sa tête et reste comme ça, seins nus, souriante, admirée, désirée, amusée, elle sent qu'elle fait partie de cette musique, avec sa poitrine bronzée et ses cheveux châtain clair qui tombent sur ses épaules comme une douce coulée de miel, jusqu'à son jean déchiré qui dévoile par endroits ses longues jambes.

Olly et Niki se frayent un chemin parmi la foule, tantôt à gauche, tantôt à droite, elles avancent au milieu de cette grande masse qui bouge en rythme comme si elle formait un unique grand danseur. Elles approchent de la scène.

— Les voilà, ils sont là !

Olly indique le groupe, un peu plus loin. Erica, Diletta et Filippo, Simon, Barbara et Luca, Sara et Marco, et enfin Guido. Olly se tourne vers Niki.

— On va les rejoindre ? Sinon, on peut aussi rester ici toutes les deux, hein...

— Tu es bête... Allons-y !

Olly et Niki se remettent en route, le DJ change de disque. Tout le monde danse sur un magnifique morceau des Killers, « Human ». Simon se retourne.

— Les voilà... Elles sont arrivées.

— Enfin ! ajoute Guido. Vous avez raté des morceaux incroyables...

Niki sourit et se met au milieu du groupe. Guido s'approche.

— J'étais inquiet, tu sais... Je suis désolé, pour la dispute de l'autre soir !

— Ce n'était pas une dispute. Nous avons simplement des points de vue différents !

— C'est vrai.

Guido hausse les épaules, l'air de dire : « Rien à faire, elle est irrécupérable ». Il se remet à danser avec les autres. *Voilà*, pense Niki, *il était inquiet, désolé pour cette dispute... Et qu'a-t-il fait ? Il n'est pas venu me chercher, lui, il n'est pas venu voir où j'étais, ce qui s'était passé. Non, c'est Olly qui est venue. Il dit qu'il est désolé, et pour se rattraper il fait quoi ? Il se met à danser… Drôle de façon de tenir à une relation. Peut-être qu'il n'est qu'un enfant gâté, il ne le montre pas, mais s'il n'obtient pas ce qu'il veut, tout le reste passe après… Je ne sais pas s'il est gâté. Mais en tout cas, c'est un gamin. C'était peut-être ça, la vraie raison. Je voulais rester une gamine, voilà pourquoi lui, voilà pourquoi le renoncement au mariage et à tout le reste…*

La musique est vraiment belle, et tout doucement la lumière prend des teintes magiques, la plage tout entière se peint de cet orange doux comme le soleil qui au loin, au bout de la mer, écoute le dernier morceau avant d'aller dormir.

DJ Lovat danse lui aussi, il s'agite en souriant sur la scène, lève les mains et les bouge en tenant le rythme, puis il regarde sous sa console et fait un signe. Il prend le micro, baisse la musique, et c'est comme si l'énergie de cette immense assemblée retombait lentement.

— Excusez-moi, la fête reprendra bientôt, mais j'ai une surprise. On m'a raconté une histoire qui m'a ému. Je ne sais pas si elle vous convaincra, vous aussi. Mais je ne vous demande qu'une chose : laissez-lui une chance.

Il se tait et regarde à nouveau vers les escaliers sous la scène.

— Viens.

Alex monte sur la scène. Quelques sifflements retentissent. Niki, quand elle le reconnaît, se sent mourir. Olly, Diletta et Erica se tournent vers elle. Olly secoue la tête.

— Il est trop canon…

Niki a les larmes aux yeux, elle est très émue. Alex s'approche de Lovat.

— Merci…

Lovat sourit et lui passe le micro. Alex va jusqu'au centre de la scène. Lui aussi est bouleversé. Devant lui, une foule silencieuse, certains ont même l'air un peu énervés.

— Bonsoir… Pour aucune raison au monde je n'aurais voulu interrompre ce concert…

— Bravo, c'est bien, dit un type qui semblait l'attendre au tournant. Alors pourquoi tu ne t'en vas pas, qu'on se remette à danser ?

— Parce que ça pourrait t'arriver à toi, un jour. Ou à toi. Ou aussi à toi… dit Alex en indiquant des gens au hasard. Parce que tu pourrais te réveiller un matin et te dire que tu es en train de gâcher ta vie, t'apercevoir que tu avais quelque chose de magnifique que tu es en train de le perdre... Et que tu ne peux pas. Tu ne peux pas te le permettre. Tu ne peux pas souffrir en silence et vivre une vie vide et inutile. Parce que quand on rencontre la bonne personne, la personne spéciale, unique, la seule, alors on doit tout faire pour la reconquérir. Même monter sur scène au beau milieu d'une DJ-session, interrompre la musique et faire parler son cœur. Il ne vous est jamais arrivé d'être amoureux, de ne penser à rien d'autre qu'à lui ou à elle, de ne désirer rien d'autre que de le ou la voir, passer du temps avec lui ou elle, pouvoir l'avoir? Moi, c'est ce que je vis en ce moment!

Un type hurle, une fille dans ses bras.

— Comme nous!

— Bravo, tu as plus de chance que moi. Voilà. Elle était à moi, j'étais l'homme le plus heureux du monde, et je l'ai laissée s'échapper...

Niki croise le regard de ses amies. Elles ont toutes les larmes aux yeux, personne n'a le courage d'ouvrir la bouche. Niki rit et pleure à la fois, et elles sanglotent toutes avec elle.

— Niki, reprend Alex, toujours sur la scène. Je suis arrivé aujourd'hui, je suis venu jusqu'ici en espérant te trouver... J'espère que tu es ici ce soir et que tu as écouté mes paroles. Mais si ce n'est pas le cas, ne t'inquiète pas, j'essaierai encore, dans toute l'île, jour après jour. Parce qu'une vie ne me suffira pas, je ne me lasserai jamais de te dire combien je t'aime...

— Me voici! Je suis là!

Niki hurle et lève les mains, agite les bras pour qu'il la voie. Alex entend une voix et la cherche dans la foule. Niki avance avec peine dans la cohue.

— Excusez-moi, pardon, pardon, excusez-moi...

Un jeune homme vole à son aide.

— Viens, monte, sinon tu n'y arriveras jamais. Avant que tu ne le rejoignes, il en aura déjà rencontré une autre!

— J'en doute, lui sourit Niki... mais merci quand même.

Le type la prend, la fait monter sur ses épaules, puis sur un surf, et Niki se retrouve au-dessus des gens, et tous les autres surfeurs mettent l'une après l'autre leurs planches au-dessus de leurs têtes, et Niki garde l'équilibre et court sur cette drôle de passerelle, sur cette mer de bras tendus qui la soutiennent. Elle rit, Niki, elle rit en surfant sur cette marée humaine, jusqu'à la scène, jusqu'à lui.

— Salut, Alex.

— Salut. J'ai de la chance...

— Parce que j'étais au concert?

— Non, de t'avoir rencontrée.

Ils s'embrassent devant tout le monde.

— Bravo! Encore! Vive l'amour! Tu es génial! Si elle te quitte à nouveau, appelle-moi!

Tout le monde crie, se serre dans les bras, certains s'étreignent.

Filippo regarde Diletta dans les yeux.

— Je t'aime, mon amour...

— Et moi encore plus.

Diletta et Filippo s'embrassent à leur tour, puis Marco et Sara, et Luca et Barbara.

Guido secoue la tête sans rien dire.

Lovat remet un disque.

— Alors, voici un morceau pour tous ceux qui s'aiment comme eux... Vous êtes beaux, drôles, vous n'avez pas peur de l'amour ni de ses conséquences, vous prenez des risques, vous vous lancez, vous avez la joie de sentir votre cœur battre! Pour vous! « Love is in the Air »...

Tout le monde se met à danser, tous plus déchaînés que jamais, l'émotion de ce moment encore dans les yeux : ne pas avoir peur de l'amour.

— Viens, dit Alex en faisant descendre les marches à Niki.

— On va où?

— On s'en va... J'ai une surprise.

— Une autre?

— Oui, et surtout j'ai envie d'être seul avec toi...

— Moi aussi.

Ils quittent la scène. Alex s'arrête juste après la dune.

— Voilà, c'est celle-là.

— Je n'y crois pas.

Niki, stupéfaite, regarde la splendide Harley-Davidson.

— Et qui l'a conduite?

— Moi...

— Jusqu'ici?

— Bien sûr, dit Alex en mettant un casque, avant d'en passer un à Niki. On peut vaincre certaines peurs... Niki!

— Je sais... répond-elle en baissant les yeux, gênée.

Il lui relève le menton et sourit.

— Par amour, et pour toi... On peut vaincre n'importe quoi, et si tu n'y arrives pas, eh bien j'attendrai que tu sois prête.

— Je t'aime.

— Moi aussi, tellement... assez pour... t'épouser.

Ils éclatent de rire et s'en vont ainsi, enlacés, le long de la Playa Blanca, vers le Puerto del Desiderio, la moto tressaillant un peu sur le sable. Mais ils n'ont pas peur. De rien.

157

À peine deux mois plus tard.

La beauté de cette île sous un soleil magnifique. Beaucoup d'excitation dans l'air.

— Les filles, c'est génial! dit Diletta en se tournant vers Erica. Et nous, on est trop belles, habillées comme ça!

— Oui! disent-elles en avançant vers l'église.

— Je ne savais pas que l'île du Giglio était aussi belle... dit Filippo en soutenant Diletta par un bras.

— Et moi je ne pensais pas qu'on arriverait à ce jour! Vous vous rendez compte? dit Erica en essayant de ne pas trop salir ses sandales blanches aux talons de dix centimètres.

— Moi, si... Je ne pouvais pas croire que ça finirait autrement... Certaines histoires sont faites pour durer, ça se comprend... C'est une énergie qu'on ne contrôle pas, plus forte que tous les doutes... dit Diletta avant de sourire à Filippo, qui la serre plus fort contre lui.

— C'est l'amour! dit Erica. Sans calculs, sans hypothèses ni prévisions, capable d'étonner et de redistribuer les cartes en permanence!

La montée l'essouffle.

— Il faut que je me remette au sport, moi! dit-elle en riant.

Un peu plus loin. Olly regarde autour d'elle. *Cette île est magnifique. Je suis heureuse d'être ici.* Elle respire profondément pour sentir l'odeur du sel dans l'air, mélangée au parfum du maquis méditerranéen. Le soleil resplendit, le ciel est d'un bleu intense. Une mouette joue à garder l'équilibre au milieu du vent, et à l'horizon deux bateaux à voiles assez proches tracent une ligne parfaite.

Erica et les autres sont un peu devant, ils marchent avec le reste des invités. Simon rejoint Olly.

— C'est beau… Tes amis ont eu une idée fantastique de se marier ici.

— Oui, Niki et Alex sont spéciaux… J'aurais été vraiment déçue qu'ils ne se retrouvent pas. Ils font partie des couples parfaits qui se sortent de toutes les difficultés… C'est ça, l'amour, non ?

Olly admire le panorama. Simon acquiesce.

— Et puis, je suis content… tu te rends compte que dans une semaine nous allons travailler ensemble ? Enfin ! Nous nous verrons tous les jours. Tu l'as dit à tes amies ?

— Non, pas encore… Elles sont toutes tellement prises par ce mariage… je leur dirai après. Je ferai une petite fête, à notre retour.

— Comme ça, on pourra annoncer deux choses… que tu as été embauchée par la boîte…

— Oui… et l'autre ? Tu as dit deux.

Simon baisse la tête et sourit.

— Ben… Que toi et moi nous sommes ensemble, non ?

Sans attendre de réponse, il prend enfin son courage à deux mains et lui donne un baiser. Long. Doux. Profond. Olly se laisse aller, ravie qu'il ait enfin osé se lancer. Quand Erica, Diletta et les autres se retournent pour voir où ils sont, ils assistent à ce baiser et sourient.

— Vous avez enfin compris, hein…

— Mais c'est vous qui vous mariez, ou bien Niki et Alex ?

— Allez, avancez ! Toujours à faire des trucs !

Olly et Simon les rejoignent et rient à leurs blagues, ils se tiennent par la main, heureux de cet amour et de ce beau groupe d'amis.

Ils arrivent enfin au phare. Le petit groupe s'installe sur les bancs du côté de la mariée. Filippo aide Diletta à arranger sa robe puis il lui caresse le ventre, désormais évident et bien rond. Erica et Olly s'assoient à côté d'elle. Et maintenant, l'attente. La plus belle. L'atmosphère est merveilleuse, grâce à tout ce blanc, mélangé au bleu du ciel et aux couleurs des fleurs de l'île. Erica observe des couples de différents âges. Puis les parents de Niki. Et ceux d'Alex. Ils sont ensemble depuis longtemps. Depuis des années. Ils s'aiment. Oui. C'est ça, l'amour. Ça se respire dans l'air. Le vrai amour, simple. L'amour quotidien. L'amour que moi aussi je trouverai un jour. Elle reste là, assise, sans compagnon mais enfin consciente.

158

La moto avance le long des collines, dans la végétation verdoyante, sous le soleil de cette chaude journée. Le parfum des pins, des bois, de la mer embaume l'air et on pourrait presque entendre le battement de leurs cœurs. Émotions en liberté sur cette moto qui file, Niki derrière Alex, serrée contre lui, heureuse… Les yeux fermés, la tête appuyée contre son dos. Ils sont tous deux vêtus de blanc.

Les invités attendent sur les rochers les plus hauts de l'île, sur ce pan de terre qui surplombe la mer. Les parents de l'un et l'autre, la famille, les amis, et quiconque a envie d'être présent ce jour-là sur l'île Bleue. L'île des Amoureux. Le Giglio.

Sous le phare, cachés par le bois, un autel et un prêtre. Il sourit en saluant les derniers à prendre place.

— Les voici! Les voici! Ils arrivent.

Roberto et Simona, Luigi et Silvia et tous les autres, vêtus de blanc comme les futurs époux l'ont souhaité, se tournent. Alex et Niki descendent de la moto en souriant. Ils avancent main dans la main entre les bancs de cette église si naturelle. Ils marchent jusqu'à l'autel, le soleil dans les yeux et dans le cœur. Niki pousse un long soupir, très long, puis regarde Alex, et en un instant elle revoit chaque minute de leur histoire, de la première rencontre à la première sortie, du premier baiser à la première fois où ils ont fait l'amour. Elle a du mal à écouter le prêtre qui continue à parler, l'homélie, les invités qui s'asseyent et se relèvent en scandant la messe. *Je suis amoureuse. Je suis heureuse, je n'ai plus peur, c'est mon mariage, chaque chose a été choisie par moi et chaque moment de ma vie sera choisi par moi et par mon mari, pour nous et pour nos enfants.* C'est comme une prière, et elle comprend combien la vie peut être courte et combien il est absurde de n'avoir pas le courage d'être heureux. Elle regarde autour d'elle et pleure de joie intérieurement, elle voit tout ce qu'elle aime, qu'elle a toujours aimé et qu'elle voudrait aimer toujours. Mais Niki sait qu'un jour ça ne sera peut-être plus possible. C'est pour cette raison qu'il faut l'apprécier, le vivre, le respirer, maintenant. Parce que quand le bonheur frappe à la porte, il ne faut pas le repousser. Parce qu'il n'y a pas de demain si on ne vit pas aujourd'hui. Et parce que la joie ne peut pas se reporter. Si un jour tout ceci change, je serai heureuse de l'avoir vécu jusqu'au bout, de ne pas l'avoir délégué aux autres, d'en avoir profité le plus possible. Et ça ne sera pas moi qui dirai stop et m'enfuirai. Jamais.

Puis une voix.

– Niki?

– Hein?

Alex lui sourit.

– Moi j'ai déjà répondu à la question. J'ai dit oui. C'est ton tour, maintenant. Et il y a deux solutions. Soit tu dis oui...

Il lève un sourcil, un peu inquiet.

– ... soit tu dis non.

Le prêtre l'observe, curieux. Niki regarde derrière elle. Simona, Roberto, les parents d'Alex, la famille, les Ondes, ses autres amis. Tout le monde attend sa réponse avec curiosité et appréhension. Niki soupire et regarde à nouveau droit devant elle. Cette fois, elle n'a aucun doute. Elle sourit. Elle est belle, comme toujours, plus que toujours.

– Oui, mon amour. Je veux t'épouser... Je veux t'épouser pour toute la vie.

Remerciements

Merci à Stefano, « el pazo », qui m'a donné un excellent conseil, et pour cette journée où il m'a tenu compagnie sur cette plage pleine d'ondes.

Merci à Michele pour sa patience et sa tranquillité. Il m'a accompagné au phare avec Federica puis... il l'a épousée !

Merci à Matteo. Enfin, pour de vrai : il est à New York ! Il m'a fait découvrir plein d'endroits, il m'a offert un déjeuner dans un endroit fantastique et une magnifique soirée de jazz.

Merci à Giulio qui est venu me voir sur le plateau et qui s'est même amusé. Et moi avec lui.

Merci à Paolo. Son enthousiasme au Mexique m'a beaucoup frappé.

Merci à Roberta, Paola, Stefano, Andrea et Caterina. Et aussi à Maria. Ils ont été vraiment forts, rapides, incroyables. Je dirais même « déstabilisants », même s'ils voulaient me corriger ce dernier mot !

Merci à Annamaria, à tout le service de presse et à Federica qui, avec beaucoup de patience... me poursuit, plutôt qu'elle ne me suit.

Merci à Rosella qui m'emporte avec son incroyable enthousiasme !

Merci à Ked pour ses notes toujours attentives et gaies. Et aussi pour tout le reste !

Merci à Francesca qui me suit de loin mais toujours avec la même attention, même depuis qu'elle a un nouveau scooter !

Merci à Chiara et Luca, excellents compagnons de ce nouveau voyage dans la tranquillité de Torre in Pietra.

Merci à Loreta et Romano qui m'ont fait un très beau cadeau.

Merci à Giulia pour notre très beau voyage à New York. Une grande partie de ce qui se passe dans ce livre, mais surtout dans ma vie, je le lui dois.

Merci à tante Annamaria qui lève toujours plein de doutes et à oncle Pietro qui me manque, tout simplement.

Merci à Vale et Fabi qui se sont mariées les premières !

Et enfin, un merci plein d'amour à Luce et à mon ami Giuseppe. Je n'aurais jamais su raconter un mariage aussi beau.

Photocomposition Asiatype

Impression réalisée par

La Flèche

pour le compte des Éditions Calmann-Lévy
31, rue de Fleurus, 75006 Paris
en mai 2010

N° d'éditeur : 14925/01
N° d'impression : 58020
Dépôt légal : juin 2010
Imprimé en France